개념 해결의 법칙

이 책은 기초 실력을 다지고 교과서 수준을 마스터하려는 학생들에게 적합한 교재입니다.
수학을 처음으로 시작하는 학생이나 수학에 기초가 닦여 있지 않은 학생은
나도 수학을 잘 할 수 있다! 는 자신감을 가지고 다음과 같은 방법으로 학습하기를 바랍니다.

첫째, 쉬운 문제부터 풀어나가자.
어려운 문제와 씨름하는 것이 수학을 잘하는 길은 아닙니다.

둘째, 기본 원리를 확실하게 익히자.
무작정 문제만 많이 푼다고 해서 실력이 느는 것은 아닙니다.

셋째, 반복 연습을 통해 개념을 익히자.
문제 풀이에 대한 연습 없이는 수학을 정복할 수 없습니다.

수학은 투자하는 시간에 비례해서 실력이 향상된다.

수학은 단계적인 학문이기 때문에 빠른 시간 안에 성적을 끌어올리기는 쉽지 않습니다.
비록 거북이 걸음이라 할지라도 꾸준하게 노력하는 사람만이 수학에서 승리할 수 있습니다.
개념 해결의 법칙은 쉽고 빠르게 기본 실력을 다지는데 그 목표를 두었습니다.
이 책을 사용하는 학생 모두가 수학에 자신감을 갖게 되기를 바랍니다.

구성과 특징
Structure

개념 정리

충분한 설명과 예로 개념을 이해, 적용할 수 있도록 하였습니다.

또한 **해결의 법칙** 을 통해 중요 내용은 다시 한번 정리하였습니다.

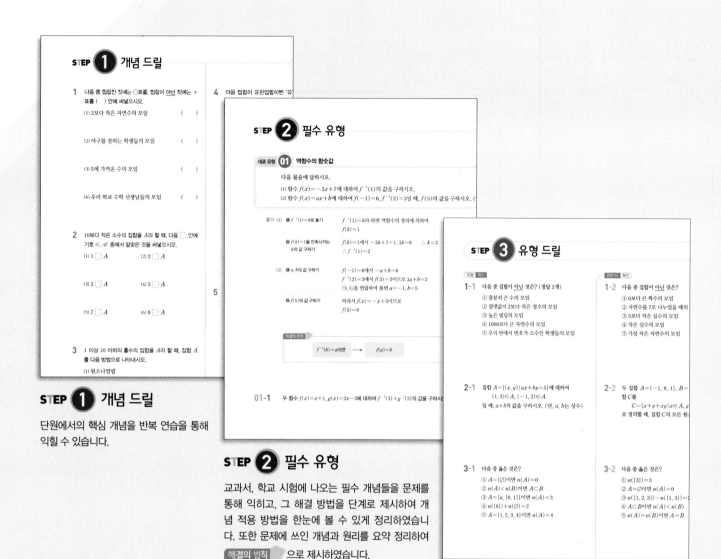

STEP ① 개념 드릴

단원에서의 핵심 개념을 반복 연습을 통해 익힐 수 있습니다.

STEP ② 필수 유형

교과서, 학교 시험에 나오는 필수 개념들을 문제를 통해 익히고, 그 해결 방법을 단계로 제시하여 개념 적용 방법을 한눈에 볼 수 있게 정리하였습니다. 또한 문제에 쓰인 개념과 원리를 요약 정리하여 해결의 법칙 으로 제시하였습니다.

STEP ③ 유형 드릴

필수 유형에서 학습한 개념과 유사한 문제들로 구성하였습니다. '한번 더 확인'을 통해 비슷한 유형의 문제를 다시 풀어 보면서 개념을 한번 더 다질 수 있습니다.

정답과 해설

자세하고 친절한 해설!

해결 전략 문제를 접근할 수 있는 실마리를 제공하였습니다.

다른 풀이 일반적인 풀이 방법도 중요하지만 다른 원리나 개념으로도 풀 수 있음을 제시하였습니다.

LECTURE 풀이를 이해하는 데 도움이 되는 내용, 풀이 과정에서 범할 수 있는 실수들, 주의할 내용들을 짚어줍니다.

이 책의 차례
Contents

I 집합과 명제

1 | 집합

1 집합의 뜻과 표현   008
2 집합 사이의 포함 관계   016

2 | 집합의 연산

1 집합의 연산   030
2 집합의 연산법칙   041

3 | 명제

1 명제와 조건   054
2 명제 사이의 관계   066
3 절대부등식   076

Ⅱ 함수

4 | 함수

1 함수   092
2 여러 가지 함수   101

5 | 합성함수와 역함수

1 합성함수   112
2 역함수   119

6 | 유리함수

1 유리식   136
2 유리함수   145

7 | 무리함수

1 무리식   160
2 무리함수   165

Ⅲ 경우의 수

8 | 경우의 수

1 경우의 수   180
2 순열   189
3 조합   199

1 집합

1 집합의 뜻과 표현

개념 01 집합과 원소

집합 $\longrightarrow$ 어떤 조건에 의하여 그 대상을 분명하게 정할 수 있는 것들의 모임

a가 집합 A의 원소일 때 ➡ $a \in A$

b가 집합 A의 원소가 아닐 때 ➡ $b \notin A$

개념 02 집합의 표현

원소나열법 ➡ {모든 원소}

조건제시법 ➡ $\{x \mid x$의 조건$\}$

벤다이어그램 ➡ 집합을 나타내는 그림

개념 03 집합의 분류

유한집합 A의 원소의 개수 $\longrightarrow$ $n(A)$

2 집합 사이의 포함 관계

개념 01 부분집합

집합과 원소 사이의 관계 ➡ $\in$, $\notin$ $\longrightarrow$ (원소)$\in A$

집합과 집합 사이의 관계 ➡ $\subset$, $\not\subset$ $\longrightarrow$ (부분집합)$\subset A$

개념 02 서로 같은 집합과 진부분집합

$A \subset B$이고 $B \subset A$인 경우 $\longrightarrow$ $A = B$

$A \subset B$이고 $A \neq B$인 경우 $\longrightarrow$ A는 B의 진부분집합

개념 03 부분집합의 개수

원소의 개수 n
- 부분집합의 개수 ➡ 2^n
- 진부분집합의 개수 ➡ $2^n - 1$

개념 04 특정한 원소를 갖는(갖지 않는) 부분집합의 개수

원소의 개수 n
- 특정한 원소 k개를 원소로 갖는(갖지 않는) 부분집합의 개수 ➡ 2^{n-k}
- 특정한 원소 k개는 원소로 갖고, m개는 원소로 갖지 않는 부분집합의 개수 ➡ 2^{n-k-m}

1

집합의 뜻과 표현

개념 01 집합과 원소

1 집합과 원소

(1) **집합**: 어떤 조건에 의하여 그 대상을 분명하게 정할 수 있는 것들의 모임

(2) **원소**: 집합을 이루는 대상 하나하나

2 집합과 원소 사이의 관계

(1) a가 집합 A의 원소일 때, '**a는 집합 A에 속한다**'고 하고, 이것을 기호로 $a \in A$와 같이 나타낸다.

(2) b가 집합 A의 원소가 아닐 때, '**b는 집합 A에 속하지 않는다**'고 하고, 이것을 기호로 $b \notin A$와 같이 나타낸다.

> **참고** ❶ 일반적으로 집합은 알파벳의 대문자 A, B, C, …로 나타내고, 원소는 소문자 a, b, c, …로 나타낸다.
> ❷ 기호 $\in$는 원소를 뜻하는 영어 'Element'의 첫 글자 E를 기호화한 것이다.

예

1 (1) 우리 반에서 키가 큰 학생들의 모임

➡ '키가 큰' 기준은 사람에 따라 달라지므로 그 대상을 분명하게 정할 수 없다.

➡ 집합이 아니다.

(2) 우리 반에서 키가 160 cm 이상인 학생들의 모임

➡ 조건에 해당하는 대상을 분명하게 정할 수 있다.

➡ 집합이다.

2 3 이하의 자연수의 집합을 A라 하면

집합 A의 원소는 1, 2, 3이므로 ➡ $1 \in A$, $2 \in A$, $3 \in A$

한편, 0은 집합 A의 원소가 아니므로 ➡ $0 \notin A$

해결의 법칙

| 집합 | ⟶ | 어떤 조건에 의하여 그 대상을 분명하게 정할 수 있는 것들의 모임 |

a가 집합 A의 **원소일 때** ➡ $a \in A$

b가 집합 A의 **원소가 아닐 때** ➡ $b \notin A$

| 정답과 해설 2쪽 |

개념 확인 1 다음 중 집합인 것에는 ○표를, 집합이 아닌 것에는 ×표를 ( ) 안에 써넣으시오.

(1) 맛있는 과일들의 모임 ( ) (2) 혈액형이 A형인 사람들의 모임 ( )

(3) 등산을 자주 가는 사람들의 모임 ( ) (4) 다리가 2개인 동물들의 모임 ( )

개념 확인 2 1 이상 6 이하의 짝수의 집합을 A라 할 때, 다음 ☐ 안에 기호 $\in$, $\notin$ 중에서 알맞은 것을 써넣으시오.

(1) -2 ☐ A (2) 1 ☐ A (3) 6 ☐ A (4) 8 ☐ A

(1) **원소나열법**

집합에 속하는 모든 원소를 {　　} 안에 나열하여 집합을 나타내는 방법

(2) **조건제시법**

집합에 속하는 원소들이 갖는 공통된 성질을 {　　} 안에 조건으로 제시하여 집합을 나타내는 방법

　　　　　　　　　　　　　　　　　　　　　　　　　　　　→ {x | x의 조건} 꼴로 나타내는 방법

(3) **벤다이어그램**

집합을 나타내는 그림

예

5 이하의 자연수의 집합을 A라 할 때, A를 나타내는 방법은 다음과 같다.

(1) 원소나열법 ➡ $A = \{\underline{1, 2, 3, 4, 5}\}$

　　　　　　　　　　└── 모든 원소

　　　　　　　　　　원소를 대표하는 문자

(2) 조건제시법 ➡ $A = \{x \mid x$는 5 이하의 자연수$\}$

　　　　　　　　　　　　　　　└── 원소의 공통된 성질

　　┌──────────────┐
　　│ 어떤 문자를 써도 관계없지만 │
　　│ 같은 문자여야 해. │
　　└──────────────┘

(3) 벤다이어그램 ➡ A ← 집합을 나타내는 기호

　　　　　　　　　　　　1　　2　　3

　　　　　　　　　　　　　4　　5 ── 집합의 원소

설명

(1) 집합을 원소나열법으로 나타낼 때, 다음에 유의한다.

❶ 원소를 나열하는 순서는 상관없다.

예 {1, 2, 3}이나 {2, 1, 3}은 같은 집합이다.

❷ 같은 원소는 중복하여 쓰지 않는다.

예 {1, 1, 3}, {1, 3, 3}은 {1, 3}으로 나타낸다.

❸ 원소의 개수가 많고, 원소 사이에 일정한 규칙이 있으면 그 원소 중 일부를 생략하고 '…'을 사용하여 나타낸다.

예 100 이하의 자연수의 집합을 A라 하면 $A = \{1, 2, 3, 4, \cdots, 100\}$으로 나타낼 수 있다.

(2) 조건제시법을 사용하면 원소의 개수가 많은 경우에도 집합을 명확하게 표현할 수 있다.

예 $\{1, 2, 3, 4, \cdots, 100\}$ ➡ $\{x \mid x$는 100 이하의 자연수$\}$

해결의 법칙

원소나열법 ➡ {모든 원소}   조건제시법 ➡ {$x \mid x$의 조건}

| 정답과 해설 2쪽 |

개념 확인 3 두 집합 A, B를 다음 방법으로 나타내시오.

(1) 4보다 크고 10보다 작은 자연수의 집합 A

① 원소나열법

② 조건제시법

③ 벤다이어그램

(2) 6의 양의 약수의 집합 B

① 원소나열법

② 조건제시법

③ 벤다이어그램

1 유한집합과 무한집합

(1) **유한집합**: 원소가 유한개인 집합 ← 모든 원소의 개수를 셀 수 있다.

(2) **무한집합**: 원소가 무수히 많은 집합 ← 모든 원소의 개수를 셀 수 없다.

2 공집합

원소가 하나도 없는 집합을 **공집합**이라 하고, 이것을 기호로 $\varnothing$과 같이 나타낸다.

주의 공집합은 원소의 개수가 0이므로 유한집합임에 주의한다.

3 유한집합의 원소의 개수

집합 A가 유한집합일 때, 집합 A의 원소의 개수를 기호로 $n(A)$와 같이 나타낸다.

특히, $n(\varnothing)=0$이다.

참고 $n(A)$에서 n은 'number(개수)'의 첫 글자를 쓴 것이다.

예

1 (1) $\{x \mid x$는 $0 \leq x \leq 8$인 홀수$\}$ ➡ $\{1, 3, 5, 7\}$ ➡ 원소의 개수가 4인 유한집합

(2) $\{x \mid x$는 자연수$\}$ ➡ $\{1, 2, 3, 4, \cdots\}$ ➡ 원소의 개수가 무수히 많으므로 무한집합

2 $\{x \mid x$는 1보다 작은 자연수$\}$ ➡ 1보다 작은 자연수는 없으므로 공집합이고 유한집합

3 집합 $A=\{1, 3, 5, 7, 9\}$의 원소의 개수는 5이므로 ➡ $n(A)=5$

참고 **여러 가지 집합의 원소의 개수**

❶ $\varnothing$: 공집합 ➡ $n(\varnothing)=0$

❷ $\{\varnothing\}$: 원소가 $\varnothing$인 집합 ➡ $n(\{\varnothing\})=1$

❸ $\{0, \{0\}\}$: 원소가 0, $\{0\}$인 집합 ➡ $n(\{0, \{0\}\})=2$

❹ $\{\varnothing, \{0, \varnothing\}\}$: 원소가 $\varnothing$, $\{0, \varnothing\}$인 집합 ➡ $n(\{\varnothing, \{0, \varnothing\}\})=2$

집합 기호 안의 $\varnothing$은 하나의 원소일 뿐이야.

해결의 법칙

유한집합 A의 원소의 개수 ⟶ $n(A)$

| 정답과 해설 2쪽 |

개념 확인 **4** 보기의 집합에 대하여 다음을 있는 대로 고르시오.

┤ 보기 ├

$$A=\{2, 4, 6, 8, \cdots\}, \; B=\{1, 2, 3, 6\}, \; C=\{x \mid x$는 0보다 크고 2보다 작은 짝수$\}$$

(1) 유한집합   (2) 무한집합   (3) 공집합

개념 확인 **5** 다음 집합 A에 대하여 $n(A)$를 구하시오.

(1) $A=\{1, 2, 4, 8, 16, 32\}$ (2) $A=\{x \mid x$는 $1 \leq x \leq 10$인 2의 배수$\}$

(3) $A=\{x \mid (x-2)(x-3)=0\}$

1 다음 중 집합인 것에는 ○표를, 집합이 <u>아닌</u> 것에는 ×표를 ( ) 안에 써넣으시오.

(1) 2보다 작은 자연수의 모임 ( )

(2) 야구를 잘하는 학생들의 모임 ( )

(3) 5에 가까운 수의 모임 ( )

(4) 우리 학교 수학 선생님들의 모임 ( )

2 10보다 작은 소수의 집합을 A라 할 때, 다음 □ 안에 기호 $\in$, $\notin$ 중에서 알맞은 것을 써넣으시오.

(1) 1 □ A (2) 2 □ A

(3) 3 □ A (4) 5 □ A

(5) 7 □ A (6) 9 □ A

3 1 이상 10 이하의 홀수의 집합을 A라 할 때, 집합 A를 다음 방법으로 나타내시오.

(1) 원소나열법

(2) 조건제시법

(3) 벤다이어그램

4 다음 집합이 유한집합이면 '유', 무한집합이면 '무'를 ( ) 안에 써넣고, 공집합이면 '공'을 함께 써넣으시오.

(1) $\{x \,|\, x$는 5의 양의 배수$\}$ ( )

(2) $\{x \,|\, 1 < x < 3, x$는 홀수$\}$ ( )

(3) $\{x \,|\, x$는 가장 작은 자연수$\}$ ( )

(4) $\{x \,|\, x^2 = 2, x$는 정수$\}$ ( )

5 다음 집합 A에 대하여 $n(A)$를 구하시오.

(1) $A = \{\varnothing, 0\}$

(2) $A = \{x \,|\, x$는 20 이하의 3의 양의 배수$\}$

(3) $A = \{x \,|\, x$는 한 자리의 자연수$\}$

(4) $A = \{x \,|\, x$는 $|x| < 3$인 정수$\}$

대표 유형 **01** 집합과 원소

다음 물음에 답하시오.

(1) 다음 **보기** 중 집합인 것만을 있는 대로 고르시오.

┤ 보기 ├
ㄱ. 작은 정수의 모임   ㄴ. 10에 가까운 자연수의 모임
ㄷ. 제곱하여 -1이 되는 실수의 모임   ㄹ. 우리나라 광역시의 모임

(2) 유리수 전체의 집합을 Q라 할 때, 다음 □ 안에 기호 $\in$, $\notin$ 중에서 알맞은 것을 써넣으시오.

① $\sqrt{2}$ □ Q ② $\dfrac{1}{7}$ □ Q ③ π □ Q ④ 0.2 □ Q

풀이

(1) ㄱ, ㄴ. '작은', '가까운'은 기준이 명확하지 않아 그 대상을 분명하게 정할 수 없으므로 집합이 아니다.

　　ㄷ. $x^2 = -1$을 만족시키는 x의 값은 $x = \pm i$이지만 $\pm i$는 실수가 아니므로 공집합이다.

　　ㄹ. {부산, 대구, 인천, 광주, 대전, 울산}

> 원소가 하나도 없다고 집합이
> 아니라고 착각하면 안 돼.

　　따라서 집합인 것은 ㄷ, ㄹ이다.

(2) $\sqrt{2}$, π는 유리수가 아니므로 ① $\sqrt{2} \notin Q$ ③ $\pi \notin Q$

　　$\dfrac{1}{7}$, 0.2는 유리수이므로 ② $\dfrac{1}{7} \in Q$ ④ $0.2 \in Q$

답 (1) ㄷ, ㄹ (2) ① $\notin$ ② $\in$ ③ $\notin$ ④ $\in$

해결의 법칙

집합 ⟶ 어떤 조건에 의하여 그 대상을 분명하게 정할 수 있는 것들의 모임

a가 집합 A의 원소일 때 ➡ $a \in A$

b가 집합 A의 원소가 아닐 때 ➡ $b \notin A$

| 정답과 해설 2쪽 |

01-1 다음 중 집합이 아닌 것은?

① 3보다 큰 실수의 모임   ② 우리나라 고등학교 1학년 학생의 모임
③ 짝수인 소수의 모임   ④ 무리수의 모임
⑤ 재미있는 소설책의 모임

01-2 집합 $A = \{1, 2, \{2, 3\}, 4\}$에 대하여 다음 중 옳은 것은?

① $2 \notin A$ ② $3 \in A$ ③ $4 \notin A$
④ $\{1, 2\} \in A$ ⑤ $\{2, 3\} \in A$

대표 유형 02 집합의 표현 개념 02

다음 집합에서 원소나열법으로 나타낸 것은 조건제시법으로, 조건제시법으로 나타낸 것은 원소나열법으로 나타내시오.

(1) $A = \{4, 8, 12, 16, \cdots\}$ (2) $B = \{1, 3, 5, 9, 15, 45\}$

(3) $C = \{x \mid x$는 두 자리의 자연수$\}$ (4) $D = \{x \mid x^2 - x - 12 = 0\}$

풀이 (1) 4, 8, 12, 16, …은 모두 4의 양의 배수이므로

$A = \{x \mid x$는 4의 양의 배수$\}$

(2) 1, 3, 5, 9, 15, 45는 모두 45의 양의 약수이므로

$B = \{x \mid x$는 45의 양의 약수$\}$

(3) 두 자리의 자연수인 x는 10, 11, 12, 13, …, 99이므로

$C = \{10, 11, 12, 13, \cdots, 99\}$

(4) $x^2 - x - 12 = 0$에서 $(x+3)(x-4) = 0$ ∴ $x = -3$ 또는 $x = 4$

∴ $D = \{-3, 4\}$

🔲 풀이 참조

해결의 법칙

원소나열법 ➡ {모든 원소}   조건제시법 ➡ $\{x \mid x$의 조건$\}$

| 정답과 해설 2쪽 |

02-1 다음 중 집합 $A = \{1, 2, 4, 8\}$과 같은 집합은?

① $\{x \mid x$는 1보다 크고 10보다 작은 짝수$\}$ ② $\{x \mid x$는 8의 양의 약수$\}$

③ $\{x \mid x$는 0보다 크고 5보다 작은 정수$\}$ ④ $\{x \mid x$는 2의 양의 배수$\}$

⑤ $\{2x - 1 \mid x$는 정수$\}$

02-2 다음 중 원소나열법은 조건제시법으로, 조건제시법은 원소나열법으로 나타낸 것으로 옳지 <u>않은</u> 것은?

① $\{1, 2, 3, 4, \cdots, 10\}$ ➡ $\{x \mid x$는 10 이하의 자연수$\}$

② $\{-1, -2, -3, -4, \cdots\}$ ➡ $\{x \mid x$는 음의 정수$\}$

③ $\{x \mid x$는 1보다 크고 50보다 작은 짝수$\}$ ➡ $\{2, 4, 6, 8, \cdots, 50\}$

④ $\{x \mid x$는 $10 < x < 20$인 소수$\}$ ➡ $\{11, 13, 17, 19\}$

⑤ $\{x \mid x$는 5로 나누었을 때의 나머지가 1인 자연수$\}$ ➡ $\{1, 6, 11, 16, \cdots\}$

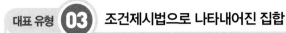

대표 유형 03 조건제시법으로 나타내어진 집합　　　　　　　　　　　　개념 02

두 집합 $A=\{0, 1, 2\}$, $B=\{x \mid x^2=1, x$는 실수$\}$에 대하여 집합 C를
$$C=\{a+b \mid a \in A,\ b \in B\}$$
로 정의할 때, 집합 C의 모든 원소의 합을 구하시오.

풀이

❶ 집합 B 구하기　　$x^2=1$을 만족시키는 실수는 $x=-1$ 또는 $x=1$이므로
　　　　　　　　　　　$B=\{-1, 1\}$

❷ $a+b$의 값을 구하여 집　$a \in A$이므로 $a=0, 1, 2$
합 C 구하기　　　　$b \in B$이므로 $b=-1, 1$
　　　　　　　　　　　오른쪽 표에 의하여 $a+b$의 값은 $-1, 0, 1, 2, 3$이므
　　　　　　　　　　　로 집합 C를 원소나열법으로 나타내면
　　　　　　　　　　　$C=\{-1, 0, 1, 2, 3\}$

b \ a	0	1	2
-1	-1	0	1
1	1	2	3

❸ 집합 C의 모든 원소의 합　따라서 집합 C의 모든 원소의 합은
구하기　　　　　　　$-1+0+1+2+3=5$

目 5

해결의 법칙

$\{x \mid x$의 조건$\}$ ⟶ 조건을 만족시키는 x를 원소로 갖는 집합

$\{x+y \mid x, y$의 조건$\}$ ⟶ 조건을 만족시키는 x, y의 합 $x+y$를 원소로 갖는 집합

$\{xy \mid x, y$의 조건$\}$ ⟶ 조건을 만족시키는 x, y의 곱 xy를 원소로 갖는 집합

| 정답과 해설 3쪽 |

03-1　　두 집합 $A=\{-1, 0, 1\}$, $B=\{x \mid x$는 8 이하의 소수$\}$에 대하여 집합 C를
　　　　　　　$$C=\{xy \mid x \in A,\ y \in B\}$$
　　　　로 정의할 때, 집합 C를 원소나열법으로 나타내시오.

03-2　　다음 중 집합 $A=\{x \mid x=2^a \times 3^b,\ a, b$는 자연수$\}$의 원소가 <u>아닌</u> 것은?

① 24　　　　　　　　② 36　　　　　　　　③ 72

④ 108　　　　　　　　⑤ 120

대표 유형 04 유한집합의 원소의 개수 개념 03

다음 물음에 답하시오.

(1) 두 집합 $A=\{\varnothing, 0, \{1, 2\}, 1, 4\}$, $B=\{x \mid x$는 약수가 3개인 소수$\}$에 대하여 $n(A)-n(B)$의 값을 구하시오.

(2) 두 집합 $A=\{x \mid x$는 16의 양의 약수$\}$, $B=\{x \mid x$는 10의 배수인 두 자리 자연수$\}$에 대하여 $n(A)+n(B)$의 값을 구하시오.

풀이 (1) ❶ $n(A), n(B)$ 구하기

집합 A의 원소는 $\varnothing$, 0, $\{1, 2\}$, 1, 4이므로 $n(A)=5$

약수가 3개인 소수는 없으므로 $B=\varnothing$ ∴ $n(B)=0$

→ 약수가 1과 자기 자신뿐인 수

> 공집합은 원소의 개수가 0이야.

❷ $n(A)-n(B)$의 값 구하기

∴ $n(A)-n(B)=5$

(2) ❶ $n(A), n(B)$ 구하기

$A=\{1, 2, 4, 8, 16\}$이므로 $n(A)=5$

$B=\{10, 20, 30, \cdots, 90\}$이므로 $n(B)=9$

❷ $n(A)+n(B)$의 값 구하기

∴ $n(A)+n(B)=14$

📘 (1) 5 (2) 14

해결의 법칙

| 유한집합 A의 원소의 개수 | ⟶ | $n(A)$ |

| 정답과 해설 3쪽 |

04-1 다음 **보기** 중 옳은 것만을 있는 대로 고르시오.

┤보기├

ㄱ. $n(\{a, b, 1, 2\})=2$

ㄴ. $n(\varnothing)=0$

ㄷ. $n(\{\varnothing\})=1$

ㄹ. $n(\{2, 3, 4, 7\})-n(\{3, 4, 7\})=2$

04-2 세 집합 $A=\{x \mid x$는 81의 양의 약수$\}$, $B=\{x \mid x$는 $(x-1)(x-3)<0$인 정수$\}$, $C=\{x \mid x$는 $x^2=-2$인 실수$\}$에 대하여 $n(A)-n(B)+n(C)$의 값을 구하시오.

2 집합 사이의 포함 관계

개념 01 부분집합

1 부분집합

두 집합 A, B에 대하여 A의 모든 원소가 B에 속할 때, A를 B의 **부분집합**이라 한다.

(1) A가 B의 부분집합일 때, 이것을 기호로 $A \subset B$와 같이 나타낸다.

(2) A가 B의 부분집합이 아닐 때, 이것을 기호로 $A \not\subset B$와 같이 나타낸다.

참고 ❶ 기호 $\subset$는 포함하다를 뜻하는 영어 'Contain'의 첫 글자 C를 기호화한 것이다.
　　 ❷ 집합 A가 집합 B의 부분집합일 때, 'A는 B에 포함된다.' 또는 'B는 A를 포함한다.'고 한다.
　　 ❸ $A \not\subset B$는 집합 A의 원소 중에서 집합 B의 원소가 아닌 것이 적어도 하나 있다는 의미이다.

2 부분집합의 성질

세 집합 A, B, C에 대하여 다음이 성립한다.

(1) $\varnothing \subset A$ ← 공집합은 모든 집합의 부분집합이다.

(2) $A \subset A$ ← 모든 집합은 자기 자신의 부분집합이다.

(3) $A \subset B$이고 $B \subset C$이면 $A \subset C$이다.

예　　 **1** 두 집합 $A = \{1, 3\}$, $B = \{1, 2, 3, 4\}$에 대하여

(1) 집합 A의 모든 원소 1, 3은 집합 B에 속한다.

　➡ 집합 A는 집합 B의 부분집합이다.

　➡ $A \subset B$

(2) $2 \in B$이지만 $2 \not\in A$이므로 집합 B의 모든 원소가 집합 A에 속하지는 않는다.

　➡ 집합 B는 집합 A의 부분집합이 아니다.

　➡ $B \not\subset A$

2 세 집합 $A = \{1, 2\}$, $B = \{1, 2, 3\}$, $C = \{1, 2, 3, 4, 5\}$의 포함 관계는 오른쪽 벤다이어그램과 같다.

즉, $A \subset B$이고 $B \subset C$이면 $A \subset C$임을 알 수 있다.

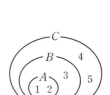

해결의 법칙

| 집합과 원소 사이의 관계 ➡ $\in$, $\not\in$ | ⟶ | (원소) $\in A$ |
| 집합과 집합 사이의 관계 ➡ $\subset$, $\not\subset$ | ⟶ | (부분집합) $\subset A$ |

| 정답과 해설 3쪽 |

개념 확인 1 집합 $\{1, 2\}$의 부분집합 중 다음 집합을 모두 구하시오.

(1) 원소가 0개인 것　　　　(2) 원소가 1개인 것　　　　(3) 원소가 2개인 것

1 서로 같은 집합

두 집합 A, B에 대하여 $A{\subset}B$이고 $B{\subset}A$일 때, A와 B는 **서로 같다**고 한다.

(1) A와 B가 서로 같은 집합일 때, 이것을 기호로 $A=B$와 같이 나타낸다.

(2) A와 B가 서로 같은 집합이 아닐 때, 이것을 기호로 $A{\neq}B$와 같이 나타낸다.

2 진부분집합

두 집합 A, B에 대하여 $A{\subset}B$이고 $A{\neq}B$일 때, A를 B의 **진부분집합**이라 한다.

참고 $A{\subset}B$는 A가 B의 진부분집합이거나 $A=B$임을 뜻한다.   부분집합 중에서 자기 자신을 제외한 부분집합

예

1 두 집합 $A=\{1, 2, 3, 6\}$, $B=\{x \mid x$는 6의 양의 약수$\}$에서 $B=\{1, 2, 3, 6\}$이므로
$A{\subset}B$이고 $B{\subset}A$ ➡ $A=B$

2 두 집합 $A=\{-1, 1\}$, $B=\{-1, 0, 1\}$에 대하여
$A{\subset}B$이고 $A{\neq}B$이므로 집합 A는 집합 B의 진부분집합이다.

해결의 법칙

| $A{\subset}B$이고 $B{\subset}A$인 경우 | ⟶ | $A=B$ |
| $A{\subset}B$이고 $A{\neq}B$인 경우 | ⟶ | A는 B의 **진부분집합** |

| 정답과 해설 3쪽 |

개념 확인 2   세 집합

$$A=\{2, 3, 5, 7\},\ B=\{1, 2, 3, 4, 5, 6, 7\},\ C=\{x \mid 1 \leq x \leq 10,\ x는 소수\}$$

에 대하여 다음 ☐ 안에 기호 $=$, $\neq$ 중에서 알맞은 것을 써넣으시오.

(1) A ☐ B (2) A ☐ C (3) B ☐ C

개념 확인 3   집합 $\{2, 4\}$에 대하여 다음을 모두 구하시오.

(1) 부분집합

(2) 진부분집합

집합 $A=\{a_1, a_2, a_3, \cdots, a_n\}$의 부분집합과 진부분집합의 개수는 다음과 같다.

(1) 집합 A의 **부분집합의 개수** ➡ 2^n

(2) 집합 A의 **진부분집합의 개수** ➡ 2^n-1
　　　　　　　　　　　　　　└─▶ 자기 자신 제외

예 　집합 $A=\{a, b, c\}$의 부분집합을 세 원소 a, b, c가 속하거나 속하지 않는 것에 따라 구해 보자.

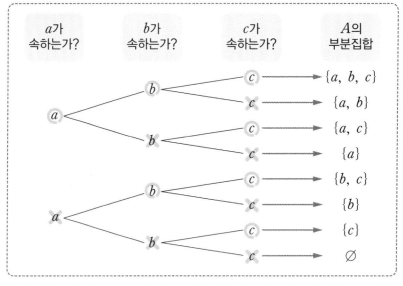

각 원소마다 2가지 경우가 생겨.

위와 같이 집합 A의 원소 a는 A의 부분집합에 속할 수도 있고 속하지 않을 수도 있다.

또, 각각의 경우에 원소 b가 속할 수도 있고 속하지 않을 수도 있다.

이처럼 생각하면 세 원소 a, b, c가 속하거나 속하지 않는 것에 따라 총 경우의 수는

$2\times2\times2=8$(가지)이고 부분집합의 개수는 8이 됨을 알 수 있다.

같은 방법으로 원소의 개수가 n인 집합의 부분집합의 개수는 다음과 같다.

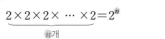

집합 A의 진부분집합의 개수는 2^n-1이야.

해결의 법칙

원소의 개수 n ⟨ 부분집합의 개수 ➡ 2^n / 진부분집합의 개수 ➡ 2^n-1 ┈ 진부분집합은 부분집합 중 자기 자신을 제외한 집합

| 정답과 해설 3쪽 |

개념 확인 4 집합 $A=\{1, 2, 3, 4\}$에 대하여 다음을 구하시오.

(1) 집합 A의 부분집합의 개수

(2) 집합 A의 진부분집합의 개수

집합 $A=\{a_1, a_2, a_3, \cdots, a_n\}$에 대하여 특정한 원소를 갖거나 갖지 않는 부분집합의 개수는 다음과 같다.

　(1) 집합 A의 원소 중에서 특정한 원소 k개를 반드시 원소로 갖는 부분집합의 개수
　　➡ 2^{n-k} (단, $k<n$)
　(2) 집합 A의 원소 중에서 특정한 원소 m개를 원소로 갖지 않는 부분집합의 개수
　　➡ 2^{n-m} (단, $m<n$)
　(3) 집합 A의 원소 중에서 특정한 원소 k개는 반드시 원소로 갖고, 특정한 원소 m개는 원소로 갖지 않는 부분집합의 개수 ➡ 2^{n-k-m} (단, $k+m<n$)

예　　집합 $A=\{a, b, c, d, e\}$에 대하여 c, d, e를 반드시 원소로 갖는 부분집합과 c, d, e를 원소로 갖지 않는 부분집합의 개수를 구해 보자.

c, d, e를 반드시 원소로 갖는 부분집합	c, d, e를 원소로 갖지 않는 부분집합
$\{c, d, e\}$, $\{a, c, d, e\}$, $\{b, c, d, e\}$, $\{a, b, c, d, e\}$	$\varnothing$, $\{a\}$, $\{b\}$, $\{a, b\}$
➡ 집합 A에서 원소 c, d, e를 제외한 집합 $\{a, b\}$의 부분집합에 원소 c, d, e를 넣은 것과 같다.	➡ 집합 A에서 원소 c, d, e를 제외한 집합 $\{a, b\}$의 부분집합과 같다.
➡ 부분집합의 개수는	➡ 부분집합의 개수는

$$\underset{\uparrow}{2}^{5-3}=2^2=4$$
집합 A의 원소의 개수 / 부분집합에 반드시 속하는 원소의 개수

$$2^{5-3}=2^2=4$$
집합 A의 원소의 개수 / 부분집합에 속하지 않는 원소의 개수

이상에서 다음을 알 수 있다.
　　(c, d, e를 반드시 원소로 갖는 부분집합의 개수)
　　$=$(c, d, e를 원소로 갖지 않는 부분집합의 개수)

해결의 법칙

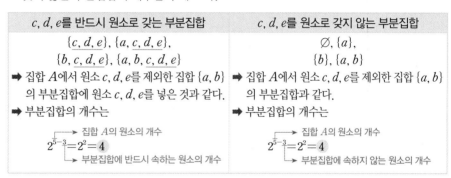

원소의 개수 n
　➡ 특정한 원소 k개를 원소로 갖는(갖지 않는) 부분집합의 개수 ➡ 2^{n-k}
　➡ 특정한 원소 k개는 원소로 갖고, m개는 원소로 갖지 않는 부분집합의 개수 ➡ 2^{n-k-m}

특정한 원소를 갖든 갖지 않든 특정한 원소를 제외하고 생각하면 돼.

| 정답과 해설 3쪽 |

개념 확인 5 집합 $A=\{1, 2, 3, 4\}$에 대하여 다음을 구하시오.

(1) 1을 반드시 원소로 갖는 집합 A의 부분집합의 개수

(2) 3, 4를 원소로 갖지 않는 집합 A의 부분집합의 개수

(3) 1은 반드시 원소로 갖고, 3, 4는 원소로 갖지 않는 집합 A의 부분집합의 개수

1 다음 두 집합 A, B 사이의 관계를 기호 $\subset$ 또는 $\not\subset$를 이용하여 나타내시오.

(1) $A = \{1, 3, 5\}$, $B = \{3, 5, 7\}$

(2) $A = \{x \mid x^2 = 1\}$, $B = \{-1, 0, 1\}$

(3) $A = \{1, 2, 4\}$, $B = \{x \mid x$는 8의 양의 약수$\}$

2 다음 두 집합 A, B 사이의 관계를 기호 $=$ 또는 $\neq$를 이용하여 나타내시오.

(1) $A = \{1, 2, 3, 4\}$, $B = \{x \mid x$는 4 이하의 소수$\}$

(2) $A = \{x \mid x$는 2의 양의 배수$\}$,
　$B = \{x \mid x$는 0보다 큰 짝수$\}$

(3) $A = \{1, 2, 4\}$, $B = \{x \mid x$는 4의 양의 약수$\}$

3 다음 집합의 부분집합과 진부분집합을 모두 구하시오.

(1) $\{0\}$

(2) $\{a, b\}$

(3) $\{x \mid x$는 9의 양의 약수$\}$

4 집합 $A = \{x \mid x$는 20 이하의 3의 양의 배수$\}$에 대하여 다음을 구하시오.

(1) 집합 A의 부분집합의 개수

(2) 집합 A의 진부분집합의 개수

(3) 3, 6, 9를 반드시 원소로 갖는 집합 A의 부분집합의 개수

(4) 15를 원소로 갖지 않는 집합 A의 부분집합의 개수

대표 유형 01 집합과 원소, 집합과 집합 사이의 관계 개념 01

집합 $A=\{\varnothing, \{\varnothing\}, 1, \{1, 2\}\}$에 대하여 다음 보기 중 옳은 것만을 있는 대로 고르시오.

┤ 보기 ├

ㄱ. $\varnothing \subset A$ ㄴ. $\{\varnothing\} \in A$ ㄷ. $\{\varnothing, 1\} \subset A$

ㄹ. $\{1, 2\} \in A$ ㅁ. $\{\varnothing, 1, 2\} \subset A$

풀이 ㄱ. $\varnothing$은 모든 집합의 부분집합이므로 $\varnothing \subset A$ (참)

ㄴ, ㄹ. 집합 A의 원소는 $\varnothing, \{\varnothing\}, 1, \{1, 2\}$이므로 $\{\varnothing\} \in A$, $\{1, 2\} \in A$ (참)

ㄷ. $\varnothing$과 1은 집합 A의 원소이므로 $\{\varnothing, 1\}$은 집합 A의 부분집합이다.

∴ $\{\varnothing, 1\} \subset A$ (참)

ㅁ. 2는 집합 A의 원소가 아니므로 $\{\varnothing, 1, 2\} \not\subset A$ (거짓)

따라서 옳은 것은 ㄱ, ㄴ, ㄷ, ㄹ이다.

달 ㄱ, ㄴ, ㄷ, ㄹ

해결의 법칙

| 집합과 원소 사이의 관계 ➡ $\in, \notin$ | ⟶ | (원소)$\in A$ |

| 집합과 집합 사이의 관계 ➡ $\subset, \not\subset$ | ⟶ | (부분집합)$\subset A$ |

| 정답과 해설 4쪽 |

01-1 집합 $A=\{x \mid x$는 0보다 크고 8보다 작은 홀수$\}$에 대하여 다음 중 옳은 것은?

① $5 \subset A$ ② $2 \in A$ ③ $\{4, 6\} \subset A$

④ $\{5, 7\} \in A$ ⑤ $\varnothing \subset A$

01-2 집합 $X=\{\varnothing, 1, 2, \{1, 2\}\}$에 대하여 다음 중 옳지 <u>않은</u> 것은?

① $\varnothing \in X$ ② $\varnothing \subset X$ ③ $\{\varnothing\} \in X$

④ $\{1, 2\} \in X$ ⑤ $\{1, 2\} \subset X$

대표 유형 02 집합 사이의 포함 관계를 이용하여 미지수 구하기 개념 01

다음 물음에 답하시오.

(1) 두 집합 $A=\{7, a+2\}$, $B=\{3, a+4, 2a-1\}$에 대하여 $A\subset B$일 때, 상수 a의 값을 구하시오.

(2) 두 집합 $A=\{x\,|\,-3<x-k\leq4\}$, $B=\{x\,|\,-1\leq3x-7<23\}$에 대하여 $A\subset B$일 때, 실수 k의 값의 범위를 구하시오.

풀이 (1) ❶ $A\subset B$이므로 $7\in A$이 면 $7\in B$임을 생각하기

$7\in A$에서 $7\in B$이어야 하므로 $a+4=7$ 또는 $2a-1=7$

(i) $a+4=7$, 즉 $a=3$일 때

$A=\{5, 7\}$, $B=\{3, 5, 7\}$이므로 $A\subset B$

(ii) $2a-1=7$, 즉 $a=4$일 때

$A=\{6, 7\}$, $B=\{3, 7, 8\}$이므로 $A\not\subset B$

❷ a의 값 구하기

(i), (ii)에서 구하는 a의 값은 3이다.

(2) ❶ 두 집합 A, B 구하기

$-3<x-k\leq4$에서 $k-3<x\leq k+4$ ∴ $A=\{x\,|\,k-3<x\leq k+4\}$

$-1\leq3x-7<23$에서 $6\leq3x<30$, 즉 $2\leq x<10$ ∴ $B=\{x\,|\,2\leq x<10\}$

❷ k의 값의 범위 구하기

$A\subset B$가 되도록 두 집합 A, B 를 수직선 위에 나타내면 오른쪽 그림과 같으므로

$2\leq k-3$, $k+4<10$

∴ $5\leq k<6$

집합이 부등식으로 표현되어 있을 때는 수직선을 이용하여 나타내고, 포함 관계가 성립할 조건을 찾아야 해.

📖 (1) 3 (2) $5\leq k<6$

해결의 법칙

$A\subset B$인 경우 → 집합 A의 모든 원소는 집합 B의 원소이다.
➡ $x\in A$이면 $x\in B$

| 정답과 해설 4쪽 |

02-1 두 집합 $A=\{3, a^2-5\}$, $B=\{11, a, a^2-13\}$에 대하여 $A\subset B$일 때, 상수 a의 값을 모두 구하시오.

02-2 두 집합 $A=\{x\,|\,0\leq x-a<2\}$, $B=\{x\,|\,x^2-4x-5<0\}$에 대하여 $A\subset B$일 때, 실수 a의 값의 범위를 구하시오.

대표 유형 03 **서로 같은 집합에서 미지수 구하기** 개념 02

두 집합 $A=\{2, a^2-a+5\}$, $B=\{a^2+2a-6, 7\}$에 대하여 $A \subset B$, $B \subset A$일 때, 상수 a의 값을 구하시오.

풀이

❶ $A \subset B$, $B \subset A$에서
$A=B$임을 생각하기

$A \subset B$, $B \subset A$이므로
$A=B$

❷ a의 값 구하기

$2 \in A$에서 $2 \in B$이어야 하므로
$a^2+2a-6=2$, $a^2+2a-8=0$
$(a+4)(a-2)=0$ ∴ $a=-4$ 또는 $a=2$

(i) $a=-4$일 때
  $A=\{2, 25\}$, $B=\{2, 7\}$이므로 $A \neq B$

(ii) $a=2$일 때
  $A=\{2, 7\}$, $B=\{2, 7\}$이므로 $A=B$

(i), (ii)에서 구하는 a의 값은 2이다.

> $2 \neq 7$이니까
> $a^2+2a-6=2$일
> 수밖에 없어.

답 2

참고 $7 \in B$에서 $7 \in A$이므로 $a^2-a+5=7$을 이용하여 a의 값을 구할 수도 있다.

해결의 법칙

| $A=B$인 경우 | → | 집합 A의 원소와 집합 B의 원소가 모두 같다. |
| $A \subset B$이고 $B \subset A$ | | |

| 정답과 해설 4쪽 |

03-1 두 집합 $A=\{a+5, 2a-1, 6\}$, $B=\{5, a^2-a, 8\}$에 대하여 $A=B$일 때, 상수 a의 값을 구하시오.

03-2 두 집합 $A=\{2, 2x\}$, $B=\{x^2-x, x-1\}$에 대하여 $A \subset B$이고 $B \subset A$일 때, 모든 상수 x의 값의 합을 구하시오.

대표 유형 04 특정한 원소를 갖는(갖지 않는) 부분집합의 개수 개념 03, 04

집합 $A=\{2, 3, 4, 5, 6\}$에 대하여 다음을 구하시오.

(1) 2, 3은 반드시 원소로 갖고, 6은 원소로 갖지 않는 집합 A의 부분집합의 개수

(2) 적어도 한 개의 홀수를 원소로 갖는 집합 A의 부분집합의 개수

풀이 (1) 집합 A의 부분집합 중 2, 3은 반드시 원소로 갖고, 6은 원소로 갖지 않는 부분집합은 집합 A에서 세 원소 2, 3, 6 을 제외한 집합 $\{4, 5\}$의 부분집합에 두 원소 2, 3을 넣은 것과 같다.

따라서 구하는 부분집합의 개수는 → $\varnothing, \{4\}, \{5\}, \{4, 5\}$ ➡ $\{2, 3\}, \{2, 3, 4\}, \{2, 3, 5\}, \{2, 3, 4, 5\}$

$2^{5-2-1}=2^2=4$

(2) 집합 A의 부분집합 중 적어도 한 개의 홀수를 원소로 갖는 부분집합은 집합 A의 부분집합 중 모두 홀수가 아닌 원소로 이루어진 집합, 즉 $\{2, 4, 6\}$의 부분집합을 제외한 것과 같다.

따라서 구하는 부분집합의 개수는

$2^5-2^3=32-8=24$

'적어도 ~인' 경우는 전체의 경우에서 '모두 ~가 아닌' 경우를 제외한 것과 같아.

답 (1) 4 (2) 24

해결의 법칙

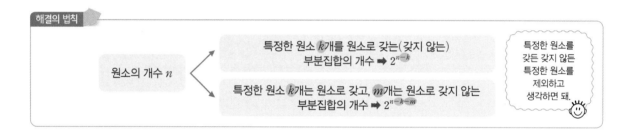

원소의 개수 n

특정한 원소 k개를 원소로 갖는(갖지 않는) 부분집합의 개수 ➡ 2^{n-k}

특정한 원소 k개는 원소로 갖고, m개는 원소로 갖지 않는 부분집합의 개수 ➡ 2^{n-k-m}

특정한 원소를 갖든 갖지 않든 특정한 원소를 제외하고 생각하면 돼.

| 정답과 해설 4쪽 |

04-1 집합 $A=\{1, 2, 3, 4, 5, 6, 7\}$의 부분집합 중 1, 2는 반드시 원소로 갖고, 5, 7은 원소로 갖지 않는 부분집합의 개수를 구하시오.

04-2 집합 $A=\{1, 3, 5, 7, 9, 11, 13, 15\}$의 부분집합 X에 대하여 $\{3, 9, 15\} \subset X$, $1 \notin X$, $13 \notin X$를 만족시키는 집합 X의 개수를 구하시오.

04-3 집합 $X=\{x | x$는 8의 양의 약수$\}$의 부분집합 중 적어도 한 개의 짝수를 원소로 갖는 부분집합의 개수를 구하시오.

대표 유형 05 $A \subset X \subset B$를 만족시키는 집합 X의 개수 개념 03, 04

두 집합

$A = \{x \,|\, x$는 10보다 작은 소수$\}$, $B = \{x \,|\, x$는 10보다 작은 자연수$\}$

에 대하여 $A \subset X \subset B$를 만족시키는 집합 X의 개수를 구하시오.

풀이 | ❶ 두 집합 A, B를 원소나 열법으로 나타내기 | 두 집합 A, B를 원소나열법으로 나타내면
$A = \{2, 3, 5, 7\}$
$B = \{1, 2, 3, 4, \cdots, 9\}$ | |
|---|---|---|
| ❷ 집합 X의 의미 파악하기 | 이때, $A \subset X \subset B$를 만족시키는 집합 X는 집합 B의 부분집합 중 집합 A의 원소 2, 3, 5, 7을 반드시 원소로 갖는 집합이다. | $\underset{}{A \subset} X \subset B$
X는 A의 모든 원소를 반드시 원소로 갖는다. |
| ❸ 집합 X의 개수 구하기 | 따라서 구하는 집합 X의 개수는
$2^{9-4} = 2^5 = 32$ | |

답 32

해결의 법칙

$A \subset X \subset B$ ⟶ 집합 X는 집합 B의 부분집합 중 집합 A의 모든 원소를 반드시 원소로 갖는 집합

| 정답과 해설 5쪽 |

05 -1 두 집합

$A = \{1, 2, 3\}$, $B = \{1, 2, 3, 4, 5, 6\}$

에 대하여 $A \subset X \subset B$를 만족시키는 집합 X의 개수를 구하시오.

05-2 두 집합

$A = \{x \,|\, x$는 6의 양의 약수$\}$, $B = \{x \,|\, x$는 18의 양의 약수$\}$

에 대하여 $A \subset X \subset B$를 만족시키는 집합 X의 개수를 구하시오.

05-3 두 집합

$A = \{x \,|\, x$는 k 이하의 자연수$\}$, $B = \{1, 2, 3, 6\}$

에 대하여 $B \subset X \subset A$를 만족시키는 집합 X의 개수가 32일 때, 자연수 k의 값을 구하시오.

유형 확인

1-1 다음 중 집합이 <u>아닌</u> 것은? (정답 2개)

① 충분히 큰 수의 모임
② 절댓값이 2보다 작은 정수의 모임
③ 높은 빌딩의 모임
④ 1000보다 큰 자연수의 모임
⑤ 우리 반에서 번호가 소수인 학생들의 모임

한번 더 확인

1-2 다음 중 집합이 <u>아닌</u> 것은?

① 0보다 큰 짝수의 모임
② 자연수를 7로 나누었을 때의 나머지의 모임
③ 5보다 작은 실수의 모임
④ 작은 실수의 모임
⑤ 가장 작은 자연수의 모임

2-1 집합 $A=\{(x, y)\,|\,ax+by=5\}$에 대하여
$$(1, 3)\in A,\ (-1, 2)\in A$$
일 때, $a+b$의 값을 구하시오. (단, a, b는 상수)

2-2 두 집합 $A=\{-1, 0, 1\}$, $B=\{1, 2\}$에 대하여 집합 C를
$$C=\{x+y+xy\,|\,x\in A,\ y\in B\}$$
로 정의할 때, 집합 C의 모든 원소의 합을 구하시오.

3-1 다음 중 옳은 것은?

① $A=\{\varnothing\}$이면 $n(A)=0$
② $n(A)<n(B)$이면 $A\subset B$
③ $A=\{a, \{0, 1\}\}$이면 $n(A)=3$
④ $n(\{0\})+n(\varnothing)=2$
⑤ $A=\{1, 2, 3, 4\}$이면 $n(A)=4$

3-2 다음 중 옳은 것은?

① $n(\{3\})=3$
② $A=\varnothing$이면 $n(A)=0$
③ $n(\{1, 2, 3\})-n(\{1, 3\})=2$
④ $A\subset B$이면 $n(A)<n(B)$
⑤ $n(A)=n(B)$이면 $A=B$

4-1 다음 중 옳은 것은?

① $0\in\{1, 2\}$　　　② $\varnothing\subset\{1, 2\}$
③ $\varnothing\in\{0\}$　　　④ $\{1, 2\}\not\subset\{1, 2\}$
⑤ $\{0\}\in\{0, 1, 2\}$

4-2 집합 $A=\{\varnothing, a, \{b\}, c\}$에 대하여 다음 중 옳지 <u>않은</u> 것은?

① $\varnothing\in A$　　　② $\varnothing\subset A$
③ $\{a\}\subset A$　　　④ $\{b\}\subset A$
⑤ $\{\{b\}, c\}\subset A$

5-1 두 집합
$$A=\{x\,|-1\leq x+2\leq 4\},$$
$$B=\{x\,|-2\leq x+a\leq 5\}$$
에 대하여 $A\subset B$일 때, 실수 a의 최댓값과 최솟값의 합을 구하시오.

5-2 두 집합
$$A=\{2,\ a^2-2a\},$$
$$B=\{0,\ a,\ a^2-2a-1\}$$
에 대하여 $A\subset B$일 때, 모든 상수 a의 값의 합을 구하시오.

6-1 두 집합 $A=\{1,\ 2,\ 7\}$, $B=\{1,\ a,\ 2n+1\}$에 대하여 $A\subset B$, $B\subset A$일 때, 상수 a, n의 값을 구하시오. (단, n은 정수)

6-2 두 집합
$$A=\{a-1,\ a+5,\ 7\},\ B=\{a^2-2a-1,\ -3,\ 3\}$$
에 대하여 $A=B$일 때, 상수 a의 값을 구하시오.

7-1 집합 $A=\{1,\ 2,\ 3,\ 4,\ 6,\ 12\}$에 대하여 A의 진부분집합의 개수를 a, 4는 반드시 원소로 갖고, 6, 12는 원소로 갖지 않는 부분집합의 개수를 b라 할 때, $a+b$의 값을 구하시오.

7-2 집합 $A=\{1,\ 2,\ 3,\ 4,\ 5\}$의 부분집합 중 가장 작은 원소가 3인 집합의 개수를 구하시오.

8-1 두 집합
$$A=\{3,\ 5\},$$
$$B=\{x\,|\,x=2n-1,\ n=1,\ 2,\ 3,\ 4\}$$
에 대하여 $A\subset X\subset B$를 만족시키는 집합 X의 개수를 구하시오.

8-2 두 집합
$$A=\{1,\ 2,\ 3,\ 5,\ 6,\ 10,\ 15\},$$
$$B=\{xy\,|\,x\in A,\ y\in A,\ x,\ y는\ 서로\ 다른\ 소수\}$$
에 대하여 $B\subset X\subset A$를 만족시키는 집합 X의 개수를 구하시오.

2 집합의 연산

1 집합의 연산

개념 01 합집합과 교집합

개념 02 여집합과 차집합

개념 03 집합의 연산에 대한 성질

합집합과 교집합의 성질 →
❶ $A \cap \varnothing = \varnothing$, $A \cup \varnothing = A$
❷ $A \cap A = A$, $A \cup A = A$
❸ $A \cup (A \cap B) = A$, $A \cap (A \cup B) = A$

여집합과 차집합의 성질 →
❶ $U^c = \varnothing$, $\varnothing^c = U$
❷ $(A^c)^c = A$
❸ $A \cap A^c = \varnothing$, $A \cup A^c = U$
❹ $U - A = A^c$
❺ $A - B = A \cap B^c = A - (A \cap B) = (A \cup B) - B$

2 집합의 연산법칙

개념 01 집합의 연산법칙

교환법칙 → $A \cup B = B \cup A$, $A \cap B = B \cap A$

결합법칙 → $(A \cup B) \cup C = A \cup (B \cup C)$, $(A \cap B) \cap C = A \cap (B \cap C)$

분배법칙 →
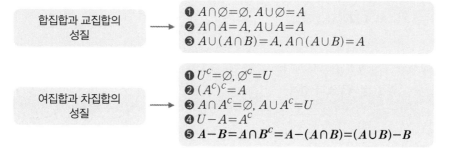

개념 02 드모르간의 법칙

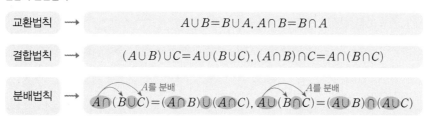

개념 03 유한집합의 원소의 개수

❶ $n(A \cup B) = n(A) + n(B) - n(A \cap B)$
❷ $n(A^c) = n(U) - n(A)$
❸ $n(A - B) = n(A) - n(A \cap B) = n(A \cup B) - n(B)$

1 집합의 연산

개념 01 합집합과 교집합

대표 유형 01, 02, 04, 05

1 합집합

두 집합 A, B에 대하여 집합 A에 속하거나 집합 B에 속하는 모든 원소로 이루어진 집합을 A와 B의 **합집합**이라 하고, 이것을 기호로 $A \cup B$와 같이 나타낸다.

$$A \cup B = \{x \mid x \in A \text{ 또는 } x \in B\}$$

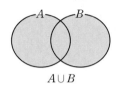

2 교집합

두 집합 A, B에 대하여 집합 A에도 속하고 집합 B에도 속하는 모든 원소로 이루어진 집합을 A와 B의 **교집합**이라 하고, 이것을 기호로 $A \cap B$와 같이 나타낸다.

$$A \cap B = \{x \mid x \in A \text{ 그리고 } x \in B\}$$

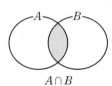

3 서로소

두 집합 A, B에 대하여 공통인 원소가 하나도 없을 때, 즉 $A \cap B = \varnothing$일 때, A와 B는 **서로소**라 한다.

참고 공집합은 모든 집합과 공통인 원소가 없으므로 모든 집합과 서로소이다.

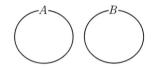

예

(1) 두 집합 $A = \{1, 2, 3\}$, $B = \{2, 3, 4, 5\}$에 대하여

$$A \cup B = \{1, 2, 3, 4, 5\}$$
$$A \cap B = \{2, 3\}$$

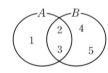

(2) 두 집합 $A = \{1, 2, 3\}$, $B = \{4, 5, 6\}$에 대하여

$A \cap B = \varnothing$이므로 두 집합 A, B는 서로소이다.

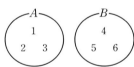

> **해결의 법칙**
>
>    

| 정답과 해설 7쪽 |

개념 확인 1 두 집합 A, B가 다음과 같을 때, $A \cup B$와 $A \cap B$를 구하시오.

(1) $A = \{1, 3, 5\}$, $B = \{1, 5, 9\}$

(2) $A = \{r, a, i, n\}$, $B = \{s, n, o, w\}$

1 전체집합

어떤 주어진 집합에 대하여 그 부분집합을 생각할 때, 처음에 주어진 집합을 **전체집합**이라 하고, 이것을 기호로 U와 같이 나타낸다.

> 참고 전체집합 U는 전체를 뜻하는 영어 'Universal'의 첫 글자이다.

2 여집합

전체집합 U의 부분집합 A에 대하여 집합 U에는 속하지만 집합 A에는 속하지 않는 모든 원소로 이루어진 집합을 전체집합 U에 대한 A의 **여집합**이라 하고, 이것을 기호로 A^C와 같이 나타낸다.

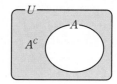

$$A^C = \{x \,|\, x \in U \text{ 그리고 } x \notin A\}$$

> 참고 여집합 A^C에서 C는 여집합을 뜻하는 'Complement'의 첫 글자이다.

3 차집합

두 집합 A, B에 대하여 집합 A에는 속하지만 집합 B에는 속하지 않는 모든 원소로 이루어진 집합을 A에 대한 B의 **차집합**이라 하고, 이것을 기호로 $A-B$와 같이 나타낸다.

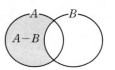

$$A-B = \{x \,|\, x \in A \text{ 그리고 } x \notin B\}$$

└─▶ 집합 A의 원소 중에서 집합 B에 속한 원소를 뺀다는 것이다.

예   전체집합 $U = \{1, 2, 3, 4, 5, 6\}$의 두 부분집합
$A = \{1, 3, 5, 6\}$, $B = \{1, 2, 3\}$에 대하여
$$A^C = \{2, 4\},\ B^C = \{4, 5, 6\}$$
$$A-B = \{5, 6\},\ B-A = \{2\}$$

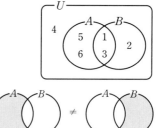

> 참고 서로 다른 두 집합 A, B에 대하여 $A-B$와 $B-A$는 서로 다른 집합이다.

해결의 법칙

$A^C \ \Rightarrow$  $A-B \ \Rightarrow$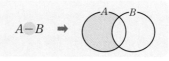

| 정답과 해설 7쪽 |

개념 확인 2 전체집합 $U = \{1, 2, 3, 4, 5, 6, 7\}$의 두 부분집합 $A = \{1, 2, 3, 4, 5\}$, $B = \{2, 4, 6\}$에 대하여 다음을 구하시오.

(1) A^C (2) B^C

(3) $A-B$ (4) $B-A$

1 합집합과 교집합의 성질

두 집합 A, B에 대하여

(1) $A \cap \varnothing = \varnothing$, $A \cup \varnothing = A$　　　　(2) $A \cap A = A$, $A \cup A = A$

(3) $\underset{\longrightarrow (A \cap B) \subset A}{A \cup (A \cap B) = A}$, $\underset{\longrightarrow A \subset (A \cup B)}{A \cap (A \cup B) = A}$

2 여집합과 차집합의 성질

전체집합 U의 두 부분집합 A, B에 대하여

(1) $U^C = \varnothing$, $\varnothing^C = U$　　　　(2) $(A^C)^C = A$

(3) $A \cap A^C = \varnothing$, $A \cup A^C = U$　　　　(4) $U - A = A^C$

(5) $A - B = A \cap B^C = A - (A \cap B) = (A \cup B) - B$

설명　집합의 연산에 대한 성질을 벤다이어그램을 이용하여 확인해 보자.

1 합집합과 교집합의 성질

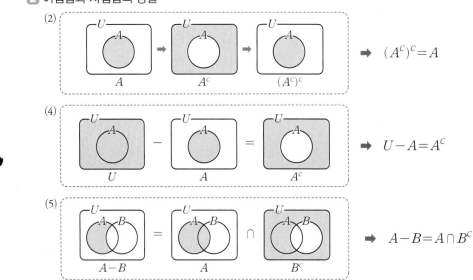

➡ $A \cup (A \cap B) = A$

➡ $A \cap (A \cup B) = A$

2 여집합과 차집합의 성질

➡ $(A^C)^C = A$

➡ $U - A = A^C$

➡ $A - B = A \cap B^C$

참고 전체집합 U의 두 부분집합 A, B에 대하여 다음은 모두 같은 표현이다.

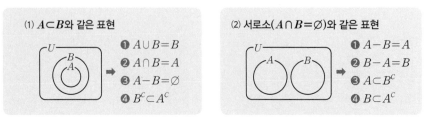

(1) $A \subset B$와 같은 표현

➡ ❶ $A \cup B = B$
❷ $A \cap B = A$
❸ $A - B = \varnothing$
❹ $B^C \subset A^C$

(2) 서로소($A \cap B = \varnothing$)와 같은 표현

➡ ❶ $A - B = A$
❷ $B - A = B$
❸ $A \subset B^C$
❹ $B \subset A^C$

1 다음 두 집합 A, B에 대하여 $A \cup B$와 $A \cap B$를 구하시오.

(1) $A = \{3, 6\}$, $B = \{2, 5, 7\}$

(2) $A = \{x \mid x$는 $1 \leq x \leq 10$인 홀수$\}$,
  $B = \{x \mid x$는 5 이하의 자연수$\}$

(3) $A = \{x \mid x$는 6 이하의 자연수$\}$,
  $B = \{x \mid x^2 = 36\}$

2 다음 두 집합 A, B가 서로소인 것은 ○표, 서로소가 아닌 것은 ×표를 ( ) 안에 써넣으시오.

(1) $A = \{3, 4, 7, 9\}$,
  $B = \{3, 6, 9, 12, 15\}$ ( )

(2) $A = \{1, 2, 3, 5, 7\}$,
  $B = \{x \mid x$는 $1 < x < 10$인 소수$\}$ ( )

(3) $A = \{x \mid x$는 $1 \leq x \leq 9$인 홀수$\}$,
  $B = \{x \mid x$는 $1 \leq x \leq 9$인 4의 배수$\}$ ( )

3 전체집합 $U = \{x \mid x$는 10 이하의 자연수$\}$의 부분집합 $A = \{1, 2, 5, 10\}$에 대하여 다음을 구하시오.

(1) A^C

(2) $(A^C)^C$

(3) $A \cup A^C$

(4) $A \cap A^C$

4 전체집합 $U = \{x \mid x$는 12 이하의 자연수$\}$의 두 부분집합 $A = \{x \mid x$는 10 이하의 짝수$\}$,
$B = \{x \mid x$는 6의 약수$\}$에 대하여 다음을 구하시오.

(1) $A - B$

(2) $B - A$

(3) $(A \cup B)^C$

(4) $(A \cap B)^C$

2 집합의 연산

대표 유형 01 합집합과 교집합

개념 01

세 집합 $A=\{x \mid x$는 $1 \leq x < 9$인 홀수$\}$, $B=\{2, 5, 8\}$, $C=\{x \mid x$는 8의 양의 약수$\}$에 대하여 다음을 구하시오.

(1) $A \cap B$
(2) $A \cup B$
(3) $(A \cap B) \cup C$
(4) $(A \cup B) \cap C$

풀이 $A=\{1, 3, 5, 7\}$, $B=\{2, 5, 8\}$, $C=\{1, 2, 4, 8\}$

(1) $A \cap B = \{5\}$

(2) $A \cup B = \{1, 2, 3, 5, 7, 8\}$

(3) $(A \cap B) \cup C = \{5\} \cup \{1, 2, 4, 8\} = \{1, 2, 4, 5, 8\}$

(4) $(A \cup B) \cap C = \{1, 2, 3, 5, 7, 8\} \cap \{1, 2, 4, 8\} = \{1, 2, 8\}$

> 두 집합 A, B의 합집합에서 중복되는 원소는 한 번만 나타내.

답 (1) $\{5\}$ (2) $\{1, 2, 3, 5, 7, 8\}$ (3) $\{1, 2, 4, 5, 8\}$ (4) $\{1, 2, 8\}$

해결의 법칙

$A \cup B$ ⟶ 두 집합 A, B의 **모든 원소**로 이루어진 집합

$A \cap B$ ⟶ 두 집합 A, B에 **공통으로 들어 있는 원소**로 이루어진 집합

| 정답과 해설 8쪽 |

01-1 세 집합 $A=\{x \mid x$는 10의 양의 약수$\}$, $B=\{x \mid x$는 6의 양의 약수$\}$, $C=\{1, 2, 3, 4, 5\}$에 대하여 집합 $A \cap (B \cup C)$의 모든 원소의 합을 구하시오.

01-2 세 집합 $A=\{x \mid x$는 $1 < x < 15$인 3의 배수$\}$, $B=\{x \mid x$는 4 이하의 자연수$\}$, $C=\{x \mid x$는 12의 양의 약수$\}$에 대하여 다음 중 옳지 <u>않은</u> 것은?

① $A \cup B = \{1, 2, 3, 4, 6, 9, 12\}$
② $B \cap C = \{1, 2, 3, 4\}$
③ $(A \cap B) \cup C = \{1, 2, 4, 6, 12\}$
④ $(A \cup B) \cap C = \{1, 2, 3, 4, 6, 12\}$
⑤ $A \cup (B \cap C) = \{1, 2, 3, 4, 6, 9, 12\}$

대표 유형 02 · 서로소인 집합

개념 01

다음 물음에 답하시오.

(1) 두 집합 A, B에 대하여
$$A=\{2, 4, 6\}, A\cup B=\{2, 4, 6, 8, 10\}, A\cap B=\varnothing$$
일 때, 집합 B를 구하시오.

(2) 집합 $A=\{1, 2, 3, 4, 5\}$의 부분집합 중 집합 $B=\{3, 4, 5\}$와 서로소인 집합의 개수를 구하시오.

풀이 (1) $A\cap B=\varnothing$이므로 두 집합 A, B는 서로소이다.

따라서 오른쪽 벤다이어그램에서 구하는 집합 B는

$B=\{8, 10\}$

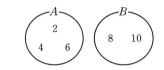

(2) 조건을 만족시키는 집합을 X라 하면

$X\subset A$이고 $X\cap B=\varnothing$

즉, X는 집합 A의 부분집합 중 집합 B의 원소 3, 4, 5를 모두 원소로 갖지 않는 집합이다.

따라서 구하는 집합 X의 개수는

$2^{5-3}=2^2=4$

달 (1) $\{8, 10\}$ (2) 4

참고 (2)에서 집합 X는 집합 A에서 3, 4, 5를 제외한 집합 $\{1, 2\}$의 부분집합이므로 집합 X는 $\varnothing$, $\{1\}$, $\{2\}$, $\{1, 2\}$이다.

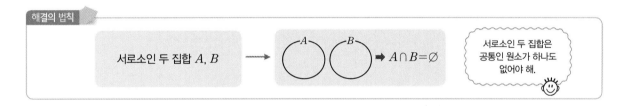

해결의 법칙

서로소인 두 집합 A, B ⟶ $A\cap B=\varnothing$

서로소인 두 집합은 공통인 원소가 하나도 없어야 해.

| 정답과 해설 8쪽 |

02-1 두 집합 A, B에 대하여
$$A=\{x\,|\,x는 9의 양의 약수\}, A\cup B=\{1, 2, 3, 4, 5, 6, 7, 8, 9\}$$
일 때, 집합 A와 서로소인 집합 B의 모든 원소의 합을 구하시오.

02-2 집합 $A=\{x\,|\,x는 10보다 작은 자연수\}$의 부분집합 중에서 집합 $B=\{x\,|\,x는 12의 양의 약수\}$와 서로소인 집합의 개수를 구하시오.

대표 유형 03 여집합과 차집합   개념 02

전체집합 $U=\{x\,|\,x$는 10 이하의 자연수$\}$의 두 부분집합
$$A=\{x\,|\,x$는 $1<x<8$인 홀수$\},\ B=\{1,\,2,\,5,\,7,\,9\}$$
에 대하여 다음을 구하시오.

(1) $(A\cup B)^C$ (2) $(A\cap B)^C$ (3) $A-B^C$

풀이 $U=\{1,\,2,\,3,\,\cdots,\,10\}$, $A=\{3,\,5,\,7\}$, $B=\{1,\,2,\,5,\,7,\,9\}$

(1) $A\cup B=\{1,\,2,\,3,\,5,\,7,\,9\}$이므로
$(A\cup B)^C=\{4,\,6,\,8,\,10\}$

(2) $A\cap B=\{5,\,7\}$이므로
$(A\cap B)^C=\{1,\,2,\,3,\,4,\,6,\,8,\,9,\,10\}$

(3) $B^C=\{3,\,4,\,6,\,8,\,10\}$이므로
$A-B^C=\{3,\,5,\,7\}-\{3,\,4,\,6,\,8,\,10\}=\{5,\,7\}$

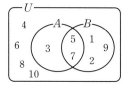

답 (1) $\{4,\,6,\,8,\,10\}$ (2) $\{1,\,2,\,3,\,4,\,6,\,8,\,9,\,10\}$ (3) $\{5,\,7\}$

다른
풀이   (3) $A-B^C=A\cap(B^C)^C=A\cap B$이므로
$A-B^C=A\cap B=\{5,\,7\}$

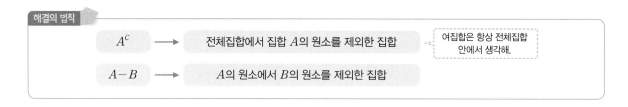

해결의 법칙

A^C ⟶ 전체집합에서 집합 A의 원소를 제외한 집합 ◁ 여집합은 항상 전체집합 안에서 생각해.

$A-B$ ⟶ A의 원소에서 B의 원소를 제외한 집합

| 정답과 해설 8쪽 |

03-1   전체집합 $U=\{x\,|\,x$는 12 이하의 자연수$\}$의 두 부분집합
$$A=\{x\,|\,x$는 짝수$\},\ B=\{x\,|\,x$는 4의 배수$\}$$
에 대하여 집합 $(A-B)^C$를 구하시오.

03-2   전체집합 $U=\{x\,|\,x$는 15 이하의 자연수$\}$의 세 부분집합
$$A=\{x\,|\,x$는 소수$\},\ B=\{x\,|\,x$는 홀수$\},\ C=\{x\,|\,x$는 5의 배수$\}$$
에 대하여 집합 $(A-B)\cap(A-C)$를 구하시오.

대표 유형 04 벤다이어그램을 이용한 집합의 연산

개념 **01, 02**

다음 물음에 답하시오.

(1) 두 집합 A, B에 대하여

$$A=\{1, 3, 5\}, \ A \cup B=\{1, 3, 4, 5, 7\}, \ A \cap B=\{3, 5\}$$

일 때, 집합 B를 구하시오.

(2) 전체집합 $U=\{x \mid x$는 $1 \leq x \leq 15$인 홀수$\}$의 두 부분집합 A, B에 대하여

$$A \cap B=\{1, 3\}, \ B-A=\{9, 13\}, \ (A \cup B)^C=\{5, 15\}$$

일 때, 집합 $A \cap B^C$를 구하시오.

풀이

(1) $A=\{1, 3, 5\}, \ A \cup B=\{1, 3, 4, 5, 7\}, \ A \cap B=\{3, 5\}$를 벤다이어그램으로 나타내면 오른쪽 그림과 같다.

$$\therefore \ B=\{3, 4, 5, 7\}$$

(2) $U=\{1, 3, 5, \cdots, 15\}, \ A \cap B=\{1, 3\}, \ B-A=\{9, 13\}, \ (A \cup B)^C=\{5, 15\}$를 벤다이어그램으로 나타내면 오른쪽 그림과 같다.

$$\therefore \ A \cap B^C=\{7, 11\}$$

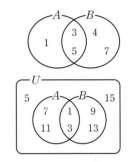

📄 (1) $\{3, 4, 5, 7\}$　(2) $\{7, 11\}$

해결의 법칙

집합의 연산에 대한 문제 → 주어진 조건을 벤다이어그램으로 나타내면 쉽게 해결할 수 있다.

| 정답과 해설 8쪽 |

04-1 두 집합 A, B에 대하여

$$B=\{2, 3, 9\}, \ A \cap B=\{3\}, \ A \cup B=\{1, 2, 3, 5, 7, 9\}$$

일 때, 집합 A를 구하시오.

04-2 전체집합 $U=\{1, 2, 3, \cdots, 10\}$의 두 부분집합 A, B에 대하여

$$A-B=\{4, 8\}, \ B-A=\{1, 3\}, \ A^C \cup B^C=\{1, 3, 4, 5, 7, 8, 9, 10\}$$

일 때, 집합 A를 구하시오.

대표 유형 05 집합의 연산을 이용하여 미지수 구하기 개념 01, 02

두 집합 $A=\{2, 5, a^2-a-8\}$, $B=\{-2, a-1\}$에 대하여 $A \cap B=\{-2\}$일 때, 상수 a의 값을 구하시오.

풀이 $A \cap B=\{-2\}$에서 $-2 \in A$이므로

$a^2-a-8=-2$, $a^2-a-6=0$

$(a+2)(a-3)=0$ $\therefore a=-2$ 또는 $a=3$

(i) $a=-2$일 때

$A=\{-2, 2, 5\}$, $B=\{-3, -2\}$에서 $A \cap B=\{-2\}$가 되어 조건을 만족시킨다.

(ii) $a=3$일 때

$A=\{-2, 2, 5\}$, $B=\{-2, 2\}$에서 $A \cap B=\{-2, 2\}$가 되어 조건을 만족시키지 않는다.

(i), (ii)에서 $a=-2$

답 -2

해결의 법칙

$x \in (A \cup B)$이면 ➡ $x \in A$ 또는 $x \in B$

$x \in (A \cap B)$이면 ➡ $x \in A$ 그리고 $x \in B$

$x \in (A-B)$이면 ➡ $x \in A$ 그리고 $x \notin B$

| 정답과 해설 9쪽 |

05-1 두 집합 $A=\{a-2, a+1, a+4\}$, $B=\{1, 3, a^2-1\}$에 대하여 $A \cup B=\{-3, 0, 1, 3\}$일 때, 집합 A를 구하시오.

(단, a는 실수)

05-2 두 집합 $A=\{1, 3, 5, a^2+a-2\}$, $B=\{1, 4, a^2-1\}$에 대하여 $A-B=\{5\}$일 때, 상수 a의 값을 구하시오.

대표 유형 **06** 집합의 연산과 포함 관계 개념 **03**

전체집합 U의 두 부분집합 A, B에 대하여 $A \subset B$일 때, 다음 중 옳지 <u>않은</u> 것은? (정답 2개)

① $A \cap B = A$ ② $A - B = \varnothing$ ③ $A \cup B^C = U$
④ $A^C \subset B^C$ ⑤ $A \subset (A \cup B)$

풀이 주어진 조건을 만족시키는 두 집합 A, B의 포함 관계를 벤다이어그램으로 나타내면
오른쪽 그림과 같다.

③ $A \cup B^C \neq U$
④ $B^C \subset A^C$
따라서 옳지 않은 것은 ③, ④이다.

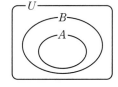

답 ③, ④

참고 다음은 $A \subset B$와 같은 표현이므로 알아두도록 하자.
❶ $A \cup B = B$ ❷ $A \cap B = A$ ❸ $A - B = A \cap B^C = \varnothing$ ❹ $B^C \subset A^C$

해결의 법칙

집합의 연산과 포함 관계 ⟶ 벤다이어그램으로 나타내어 옳고 그름을 판단하기

2 집합의 연산

| 정답과 해설 9쪽 |

06-1 전체집합 U의 두 부분집합 A, B에 대하여 $B \subset A$일 때, 다음 중 항상 옳은 것은?

① $B^C \subset A^C$ ② $A - B = \varnothing$ ③ $A \cap B^C = U$
④ $A \cup B = A$ ⑤ $A^C \cup B^C = B$

06-2 전체집합 U의 두 부분집합 A, B에 대하여 $A \cup B = B$일 때, 다음 중 항상 옳은 것은? (정답 2개)

① $A \cap B = B$ ② $A \subset (A \cap B)$ ③ $B - A = U$
④ $(A \cup B) \subset B$ ⑤ $(A \cap B) \cup B = A$

대표 유형 **07** 조건을 만족시키는 집합의 개수   개념 03

> 두 집합 $A=\{x \mid x$는 6의 양의 약수$\}$, $B=\{x \mid x$는 18의 양의 약수$\}$에 대하여
> $$A \cap X = A,\ B \cup X = B$$
> 를 만족시키는 집합 X의 개수를 구하시오.

풀이

❶ 두 집합 A, B를 원소나열법으로 나타내기

두 집합 A, B를 원소나열법으로 나타내면
$A=\{1, 2, 3, 6\}$, $B=\{1, 2, 3, 6, 9, 18\}$

❷ 세 집합 A, B, X의 관계 파악하기

$A \cap X = A$에서 $A \subset X$
$B \cup X = B$에서 $X \subset B$
$\therefore A \subset X \subset B$

❸ 집합 X의 개수 구하기

즉, 집합 X는 집합 $B=\{1, 2, 3, 6, 9, 18\}$의 부분집합 중에서 집합 A의 원소 1, 2, 3, 6을 반드시 원소로 갖는 집합이다.
따라서 구하는 집합 X의 개수는
$2^{6-4}=2^2=4$

답 4

해결의 법칙

| $A \cap X = A$이면 ➡ $A \subset X$ | $B \cup X = B$이면 ➡ $X \subset B$ |

| 정답과 해설 9쪽 |

07-1 두 집합 $A=\{1, 4\}$, $B=\{x \mid x$는 12의 양의 약수$\}$에 대하여
$$A \cup X = X,\ B \cap X = X$$
를 만족시키는 집합 X의 개수를 구하시오.

07-2 두 집합 $A=\{1, 3, 5\}$, $B=\{1, 2, 3, 4, 5\}$에 대하여
$$B \cap X = X,\ (B-A) \cup X = X$$
를 만족시키는 집합 X의 개수를 구하시오.

07-3 두 집합 $A=\{1, 2, 3, 4, 5, 6\}$, $B=\{1, 2, 3, 7\}$에 대하여
$$(A \cap B) \cap X = A \cap B,\ (A \cup B) \cup X = A \cup B$$
를 만족시키는 집합 X의 개수를 구하시오.

2 집합의 연산법칙

개념 01   집합의 연산법칙

대표 유형 01, 02

세 집합 A, B, C에 대하여

(1) **교환법칙**: $A \cup B = B \cup A$, $A \cap B = B \cap A$

(2) **결합법칙**: $(A \cup B) \cup C = A \cup (B \cup C)$, $(A \cap B) \cap C = A \cap (B \cap C)$ ← 집합의 연산 기호가 같을 때

참고 결합법칙이 성립하므로 괄호를 생략하여 $A \cup B \cup C$, $A \cap B \cap C$로 나타내기도 한다.

(3) **분배법칙**: $A \cap (B \cup C) = (A \cap B) \cup (A \cap C)$, $A \cup (B \cap C) = (A \cup B) \cap (A \cup C)$ ← 집합의 연산 기호가 다를 때

설명

합집합과 교집합의 교환법칙과 결합법칙이 성립함은 직관적으로 알 수 있으므로 여기서는 분배법칙이 성립함을 벤다이어그램을 이용하여 확인해 보자.

❶ $A \cap (B \cup C) = (A \cap B) \cup (A \cap C)$

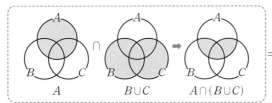

❷ $A \cup (B \cap C) = (A \cup B) \cap (A \cup C)$

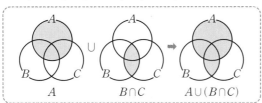

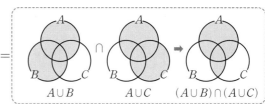

해결의 법칙

A를 분배
$A \cap (B \cup C) = (A \cap B) \cup (A \cap C)$

A를 분배
$A \cup (B \cap C) = (A \cup B) \cap (A \cup C)$

| 정답과 해설 10쪽 |

개념 확인 1   세 집합 A, B, C에 대하여 $A \cap B = \{1, 3\}$, $A \cap C = \{3, 4, 5\}$일 때, $A \cap (B \cup C)$를 구하시오.

전체집합 U의 두 부분집합 A, B에 대하여 다음이 성립하고, 이것을 **드모르간의 법칙**이라 한다.

(1) $(A \cup B)^C = A^C \cap B^C$

(2) $(A \cap B)^C = A^C \cup B^C$

설명

드모르간의 법칙이 성립함을 벤다이어그램을 이용하여 확인해 보자.

(1) $(A \cup B)^C = A^C \cap B^C$

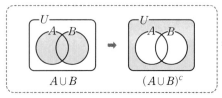

(2) $(A \cap B)^C = A^C \cup B^C$

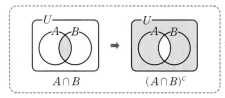

참고 드모르간의 법칙은 세 개 이상의 집합에 대해서도 성립한다.

전체집합 U의 세 부분집합 A, B, C에 대하여

(1) $(A \cup B \cup C)^C = A^C \cap B^C \cap C^C$

(2) $(A \cap B \cap C)^C = A^C \cup B^C \cup C^C$

해결의 법칙

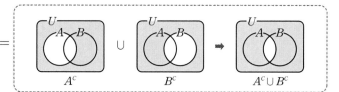

$(A \cup B)^C = A^C \cap B^C$

$(A \cap B)^C = A^C \cup B^C$

| 정답과 해설 10쪽 |

개념 확인 2 전체집합 U의 두 부분집합 A, B에 대하여 $(A \cup B) \cup (A^C \cap B^C)$를 간단히 하시오.

전체집합 U가 유한집합일 때, 두 부분집합 A, B에 대하여

(1) $n(A \cup B) = n(A) + n(B) - n(A \cap B)$ ← A, B가 서로소이면 $n(A \cup B) = n(A) + n(B)$

참고 세 유한집합 A, B, C에 대하여

$$n(A \cup B \cup C) = n(A) + n(B) + n(C) - n(A \cap B) - n(B \cap C) - n(C \cap A) + n(A \cap B \cap C)$$

(2) $n(A^C) = n(U) - n(A)$

(3) $n(A - B) = n(A) - n(A \cap B) = n(A \cup B) - n(B)$ ← $B \subset A$이면 $n(A-B) = n(A) - n(B)$

주의 일반적으로 $n(A-B) \neq n(A) - n(B)$임에 주의한다.

설명

(1) 오른쪽 그림과 같이 집합 $A \cup B$를 세 부분으로 나누고 각 영역에
속하는 원소의 개수를 a, b, c라 하면

$$n(A \cup B) = a + b + c = (a+b) + (b+c) - b$$
$$= n(A) + n(B) - n(A \cap B)$$

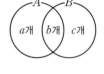

(2) 오른쪽 그림과 같이 전체집합 U를 두 부분으로 나누고 각 영역에
속하는 원소의 개수를 a, b라 하면

$$n(A^C) = b = (a+b) - a = n(U) - n(A)$$

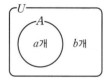

(3) 오른쪽 그림과 같이 집합 $A \cup B$를 세 부분으로 나누고 각 영역에
속하는 원소의 개수를 a, b, c라 하면

$$n(A - B) = a = (a+b) - b = n(A) - n(A \cap B)$$
$$n(A - B) = a = (a+b+c) - (b+c) = n(A \cup B) - n(B)$$

| 정답과 해설 10쪽 |

개념 확인 **3**   전체집합 U의 두 부분집합 A, B에 대하여 다음을 구하시오.

(1) $n(A) = 3$, $n(B) = 4$, $n(A \cap B) = 1$일 때, $n(A \cup B)$

(2) $n(U) = 8$, $n(A) = 6$일 때, $n(A^C)$

(3) $n(A) = 8$, $n(A \cap B) = 5$일 때, $n(A - B)$

1 세 집합 A, B, C에 대하여
$$A \cup B = \{2, 4, 6, 8\}, C = \{1, 2, 4, 6\}$$
일 때, 다음을 구하시오.

(1) $A \cup (B \cup C)$

(2) $(A \cap C) \cup (B \cap C)$

2 전체집합 $U = \{1, 3, 5, 7, 9\}$의 두 부분집합
$A = \{1, 5, 7\}$, $B = \{3, 5, 7, 9\}$에 대하여 다음을 구하시오.

(1) $A^C \cap B^C$

(2) $A^C \cup B^C$

(3) $(A^C \cup B)^C$

(4) $(A \cup B^C)^C$

3 두 집합 A, B에 대하여 다음을 구하시오.

(1) $n(A) = 13$, $n(B) = 8$, $n(A \cup B) = 17$일 때, $n(A \cap B)$

(2) $n(A) = 5$, $n(B) = 9$, $A \cap B = \varnothing$일 때, $n(A \cup B)$

(3) $n(A) = 5$, $n(A \cup B) = 13$, $n(A \cap B) = 4$일 때, $n(B)$

4 전체집합 U의 두 부분집합 A, B에 대하여 다음을 구하시오.

(1) $n(U) = 15$, $n(A^C) = 7$일 때, $n(A)$

(2) $n(B) = 4$, $n(A \cup B) = 10$일 때, $n(A - B)$

(3) $n(B) = 6$, $n(B - A) = 3$일 때, $n(A \cap B)$

대표 유형 01 집합의 연산법칙을 이용하여 식 간단히 하기 개념 01, 02

전체집합 U의 두 부분집합 A, B에 대하여 다음을 간단히 하시오.

(1) $A^C \cup (B-A)^C$

(2) $(A \cup B) \cap (A-B)^C$

풀이

(1) $A^C \cup (B-A)^C = A^C \cup (B \cap A^C)^C$

$\qquad = A^C \cup (B^C \cup A)$ ← 드모르간의 법칙

$\qquad = A^C \cup (A \cup B^C)$ ← 교환법칙

$\qquad = (A^C \cup A) \cup B^C$ ← 결합법칙

$\qquad = U \cup B^C$

$\qquad = U$

(2) $(A \cup B) \cap (A-B)^C = (A \cup B) \cap (A \cap B^C)^C$

$\qquad = (A \cup B) \cap (A^C \cup B)$ ← 드모르간의 법칙

$\qquad = (A \cap A^C) \cup B$ ← 분배법칙

$\qquad = \varnothing \cup B$

$\qquad = B$

> • 드모르간의 법칙
> $(A \cup B)^C = A^C \cap B^C$
> $(A \cap B)^C = A^C \cup B^C$
> • 차집합의 성질
> $A - B = A \cap B^C$

2 | 집합의 연산

답 (1) U (2) B

해결의 법칙

| 복잡한 집합을 간단히 할 때 | ⟶ | 집합의 연산법칙과 드모르간의 법칙 이용하기 |

| 정답과 해설 10쪽 |

01-1 전체집합 U의 두 부분집합 A, B에 대하여 다음을 간단히 하시오.

(1) $A \cap (A-B)^C$ 　　　　　　　　　　(2) $(A-B^C) \cup (A^C \cap B)$

01-2 전체집합 U의 세 부분집합 A, B, C에 대하여 다음 중 $(A-B) \cup (A-C)$와 같은 집합은?

① $A - (B \cap C)$ 　　　　② $A - (B \cup C)$ 　　　　③ $A - (B - C)$

④ $A \cap B \cap C$ 　　　　⑤ $\varnothing$

대표 유형 02 **집합의 연산법칙과 포함 관계** 개념 01, 02

전체집합 U의 두 부분집합 A, B에 대하여 $\{(A \cap B) \cup (A-B)\} \cap B = A$가 성립할 때, 다음 중 항상 옳은 것은?

① $A \cap B = \varnothing$ ② $A \subset B$ ③ $B \subset A$

④ $A = B$ ⑤ $A \cup B = U$

풀이

❶ 주어진 식의 좌변 정리하기

주어진 식의 좌변을 정리하면

$$\{(A \cap B) \cup (A-B)\} \cap B = \{(A \cap B) \cup (A \cap B^C)\} \cap B$$
$$= \{A \cap (B \cup B^C)\} \cap B \quad \leftarrow \text{분배법칙}$$
$$= (A \cap U) \cap B$$
$$= A \cap B$$

❷ 옳고 그름 판단하기

즉, $A \cap B = A$이므로 $A \subset B$

① $A \cap B = A$

⑤ $A \cup B = B$

따라서 항상 옳은 것은 ②이다.

답 ②

해결의 법칙

$A \cap B = A$이면 ➡ $A \subset B$ $A \cup B = A$이면 ➡ $B \subset A$ $A - B = \varnothing$이면 ➡ $A \subset B$

| 정답과 해설 11쪽 |

02-1 전체집합 U의 두 부분집합 A, B에 대하여 $\{(A \cap B) \cup B\} \cup (A-B) = B$가 성립할 때, 다음 중 항상 옳은 것은?

① $A \cap B = B$ ② $A \subset B^C$ ③ $B \subset A^C$

④ $A - B = \varnothing$ ⑤ $A \cup B^C = U$

02-2 전체집합 U의 두 부분집합 A, B에 대하여

$$\{A \cap (A^C \cup B)\} \cup \{B \cap (B \cup A)\} = A \cap B$$

가 성립할 때, 두 집합 A, B의 포함 관계를 구하시오.

대표 유형 03 유한집합의 원소의 개수

개념 03

전체집합 U의 두 부분집합 A, B에 대하여
$$n(U)=50,\ n(A)=30,\ n(A \cap B)=16,\ n(A^C \cap B^C)=9$$
일 때, $n(B)$를 구하시오.

풀이

❶ $n(A \cup B)$ 구하기

$$\begin{aligned} n(A \cup B) &= n(U) - n((A \cup B)^C) \\ &= n(U) - n(A^C \cap B^C) \\ &= 50 - 9 = 41 \end{aligned}$$

❷ $n(B)$ 구하기

이때, $n(A \cup B) = n(A) + n(B) - n(A \cap B)$이므로
$$\begin{aligned} n(B) &= n(A \cup B) + n(A \cap B) - n(A) \\ &= 41 + 16 - 30 = 27 \end{aligned}$$

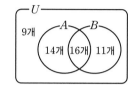

답 27

해결의 법칙

유한집합 A, B의 원소의 개수 (단, U는 전체집합)

❶ $n(A \cup B) = n(A) + n(B) - n(A \cap B)$

❷ $n(A^C) = n(U) - n(A)$

❸ $n(A-B) = n(A) - n(A \cap B) = n(A \cup B) - n(B)$ ┄ $n(A-B) \neq n(A) - n(B)$임에 주의!

| 정답과 해설 11쪽 |

03-1 두 집합 A, B에 대하여
$$n(A)=14,\ n(B)=9,\ n(A-B)=8$$
일 때, $n(A \cup B)$를 구하시오.

03-2 전체집합 U의 두 부분집합 A, B에 대하여
$$n(U)=50,\ n(A)=25,\ n(B)=30,\ n(A \cup B)=40$$
일 때, $n(A^C \cup B^C)$를 구하시오.

대표 유형 04 유한집합의 원소의 개수의 활용 　　　　　　　　　　　　　　　　개념 03

현지네 반 학생 30명 중 놀이공원을 좋아하는 학생은 15명, 동물원을 좋아하는 학생은 17명, 두 곳 중 어느 곳도 좋아하지 않는 학생은 6명이었다. 이때, 놀이공원과 동물원을 모두 좋아하는 학생 수를 구하시오.

풀이

❶ 각 집합의 원소의 개수 구하기

현지네 반 학생 전체의 집합을 U, 놀이공원을 좋아하는 학생의 집합을 A, 동물원을 좋아하는 학생의 집합을 B라 하면
$$n(U)=30, n(A)=15, n(B)=17, n(A^C \cap B^C)=6$$

❷ 놀이공원 또는 동물원을 좋아하는 학생 수 구하기

$$n(A \cup B)=n(U)-n((A \cup B)^C)$$
$$=n(U)-n(A^C \cap B^C)$$
$$=30-6=24$$

❸ 놀이공원과 동물원을 모두 좋아하는 학생 수 구하기

놀이공원과 동물원을 모두 좋아하는 학생의 집합은 $A \cap B$이므로 구하는 학생 수는
$$n(A \cap B)=n(A)+n(B)-n(A \cup B)$$
$$=15+17-24=8$$

답 8

해결의 법칙

주어진 조건을 집합으로 나타내기

❶ 또는, 적어도 ➡ $A \cup B$

❷ 모두, 둘 다 ➡ $A \cap B$

❸ ~만, ~뿐 ➡ $A-B$ 또는 $B-A$

❹ 둘 중 하나만 ➡ $(A-B) \cup (B-A)$

| 정답과 해설 11쪽 |

04-1 어느 학급의 학생들을 대상으로 방과 후 학교 수강 신청 조사를 하였더니 수학 수업을 신청한 학생이 16명, 영어 수업을 신청한 학생이 19명이었다. 수학 수업과 영어 수업 모두 신청한 학생이 6명일 때, 수학 수업 또는 영어 수업을 신청한 학생 수를 구하시오.

04-2 가영이네 반 학생 21명은 스마트폰과 태블릿 PC 중 적어도 하나를 가지고 있다고 한다. 스마트폰을 가지고 있는 학생이 17명, 태블릿 PC를 가지고 있는 학생이 8명일 때, 스마트폰만 가지고 있는 학생 수를 구하시오.

유형 확인

1-1 세 집합

$A=\{x|x$는 8의 양의 약수$\}$,

$B=\{x|x$는 $1\leq x\leq12$인 짝수$\}$,

$C=\{x|x$는 6의 양의 약수$\}$

에 대하여 $A\cup(B\cap C)$의 모든 원소의 합을 구하시오.

한번 더 확인

1-2 전체집합 $U=\{x|x$는 20 이하의 자연수$\}$의 두 부분집합 A, B가

$A=\{x|x$는 3의 배수 또는 5의 배수$\}$,

$B=\{x|x$는 18의 양의 약수$\}$

일 때, $A\cap B$의 모든 원소의 합을 구하시오.

2-1 두 집합 A, B에 대하여 A, B가 서로소인 것을 **보기**에서 있는 대로 고르시오.

┤ 보기 ├

ㄱ. $A=\{1, 2, 3\}$, $B=\{4, 5\}$

ㄴ. $A=\{x|x$는 9의 양의 약수$\}$,

$B=\{x|x$는 10의 양의 약수$\}$

ㄷ. $A=\{-1, 0\}$, $B=\{x|x^2<0, x$는 실수$\}$

2-2 전체집합 U의 공집합이 아닌 두 부분집합 A, B에 대하여 $A\cap B=\varnothing$일 때, 다음 중 항상 옳은 것을 모두 고르면? (정답 2개)

① $A-B=A$

② $B-A=\varnothing$

③ $A^C\cap B^C=\varnothing$

④ $n(A\cup B)=n(A)+n(B)$

⑤ $A^C-B^C=A$

3-1 전체집합 $U=\{x|x$는 8 이하의 자연수$\}$의 두 부분집합 $A=\{x|x$는 4의 약수$\}$, $B=\{2, 3, 5, 7\}$에 대하여 다음 중 옳지 <u>않은</u> 것은?

① $B^C=\{1, 4, 6, 8\}$

② $B-A=\{2, 3, 5, 7\}$

③ $A\cap B^C=\{1, 4\}$

④ $(A\cup B)^C=\{6, 8\}$

⑤ $(A\cap B)^C=\{1, 3, 4, 5, 6, 7, 8\}$

3-2 전체집합 $U=\{1, 2, 3, 4, 5, 6\}$의 두 부분집합 $A=\{1, 3, 5\}$, $B=\{2, 5\}$에 대하여 다음 중 옳지 <u>않은</u> 것은?

① $A\cap B=\{5\}$

② $A-B=\{1, 3\}$

③ $A^C\cap B=\{2\}$

④ $A^C-B=\{4, 5, 6\}$

⑤ $(A\cap B)\cup(A^C\cup B^C)=\{1, 2, 3, 4, 5, 6\}$

4-1 두 집합 A, B에 대하여

$A\cup B=\{1, 2, 3, 4, 5, 6, 7, 8\}$,

$A-B=\{2, 3, 5\}$,

$B-A=\{4, 6, 8\}$

일 때, 집합 B를 구하시오.

4-2 전체집합 $U=\{x|x$는 10 이하의 자연수$\}$의 두 부분집합 A, B에 대하여 $A=\{1, 2, 4, 7, 10\}$,

$A\cup B=\{1, 2, 3, 4, 6, 7, 8, 10\}$, $A\cap B=\{4, 7\}$

일 때, B^C를 구하시오.

5-1 전체집합 U의 세 부분집합 A, B, C에 대하여 다음 중 오른쪽 벤다이어그램의 색칠한 부분을 나타내는 집합은?

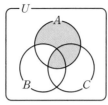

① $A \cap (B-C)$　　② $A \cap (C-B)$
③ $A - (B \cap C)$　　④ $A \cap (B-C)^C$
⑤ $A \cap (C-B)^C$

5-2 전체집합 U의 세 부분집합 A, B, C에 대하여 다음 중 오른쪽 벤다이어그램의 색칠한 부분을 나타내는 집합은?

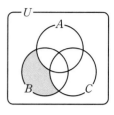

① $A - (B-C)$　　② $B - (A \cap C)$
③ $(B \cup C) - A$　　④ $(B-A) \cap (B-C)$
⑤ $(A-B) \cap (A-C)$

6-1 두 집합 $A = \{1, 2, a^2 - 2a\}$, $B = \{a, a-2, a^2 - a\}$에 대하여 $A \cap B = \{1, 3\}$일 때, 상수 a의 값을 구하시오.

6-2 두 집합 $A = \{0, a, a+1\}$, $B = \{5, 2a-2, a-2\}$에 대하여 $A - B = \{3\}$일 때, 집합 $B - A$를 구하시오. (단, a는 상수)

7-1 전체집합 U의 두 부분집합 A, B에 대하여
$$A - (A \cap B^C) = A$$
일 때, **보기**에서 항상 옳은 것만을 있는 대로 고르시오.

보기
ㄱ. $A \cup B = A$　　　ㄴ. $A \cap B^C = \varnothing$
ㄷ. $B \subset A$　　　ㄹ. $B^C \subset A^C$

7-2 전체집합 U의 두 부분집합 A, B에 대하여
$$(A \cup B) \cap A^C = \varnothing$$
일 때, 다음 중 항상 옳은 것은?

① $A - B = \varnothing$　　② $A \cup B = B$
③ $A \cap B = A$　　④ $B^C \subset A^C$
⑤ $A \cup B^C = U$

8-1 두 집합 $A = \{1, 3, 5, 7, 9\}$, $B = \{5, 6, 7, 8, 9\}$에 대하여
$$A \cap X = X, \ (A-B) \cup X = X$$
를 만족시키는 집합 X의 개수를 구하시오.

8-2 전체집합 $U = \{x \,|\, x$는 10 이하의 자연수$\}$의 두 부분집합 $A = \{1, 3, 4\}$, $B = \{1, 2, 5, 9\}$에 대하여 다음 조건을 만족시키는 집합 U의 부분집합 X의 개수를 구하시오.

㈎ $A \cap X = \{3\}$
㈏ $(B-A) \cup X = \{2, 3, 5, 9, 10\}$

9-1 전체집합 U의 두 부분집합 A, B에 대하여 다음 중 $(A\cup B)\cap(B-A)^C$와 같은 집합은?

① A
② A^C
③ B
④ B^C
⑤ $A-B$

9-2 전체집합 U의 세 부분집합 A, B, C에 대하여 다음 중 항상 성립하는 것이 <u>아닌</u> 것은?

① $A\cap(A\cup B)^C=\varnothing$
② $A\cap(A^C\cup B)=A\cap B$
③ $(A\cup B)\cup(A^C\cap B^C)=U$
④ $\{(A\cap B)^C\cap(A\cup B^C)\}\cap A=A$
⑤ $(A-B)\cap(A-C)=A-(B\cup C)$

10-1 전체집합 U의 두 부분집합 A, B에 대하여 $A-(A-B)=A\cup B$일 때, 다음 중 항상 옳은 것은?

① $A^C\subset B$
② $B\subset A^C$
③ $A=B$
④ $A\cap B=\varnothing$
⑤ $A\cup B=U$

10-2 전체집합 U의 두 부분집합 A, B에 대하여 $(A\cup B)\cap(A^C\cap B)^C=A\cup B$일 때, **보기**에서 항상 옳은 것만을 있는 대로 고르시오.

┤ 보기 ├─
ㄱ. $B-A=\varnothing$ ㄴ. $A-B=A$
ㄷ. $A^C\cup B=U$ ㄹ. $B^C\subset A^C$
ㅁ. B와 $B-A$는 서로소이다.

11-1 전체집합 U의 두 부분집합 A, B에 대하여 $n(U)=40$, $n(A)=21$, $n(A^C\cup B^C)=33$일 때, $n(A\cap B^C)$를 구하시오.

11-2 전체집합 U의 두 부분집합 A, B에 대하여 $n(U)=48$, $n(A)=15$, $n(B)=21$, $n(A\cup B)=30$일 때, 다음 그림에서 색칠한 부분을 나타내는 집합의 원소의 개수를 구하시오.

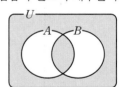

12-1 지후네 반 학생 중 축구 동아리에 가입한 학생은 13명, 농구 동아리에 가입한 학생은 9명이다. 축구 동아리와 농구 동아리에 모두 가입한 학생이 5명일 때, 축구 동아리와 농구 동아리 중 적어도 하나의 동아리에 가입한 학생 수를 구하시오.

12-2 인성이네 반 학생 30명 중에서 A 영화를 본 학생이 13명, B 영화를 본 학생이 18명이었다. A, B 영화 중 어느 것도 보지 않은 학생이 3명일 때, A 영화와 B 영화를 모두 본 학생 수를 구하시오.

3 명제

개념 미리보기

1 명제와 조건

개념 01   명제와 그 부정

명제 $\longrightarrow$ 참, 거짓을 판별할 수 있는 문장이나 식

명제 p가 참이면 ➡ $\sim p$는 거짓   명제 p가 거짓이면 ➡ $\sim p$는 참

개념 02   조건과 진리집합

조건 $p(x)$의 진리집합 $\longrightarrow$ 조건 $p(x)$를 참이 되게 하는 모든 x의 값의 집합

개념 03   조건 'p 또는 q'와 조건 'p 그리고 q'

조건 'p 또는 q' 진리집합 $P \cup Q$ —부정→ 조건 '$\sim p$ 그리고 $\sim q$' 진리집합 $P^C \cap Q^C$ 조건 'p 그리고 q' 진리집합 $P \cap Q$ —부정→ 조건 '$\sim p$ 또는 $\sim q$' 진리집합 $P^C \cup Q^C$

개념 04   명제 $p \longrightarrow q$

명제 $p \longrightarrow q$의 참, 거짓 $\longrightarrow$ 진리집합의 포함 관계를 이용하기 $P \subset Q$ ➡ 참, $P \not\subset Q$ ➡ 거짓

개념 05   '모든'이나 '어떤'이 있는 명제

모든 x에 대하여 p이다. ➡ $P=U$이면 참   어떤 x에 대하여 p이다. ➡ $P \neq \varnothing$이면 참

2 명제 사이의 관계

개념 01   명제의 역과 대우

명제 $p \longrightarrow q$에서 < 역: $q \longrightarrow p$ / 대우: $\sim q \longrightarrow \sim p$

개념 02   충분조건과 필요조건

$p \Longrightarrow q$ < p는 q이기 위한 충분조건 / q는 p이기 위한 필요조건

개념 03   충분조건, 필요조건과 진리집합의 관계

$P \subset Q \longrightarrow$ p는 q이기 위한 충분조건 q는 p이기 위한 필요조건 $P=Q \longrightarrow$ p는 q이기 위한 필요충분조건

3 절대부등식

개념 01   명제의 증명

명제가 참임을 직접 증명하기 어려운 경우 $\longrightarrow$ 명제의 대우가 참임을 증명하기

명제 또는 그 대우가 참임을 직접 증명하기 어려운 경우 $\longrightarrow$ 결론을 부정하여 모순이 됨을 보이기 ··· 귀류법

개념 02   절대부등식 ··· 항상 성립하는 부등식

여러 가지 절대부등식의 증명 $\longrightarrow$ (실수)$^2 \geq 0$, |실수| ≥ 0임을 이용하기

산술평균과 기하평균의 관계 $\longrightarrow$ $a>0, b>0$ ➡ $\dfrac{a+b}{2} \geq \sqrt{ab}$ (단, 등호는 $a=b$일 때 성립)

1 명제와 조건

개념 01 명제와 그 부정

① 명제

참, 거짓을 판별할 수 있는 문장이나 식을 **명제**라 한다.

참고 명제는 보통 알파벳 소문자 $p, q, r, \cdots$로 나타낸다.

> 참인 문장만 명제라고
> 착각하면 안 돼.
> 거짓인 문장도 명제야!

② 명제의 부정

(1) 명제 p에 대하여 'p가 아니다.'를 p의 **부정**이라 하고, 이것을 기호로 $\sim p$와 같이 나타낸다.

(2) 명제 p와 그 부정 $\sim p$ 사이에는 다음과 같은 관계가 있다.

> ① 명제 p가 참이면 $\sim p$는 거짓이고, 명제 p가 거짓이면 $\sim p$는 참이다.
> ② 명제 $\sim p$의 부정은 p이다. 즉, $\sim(\sim p)=p$

참고 $\sim p$는 'p가 아니다.' 또는 'not p'라 읽는다.

예

① (1) 6은 3의 배수이다. ➡ 참인 명제

(2) $2+3>5$ ➡ 거짓인 명제

(3) 꽃은 아름답다. ➡ 참, 거짓을 판별할 수 없으므로 명제가 아니다.

② 명제 p와 그 부정 $\sim p$ 사이의 관계를 알아보자.

명제 p	부정 $\sim p$
0은 자연수이다. ➡ 거짓	0은 자연수가 아니다. ➡ 참
$\|x\| \geq 0$ ➡ 참	$\|x\| < 0$ ➡ 거짓

이와 같이 명제 p가 참이면 $\sim p$는 거짓, 명제 p가 거짓이면 $\sim p$는 참이다.

참고 여러 가지 부정의 예

❶ $\sim$이다. $\xleftrightarrow{\text{부정}}$ $\sim$이 아니다.   ❷ 모두 $\sim$이다. $\xleftrightarrow{\text{부정}}$ 적어도 하나는 $\sim$이 아니다.

❸ $= \xleftrightarrow{\text{부정}} \neq$ ❹ $> \xleftrightarrow{\text{부정}} \leq$ ❺ $< \xleftrightarrow{\text{부정}} \geq$

해결의 법칙

> 명제 p가 참이면 ➡ $\sim p$는 거짓   명제 p가 거짓이면 ➡ $\sim p$는 참

| 정답과 해설 16쪽 |

개념 확인 1   다음 중 명제인 것을 찾고, 그것의 참, 거짓을 판별하시오.

(1) $x+7=10$ (2) 9의 양의 약수는 4개이다.   (3) 지구는 크다.

개념 확인 2   다음 명제의 부정을 말하시오.

(1) 3은 짝수이다.   (2) $-1<0$ (3) 4는 2의 배수이다.

1 조건

문자를 포함하는 문장이나 식이 그 문자의 값에 따라 참, 거짓이 정해질 때, 이 문장이나 식을
조건이라 한다.

2 조건의 부정

조건 p에 대하여 'p가 아니다.'를 p의 **부정**이라 하고, 이것을 기호로 $\sim p$와 같이 나타낸다.

3 진리집합

전체집합 U의 원소 중에서 조건 $p(x)$를 참이 되게 하는 모든 원소의 집
합을 조건 $p(x)$의 **진리집합**이라 한다. 조건 $p(x)$의 진리집합을 P라 하면

$$P=\{x\,|\,x\in U,\ p(x)\text{는 참}\}$$

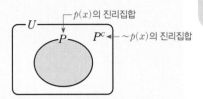

참고 특별한 언급이 없으면 전체집합은 실수 전체의 집합이다.

예　　**1** $x-2=3$ ➡ $x=5$이면 참이고, $x=4$이면 거짓
　　　　➡ x의 값에 따라 참, 거짓이 정해지므로 조건이다.

　　3 전체집합 $U=\{1, 2, 3, 4, 5\}$에서 정의된 조건 p가
　　　　p: x는 3의 양의 약수이다.
　　　　일 때, p의 진리집합을 P라 하면
　　　　p의 진리집합 ➡ $P=\{1, 3\}$
　　　　$\sim p$의 진리집합 ➡ $P^C=\{2, 4, 5\}$

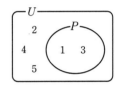

해결의 법칙

조건 $p(x)$의 진리집합 ⟶ 조건 $p(x)$를 참이 되게 하는 모든 x의 값의 집합

진리집합은 전체집합의 부분집합이야

| 정답과 해설 16쪽 |

개념 확인 3 다음 조건의 부정을 말하시오.

(1) $x\neq5$　　　　　　　　　　　　(2) $x=2$

(3) $x<4$　　　　　　　　　　　　(4) $x\geq-3$

개념 확인 4 전체집합 $U=\{1, 2, 3, 4, 5, 6, 7, 8\}$에서 정의된 다음 조건의 진리집합을 구하시오.

(1) x는 8의 양의 약수이다.

(2) $4x-3<9$

(1) 두 조건 p, q의 진리집합을 각각 P, Q라 할 때, 다음이 성립한다.

　① 조건 'p 또는 q'의 진리집합 ➡ $P \cup Q$
　② 조건 'p 그리고 q'의 진리집합 ➡ $P \cap Q$

(2) 두 조건 p, q에 대하여 다음이 성립한다.

　① 조건 'p 또는 q'의 부정 ➡ '$\sim p$ 그리고 $\sim q$'
　② 조건 'p 그리고 q'의 부정 ➡ '$\sim p$ 또는 $\sim q$'

> **설명**
>
> (2) 전체집합 U에서의 두 조건 p, q의 진리집합을 각각 P, Q라 하면 'p 또는 q'의 진리집합
> 은 $P \cup Q$, 'p 그리고 q'의 진리집합은 $P \cap Q$이다.
> 따라서 다음과 같은 관계가 성립함을 벤다이어그램으로 확인할 수 있다.
>
> ① $(P \cup Q)^c = P^c \cap Q^c$이므로　　　　　② $(P \cap Q)^c = P^c \cup Q^c$이므로
> 　$\sim(p$ 또는 $q) ➡ \sim p$ 그리고 $\sim q$　　　　$\sim(p$ 그리고 $q) ➡ \sim p$ 또는 $\sim q$

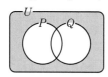 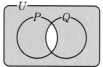

> **해결의 법칙**
>
> | 조건 'p 또는 q' 진리집합 $P \cup Q$ | 부정 ➡ | 조건 '$\sim p$ 그리고 $\sim q$' 진리집합 $P^c \cap Q^c$ | 조건 'p 그리고 q' 진리집합 $P \cap Q$ | 부정 ➡ | 조건 '$\sim p$ 또는 $\sim q$' 진리집합 $P^c \cup Q^c$ |

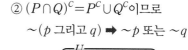

| 정답과 해설 16쪽 |

[개념 확인 5] 전체집합 $U = \{1, 2, 3, 4, 5, 6\}$에서 정의된 두 조건 p, q가

　p: x는 6의 약수이다., 　　q: x는 짝수이다.

일 때, 다음을 구하시오.

(1) 조건 'p 또는 q'의 진리집합　　　　　　(2) 조건 'p 그리고 q'의 진리집합

[개념 확인 6] 실수 전체의 집합에서 다음 조건의 부정을 말하시오.

(1) $x = -1$이고 $x = 2$　　　　　　(2) $x < 1$ 또는 $x > 3$

1 명제 $p \longrightarrow q$

두 조건 p, q로 이루어진 명제 'p이면 q이다.'를 기호로 $p \longrightarrow q$와 같이 나타낸다. 이때, p를 **가정**, q를 **결론**이라 한다.

예 명제 'x가 4의 배수이면 x는 2의 배수이다.'에 대하여

(1) 가정 ➡ x는 4의 배수이다.   (2) 결론 ➡ x는 2의 배수이다.

2 명제 $p \longrightarrow q$의 참, 거짓과 진리집합

두 조건 p, q의 진리집합을 각각 P, Q라 할 때, 다음이 성립한다.

(1) $P \subset Q$이면 $p \longrightarrow q$는 참이다. $p \longrightarrow q$가 참이면 $P \subset Q$

(2) $P \not\subset Q$이면 $p \longrightarrow q$는 거짓이다. $p \longrightarrow q$가 거짓이면 $P \not\subset Q$

참고 명제 $p \longrightarrow q$가 거짓임을 보이려면 조건 p는 만족시키지만 조건 q는 만족시키지 않는 예를 들면 된다. 이와 같은 예를 **반례**라 한다.

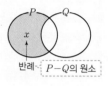

반례 · $P-Q$의 원소

설명 **2** 명제 $p \longrightarrow q$에서

(1) 조건 p가 성립하는 모든 경우에 조건 q도 성립하면 그 명제는 참이다.

➡ $P \subset Q$이면 명제 $p \longrightarrow q$는 참이다.

(2) 조건 p는 성립하지만 조건 q가 성립하지 않는 경우가 있으면 그 명제는 거짓이다.

➡ $P \not\subset Q$이면 명제 $p \longrightarrow q$는 거짓이다.

예 **2** 두 조건

p: x는 4의 양의 약수이다., q: x는 8의 양의 약수이다.

에 대하여 두 명제 $p \longrightarrow q$, $q \longrightarrow p$의 참, 거짓을 판별해 보자.

두 조건 p, q의 진리집합을 각각 P, Q라 하면

$P = \{1, 2, 4\}$, $Q = \{1, 2, 4, 8\}$

(1) $p \longrightarrow q$: x가 4의 양의 약수이면 x는 8의 양의 약수이다.

➡ $P \subset Q$이므로 참이다.

(2) $q \longrightarrow p$: x가 8의 양의 약수이면 x는 4의 양의 양수이다.

➡ $Q \not\subset P$이므로 거짓이다. [반례] $x = 8$

해결의 법칙

명제 $p \longrightarrow q$의 참, 거짓 ⟶ 진리집합의 포함 관계를 이용하기
$P \subset Q$ ➡ 참, $P \not\subset Q$ ➡ 거짓

| 정답과 해설 16쪽 |

개념 확인 **7** 다음 명제의 가정과 결론을 말하고, 명제의 참, 거짓을 판별하시오.

(1) $x > 2$이면 $x > 1$이다.

(2) $x^2 = 1$이면 $x = 1$이다.

1 '모든'이나 '어떤'이 있는 명제

공집합이 아닌 전체집합 U에 대하여 조건 p의 진리집합을 P라 할 때, 다음이 성립한다.

(1) 명제 '**모든** x에 대하여 p이다.' ➡ $P=U$이면 참 / $P \neq U$이면 거짓

(2) 명제 '**어떤** x에 대하여 p이다.' ➡ $P \neq \varnothing$이면 참 / $P=\varnothing$이면 거짓

참고 일반적으로 조건 p는 명제가 아니지만 조건 p 앞에 '모든'이나 '어떤'이라는 말이 있으면 x의 값이 정해지지 않아도 참, 거짓을 판별할 수 있는 명제가 된다.

2 '모든'이나 '어떤'이 있는 명제의 부정

(1) 명제 '모든 x에 대하여 p이다.'의 부정 ➡ '어떤 x에 대하여 $\sim p$이다.'

(2) 명제 '어떤 x에 대하여 p이다.'의 부정 ➡ '모든 x에 대하여 $\sim p$이다.'

예

명제	모든 실수 x에 대하여 $x+1 \geq 0$이다.	어떤 실수 x에 대하여 $x^2 > 0$이다.
명제의 부정	어떤 실수 x에 대하여 $x+1 < 0$이다.	모든 실수 x에 대하여 $x^2 \leq 0$이다.
부정의 참, 거짓	참	거짓

해결의 법칙

모든 x에 대하여 p이다. ➡ $P=U$이면 참

어떤 x에 대하여 p이다. ➡ $P \neq \varnothing$이면 참

| 정답과 해설 16쪽 |

개념 확인 **8** 　다음 명제의 부정을 말하고, 그것의 참, 거짓을 판별하시오.

(1) 어떤 양수 x에 대하여 $2x \leq x$이다.

(2) 모든 자연수 x에 대하여 $x \geq 1$이다.

1 다음 중 명제인 것에는 ○표, 명제가 아닌 것에는 ×표를 ( ) 안에 써넣으시오.

(1) $2x < 5$ ( )

(2) 1은 소수이다. ( )

(3) 64의 약수는 많다. ( )

(4) 정삼각형은 이등변삼각형이다. ( )

2 다음 명제의 부정을 말하고, 그것의 참, 거짓을 판별하시오.

(1) 4는 짝수이다.

(2) $2 \times 5 = 10$

(3) 8은 3의 배수이다.

(4) 정사각형은 직사각형이 아니다.

3 다음 조건의 부정을 말하시오.

(1) $x + y = 0$

(2) $x = 0$이고 $y = 0$

(3) $x < 0$ 또는 $x > 2$

(4) $3 < x \leq 4$

4 전체집합 $U = \{x \mid x$는 10 이하의 자연수$\}$에 대하여 두 조건 p, q가

$p : 2x - 1 \leq 9,$　　$q : x$는 3의 배수이다.

일 때, 다음 조건의 진리집합을 구하시오.

(1) p

(2) q

(3) $\sim p$

(4) $\sim q$

5 다음 명제의 가정과 결론을 말하고, 명제의 참, 거짓을 판별하시오.

(1) $1 < x < 2$이면 $0 < x < 3$이다.

(2) $a + b$가 자연수이면 a, b는 자연수이다.

(3) $x^2 = 4$이면 $x = 2$이다.

(4) 두 삼각형의 넓이가 같으면 두 삼각형은 합동이다.

대표 유형 **01**   **명제의 참, 거짓**   개념 01

다음 중 명제인 것을 찾고, 그것의 참, 거짓을 판별하시오.

(1) 1은 2보다 작다.

(2) 참외는 맛있다.

(3) $\sqrt{2}$는 자연수이다.

(4) $x > 1$ 그리고 $y > 0$

풀이   (1) 참인 명제이다.

     (2) 참외가 맛있는지 아닌지는 사람에 따라 다르므로 명제가 아니다.

     (3) $\sqrt{2}$는 자연수가 아니므로 거짓인 명제이다.

     (4) x, y의 값에 따라 참, 거짓이 달라지므로 명제가 아니다.

                                                   🈯 명제: (1) 참, (3) 거짓

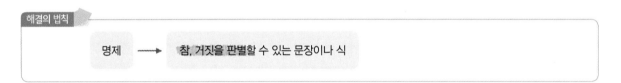

해결의 법칙

명제 ⟶ 참, 거짓을 판별할 수 있는 문장이나 식

| 정답과 해설 17쪽 |

01-1   다음 중 참인 명제는?

① $\sqrt{2} + \sqrt{3} = \sqrt{5}$ ② $(-3)^2 < (-2)^2$

③ 9는 소수이다.   ④ 정사각형은 마름모이다.

⑤ 0.001은 0에 가까운 수이다.

01-2   다음 명제 중 명제의 부정이 참인 명제는?

① 한라산은 제주도에 있다.   ② 직사각형은 평행사변형이다.

③ $5 < \sqrt{20}$ ④ 27은 합성수이다.

⑤ 삼각형의 세 내각의 크기의 합은 $180°$이다.

대표 유형 02 **조건의 진리집합** 개념 02, 03

전체집합 $U = \{1, 2, 3, \cdots, 10\}$에서 정의된 두 조건 p, q가

p: $x \le 4$, q: $x^2 - 9x + 14 < 0$

일 때, 다음 조건의 진리집합을 구하시오.

(1) $\sim p$ (2) p 그리고 q (3) $\sim p$ 또는 $\sim q$

풀이 두 조건 p, q의 진리집합을 각각 P, Q라 하면

p: $x \le 4$에서 $P = \{1, 2, 3, 4\}$

q: $x^2 - 9x + 14 < 0$에서 $(x-2)(x-7) < 0$ $\therefore 2 < x < 7$

$\therefore Q = \{3, 4, 5, 6\}$

(1) 조건 $\sim p$의 진리집합은 P^C이므로 구하는 진리집합은

$P^C = \{5, 6, 7, 8, 9, 10\}$

(2) 조건 'p 그리고 q'의 진리집합은 $P \cap Q$이므로 구하는 진리집합은

$P \cap Q = \{3, 4\}$

(3) 조건 '$\sim p$ 또는 $\sim q$'의 진리집합은 $P^C \cup Q^C$이므로 구하는 진리집합은

$P^C \cup Q^C = (P \cap Q)^C = \{1, 2, 5, 6, 7, 8, 9, 10\}$

답 (1) $\{5, 6, 7, 8, 9, 10\}$ (2) $\{3, 4\}$ (3) $\{1, 2, 5, 6, 7, 8, 9, 10\}$

해결의 법칙

$\sim p$의 진리집합 ➡ P^C 'p 그리고 q'의 진리집합 ➡ $P \cap Q$ 'p 또는 q'의 진리집합 ➡ $P \cup Q$

| 정답과 해설 17쪽 |

02-1 전체집합 $U = \{1, 2, 3, 4, 5, 6, 7\}$에서 정의된 조건 p가

p: x는 소수이다.

일 때, 조건 $\sim p$의 진리집합을 구하시오.

02-2 전체집합 $U = \{-2, -1, 0, 1, 2\}$에서 정의된 두 조건

p: $x^2 + x = 0$, q: $x(x-2) \le 0$

에 대하여 조건 '$\sim p$ 그리고 q'의 진리집합을 구하시오.

대표 유형 **03** 명제 $p \longrightarrow q$의 참, 거짓

개념 **04**

다음 명제의 참, 거짓을 판별하시오.

(1) $0 < x < 1$이면 $-1 \leq x \leq 2$이다.

(2) $x^2 = 9$이면 $x = -3$이다.

(3) $x + y = 0$이면 $x = 0$ 또는 $y = 0$이다.

(4) xy가 홀수이면 $x + y$는 홀수이다.

풀이 (1) $p: 0 < x < 1$, $q: -1 \leq x \leq 2$라 하고, 두 조건 p, q의 진리집합을 각각 P, Q라 하면

$P = \{x | 0 < x < 1\}$, $Q = \{x | -1 \leq x \leq 2\}$

따라서 $P \subset Q$이므로 주어진 명제는 참이다.

(2) [반례] $x = 3$이면 $x^2 = 9$이지만 $x \neq -3$이다.

따라서 주어진 명제는 거짓이다.

(3) [반례] $x = -1$, $y = 1$이면 $x + y = 0$이지만 $x = 0$ 또는 $y = 0$이 아니다.

따라서 주어진 명제는 거짓이다.

(4) [반례] $x = 1$, $y = 3$이면 $xy = 3$으로 홀수이지만 $x + y = 4$로 홀수가 아니다.

따라서 주어진 명제는 거짓이다.

> 반례로는
> 가정은 만족시키지만 결론은
> 만족시키지 않는 구체적인
> 예를 제시하면 돼.

冒 (1) 참 (2) 거짓 (3) 거짓 (4) 거짓

해결의 법칙

명제 $p \longrightarrow q$가 참	$\longrightarrow$	두 조건 p, q의 진리집합 P, Q에 대하여 $P \subset Q$임을 보이기
명제 $p \longrightarrow q$가 거짓	$\longrightarrow$	조건 p는 만족시키지만 조건 q는 만족시키지 않는 반례 찾기

| 정답과 해설 17쪽 |

03-1 다음 두 조건 p, q에 대하여 명제 $p \longrightarrow q$의 참, 거짓을 판별하시오.

(1) p: x는 12의 양의 약수 q: x는 6의 양의 약수

(2) p: x는 3의 배수 q: x는 9의 배수

(3) p: $x^2 - 4x + 3 = 0$ q: $0 < x < 4$

(4) p: $xy = 0$ q: $x^2 + y^2 = 0$

대표 유형 04 **명제의 참, 거짓과 진리집합의 포함 관계** 개념 04

전체집합 U에 대하여 두 조건 p, q의 진리집합을 각각 P, Q라 하자. 명제 $p \longrightarrow q$가 참일 때, 다음 중 항상 옳은 것은?

① $P \cap Q = Q$ ② $P \cup Q = P$ ③ $P - Q = P$

④ $P \cup Q^C = U$ ⑤ $Q^C \subset P^C$

풀이

❶ P, Q의 포함 관계를 벤다이어그램으로 나타내기

명제 $p \longrightarrow q$가 참이므로 $P \subset Q$
따라서 세 집합 U, P, Q를 벤다이어그램으로 나타내면 오른쪽 그림과 같다.

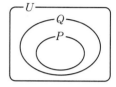

❷ 옳고 그름 판단하기

① $P \cap Q = P$ ∴ 거짓
② $P \cup Q = Q$ ∴ 거짓
③ $P - Q = \varnothing$ ∴ 거짓
④ $P \cup Q^C \neq U$ ∴ 거짓
⑤ $Q^C \subset P^C$ ∴ 참

따라서 옳은 것은 ⑤이다.

집합의 포함 관계는 벤다이어그램을 그려서 생각하면 이해가 쉬워.

답 ⑤

해결의 법칙

명제 $p \longrightarrow q$가 참이면 ➡ $P \subset Q$ $P \subset Q$이면 ➡ 명제 $p \longrightarrow q$가 참

| 정답과 해설 18쪽 |

04-1 전체집합 U에 대하여 두 조건 p, q의 진리집합을 각각 P, Q라 하자. 명제 $p \longrightarrow \sim q$가 참일 때, 다음 중 항상 옳은 것은?

① $P \cup Q = Q$ ② $Q - P = \varnothing$ ③ $P \cap Q = P^C$

④ $P - Q = P$ ⑤ $P \cup Q^C = U$

04-2 전체집합 U에 대하여 세 조건 p, q, r의 진리집합을 각각 P, Q, R라 할 때, 세 집합 P, Q, R의 포함 관계가 오른쪽 그림과 같다. 다음 명제 중 참인 것은?

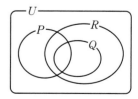

① $p \longrightarrow q$ ② $p \longrightarrow r$ ③ $q \longrightarrow \sim p$

④ $r \longrightarrow q$ ⑤ $q \longrightarrow r$

대표 유형 **05** 명제가 참이 되도록 하는 미지수 구하기   개념 04

다음 물음에 답하시오.

(1) 명제 '$-1<x<a+1$이면 $3-a<x<6$이다.'가 참이기 위한 실수 a의 값의 범위를 구하시오.

(2) 두 조건

$$p: x<2 \text{ 또는 } x>5, \qquad q: a\le x\le a+4$$

에 대하여 명제 $\sim p \longrightarrow q$가 참이 되도록 하는 실수 a의 값의 범위를 구하시오.

풀이 (1) ❶ 진리집합 사이의 포함 관 계 파악하기

$p: -1<x<a+1$, $q: 3-a<x<6$이라 하고, 두 조건 p, q의 진리집합을 각각 P, Q라 하면

$P=\{x|-1<x<a+1\}$, $Q=\{x|3-a<x<6\}$

주어진 명제가 참이 되려면 $P \subset Q$이어야 한다.

❷ a의 값의 범위 구하기

따라서 오른쪽 그림에서 $3-a\le-1$이고 $a+1\le6$

∴ $4\le a\le5$

(2) ❶ 진리집합 사이의 포함 관 계 파악하기

$p: x<2$ 또는 $x>5$이므로 $\sim p: 2\le x\le5$

두 조건 p, q의 진리집합을 각각 P, Q라 하면

$P^C=\{x|2\le x\le5\}$, $Q=\{x|a\le x\le a+4\}$

명제 $\sim p \longrightarrow q$가 참이 되려면 $P^C \subset Q$이어야 한다.

❷ a의 값의 범위 구하기

따라서 오른쪽 그림에서 $a\le2$이고 $a+4\ge5$

∴ $1\le a\le2$

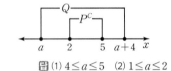

🈁 (1) $4\le a\le5$ (2) $1\le a\le2$

해결의 법칙

명제 $p \longrightarrow q$가 참이 되려면 $\longrightarrow$ 진리집합 P, Q를 $P \subset Q$가 되도록 수직선 위에 나타내기

| 정답과 해설 18쪽 |

05-1 두 조건

$$p: 2\le x\le4, \qquad q: 0\le x<a$$

에 대하여 명제 $p \longrightarrow q$가 참이 되도록 하는 정수 a의 최솟값을 구하시오.

05-2 두 조건

$$p: a<x<a+3, \qquad q: x<1 \text{ 또는 } x>6$$

에 대하여 명제 $p \longrightarrow \sim q$가 참이 되도록 하는 실수 a의 값의 범위를 구하시오.

대표 유형 06 '모든'이나 '어떤'이 있는 명제의 참, 거짓   개념 05

전체집합 $U=\{0, 1, 2, 3, 4\}$에 대하여 $x \in U$일 때, 다음 명제의 참, 거짓을 판별하시오.

(1) 모든 x에 대하여 $2x+3 \leq 11$이다.

(2) 어떤 x에 대하여 $x^2 > 16$이다.

풀이 (1) p: $2x+3 \leq 11$이라 하고, 조건 p의 진리집합을 P라 하면

$2x+3 \leq 11$에서 $2x \leq 8$ $\quad \therefore x \leq 4$ $\quad \therefore P=\{0, 1, 2, 3, 4\}$

따라서 $P=U$이므로 주어진 명제는 참이다.

(2) p: $x^2 > 16$이라 하고, 조건 p의 진리집합을 P라 하면

$x^2 > 16$에서 $(x+4)(x-4) > 0$ $\quad \therefore x < -4$ 또는 $x > 4$ $\quad \therefore P=\varnothing$

따라서 주어진 명제는 거짓이다.

답 (1) 참 (2) 거짓

해결의 법칙

모든 x에 대하여 p이다. ➡ $P=U$이면 참

어떤 x에 대하여 p이다. ➡ $P \neq \varnothing$이면 참

| 정답과 해설 18쪽 |

06-1 전체집합 $U=\{-2, -1, 0, 1, 2\}$에 대하여 $x \in U$일 때, 다음 중 거짓인 명제는?

① 모든 x에 대하여 $|x| \geq x$이다.   ② 모든 x에 대하여 $x^2 > 0$이다.

③ 어떤 x에 대하여 $(x-1)^2 \geq 0$이다.   ④ 어떤 x에 대하여 $x \leq 0$이다.

⑤ 어떤 x에 대하여 $(x+1)^2 \leq 0$이다.

06-2 다음 명제의 참, 거짓을 판별하고, 명제의 부정의 참, 거짓을 판별하시오.

(1) 모든 자연수 n에 대하여 n^2+n은 2의 배수이다.

(2) 어떤 홀수 n에 대하여 n^2은 짝수이다.

2 명제 사이의 관계

개념 01 명제의 역과 대우

1 명제의 역과 대우

명제 $p \longrightarrow q$에 대하여

(1) 명제 $q \longrightarrow p$를 $p \longrightarrow q$의 **역**이라 한다.

(2) 명제 $\sim q \longrightarrow \sim p$를 $p \longrightarrow q$의 **대우**라 한다.

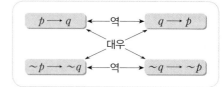

2 명제와 그 대우의 참, 거짓

명제 $p \longrightarrow q$와 그 대우 $\sim q \longrightarrow \sim p$ 사이에는 다음과 같은 관계가 있다.

(1) 명제 $p \longrightarrow q$가 참이면 그 대우 $\sim q \longrightarrow \sim p$도 참이다.

(2) 명제 $p \longrightarrow q$가 거짓이면 그 대우 $\sim q \longrightarrow \sim p$도 거짓이다.

> 명제와 그 대우는 참, 거짓이 일치

3 삼단논법

세 조건 p, q, r에 대하여 두 명제 $p \longrightarrow q, q \longrightarrow r$가 모두 참이면 명제 $p \longrightarrow r$가 참이다.

증명 세 조건 p, q, r의 진리집합을 각각 P, Q, R라 할 때, 두 명제 $p \longrightarrow q, q \longrightarrow r$가 모두 참이면
$P \subset Q$이고 $Q \subset R$이므로 $P \subset R$
따라서 명제 $p \longrightarrow r$가 참이다.

예

1 명제 '$x=1$이면 $x^2=1$이다.'에 대하여

(1) 역 ➡ $x^2=1$이면 $x=1$이다. ← 가정과 결론의 위치를 바꾼 것

(2) 대우 ➡ $x^2 \neq 1$이면 $x \neq 1$이다. ← 가정과 결론을 각각 부정하고 위치를 바꾼 것

설명

2 두 조건 p, q의 진리집합을 각각 P, Q라 할 때

(1) 명제 $p \longrightarrow q$가 참이면 ➡ $P \subset Q$
➡ $Q^C \subset P^C$ ➡ 명제 $\sim q \longrightarrow \sim p$도 **참**

(2) 명제 $p \longrightarrow q$가 거짓이면 ➡ $P \not\subset Q$
➡ $Q^C \not\subset P^C$ ➡ 명제 $\sim q \longrightarrow \sim p$도 **거짓**

따라서 명제 $p \longrightarrow q$의 참, 거짓과 그 대우 $\sim q \longrightarrow \sim p$의 참, 거짓은 항상 일치한다.

참고 명제 $p \longrightarrow q$가 참일 때, 그 명제의 역 $q \longrightarrow p$가 반드시 참인 것은 아니다.

해결의 법칙

> 명제 $p \longrightarrow q$와 그 대우 $\sim q \longrightarrow \sim p$는 참, 거짓이 일치
>
> 명제가 참임을 보이기 어려울 때는 그 대우가 참임을 보여도 돼.

| 정답과 해설 18쪽 |

개념 확인 1 명제 'n이 6의 배수이면 n은 3의 배수이다.'의 역과 대우를 말하고, 역과 대우의 참, 거짓을 판별하시오.

개념 **02** 충분조건과 필요조건

1 충분조건과 필요조건

명제 $p \longrightarrow q$가 참일 때, 기호로 $p \Longrightarrow q$와 같이 나타내고

   p는 q이기 위한 **충분조건**,

   q는 p이기 위한 **필요조건**

이라 한다.

> p는 q이기 위한 충분조건
>
> $$p \Longrightarrow q$$
>
> q는 p이기 위한 필요조건

2 필요충분조건

명제 $p \longrightarrow q$에 대하여 $p \Longrightarrow q$이고 $q \Longrightarrow p$일 때, 기호로 $p \Longleftrightarrow q$와 같이 나타내고

   p는 q이기 위한 **필요충분조건**

이라 한다.

예

1 x가 실수일 때, 두 조건 $p: x=3$, $q: x^2=9$에 대하여

   $$p \Longrightarrow q, \quad q \nRightarrow p$$

   따라서 p는 q이기 위한 충분조건, q는 p이기 위한 필요조건이다.

2 a, b가 실수일 때, 두 조건 $p: a=b=0$, $q: a^2+b^2=0$에 대하여

   $$p \Longrightarrow q, \quad q \Longrightarrow p \qquad \therefore p \Longleftrightarrow q$$

   따라서 p는 q이기 위한 필요충분조건이다.

해결의 법칙

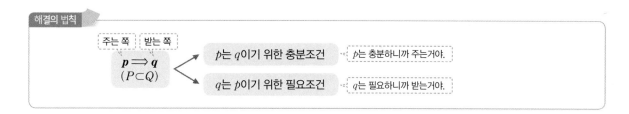

| 정답과 해설 18쪽 |

개념 확인 2 다음에서 조건 p는 조건 q이기 위한 어떤 조건인지 말하시오. (단, x는 실수)

(1) $p: x=0$ $q: x^2=x$

(2) $p: x>0$ $q: x>1$

(3) $p: x=1$ $q: (x-1)^2=0$

두 조건 p, q의 진리집합을 각각 P, Q라 할 때, 다음이 성립한다.

(1) $P \subset Q$이면 $p \Longrightarrow q$이므로 ➡ $\begin{cases} p\text{는 } q\text{이기 위한 충분조건} \\ q\text{는 } p\text{이기 위한 필요조건} \end{cases}$

(2) $P = Q$이면 $p \Longleftrightarrow q$이므로 ➡ p는 q이기 위한 필요충분조건

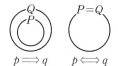

$p \Longrightarrow q$ $p \Longleftrightarrow q$

예

(1) 두 조건

p: x는 4의 양의 약수, q: x는 12의 양의 약수

의 진리집합을 각각 P, Q라 하면

$P = \{1, 2, 4\}$, $Q = \{1, 2, 3, 4, 6, 12\}$

$P \subset Q$이므로 $p \Longrightarrow q$

따라서 p는 q이기 위한 충분조건, q는 p이기 위한 필요조건이다.

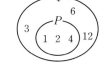

(2) 두 조건

p: $x = 2$, q: $2x = x + 2$

의 진리집합을 각각 P, Q라 하면

$P = \{2\}$, $Q = \{2\}$

$P = Q$이므로 $p \Longleftrightarrow q$

따라서 p는 q이기 위한 필요충분조건이다.

해결의 법칙

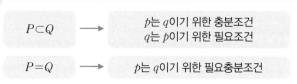

$P \subset Q$ ⟶ p는 q이기 위한 충분조건
q는 p이기 위한 필요조건

$P = Q$ ⟶ p는 q이기 위한 필요충분조건

| 정답과 해설 18쪽 |

개념 확인 **3** 다음 두 조건 p, q의 진리집합을 각각 P, Q라 할 때, 두 집합 P, Q의 포함 관계를 이용하여 p는 q이기 위한 어떤 조건
인지 말하시오. (단, x는 실수)

(1) p: $x^2 = 4$ q: $x = 2$

(2) p: x는 4의 양의 배수 q: x는 2의 양의 배수

(3) p: $x^2 - 3x + 2 = 0$ q: $(x-1)(x-2) = 0$

1 다음 명제의 역을 말하고, 그것의 참, 거짓을 판별하시오. (단, 문자는 모두 실수)

(1) x가 8의 양의 약수이면 x는 16의 양의 약수이다.

(2) 삼각형의 세 변의 길이가 같으면 정삼각형이다.

(3) $a=b$이면 $a+c=b+c$이다.

2 다음 명제의 대우를 말하고, 그것의 참, 거짓을 판별하시오. (단, 문자는 모두 실수)

(1) $x \leq 3$이면 $x^2 \leq 9$이다.

(2) n이 소수이면 n은 홀수이다.

(3) $a>1$이고 $b>1$이면 $a+b>2$이다.

3 다음에서 조건 p는 조건 q이기 위한 어떤 조건인지 말하시오. (단, 문자는 모두 실수)

(1) p: x는 5의 양의 배수, q: x는 10의 양의 배수

(2) p: $0 \leq x < 1$, q: $x < 2$

(3) p: $|x-1|=2$, q: $x^2-2x-3=0$

(4) p: $0<a<b$, q: $a^2<b^2$

(5) p: □ABCD는 평행사변형이다.
    q: □ABCD는 마름모이다.

(6) p: $a=b=0$, q: $a+bi=0$ (단, $i=\sqrt{-1}$)

대표 유형 01 **명제의 역과 대우의 참, 거짓** 　　　　　　　　　　　　개념 01

다음 명제의 역과 대우를 말하고, 역과 대우의 참, 거짓을 판별하시오. (단, x, y는 실수)

(1) $x=2$이고 $y=3$이면 $x+y=5$이다.

(2) $xy>1$이면 $x>1$이고 $y>1$이다.

풀이 　(1) 역: $x+y=5$이면 $x=2$이고 $y=3$이다. (거짓)

　　　　[반례] $x=1$, $y=4$이면 $x+y=5$이지만 $x\neq2$이고 $y\neq3$이다.

　　　　대우: $x+y\neq5$이면 $x\neq2$ 또는 $y\neq3$이다. (참)

　　(2) 역: $x>1$이고 $y>1$이면 $xy>1$이다. (참)

　　　　대우: $x\leq1$ 또는 $y\leq1$이면 $xy\leq1$이다. (거짓)

　　　　[반례] $x=-2$, $y=-1$이면 $x\leq1$ 또는 $y\leq1$이지만 $xy>1$이다.

🗐 풀이 참조

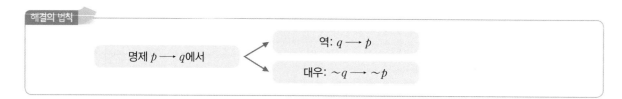

해결의 법칙

명제 $p \longrightarrow q$에서 　　역: $q \longrightarrow p$

　　　　　　　　　　　　　　대우: $\sim q \longrightarrow \sim p$

| 정답과 해설 20쪽 |

01-1 　다음 명제의 역과 대우를 말하고, 역과 대우의 참, 거짓을 판별하시오. (단, x, y는 실수)

(1) $x^2+y^2=0$이면 $x=0$ 또는 $y=0$이다.

(2) $xy>1$, $x+y>2$이면 $x>1$이고 $y>1$이다.

01-2 　다음 중 역은 참이고 대우는 거짓인 명제는? (단, x, y는 실수)

① $x>1$이면 $x>-1$이다.

② $x<2$, $y<2$이면 $x+y<4$이다.

③ $x+y$, xy가 유리수이면 x, y도 유리수이다.

④ $x>0$, $y>0$이면 $\sqrt{x^2}=x$, $x^2+y>0$이다.

⑤ 정사각형이면 평행사변형이다.

대표 유형 **02** **명제의 대우를 이용하여 미지수 구하기** 개념 01

다음 물음에 답하시오.

(1) 명제 '$x^2 - ax + 6 \neq 0$이면 $x \neq 1$이다.'가 참이 되도록 하는 상수 a의 값을 구하시오.

(2) 명제 '$x^2 - 3x + 2 \neq 0$이면 $x \neq a$이다.'가 참이 되도록 하는 모든 상수 a의 값의 합을 구하시오.

풀이 (1) ❶ 명제의 대우 구하기

주어진 명제의 대우는
'$x = 1$이면 $x^2 - ax + 6 = 0$이다.'

❷ a의 값 구하기

명제가 참이면 그 대우도 참이므로
$x = 1$일 때, $x^2 - ax + 6 = 0$에서 $1 - a + 6 = 0$
$\therefore a = 7$

> 명제와 그 대우는
> 참, 거짓이 일치해.

(2) ❶ 명제의 대우 구하기

주어진 명제의 대우는
'$x = a$이면 $x^2 - 3x + 2 = 0$이다.'

❷ a의 값의 합 구하기

명제가 참이면 그 대우도 참이므로
$x = a$일 때, $x^2 - 3x + 2 = 0$에서 $a^2 - 3a + 2 = 0$
$(a - 1)(a - 2) = 0$ $\therefore a = 1$ 또는 $a = 2$
따라서 구하는 모든 상수 a의 값의 합은
$1 + 2 = 3$

답 (1) 7 (2) 3

해결의 법칙

명제 $p \longrightarrow q$와 그 대우 $\sim q \longrightarrow \sim p$는 참, 거짓이 일치 | 명제가 참임을 보이기 어려울 때는 그 대우가 참임을 보여도 돼.

| 정답과 해설 20쪽 |

02-1 명제 '$x^3 - 3x^2 + (a+1)x + 2 \neq 0$이면 $x \neq 1$이다.'가 참이 되도록 하는 상수 a의 값을 구하시오.

02-2 명제 '$(x-1)(x-2)(x-3) \neq 0$이면 $x \neq a$이다.'가 참이 되도록 하는 모든 상수 a의 값의 곱을 구하시오.

대표 유형 **03** 명제의 대우와 삼단논법

세 조건 p, q, r에 대하여 다음 중 옳은 것은?

① 두 명제 $p \longrightarrow {\sim}q$와 ${\sim}q \longrightarrow {\sim}r$가 모두 참이면 명제 $p \longrightarrow r$도 참이다.

② 두 명제 $p \longrightarrow q$와 ${\sim}r \longrightarrow {\sim}q$가 모두 참이면 명제 $p \longrightarrow r$도 참이다.

③ 두 명제 $p \longrightarrow r$와 $q \longrightarrow {\sim}r$가 모두 참이면 명제 $p \longrightarrow q$도 참이다.

④ 두 명제 $p \longrightarrow q$와 ${\sim}p \longrightarrow r$가 모두 참이면 명제 ${\sim}r \longrightarrow {\sim}q$도 참이다.

⑤ 두 명제 $p \longrightarrow {\sim}r$와 ${\sim}r \longrightarrow {\sim}q$가 모두 참이면 명제 $q \longrightarrow p$도 참이다.

풀이

① 두 명제 $p \longrightarrow {\sim}q$와 ${\sim}q \longrightarrow {\sim}r$가 모두 참이므로 명제 $p \longrightarrow {\sim}r$도 참이다.

따라서 명제 $p \longrightarrow r$는 거짓이다.

② 명제 ${\sim}r \longrightarrow {\sim}q$가 참이므로 그 대우 $q \longrightarrow r$도 참이다.

이때, 명제 $p \longrightarrow q$가 참이므로 명제 $p \longrightarrow r$는 참이다.

③ 명제 $q \longrightarrow {\sim}r$가 참이므로 그 대우 $r \longrightarrow {\sim}q$도 참이다.

이때, 명제 $p \longrightarrow r$가 참이므로 명제 $p \longrightarrow {\sim}q$는 참이다.

따라서 명제 $p \longrightarrow q$는 거짓이다.

④ 명제 ${\sim}p \longrightarrow r$가 참이므로 그 대우 ${\sim}r \longrightarrow p$도 참이다.

이때, 명제 $p \longrightarrow q$가 참이므로 명제 ${\sim}r \longrightarrow q$도 참이다.

따라서 명제 ${\sim}r \longrightarrow {\sim}q$는 거짓이다.

⑤ 두 명제 $p \longrightarrow {\sim}r$와 ${\sim}r \longrightarrow {\sim}q$가 모두 참이므로 명제 $p \longrightarrow {\sim}q$도 참이다.

즉, 그 대우 $q \longrightarrow {\sim}p$도 참이다.

따라서 명제 $q \longrightarrow p$는 거짓이다.

답 ②

해결의 법칙

삼단논법

두 명제 $p \longrightarrow \boxed{q, \; q} \longrightarrow r$가 참 $\longrightarrow$ 명제 $p \longrightarrow r$가 참

| 정답과 해설 20쪽 |

03-1 두 명제 ${\sim}p \longrightarrow {\sim}q$와 $p \longrightarrow r$가 모두 참일 때, 다음 중 항상 참인 명제는?

① ${\sim}r \longrightarrow {\sim}q$ 　　　　② $r \longrightarrow {\sim}q$ 　　　　③ ${\sim}r \longrightarrow q$

④ $r \longrightarrow q$ 　　　　⑤ $p \longrightarrow q$

03-2 두 명제 $p \longrightarrow q$와 $r \longrightarrow {\sim}q$가 모두 참일 때, 다음 **보기** 중에서 항상 참인 것만을 있는 대로 고르시오.

┤보기├

ㄱ. $p \longrightarrow {\sim}r$ 　　　　ㄴ. $q \longrightarrow r$ 　　　　ㄷ. $r \longrightarrow p$

대표 유형 04 충분조건, 필요조건, 필요충분조건   개념 02

다음에서 조건 p는 조건 q이기 위한 어떤 조건인지 말하시오. (단, x, y는 실수)

(1) p: $x^2=y^2$ q: $x=-y$

(2) p: x, y는 유리수 q: xy는 유리수

(3) p: $x-|x|=0$ q: $x \geq 0$

풀이   (1) $x^2=y^2$에서 $x=\pm y$, 즉 $x=y$ 또는 $x=-y$

     (i) 명제 $p \longrightarrow q$, 즉 '$x^2=y^2$이면 $x=-y$이다.'는 거짓이다.

     (ii) 명제 $q \longrightarrow p$, 즉 '$x=-y$이면 $x^2=y^2$이다.'는 참이다.

     (i), (ii)에 의하여 $q \Longrightarrow p$이므로 p는 q이기 위한 필요조건이다.

   (2) (i) 명제 $p \longrightarrow q$, 즉 'x, y가 유리수이면 xy는 유리수이다.'는 참이다.

     (ii) 명제 $q \longrightarrow p$, 즉 'xy가 유리수이면 x, y는 유리수이다.'는 거짓이다.

       [반례] $x=\sqrt{2}$, $y=\sqrt{2}$이면 xy는 유리수이지만 x, y는 유리수가 아니다.

     (i), (ii)에 의하여 $p \Longrightarrow q$이므로 p는 q이기 위한 충분조건이다.

   (3) (i) $x-|x|=0$에서 $|x|=x$, 즉 $x \geq 0$이다.

       따라서 명제 $p \longrightarrow q$, 즉 '$x-|x|=0$이면 $x \geq 0$이다.'는 참이다.

     (ii) $x \geq 0$이면 $|x|=x$이므로 $x-|x|=0$

       따라서 명제 $q \longrightarrow p$, 즉 '$x \geq 0$이면 $x-|x|=0$이다.'는 참이다.

     (i), (ii)에 의하여 $p \Longleftrightarrow q$이므로 p는 q이기 위한 필요충분조건이다.

> 명제 $p \longrightarrow q$와 명제 $q \longrightarrow p$의 참, 거짓을 판별하면 돼.

目 (1) 필요조건   (2) 충분조건   (3) 필요충분조건

해결의 법칙

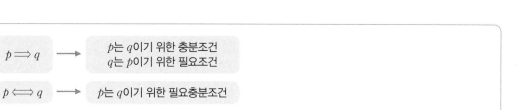

$p \Longrightarrow q$ → p는 q이기 위한 충분조건
                       q는 p이기 위한 필요조건

$p \Longleftrightarrow q$ → p는 q이기 위한 필요충분조건

| 정답과 해설 20쪽 |

04-1 전체집합 U의 두 부분집합 A, B에 대하여 다음 중 p가 q이기 위한 필요충분조건인 것을 고르시오.

(1) p: $A \subset B$ q: $A \cup B=B$

(2) p: $A-B=A$ q: $A \cap B=\varnothing$

(3) p: $A \cap B=\varnothing$ q: $A \cup B=\varnothing$

대표 유형 05 충분조건, 필요조건이 되도록 하는 미지수 구하기 개념 02

세 조건
$$p: x \geq a, \quad q: -1 \leq x \leq 4 \text{ 또는 } x \geq 6, \quad r: x \geq b$$
에 대하여 q는 r이기 위한 충분조건이고, q는 p이기 위한 필요조건일 때, 실수 a, b의 값의 범위를 구하시오.

풀이

❶ 세 조건의 진리집합 구하기

세 조건 p, q, r의 진리집합을 각각 P, Q, R라 하면
$$P = \{x \mid x \geq a\}, \ Q = \{x \mid -1 \leq x \leq 4 \text{ 또는 } x \geq 6\}, \ R = \{x \mid x \geq b\}$$

❷ 진리집합 사이의 포함 관계 파악하기

q는 r이기 위한 충분조건이므로
$$q \Longrightarrow r, \text{ 즉 } Q \subset R \quad \cdots\cdots \ \text{㉠}$$
q는 p이기 위한 필요조건이므로
$$p \Longrightarrow q, \text{ 즉 } P \subset Q \quad \cdots\cdots \ \text{㉡}$$

❸ a, b의 값의 범위 구하기

㉠, ㉡을 만족시키도록 세 집합 P, Q, R를 수직선 위에 나타내면 오른쪽 그림과 같으므로
$$a \geq 6, \ b \leq -1$$

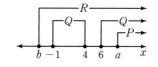

답 $a \geq 6, \ b \leq -1$

해결의 법칙

p가 q이기 위한 충분조건이면 $\longrightarrow$ $p \Longrightarrow q$, 즉 $P \subset Q$가 되도록 수직선 위에 나타내기

p가 q이기 위한 필요조건이면 $\longrightarrow$ $q \Longrightarrow p$, 즉 $Q \subset P$가 되도록 수직선 위에 나타내기

| 정답과 해설 20쪽 |

05-1 두 조건
$$p: x \leq a, \quad q: 1 \leq x \leq 5$$
에 대하여 p가 q이기 위한 필요조건일 때, 실수 a의 값의 범위를 구하시오.

05-2 $a \leq x \leq 7$은 $1 \leq x \leq 5$이기 위한 필요조건이고, $b < x \leq 3$은 $1 \leq x \leq 5$이기 위한 충분조건일 때, 실수 a의 최댓값과 실수 b의 최솟값의 합을 구하시오.

대표 유형 06 충분조건, 필요조건과 진리집합의 관계 　　개념 03

전체집합 U에 대하여 두 조건 p, q의 진리집합을 각각 P, Q라 하자. p는 $\sim q$이기 위한 충분조건일 때, 다음 중 항상 옳은 것은?

① $P \subset Q$ 　　　　　② $Q \subset P$ 　　　　　③ $Q^C \subset P$

④ $P - Q = P$ 　　　　⑤ $Q - P = \varnothing$

풀이

❶ 진리집합 사이의 포함 관계 파악하기

p는 $\sim q$이기 위한 충분조건이므로
$P \subset Q^C$

❷ 옳은 것 찾기

이것을 벤다이어그램으로 나타내면 오른쪽 그림과 같다.
따라서 옳은 것을 찾으면
④ $P - Q = P$

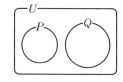

답 ④

해결의 법칙

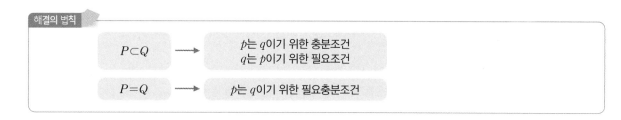

$P \subset Q$ ⟶ p는 q이기 위한 충분조건
q는 p이기 위한 필요조건

$P = Q$ ⟶ p는 q이기 위한 필요충분조건

| 정답과 해설 21쪽 |

06-1 전체집합 U에 대하여 두 조건 p, q의 진리집합을 각각 P, Q라 하자. p는 q이기 위한 필요조건일 때, 다음 중 항상 옳은 것은?

① $P \cup Q = Q$ 　　　　② $P \cap Q = P$ 　　　　③ $P - Q = \varnothing$

④ $P^C \cup Q = U$ 　　　⑤ $P^C \cap Q = \varnothing$

06-2 전체집합 U에 대하여 세 조건 p, q, r의 진리집합을 각각 P, Q, R라 할 때,
$$P - Q = \varnothing,\ P \cap R = R$$
가 성립한다. 다음 ☐ 안에 충분, 필요, 필요충분 중에서 알맞은 것을 써넣으시오.

(1) p는 q이기 위한 ☐ 조건이다.

(2) $\sim r$는 $\sim p$이기 위한 ☐ 조건이다.

3 절대부등식

개념 01 명제의 증명

1 정의, 증명, 정리

(1) **정의**: 용어의 뜻을 명확하게 정한 문장

(2) **증명**: 정의나 명제의 가정 또는 이미 옳다고 밝혀진 성질을 이용하여 어떤 명제가 참임을 설명하는 것

(3) **정리**: 참임이 증명된 명제 중에서 기본이 되는 것이나 다른 명제를 증명할 때 이용할 수 있는 것

2 대우를 이용한 증명

명제 $p \longrightarrow q$가 참이면 그 대우 $\sim q \longrightarrow \sim p$도 참이므로 어떤 명제가 참임을 증명할 때, 그 대우가 참임을 증명하는 방법

3 귀류법

어떤 명제가 참임을 증명할 때, 명제 또는 명제의 결론을 부정하여 가정에 모순되거나 이미 참이라고 알려진 사실에 모순됨을 보임으로써 주어진 명제가 참임을 증명하는 방법

예

1 이등변삼각형은 두 변의 길이가 같은 삼각형이다. ➡ 정의

이등변삼각형의 두 밑각의 크기는 같다. ➡ 정리

2 대우를 이용한 증명

명제	n이 자연수일 때, n^2이 짝수이면 n도 짝수이다.
명제의 대우 구하기	n이 자연수일 때, n이 홀수이면 n^2도 홀수이다.
대우가 참임을 보이기	n이 홀수이면 $n=2k+1$(k는 음이 아닌 정수)로 나타낼 수 있으므로 $n^2=(2k+1)^2=4k^2+4k+1=2(2k^2+2k)+1$ 이때, $2k^2+2k$는 음이 아닌 정수이므로 n^2은 홀수이다.
명제가 참임을 보이기	따라서 주어진 명제의 대우가 참이므로 주어진 명제는 참이다.

3 귀류법을 이용한 증명

명제	$\sqrt{2}$는 유리수가 아니다.
명제 부정하기	$\sqrt{2}$는 유리수이다.
모순 유도하기	$\sqrt{2}$가 유리수이면 $\sqrt{2}=\dfrac{n}{m}$ (m, n은 서로소인 자연수) 으로 나타낼 수 있다. $\sqrt{2}=\dfrac{n}{m}$의 양변을 제곱하면 $2=\dfrac{n^2}{m^2}$이므로 $n^2=2m^2$ ⋯⋯ ㉠ 이때, n^2이 2의 배수이므로 n도 2의 배수이다. ⋯⋯ ㉡ $n=2k$(k는 자연수)라 하면 ㉠에서 $4k^2=2m^2$이므로 $2k^2=m^2$ 즉, m^2이 2의 배수이므로 m도 2의 배수이다. ⋯⋯ ㉢ ㉡, ㉢에서 m, n이 모두 2의 배수이므로 m, n이 서로소인 자연수라는 가정에 모순이다.
명제가 참임을 확인하기	따라서 $\sqrt{2}$는 유리수가 아니다.

1 **절대부등식**

문자를 포함한 부등식에서 그 문자에 어떤 실수를 대입해도 항상 성립하는 부등식을 **절대부등식**
이라 한다.

2 **부등식의 증명에 이용되는 실수의 성질**

두 실수 a, b에 대하여

(1) $a>b \iff a-b>0$

(2) $a^2 \geq 0$, $a^2+b^2 \geq 0$

(3) $a^2+b^2=0 \iff a=0$, $b=0$

(4) $|a| \geq 0$, $|a|^2=a^2$, $|ab|=|a||b|$

(5) $a>0$, $b>0$일 때, $a>b \iff a^2>b^2 \iff \sqrt{a}>\sqrt{b}$

3 **여러 가지 절대부등식**

a, b, c가 실수일 때

(1) $a^2 \pm ab+b^2 \geq 0$ (단, 등호는 $a=b=0$일 때 성립)

(2) $a^2 \pm 2ab+b^2 \geq 0$ (단, 등호는 $a=\mp b$일 때 성립, 복호동순)

(3) $a^2+b^2+c^2-ab-bc-ca \geq 0$ (단, 등호는 $a=b=c$일 때 성립)

참고 등호가 포함된 부등식이 성립할 때는 특별한 말이 없더라도 등호가 성립하는 조건을 찾는다.

예 **1** (1) $x^2+1>0$은 모든 실수 x에 대하여 성립하므로 절대부등식이다.

(2) $x-2>0$은 $x>2$일 때만 성립하므로 절대부등식이 아니다.

설명 **3** (1) $a^2 \pm ab+b^2 = \left(a \pm \dfrac{b}{2}\right)^2 + \dfrac{3}{4}b^2 \geq 0$ (복호동순)

여기서 등호는 $a \pm \dfrac{b}{2}=0$, $b=0$, 즉 $a=b=0$일 때 성립한다.

(2) $a^2 \pm 2ab+b^2 = (a \pm b)^2 \geq 0$

여기서 등호는 $a \pm b=0$, 즉 $a=\mp b$일 때 성립한다. (복호동순)

(3) $a^2+b^2+c^2-ab-bc-ca = \dfrac{1}{2}\{(a-b)^2+(b-c)^2+(c-a)^2\} \geq 0$

여기서 등호는 $a-b=b-c=c-a=0$, 즉 $a=b=c$일 때 성립한다.

해결의 법칙

절대부등식	$\longrightarrow$	항상 성립하는 부등식
여러 가지 절대부등식의 증명	$\longrightarrow$	(실수)$^2 \geq 0$, $\|$실수$\| \geq 0$임을 이용하기

| 정답과 해설 21쪽 |

개념 확인 **1** 다음 부등식 중 절대부등식인 것에는 ○표, 절대부등식이 아닌 것에는 ×표를 (   ) 안에 써넣으시오. (단, x는 실수)

(1) $|x|>0$ (   )   (2) $x^2+2>0$ (   )

(3) $x^2-2x+1 \geq 0$ (   )   (4) $2x>x+2$ (   )

1 산술평균과 기하평균의 관계

$a>0$, $b>0$일 때

$$\frac{a+b}{2} \geq \sqrt{ab} \ (\text{단, 등호는 } a=b \text{일 때 성립})$$

참고 $a>0$, $b>0$일 때, $\dfrac{a+b}{2}$를 a와 b의 **산술평균**, $\sqrt{ab}$를 a와 b의 **기하평균**이라 한다.

2 코시-슈바르츠 부등식

a, b, x, y가 실수일 때

$$(a^2+b^2)(x^2+y^2) \geq (ax+by)^2 \left(\text{단, 등호는 } \frac{x}{a}=\frac{y}{b}\text{일 때 성립}\right)$$

설명

1 $a>0$, $b>0$이므로 $\sqrt{ab}=\sqrt{a}\sqrt{b}$

$$\frac{a+b}{2}-\sqrt{ab}=\frac{a+b-2\sqrt{ab}}{2}=\frac{(\sqrt{a}-\sqrt{b})^2}{2} \geq 0$$

$$\therefore \frac{a+b}{2} \geq \sqrt{ab} \ (\text{단, 등호는 } a=b \text{일 때 성립})$$

> 산술평균과 기하평균의 관계는 두 수가 모두 양수일 때 성립해!

2 $(a^2+b^2)(x^2+y^2)-(ax+by)^2=a^2x^2+a^2y^2+b^2x^2+b^2y^2-(a^2x^2+2abxy+b^2y^2)$
$$=a^2y^2-2abxy+b^2x^2=(ay-bx)^2 \geq 0$$

$$\therefore (a^2+b^2)(x^2+y^2) \geq (ax+by)^2 \left(\text{단, 등호는 } ay=bx, \text{즉 } \frac{x}{a}=\frac{y}{b}\text{일 때 성립}\right)$$

예

1 $a>0$, $b>0$이고 $ab=9$일 때, $a+b$의 최솟값을 구해 보자.

$a>0$, $b>0$이므로 산술평균과 기하평균의 관계에 의하여

$$a+b \geq 2\sqrt{ab}=2\sqrt{9}=2 \times 3=6 \ (\text{단, 등호는 } a=b \text{일 때 성립})$$

$$\therefore a+b \geq 6$$

따라서 $a+b$의 최솟값은 6이다.

2 a, b, x, y가 실수이고 $a^2+b^2=8$, $x^2+y^2=2$일 때, $ax+by$의 값의 범위를 구해 보자.

a, b, x, y가 실수이므로 코시-슈바르츠 부등식에 의하여

$$(a^2+b^2)(x^2+y^2) \geq (ax+by)^2$$

$$8 \times 2 \geq (ax+by)^2, \ (ax+by)^2 \leq 16$$

$$\therefore -4 \leq ax+by \leq 4 \left(\text{단, 등호는 } \frac{x}{a}=\frac{y}{b}\text{일 때 성립}\right)$$

| 정답과 해설 21쪽 |

개념 확인 2 $x>0$, $y>0$이고 $x+y=6$일 때, xy의 최댓값을 구하시오.

개념 확인 3 x, y가 실수이고 $x^2+y^2=1$일 때, $3x+4y$의 값의 범위를 구하시오.

1 다음 부등식 중 절대부등식인 것에는 ○표, 절대부등식이 아닌 것에는 ×표를 (   ) 안에 써넣으시오.

(단, x는 실수)

(1) $x < x+3$ (   )

(2) $x^2 + 4x \geq -4$ (   )

(3) $x^2 - 6x + 9 > 0$ (   )

(4) $|x| + 1 > 0$ (   )

2 $a > 0$, $b > 0$일 때, 다음을 구하시오.

(1) $ab = 6$일 때, $2a + 3b$의 최솟값

(2) $ab = 2$일 때, $3a + 6b$의 최솟값

(3) $a + 2b = 4$일 때, ab의 최댓값

(4) $2a + 5b = 4$일 때, ab의 최댓값

3 $a > 0$, $b > 0$일 때, 다음 식의 최솟값을 구하시오.

(1) $3a + \dfrac{3}{a}$

(2) $4a + \dfrac{1}{9a}$

(3) $\dfrac{b}{a} + \dfrac{a}{b}$

(4) $\dfrac{a}{4b} + \dfrac{b}{a}$

4 a, b, x, y가 실수일 때, 다음을 구하시오.

(1) $a^2 + b^2 = 2$, $x^2 + y^2 = 3$일 때, $ax + by$의 값의 범위

(2) $x^2 + y^2 = 5$일 때, $x + y$의 값의 범위

(3) $a^2 + b^2 = 1$, $x^2 + y^2 = 9$일 때, $ax + by$의 최댓값

(4) $2x + y = 4$일 때, $x^2 + y^2$의 최솟값

대표 유형 01 대우를 이용한 증명 개념 01

명제 '자연수 n에 대하여 n^2이 3의 배수가 아니면 n도 3의 배수가 아니다.'가 참임을 대우를 이용하여 증명하시오.

증명

❶ 명제의 대우 구하기
주어진 명제의 대우는
'자연수 n에 대하여 n이 3의 배수이면 n^2도 3의 배수이다.'

❷ 대우가 참임을 보이기
n이 3의 배수이면 $n=3k$ (k는 자연수)로 나타낼 수 있다. 이때,
$$n^2=(3k)^2=3\times 3k^2$$
이므로 n^2은 3의 배수이다.

❸ 명제가 참임을 보이기
따라서 주어진 명제의 대우가 참이므로 주어진 명제는 참이다.

해결의 법칙

명제가 참임을 직접 증명하기 어려운 경우 ⟶ 명제의 대우가 참임을 증명하기

| 정답과 해설 22쪽 |

01-1 명제 '실수 x, y에 대하여 $x+y>2$이면 x, y 중 적어도 하나는 1보다 크다.'가 참임을 대우를 이용하여 증명하시오.

01-2 명제 'a, b가 실수일 때, $a^2+b^2=0$이면 $a=0$, $b=0$이다.'가 참임을 대우를 이용하여 증명하시오.

대표 유형 **02** **귀류법을 이용한 증명**   개념 01

> 명제 '$2+\sqrt{2}$는 유리수가 아니다.'가 참임을 귀류법을 이용하여 증명하시오.

증명

❶ 명제 부정하기 $2+\sqrt{2}$는 유리수라고 가정하자.

❷ 모순 유도하기 $2+\sqrt{2}$가 유리수이면 $2+\sqrt{2}=a$ (a는 유리수)로 나타낼 수 있다.

$\therefore \sqrt{2}=a-2$

이때, 유리수끼리의 **뺄셈**은 유리수이므로 우변의 $a-2$는 유리수이다.

그런데 좌변의 $\sqrt{2}$는 유리수가 아니므로 모순이다.

❸ 명제가 참임을 확인하기   따라서 $2+\sqrt{2}$는 유리수가 아니다.

해결의 법칙

명제 또는 그 대우가 참임을 직접   →   결론을 부정하여 모순이 됨을 보이기 ┄ 귀류법
증명하기 어려운 경우

| 정답과 해설 22쪽 |

02-1   명제 '$\sqrt{3}+1$은 유리수가 아니다.'가 참임을 귀류법을 이용하여 증명하시오.

02-2   명제 '유리수 a, b에 대하여 $a+b\sqrt{2}=0$이면 $a=b=0$이다.'가 참임을 귀류법을 이용하여 증명하시오.

대표 유형 **03** 부등식의 증명

개념 02

> a, b가 실수일 때, 다음 부등식을 증명하시오.
>
> (1) $a^2 + 3b^2 \geq 2ab$
>
> (2) $\sqrt{a+b} < \sqrt{a} + \sqrt{b}$ (단, $a > 0$, $b > 0$)

증명 (1) $a^2 + 3b^2 - 2ab = (a^2 - 2ab + b^2) + 2b^2$
$$= (a-b)^2 + 2b^2$$

a, b가 실수이므로 $(a-b)^2 \geq 0$, $2b^2 \geq 0$

즉, $(a-b)^2 + 2b^2 \geq 0$이므로

$a^2 + 3b^2 - 2ab \geq 0$

$\therefore a^2 + 3b^2 \geq 2ab$

여기서 등호는 $a = b = 0$일 때 성립한다.

> 부등식의 증명에서 등호가 성립하는 경우에는 어느 때 등호가 성립하는지 꼭 짚어주어야 해.

(2) $(\sqrt{a+b})^2 - (\sqrt{a} + \sqrt{b})^2 = a + b - (a + 2\sqrt{ab} + b)$
$$= -2\sqrt{ab}$$

$-2\sqrt{ab} < 0$이므로 $(\sqrt{a+b})^2 - (\sqrt{a} + \sqrt{b})^2 < 0$

$\therefore (\sqrt{a+b})^2 < (\sqrt{a} + \sqrt{b})^2$

이때, $\sqrt{a+b} > 0$, $\sqrt{a} + \sqrt{b} > 0$이므로

$\sqrt{a+b} < \sqrt{a} + \sqrt{b}$

해결의 법칙

루트 또는 절댓값이 포함된 부등식은 $A^2 - B^2$으로 변형하여 증명

A, B의 대소 비교하기 ➡ $A - B$ 또는 $A^2 - B^2$ 조사하기

➡ $A > 0$, $B > 0$일 때 이용

| 정답과 해설 23쪽 |

03-1 a, b가 실수일 때, 다음 부등식을 증명하시오.

(1) $|a| + |b| \geq |a+b|$

(2) $1 + \dfrac{a}{2} > \sqrt{1+a}$ (단, $a > 0$)

대표 유형 04 합 또는 곱이 일정할 때 산술평균과 기하평균의 관계   개념 03

$a>0$, $b>0$일 때, 다음 물음에 답하시오.

(1) $2a+3b=24$일 때, ab의 최댓값을 구하시오.

(2) $ab=4$일 때, a^2+b^2의 최솟값을 구하시오.

풀이 (1) ❶ 양수 조건 확인하기 $2a>0$, $3b>0$이므로 산술평균과 기하평균의 관계에 의하여

     ❷ 산술평균과 기하평균의 관계 이용하기 $2a+3b\geq2\sqrt{6ab}$ (단, 등호는 $2a=3b$일 때 성립)

           그런데 $2a+3b=24$이므로

           $24\geq2\sqrt{6ab}$, $\sqrt{6ab}\leq12$

           양변을 제곱하면 $6ab\leq144$

           $\therefore ab\leq24$

     ❸ 최댓값 구하기   따라서 ab의 최댓값은 24이다.

   (2) ❶ 양수 조건 확인하기 $a^2>0$, $b^2>0$이므로 산술평균과 기하평균의 관계에 의하여

     ❷ 산술평균과 기하평균의 관계 이용하기 $a^2+b^2\geq2\sqrt{a^2b^2}=2|ab|=2ab$ (단, 등호는 $a^2=b^2$, 즉 $a=b$일 때 성립)

                                      └➤ $a>0$, $b>0$이므로 $|ab|=ab$

           그런데 $ab=4$이므로

           $a^2+b^2\geq2ab=8$

     ❸ 최솟값 구하기   따라서 a^2+b^2의 최솟값은 8이다.

                                                    답 (1) 24   (2) 8

해결의 법칙

산술평균과 기하평균의 관계 ⟶ $a>0$, $b>0 \Rightarrow \dfrac{a+b}{2}\geq\sqrt{ab}$ (단, 등호는 $a=b$일 때 성립)

| 정답과 해설 23쪽 |

04-1   양수 a, b에 대하여 $a+b=8$일 때, $\dfrac{1}{a}+\dfrac{1}{b}$의 최솟값을 구하시오.

04-2   0이 아닌 실수 a, b에 대하여 $a^2+b^2=8$일 때, ab의 최댓값을 구하시오.

대표 유형 05 **식의 전개나 변형을 이용한 산술평균과 기하평균의 관계** 개념 03

다음 물음에 답하시오.

(1) $a>0$, $b>0$일 때, $\left(a+\dfrac{1}{b}\right)\left(b+\dfrac{4}{a}\right)$의 최솟값을 구하시오.

(2) $x>2$일 때, $x+\dfrac{1}{x-2}$의 최솟값을 구하시오.

풀이 (1) **❶ 주어진 식 전개하기**

$$\left(a+\frac{1}{b}\right)\left(b+\frac{4}{a}\right)=ab+4+1+\frac{4}{ab}=ab+\frac{4}{ab}+5$$

❷ 산술평균과 기하평균의 관계 이용하기

이때, $ab>0$, $\dfrac{4}{ab}>0$이므로 산술평균과 기하평균의 관계에 의하여

$$ab+\frac{4}{ab}+5\geq 2\sqrt{ab\times\frac{4}{ab}}+5=9\left(\text{단, 등호는 }ab=\frac{4}{ab},\text{ 즉 }\underline{ab=2}\text{일 때 성립}\right)$$

$(ab)^2=4$에서 $ab=\pm2$
이때, $a>0$, $b>0$이므로 $ab=2$

❸ 최솟값 구하기

따라서 구하는 최솟값은 9이다.

(2) **❶ 주어진 식 변형하기**

$$x+\frac{1}{x-2}=x-2+\frac{1}{x-2}+2$$

└─┘ 같은 꼴로 만들기

❷ 산술평균과 기하평균의 관계 이용하기

이때, $x-2>0$, $\dfrac{1}{x-2}>0$이므로 산술평균과 기하평균의 관계에 의하여

$$x-2+\frac{1}{x-2}+2\geq 2\sqrt{(x-2)\times\frac{1}{x-2}}+2=4$$

$$\left(\text{단, 등호는 }x-2=\frac{1}{x-2},\text{ 즉 }\underline{x=3}\text{일 때 성립}\right)$$

$(x-2)^2=1$에서 $x-2=\pm1$
이때, $x>2$이므로 $x=3$

❸ 최솟값 구하기

따라서 구하는 최솟값은 4이다.

답 (1) 9 (2) 4

주의 (1) $\left(a+\dfrac{1}{b}\right)\left(b+\dfrac{4}{a}\right)\geq 2\sqrt{a\times\dfrac{1}{b}}\times 2\sqrt{b\times\dfrac{4}{a}}=4\sqrt{a\times\dfrac{1}{b}\times b\times\dfrac{4}{a}}=8$과 같이 풀면 안 된다.

왜냐하면 $a+\dfrac{1}{b}\geq 2\sqrt{a\times\dfrac{1}{b}}$과 $b+\dfrac{4}{a}\geq 2\sqrt{b\times\dfrac{4}{a}}$에서 각각 등호가 성립하는 경우는 $a=\dfrac{1}{b}$, $b=\dfrac{4}{a}$일 때이고

이 두 식을 동시에 만족시키는 a, b의 값은 존재하지 않기 때문이다.

따라서 주어진 식을 전개하여 산술평균과 기하평균의 관계를 이용해야 한다.

해결의 법칙

산술평균과 기하평균의 관계를 이용할 수 있도록 식을 변형할 때 → 서로 곱했을 때 약분되어 상수가 되도록 한다.

| 정답과 해설 23쪽 |

05-1 $a>0$, $b>0$일 때, $(a+b)\left(\dfrac{1}{a}+\dfrac{9}{b}\right)$의 최솟값을 구하시오.

05-2 $a>1$일 때, $a-\dfrac{1}{a}+\dfrac{4a}{a^2-1}$의 최솟값을 구하시오.

대표 유형 06 코시−슈바르츠 부등식   개념 03

x, y가 실수일 때, 다음 물음에 답하시오.

(1) $4x^2+y^2=13$일 때, $4x+3y$의 값의 범위를 구하시오.

(2) $2x+5y=29$일 때, x^2+y^2의 최솟값을 구하시오.

풀이

(1) x, y가 실수이므로 코시−슈바르츠 부등식에 의하여

$$(2^2+3^2)\{(2x)^2+y^2\} \geq (4x+3y)^2$$

그런데 $4x^2+y^2=13$이므로 $13^2 \geq (4x+3y)^2$

$$\therefore -13 \leq 4x+3y \leq 13 \left(\text{단, 등호는 } \frac{2x}{2}=\frac{y}{3}, \text{ 즉 } 3x=y\text{일 때 성립}\right)$$

(2) x, y가 실수이므로 코시−슈바르츠 부등식에 의하여

$$(2^2+5^2)(x^2+y^2) \geq (2x+5y)^2$$

그런데 $2x+5y=29$이므로 $29(x^2+y^2) \geq 29^2$

$$\therefore x^2+y^2 \geq 29 \left(\text{단, 등호는 } \frac{x}{2}=\frac{y}{5}, \text{ 즉 } 5x=2y\text{일 때 성립}\right)$$

따라서 x^2+y^2의 최솟값은 29이다.

답 (1) $-13 \leq 4x+3y \leq 13$ (2) 29

해결의 법칙

코시−슈바르츠 부등식 → $(a^2+b^2)(x^2+y^2) \geq (ax+by)^2 \left(\text{단, 등호는 } \frac{x}{a}=\frac{y}{b}\text{일 때 성립}\right)$

| 정답과 해설 23쪽 |

06-1 실수 x, y에 대하여 $\dfrac{x}{3}+\dfrac{y}{5}=34$일 때, x^2+y^2의 최솟값을 구하시오.

06-2 $x^2+y^2=a$를 만족시키는 실수 x, y에 대하여 $2x+y$의 최댓값과 최솟값의 차가 10일 때, 양수 a의 값을 구하시오.

유형 확인

1-1 10 이하의 자연수의 집합 U에서 정의된 두 조건 p, q가

p: x는 소수, q: x는 6의 약수

일 때, 조건 'p 또는 $\sim q$'의 진리집합을 구하시오.

한번 더 확인

1-2 전체집합 $U=\{-3, -2, -1, 0, 1, 2, 3\}$에서 정의된 두 조건 p, q가

p: $x^2-2x>0$, q: $x^2+2x\leq0$

일 때, 조건 '$\sim p$ 그리고 $\sim q$'의 진리집합의 모든 원소의 합을 구하시오.

2-1 다음 명제 중 참인 것을 모두 고르면? (정답 2개)

① $x>3$이면 $4\leq x<6$이다.

② $x-3=5$이면 $x^2-8x=0$이다.

③ x, y가 무리수이면 xy도 무리수이다.

④ x가 6으로 나누어떨어지면 x는 3으로 나누어떨어진다.

⑤ △ABC가 이등변삼각형이면 △ABC는 정삼각형이다.

2-2 다음 두 조건 p, q에 대하여 명제 $p \longrightarrow q$가 거짓인 것을 모두 고르면? (정답 2개)

① p: x는 8의 양의 약수 q: x는 4의 양의 약수

② p: $|x|<5$ q: $-7\leq x<7$

③ p: $x^2-3x-4=0$ q: $-5<x<5$

④ p: $x^2+y^2>x^2$ q: $y<0$

⑤ p: x는 14의 배수 q: x는 7의 배수

3-1 전체집합 U에 대하여 세 조건 p, q, r의 진리집합을 각각 P, Q, R라 할 때, 이들 사이의 포함 관계는 오른쪽 그림과 같다. 다음 명제 중 거짓인 것은?

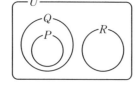

① $r \longrightarrow \sim q$ ② $r \longrightarrow \sim p$ ③ $p \longrightarrow \sim r$

④ $p \longrightarrow \sim q$ ⑤ $\sim q \longrightarrow \sim p$

3-2 전체집합 U에 대하여 세 조건 p, q, r의 진리집합을 각각 P, Q, R라 하자. 세 집합 P, Q, R 사이에 $R\subset(P\cap Q)$인 관계가 성립할 때, 다음 중 항상 참인 명제는?

① $p \longrightarrow q$ ② $\sim q \longrightarrow p$ ③ $\sim p \longrightarrow q$

④ $r \longrightarrow p$ ⑤ $r \longrightarrow \sim q$

4-1 x가 실수일 때, 두 조건

$$p: 0 \le x \le 2, \qquad q: |x-a| < 3$$

에 대하여 명제 $p \longrightarrow q$가 참이 되도록 하는 모든 정수 a의 값의 합을 구하시오.

4-2 x가 실수일 때, 두 조건

$$p: x < 0 \text{ 또는 } x \ge 6, \qquad q: a-5 < x \le 2a$$

에 대하여 명제 $\sim q \longrightarrow p$가 참이 되도록 하는 정수 a의 개수를 구하시오.

5-1 다음 중 참인 명제는?

① 모든 소수는 홀수이다.
② 모든 실수 x에 대하여 $x^2 + 1 \ge 2$이다.
③ 어떤 자연수 x에 대하여 $2x + 1 = 4$이다.
④ 어떤 음의 실수 x에 대하여 $x^2 + x < 0$이다.
⑤ 모든 무리수 x에 대하여 $\sqrt{3x}$는 무리수이다.

5-2 전체집합 $U = \{1, 2, 3, 4, 5\}$에 대하여 $x \in U$, $y \in U$일 때, 다음 중 거짓인 명제는?

① 모든 x에 대하여 $x - 1 < 5$이다.
② 어떤 x에 대하여 $x^2 - 4 = 0$이다.
③ 모든 x에 대하여 $x^2 - x \ge 2$이다.
④ 어떤 x, y에 대하여 $x + y \le 3$이다.
⑤ 어떤 x, y에 대하여 $x^2 + y^2 = 10$이다.

6-1 다음 명제 중 그 역이 참인 것은?
(단, a, b, x, y는 실수)

① $x > 1$이면 $x^2 > 1$이다.
② $a^2 > b^2$이면 $a > b$이다.
③ $xy > 0$이면 $x > 0$ 또는 $y > 0$이다.
④ x, y가 짝수이면 $x + y$도 짝수이다.
⑤ $x = 0$ 또는 $y = 0$이면 $xy = 0$이다.

6-2 다음 보기의 명제 중 그 역, 대우가 모두 참인 것만을 있는 대로 고르시오. (단, a, b, x, y는 실수)

┤ 보기 ├
ㄱ. $x^2 - y^2 = 0$이면 $x = y$이다.
ㄴ. $x^2 + y^2 = 0$이면 $x + y\sqrt{2} = 0$이다.
ㄷ. $|a| + |b| = 0$이면 $a = 0$이고 $b = 0$이다.
ㄹ. 두 집합 A, B에 대하여
　$A \subset B$이면 $A \cap B = A$이다.

7-1 명제 '$x^3 + 2x^2 - ax + 4 \ne 0$이면 $x \ne 2$이다.'가 참이 되도록 하는 상수 a의 값을 구하시오.

7-2 두 실수 x, y에 대하여 명제 '$x + y > 3$이면 $x > 4$ 또는 $y > a$이다.'가 참일 때, 실수 a의 최댓값을 구하시오.

유형 확인

8-1 두 명제 $p \longrightarrow \sim r$와 $\sim q \longrightarrow r$가 모두 참일 때, 다음 중 반드시 참인 명제는?

① $\sim p \longrightarrow q$ ② $p \longrightarrow \sim q$

③ $\sim p \longrightarrow \sim q$ ④ $p \longrightarrow q$

⑤ $r \longrightarrow \sim q$

한번 더 확인

8-2 두 명제 $p \longrightarrow \sim q$와 $\sim p \longrightarrow \sim r$가 모두 참일 때, 다음 보기 중에서 참인 것만을 있는 대로 고르시오.

┤ 보기 ├
ㄱ. $q \longrightarrow \sim p$ ㄴ. $q \longrightarrow r$

ㄷ. $r \longrightarrow p$ ㄹ. $r \longrightarrow \sim q$

9-1 다음 중 p가 q이기 위한 필요조건이지만 충분조건은 아닌 것은? (단, x, y는 실수, A, B는 집합)

① $p: x=1$ $q: x^2-x=0$

② $p: x+y=0$ $q: xy=0$

③ $p: x<1$ $q: |x|<1$

④ $p: x<0, y>0$ $q: xy<0$

⑤ $p: A \cap B=A$ $q: A \cup B=B$

9-2 다음 중 p가 q이기 위한 충분조건이지만 필요조건은 아닌 것은? (단, x, y는 실수, A, B는 집합)

① $p: (x-1)(x-2)=0$ $q: (x-1)^2=0$

② $p: xy=|xy|$ $q: x>0, y>0$

③ $p: x>1$ $q: |x| \geq 1$

④ $p: x^2+xy+y^2=0$ $q: x=0, y=0$

⑤ $p: A-B=\varnothing$ $q: A \subset B$

10-1 두 조건

$$p: |x|<1, \qquad q: x \leq a$$

에 대하여 p가 q이기 위한 충분조건일 때, 실수 a의 최솟값을 구하시오.

10-2 세 조건

$$p: 2<x<7, \qquad q: -1 \leq x < a, \qquad r: x \geq b$$

에 대하여 p는 q이기 위한 충분조건이고, r는 q이기 위한 필요조건일 때, 실수 a의 최솟값과 실수 b의 최댓값의 합을 구하시오.

11-1 전체집합 U에 대하여 세 조건 p, q, r의 진리집합을 각각 P, Q, R라 할 때,

$$P^C \subset Q^C, \quad P \cup R=R$$

가 성립한다. 이때, 다음 보기 중에서 옳은 것만을 있는 대로 고르시오.

┤ 보기 ├
ㄱ. p는 q이기 위한 필요조건이다.
ㄴ. p는 r이기 위한 충분조건이다.
ㄷ. q는 r이기 위한 필요충분조건이다.

11-2 전체집합 U에 대하여 세 조건 p, q, r의 진리집합을 각각 P, Q, R라 하자. 세 집합 P, Q, R 사이의 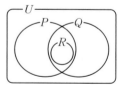 관계가 오른쪽 벤다이어그램과 같을 때, 다음 보기 중에서 옳은 것만을 있는 대로 고르시오.

┤ 보기 ├
ㄱ. p는 q이기 위한 충분조건이다.
ㄴ. p는 r이기 위한 필요조건이다.
ㄷ. r는 $\sim q$이기 위한 충분조건이다.

유형 확인

12-1 다음은 양의 정수 a, b, c에 대하여 명제 '$a^2+b^2=c^2$이면 a, b, c 중 적어도 하나는 짝수이다.'가 참임을 대우를 이용하여 증명하는 과정이다. ㈎, ㈏, ㈐에 알맞은 것을 써넣으시오.

> 양의 정수 a, b, c에 대하여 주어진 명제의 대우는 'a, b, c가 [㈎]이면 $a^2+b^2 \neq c^2$이다.'
> a, b, c가 [㈎]이면 a^2, b^2, c^2도 [㈎]이므로 a^2+b^2은 [㈏]이고, c^2은 [㈐]가 되어 $a^2+b^2 \neq c^2$이다.
> 따라서 주어진 명제의 대우가 참이므로 주어진 명제도 참이다.

한번 더 확인

12-2 다음은 $\sqrt{\pi}$가 유리수가 아님을 귀류법을 이용하여 증명하는 과정이다. ㈎, ㈏에 알맞은 것을 써넣으시오.

> $\sqrt{\pi}$가 [㈎]라고 가정하면
> $\sqrt{\pi}=a$ (a는 유리수)로 나타낼 수 있다.
> 양변을 제곱하면 $\pi=a^2$
> 이때, a는 유리수이므로 a^2은 [㈎]이다.
> 그런데 [㈏]는 유리수가 아니므로 모순이다.
> 따라서 $\sqrt{\pi}$는 유리수가 아니다.

13-1 $a<b$일 때, 다음 중 항상 성립하는 것은?

① $\dfrac{1}{a} > \dfrac{1}{b}$ ② $a^2 < b^2$

③ $|a| < |b|$ ④ $a^3 < b^3$

⑤ $ab < b^2$

13-2 $a^2<b^2$일 때, 다음 중 항상 성립하는 것은?

① $a<b$ ② $a>b$

③ $|a| < |b|$ ④ $a^3 > b^3$

⑤ $\dfrac{1}{a} > \dfrac{1}{b}$

14-1 $x>1$일 때, $9x+\dfrac{1}{x-1}$의 최솟값과 그때의 x의 값의 곱을 구하시오.

14-2 $a>0$, $b>0$이고 $a+2b=8$일 때, $\sqrt{a}+\sqrt{2b}$의 최댓값을 구하시오.

4 함수

1 함수

개념 01 함수

> 집합 X에서 집합 Y로의 대응이
> 함수인지 판별하는 방법 $\longrightarrow$ 집합 X의 각 원소에 대응하는
> 집합 Y의 원소가 반드시 1개인지 확인하기

개념 02 정의역, 공역, 치역

> 함수 $f : X \longrightarrow Y$에서
> - 정의역 $\Rightarrow X$, 공역 $\Rightarrow Y$
> - 치역 $\Rightarrow \{f(x) \,|\, x \in X\}$ $\longrightarrow$ (치역) $\subset$ (공역)

개념 03 서로 같은 함수

> 두 함수가 서로 같다. $\Longleftrightarrow$ (i) 정의역과 공역이 각각 서로 같다.
> (ii) 정의역의 모든 원소에 대한 함숫값이 서로 같다.

개념 04 함수의 그래프

> 함수의 그래프인지
> 판별하는 방법 $\longrightarrow$ 직선 $x = a$와 오직 한 점에서 만나는지
> 확인하기

2 여러 가지 함수

개념 01 일대일함수와 일대응대응

> 일대일함수 $\Longleftrightarrow$ $x_1 \neq x_2$이면 $f(x_1) \neq f(x_2)$

> 일대일대응 $\Longleftrightarrow$ 일대일함수 $+$ (치역) $=$ (공역)

개념 02 항등함수와 상수함수

> 항등함수 $\Longleftrightarrow$ $f(x) = x$

> 상수함수 $\Longleftrightarrow$ $f(x) = c$ (c는 상수)

1 함수

개념 **01** 함수

1 대응

공집합이 아닌 두 집합 X, Y에 대하여 집합 X의 원소에 집합 Y의 원소를 짝 짓는 것을 집합 X에서 집합 Y로의 **대응**이라 한다.

이때, 집합 X의 원소 x에 집합 Y의 원소 y가 짝 지어지면 x에 y가 대응한 다고 하며, 이것을 기호로 $x \longrightarrow y$와 같이 나타낸다.

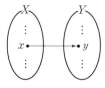

2 함수

두 집합 X, Y에 대하여 집합 X의 각 원소에 집합 Y의 원소가 오직 하나씩 대응할 때, 이 대응을 집합 X에서 집합 Y로의 **함수**라 한다.

이 함수를 f라 할 때, 이것을 기호로 $f : X \longrightarrow Y$와 같이 나타낸다.

참고 함수를 영어로 'function'이라 하며, 함수를 나타낼 때에는 보통 f, g, h 등을 사용한다.

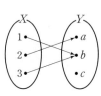

예 두 집합 X, Y에 대하여 다음 대응 $X \longrightarrow Y$가 함수인지 알아보자.

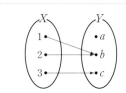

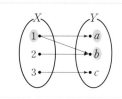

| X의 각 원소에 Y의 원소가 오직 하나씩 대응한다. ➡ 함수이다. | X의 원소 1에 대응하는 Y의 원소가 없다. ➡ 함수가 아니다. | X의 원소 1에 대응하는 Y의 원소가 a, b의 2개이다. ➡ 함수가 아니다. |

해결의 법칙

| 집합 X에서 집합 Y로의 대응이 함수인지 판별하는 방법 | ⟶ | 집합 X의 각 원소에 대응하는 집합 Y의 원소가 반드시 1개인지 확인하기 |

X의 원소에 대응하는 Y의 원소가 없거나 2개 이상이면 그 대응은 함수가 아니야.

| 정답과 해설 28쪽 |

개념 확인 1 다음 대응이 집합 X에서 집합 Y로의 함수인지 아닌지 말하시오.

(1)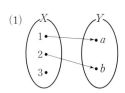

(2)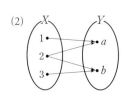

(3)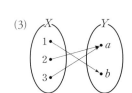

1 정의역과 공역

집합 X에서 집합 Y로의 함수 f, 즉 $f : X \longrightarrow Y$에서

     집합 X를 함수 f의 **정의역**,

     집합 Y를 함수 f의 **공역**

이라 한다.

> 참고 함수 $y=f(x)$의 정의역과 공역이 특별히 주어져 있지 않은 경우에는 $f(x)$가 정의되는 실수 x의 값 전체의 집합을 정의역으로 하고, 실수 전체의 집합을 공역으로 한다.

2 함숫값과 치역

함수 $f : X \longrightarrow Y$에서 정의역 X의 원소 x에 공역 Y의 원소 y가 대응할 때, 이것을 기호로

     $y = f(x)$

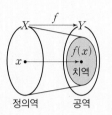

와 같이 나타내고, $f(x)$를 x에서의 함숫값이라 한다.

이때, 함숫값 전체의 집합 $\{f(x) \,|\, x \in X\}$를 함수 f의 **치역**이라 한다.

> 참고 치역은 공역의 부분집합이다.

예

오른쪽 그림과 같은 함수 $f : X \longrightarrow Y$에서

정의역 ➡ $X = \{1, 2, 3\}$

공역 ➡ $Y = \{0, 1, 2, 3\}$

함숫값 ➡ $f(1) = 1,\ f(2) = 2,\ f(3) = 0$

치역 ➡ $\{0, 1, 2\}$ ← 공역의 부분집합

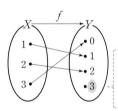

> 함수에서 공역의 원소 중에는 정의역의 원소에 대응하지 않는 원소가 있을 수 있어.

> 주의 정의역, 공역, 치역을 원소나열법으로 나타낼 때는 반드시 집합 기호를 사용하여 나타낸다.

해결의 법칙

함수 $f : X \longrightarrow Y$에서
 ⟨ 정의역 ➡ X, 공역 ➡ Y
 ⟨ 치역 ➡ $\{f(x) \,|\, x \in X\}$ ⟶ (치역) $\subset$ (공역)

| 정답과 해설 28쪽 |

개념 확인 **2**   다음 그림과 같은 함수 $f : X \longrightarrow Y$의 정의역, 공역, 치역을 각각 구하시오.

(1)
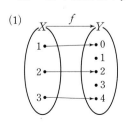

(2)
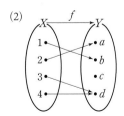

두 함수 f와 g가

　　(i) 정의역과 공역이 각각 서로 같고

　　(ii) 정의역의 모든 원소 x에 대하여 $f(x)=g(x)$

일 때, 두 함수 **f와 g는 서로 같다**고 하며, 이것을 기호로

　　$f=g$

와 같이 나타낸다.

참고 두 함수 f와 g가 서로 같지 않을 때에는 기호로 $f \neq g$와 같이 나타낸다.

예　정의역과 공역이 각각 서로 같은 두 함수 f와 g에 대하여 f와 g의 식이 서로 다르더라도 정의역의 모든 원소 x에 대한 함숫값이 같으면, 즉 $f(x)=g(x)$이면 $f=g$이다.

정의역이 $\{-1, 0, 1\}$일 때, 두 함수 f와 g가 서로 같은 함수인지 알아보자.

함수	$f(x)=x^2, g(x)=|x|$	$f(x)=x, g(x)=|x|$
함숫값 비교하기	$f(-1)=g(-1)$ $f(0)=g(0)$ $f(1)=g(1)$	$f(-1)\neq g(-1)$ $f(0)=g(0)$ $f(1)=g(1)$
서로 같은 함수인지 판단하기	두 함수 f와 g는 서로 같다. ➡ $f=g$	두 함수 f와 g는 서로 같지 않다. ➡ $f \neq g$

해결의 법칙

| 두 함수가 서로 같다. | ⟺ | (i) 정의역과 공역이 각각 서로 같다.
 (ii) 정의역의 모든 원소에 대한 함숫값이 서로 같다. |

| 정답과 해설 28쪽 |

개념 확인 3 집합 $X=\{1, 2, 3\}$을 정의역으로 하고, 집합 $Y=\{0, 1, 2, 3, 4\}$를 공역으로 하는 두 함수 f, g가 다음과 같을 때, 두 함수가 서로 같은 함수인지 아닌지 말하시오.

(1) $f(x)=x+1, g(x)=x-1$

(2) $f(x)=|x|-1, g(x)=x-1$

1 함수의 그래프

함수 $f: X \longrightarrow Y$에서 정의역 X의 원소 x와 이에 대응하는 x의 함숫값 $f(x)$의 순서쌍 $(x, f(x))$ 전체의 집합

$$\{(x, f(x)) \,|\, x \in X\}$$

를 **함수 f의 그래프**라 한다.

2 함수의 그래프의 표현

함수 $y = f(x)$의 정의역과 공역의 원소가 모두 실수일 때, 함수 f의 그래프는 순서쌍 $(x, f(x))$ 를 좌표로 하는 점을 좌표평면 위에 나타내어 그릴 수 있다.

예   정의역이 다음과 같을 때, 함수 $f(x) = -x$의 그래프를 그려 보자.

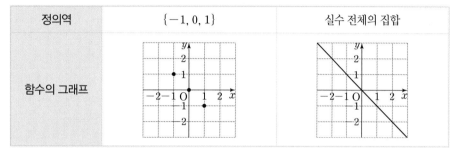

정의역	$\{-1, 0, 1\}$	실수 전체의 집합
함수의 그래프		

설명   **함수의 그래프의 판별**

함수의 그래프는 정의역의 각 원소 a에 대하여 y축에 평행한 <u>직선 $x = a$와 오직 한 점에서</u> ┌→ y축에 평행한 직선(세로선)

만나므로 직선 $x = a$를 그었을 때 교점의 개수로 함수의 그래프인지를 판별할 수 있다.

> 세로선을 그었을 때 교점이 1개이면 함수야.

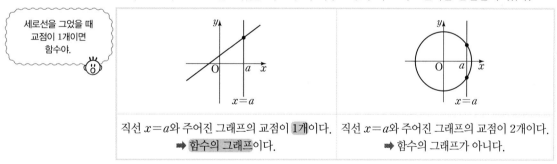

직선 $x = a$와 주어진 그래프의 교점이 **1개**이다.   직선 $x = a$와 주어진 그래프의 교점이 2개이다.

➡ **함수의 그래프**이다.   ➡ 함수의 그래프가 아니다.

해결의 법칙

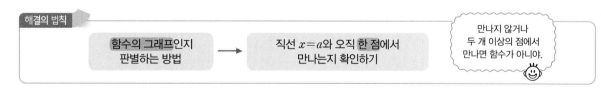

함수의 그래프인지 판별하는 방법	⟶	직선 $x = a$와 오직 한 점에서 만나는지 확인하기

> 만나지 않거나 두 개 이상의 점에서 만나면 함수가 아니야.

| 정답과 해설 28쪽 |

개념 확인 4   정의역이 다음과 같은 함수 $f(x) = 2x - 1$의 그래프를 좌표평면 위에 나타내시오.

(1) $\{0, 1, 2, 3\}$ (2) 실수 전체의 집합

1 다음 대응이 집합 X에서 집합 Y로의 함수인지 아닌지 말하시오.

(1)
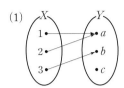

(2)
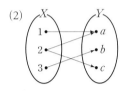

(3)
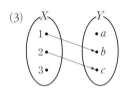

2 다음 그림과 같은 함수 $f: X \longrightarrow Y$의 정의역, 공역, 치역을 각각 구하시오.

(1)
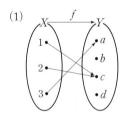

(2)
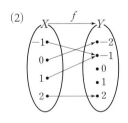

3 두 집합 $X=\{1, 2, 3\}$, $Y=\{1, 2, 3, \cdots, 10\}$에 대하여 X에서 Y로의 함수 f가 다음과 같을 때, 함수 f의 치역을 구하시오.

(1) $f(x)=x+2$

(2) $f(x)=2x-1$

(3) $f(x)=x^2+1$

4 집합 $X=\{-1, 0, 1\}$에 대하여 X에서 X로의 두 함수 f, g가 다음과 같을 때, 두 함수가 서로 같은 함수인지 아닌지 말하시오.

(1) $f(x)=x$, $g(x)=x^2$

(2) $f(x)=\sqrt{x^2}$, $g(x)=|x|$

5 두 집합 $X=\{1, 2, 3, 4\}$, $Y=\{1, 2, 3, 4, 5\}$에 대하여 다음 그래프가 X에서 Y로의 함수의 그래프인지 아닌지 말하시오.

(1)
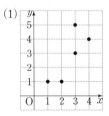

(2)
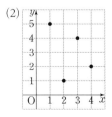

대표 유형 **01** 함수   개념 01

두 집합 $X=\{-1, 0, 1\}$, $Y=\{0, 1, 2\}$에 대하여 다음 대응 중 X에서 Y로의 함수인 것만을 **보기**에서 있는 대로 고르시오.

┤ 보기 ├
ㄱ. $x \longrightarrow x+1$ ㄴ. $x \longrightarrow x^3-1$ ㄷ. $x \longrightarrow \sqrt{x^2}$ ㄹ. $x \longrightarrow |x|+1$

풀이   보기의 대응을 그림으로 나타내면 다음과 같다.

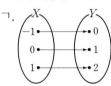   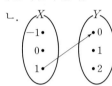   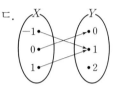 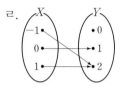

ㄴ의 대응은 집합 X의 원소 -1과 0에 대응하는 집합 Y의 원소가 없으므로 함수가 아니다.

ㄱ, ㄷ, ㄹ의 대응은 집합 X의 각 원소에 집합 Y의 원소가 오직 하나씩 대응하므로 함수이다.

따라서 X에서 Y로의 함수인 것은 ㄱ, ㄷ, ㄹ이다.

답 ㄱ, ㄷ, ㄹ

해결의 법칙

집합 X에서 집합 Y로의 대응이 **함수인지 판별하는 방법**   ⟶   집합 X의 각 원소에 대응하는 집합 Y의 원소가 반드시 **1개**인지 확인하기

X의 원소에 대응하는 Y의 원소가 없거나 2개 이상이면 그 대응은 함수가 아니야. ☺

| 정답과 해설 28쪽 |

01-1   두 집합 $X=\{1, 2, 3\}$, $Y=\{2, 3, 4, 6\}$에 대하여 다음 대응 중 X에서 Y로의 함수가 <u>아닌</u> 것은?

① $x \longrightarrow x+1$ ② $x \longrightarrow 2x$ ③ $x \longrightarrow |x-5|$

④ $x \longrightarrow x^2+2$ ⑤ $x \longrightarrow (x-2)^2+3$

01-2   두 집합 $X=\{-1, 0, 1\}$, $Y=\{a, b, c\}$에 대하여 $f(x)=3x+1$이 X에서 Y로의 함수가 되도록 하는 상수 a, b, c의 합 $a+b+c$의 값을 구하시오.

대표 유형 02 **함숫값과 치역**   개념 02

집합 $X=\{1, 2, 3, 4, \cdots\}$에 대하여 함수 $f: X \longrightarrow X$가
$$f(x)=(2^x \text{의 일의 자리의 숫자})$$
일 때, 함수 f의 치역의 모든 원소의 합을 구하시오.

풀이

❶ 함숫값의 규칙성 찾기

$f(1)=(2^1$의 일의 자리의 숫자)이므로 $f(1)=2$
$f(2)=(2^2$의 일의 자리의 숫자)이므로 $f(2)=4$
$f(3)=(2^3$의 일의 자리의 숫자)이므로 $f(3)=8$
$f(4)=(2^4$의 일의 자리의 숫자)이므로 $f(4)=6$
$f(5)=(2^5$의 일의 자리의 숫자)이므로 $f(5)=2$
$f(6)=(2^6$의 일의 자리의 숫자)이므로 $f(6)=4$
$f(7)=(2^7$의 일의 자리의 숫자)이므로 $f(7)=8$
$f(8)=(2^8$의 일의 자리의 숫자)이므로 $f(8)=6$
$\vdots$

이와 같이 네 개씩 반복된다.

> $2^5=32$, $2^6=64$,
> $2^7=128$, $2^8=256$, $\cdots$

❷ 치역의 모든 원소의 합 구하기

즉, 함수 f의 치역은 $\{2, 4, 6, 8\}$이다.
따라서 치역의 모든 원소의 합은
$$2+4+6+8=20$$

답 20

해결의 법칙

함수 f의 치역 $\longrightarrow$ 정의역의 각 원소를 함수 f에 대입하여 함숫값 전체의 집합 구하기

| 정답과 해설 29쪽 |

02-1 집합 $X=\{x \,|\, x$는 6의 양의 약수$\}$를 정의역, 실수 전체의 집합을 공역으로 하는 함수 f가
$$f(x)=\begin{cases} 2^x & (x\text{는 홀수}) \\ x+1 & (x\text{는 짝수}) \end{cases}$$
일 때, 함수 f의 치역의 모든 원소의 합을 구하시오.

02-2 집합 $X=\{-1, 0, 1, 2\}$를 정의역으로 하는 함수 $f(x)=ax-1$에 대하여 치역의 모든 원소의 합이 4일 때, 상수 a의 값을 구하시오.

대표 유형 03 **서로 같은 함수** 개념 03

> 집합 $X=\{-2, 1\}$을 정의역으로 하는 두 함수
> $$f(x)=x+a,\ g(x)=-x^2+bx+5$$
> 에 대하여 $f=g$일 때, 상수 a, b의 값을 구하시오.

풀이

❶ 함숫값 비교하기

$f=g$이면 정의역의 각 원소에 대한 함숫값이 서로 같으므로

$f(-2)=g(-2)$에서

$-2+a=-4-2b+5$ $\therefore a+2b=3$ …… ㉠

$f(1)=g(1)$에서

$1+a=-1+b+5$ $\therefore a-b=3$ …… ㉡

❷ a, b의 값 구하기

㉠, ㉡을 연립하여 풀면

$a=3$, $b=0$

> 서로 같은 함수는 두 함수의 식이 서로 다르더라도 정의역의 모든 원소에 대한 두 함수의 함숫값이 서로 같다는 뜻이야.

답 $a=3$, $b=0$

해결의 법칙

두 함수가 서로 같다.	⟺	(i) 정의역과 공역이 각각 서로 같다. (ii) 정의역의 모든 원소에 대한 함숫값이 서로 같다.

4 함수

| 정답과 해설 29쪽 |

03-1 두 집합 $X=\{-1, 0, 1\}$, $Y=\{-2, -1, 0, 1, 2\}$에 대하여 X에서 Y로의 두 함수 f, g가 **보기**와 같을 때, $f=g$인 것만을 있는 대로 고르시오.

> **보기**
>
> ㄱ. $f(x)=x^2,\ g(x)=x^3$
>
> ㄴ. $f(x)=\begin{cases} -2 & (x=-1) \\ \dfrac{x^2-1}{x+1} & (x\neq-1) \end{cases},\ g(x)=x-1$
>
> ㄷ. $f(x)=2x,\ g(x)=-2x$

03-2 집합 $X=\{2, 3\}$을 정의역으로 하는 두 함수
$$f(x)=-x^2+ax,\ g(x)=b|2x-5|$$
에 대하여 $f=g$일 때, 상수 a, b의 값을 구하시오.

대표 유형 04 함수의 그래프   개념 04

실수 전체의 집합에서 정의된 다음 **보기**의 그래프 중 함수의 그래프인 것만을 있는 대로 고르시오.

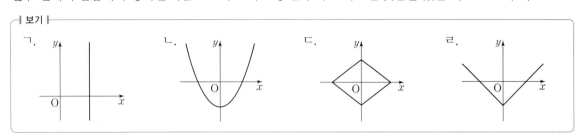

풀이 주어진 그래프에 정의역의 각 원소 a에 대하여 y축에 평행한 직선 $x=a$를 그어 교점을 나타내면 다음 그림과 같다.

 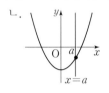 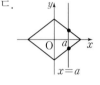 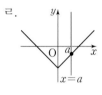

ㄴ, ㄹ의 그래프는 직선 $x=a$와 오직 한 점에서 만나므로 함수의 그래프이다.

ㄱ, ㄷ의 그래프는 직선 $x=a$와 2개 이상의 점에서 만나는 경우가 있으므로 함수의 그래프가 아니다.

따라서 함수의 그래프인 것은 ㄴ, ㄹ이다.

目 ㄴ, ㄹ

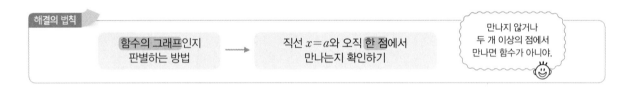

해결의 법칙

함수의 그래프인지 판별하는 방법 → 직선 $x=a$와 오직 **한 점**에서 만나는지 확인하기

> 만나지 않거나 두 개 이상의 점에서 만나면 함수가 아니야.

| 정답과 해설 29쪽 |

04-1 실수 전체의 집합에서 정의된 다음 그래프 중 함수의 그래프인 것은?

① 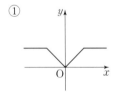   ② 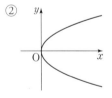   ③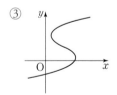

④ 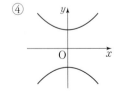   ⑤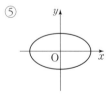

2 여러 가지 함수

개념 01 일대일함수와 일대일대응

대표 유형 01~04

1 일대일함수

함수 $f: X \longrightarrow Y$에서 정의역 X의 임의의 두 원소 x_1, x_2에 대하여

$$x_1 \neq x_2 \text{이면 } f(x_1) \neq f(x_2)$$

가 성립할 때, 이 함수 f를 **일대일함수**라 한다.

> 일대일함수는 서로 다른 두 원소에 대응하는 공역의 원소가 서로 달라.

참고 명제 '$x_1 \neq x_2$이면 $f(x_1) \neq f(x_2)$'의 대우 '$f(x_1) = f(x_2)$이면 $x_1 = x_2$'가 성립하여도 함수 f는 일대일함수이다.

2 일대일대응

함수 $f: X \longrightarrow Y$가 다음 두 조건

    (i) 일대일함수이다.   (ii) **치역과 공역이 같다.**

를 모두 만족시킬 때, 이 함수 f를 **일대일대응**이라 한다.

예

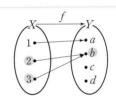

정의역의 두 원소 2, 3에 대응하는 공역의 원소가 b로 같다.
➡ 함수이지만 일대일함수는 아니다.

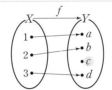

정의역의 각 원소에 공역의 서로 다른 원소가 대응하고, 치역과 공역이 같지 않다.
➡ 일대일함수이지만 일대일 대응은 아니다.

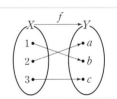

정의역의 각 원소에 공역의 서로 다른 원소가 대응하고, 치역과 공역이 같다.
➡ **일대일대응**이다.

설명

일대일대응의 그래프의 판별

함수의 그래프가 일대일대응의 그래프인지를 판별하려면 다음 두 조건을 모두 만족시키는지 확인해야 한다.

                                                   ➤ x축에 평행한 직선(가로선)

(i) 일대일함수의 그래프이다. ➡ 치역의 각 원소 b에 대하여 <u>직선 $y=b$와의 교점이 1개</u>

(ii) 치역과 공역이 같다. ➡ 공역이 실수 전체의 집합이면 치역도 실수 전체의 집합

> 가로선을 그었을 때 교점이 1개이면 일대일함수야.

(i) 직선 $y=b$와의 교점이 2개	(i) 직선 $y=b$와의 교점이 1개	(i) 직선 $y=b$와의 교점이 1개
(ii) (치역) $\neq$ (공역)	(ii) (치역) $\neq$ (공역)	(ii) (치역) $=$ (공역)
➡ 일대일대응이 아니다.	➡ 일대일대응이 아니다.	➡ 일대일대응이다.

해결의 법칙

     일대일함수 $\Longleftrightarrow$ $x_1 \neq x_2$이면 $f(x_1) \neq f(x_2)$

     일대일대응 $\Longleftrightarrow$ 일대일함수 $+$ (치역) $=$ (공역)

> 일대일대응이면 모두 일대일함수이지만 일대일함수가 모두 일대일대응인 것은 아니야.

1 항등함수

정의역과 공역이 서로 같은 함수 $f: X \longrightarrow X$에서 정의역 X의 각 원소 x에 그 자신인 x가 대응할 때, 즉

$$f(x)=x$$

일 때, 이 함수 f를 X에서의 **항등함수**라 한다.

참고 항등함수를 영어로 'identity function'이라 하며, 보통 I로 나타낸다.

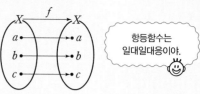
항등함수는 일대일대응이야.

2 상수함수

함수 $f: X \longrightarrow Y$에서 정의역 X의 모든 원소 x에 공역 Y의 단 하나의 원소가 대응할 때, 즉

$$f(x)=c \ (c는 상수, c \in Y)$$

일 때, 이 함수 f를 **상수함수**라 한다.

참고 상수함수의 치역은 원소가 1개인 집합이다.

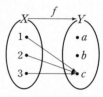

설명 정의역과 공역이 모두 실수 전체의 집합일 때, 항등함수와 상수함수의 그래프는 다음과 같다.

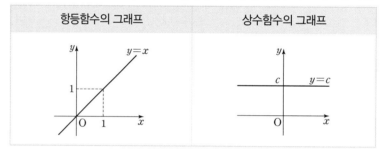

항등함수의 그래프	상수함수의 그래프

해결의 법칙

항등함수 $\Longleftrightarrow$ $f(x)=x$ 상수함수 $\Longleftrightarrow$ $f(x)=c$ (c는 상수)

| 정답과 해설 29쪽 |

개념 확인 1   보기의 함수 $f: X \longrightarrow X$에 대하여 다음에 해당하는 함수를 각각 있는 대로 고르시오.

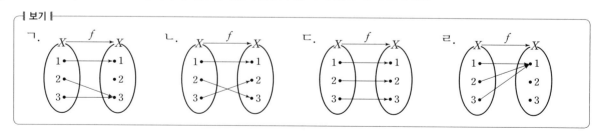

┤ 보기 ├

ㄱ.   ㄴ.   ㄷ.   ㄹ.

(1) 일대일함수   (2) 일대일대응

(3) 항등함수   (4) 상수함수

1 보기의 함수 $f : X \longrightarrow Y$에 대하여 다음에 해당하는 함수를 각각 있는 대로 고르시오.

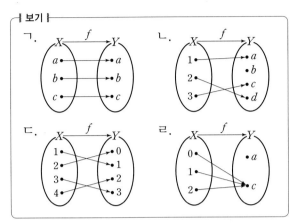

(1) 일대일함수 (2) 일대일대응

(3) 항등함수 (4) 상수함수

3 실수 전체의 집합에서 정의된 **보기**의 그래프 중 다음에 해당하는 함수의 그래프를 각각 있는 대로 고르시오.

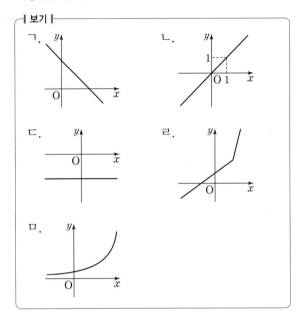

(1) 일대일함수

(2) 일대일대응

(3) 항등함수

(4) 상수함수

2 집합 $X = \{1, 2, 3, 4\}$에 대하여 **보기**와 같이 주어진 X에서 X로의 함수의 그래프 중 다음에 해당하는 함수의 그래프를 각각 있는 대로 고르시오.

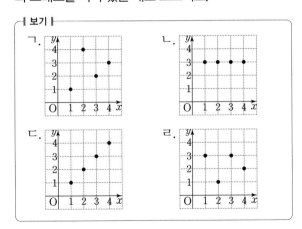

(1) 일대일함수 (2) 일대일대응

(3) 항등함수 (4) 상수함수

대표 유형 **01** 일대일대응

개념 01

실수 전체의 집합에서 정의된 다음 **보기**의 함수 중 일대일대응인 것만을 있는 대로 고르시오.

┤ 보기 ├
ㄱ. $y=x$ ㄴ. $y=5$ ㄷ. $y=-2x$ ㄹ. $y=|x|$

풀이 주어진 함수의 그래프에 치역의 각 원소 b에 대하여 x축에 평행한 직선 $y=b$를 그어 교점을 나타내면 다음 그림과 같다.

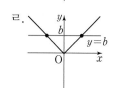

그래프가 x축에 평행한 직선과 두 개 이상의 점에서 만나면 일대일대응이 아니야.

직선 $y=b$와 오직 한 점에서 만나고 치역과 공역이 같은 함수의 그래프는 ㄱ, ㄷ이므로 일대일대응인 것은 ㄱ, ㄷ이다.

답 ㄱ, ㄷ

주의 함수의 그래프를 판별하는 방법과 혼동하지 않도록 주의한다.

함수의 그래프 ➡ 정의역의 각 원소에 대하여 세로선을 그었을 때 교점이 1개인 것
일대일함수의 그래프 ➡ 치역의 각 원소에 대하여 가로선을 그었을 때 교점이 1개인 것
일대일대응의 그래프 ➡ 일대일함수의 그래프 중 (치역)=(공역)인 것

해결의 법칙

| 일대일함수 | $\Longleftrightarrow$ | $x_1 \neq x_2$이면 $f(x_1) \neq f(x_2)$ |
| 일대일대응 | $\Longleftrightarrow$ | 일대일함수 $+$ (치역)=(공역) |

일대일대응이면 모두 일대일함수이지만 일대일함수가 모두 일대일대응인 것은 아니야.

| 정답과 해설 30쪽 |

01-1 실수 전체의 집합에서 정의된 다음 **보기**의 함수 중 일대일대응인 것만을 있는 대로 고르시오.

┤ 보기 ├
ㄱ. $y=3$ ㄴ. $y=2x+5$ ㄷ. $y=x^2$ ㄹ. $y=|x+1|$

대표 유형 02 일대일대응이 되기 위한 조건　　　　　　　　　　　　　　　　　　　　개념 01

두 집합 $X=\{x|-2\leq x\leq 1\}$, $Y=\{y|-1\leq y\leq 5\}$에 대하여 X에서 Y로의 함수 $f(x)=ax+b$가 일대일대응일 때, 상수 a, b의 값을 구하시오. (단, $a>0$)

풀이

❶ 일대일대응이 되기 위한 조건 생각하기

$f(x)=ax+b$에서 $a>0$이므로 x의 값이 증가할 때 y의 값은 항상 증가한다.

이때, 함수 f가 일대일대응이므로 치역과 공역이 같도록 $y=f(x)$의 그래프를 그려 보면 오른쪽 그림과 같다.

$\therefore f(-2)=-1$, $f(1)=5$

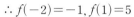

❷ a, b의 값 구하기

$f(-2)=-1$에서 $-2a+b=-1$　　……㉠

$f(1)=5$에서 $a+b=5$　　……㉡

㉠, ㉡을 연립하여 풀면

$a=2$, $b=3$

답 $a=2$, $b=3$

해결의 법칙

일대일대응 ⟶ (ⅰ) 일대일함수이다. ➡ 그래프가 증가 또는 감소
(ⅱ) (치역)＝(공역) ➡ 정의역의 양 끝값의 함숫값이 공역의 양 끝값과 같다.

| 정답과 해설 30쪽 |

02-1 두 집합 $X=\{x|-1\leq x\leq 3\}$, $Y=\{y|0\leq y\leq 2\}$에 대하여 X에서 Y로의 함수 $f(x)=ax+b$가 일대일대응일 때, 상수 a, b의 값을 구하시오. (단, $a<0$)

02-2 두 집합 $X=\{x|x\geq 3\}$, $Y=\{y|y\geq 1\}$에 대하여 X에서 Y로의 함수 $f(x)=x^2-6x+a$가 일대일대응일 때, 상수 a의 값을 구하시오.

대표 유형 **03** **조건을 만족시키는 함숫값 구하기** 개념 01, 02

집합 $X=\{1, 2, 3\}$에 대하여 X에서 X로의 세 함수 f, g, h가 다음 조건을 모두 만족시킬 때, $f(3)+g(2)+h(1)$의 값을 구하시오.

> (가) f는 일대일대응, g는 항등함수, h는 상수함수이다.
> (나) $f(1)=g(1)=h(1)$
> (다) $f(2)=g(2)+h(3)$

풀이 함수 g는 항등함수이므로 $g(1)=1$, $g(2)=2$
따라서 조건 (나)에서 $f(1)=g(1)=h(1)=1$
한편, 함수 h는 상수함수이므로 $h(1)=h(2)=h(3)=1$
따라서 조건 (다)에서 $f(2)=g(2)+h(3)=2+1=3$
이때, 함수 f는 일대일대응이므로 오른쪽 그림과 같이
$f(3)=2$
$\therefore f(3)+g(2)+h(1)=2+2+1=5$

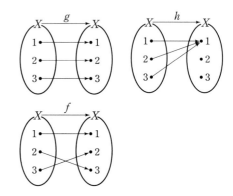

답 5

┌─ **해결의 법칙** ─────────────────────────────────┐

항등함수 $\iff$ $f(x)=x$ 　　　상수함수 $\iff$ $f(x)=c$ (c는 상수)

└──┘

| 정답과 해설 30쪽 |

03-1 집합 $X=\{1, 2, 3\}$에 대하여 X에서 X로의 세 함수 f, g, h는 각각 일대일대응, 항등함수, 상수함수이다.
$f(3)=g(2)=h(1)$, $f(1)-f(2)=f(3)$일 때, $f(1)+g(2)+h(3)$의 값을 구하시오.

03-2 집합 $X=\{1, 3, 5\}$에 대하여 X에서 X로의 세 함수 f, g, h는 각각 일대일대응, 항등함수, 상수함수이다.
$f(3)=g(3)=h(3)$일 때, $f(1)g(3)h(5)$의 최댓값을 구하시오.

대표 유형 04 함수의 개수 개념 01, 02

두 집합 $X=\{1, 2, 3\}$, $Y=\{a, b, c, d\}$에 대하여 다음을 구하시오.

(1) X에서 Y로의 함수의 개수

(2) X에서 Y로의 함수 중 일대일함수의 개수

(3) X에서 Y로의 함수 중 상수함수의 개수

풀이 두 집합 X, Y에 대하여 X에서 Y로의 함수를 f라 하자.

(1) $f(1)$의 값이 될 수 있는 것은 a, b, c, d 중 하나이므로 4개

$f(2)$의 값이 될 수 있는 것은 a, b, c, d 중 하나이므로 4개

$f(3)$의 값이 될 수 있는 것은 a, b, c, d 중 하나이므로 4개

따라서 함수의 개수는 $4\times4\times4=4^3=64$

(2) $f(1)$의 값이 될 수 있는 것은 a, b, c, d 중 하나이므로 4개

$f(2)$의 값이 될 수 있는 것은 $f(1)$의 값을 제외한 3개

$f(3)$의 값이 될 수 있는 것은 $f(1), f(2)$의 값을 제외한 2개

따라서 일대일함수의 개수는 $4\times3\times2=24$

(3) $f(1)=f(2)=f(3)=k$라 하면 k의 값이 될 수 있는 것은 a, b, c, d 중 하나이므로 4개

따라서 상수함수의 개수는 4이다.

> 정의역의 각 원소에 대응할 수 있는 공역의 원소의 개수를 이용해.

답 (1) 64 (2) 24 (3) 4

해결의 법칙

함수 $f: X \longrightarrow Y$에서 두 집합 X, Y의 원소의 개수가 각각 m, n일 때

❶ 함수의 개수 ➡ $\underbrace{n\times n\times n\times \cdots \times n}_{m개}=n^m$

❷ 일대일함수의 개수 ➡ $n(n-1)(n-2) \cdots \{n-(m-1)\}$ (단, $n\geq m$)

❸ 일대일대응의 개수 ➡ $n(n-1)(n-2) \cdots 2\times1$ (단, $m=n$)

❹ 상수함수의 개수 ➡ n

| 정답과 해설 30쪽 |

04-1 집합 $X=\{a, b, c\}$에 대하여 X에서 X로의 함수의 개수를 p, 일대일대응의 개수를 q, 항등함수의 개수를 r, 상수함수의 개수를 s라 할 때, $p+q+r+s$의 값을 구하시오.

04-2 두 집합 $X=\{1, 2, 3, 4, 5\}$, $Y=\{2, 4, 6, 8, 10, 12\}$에 대하여 X에서 Y로의 일대일함수 중에서 $f(1)=2, f(2)=10$을 만족시키는 함수 f의 개수를 구하시오.

유형 확인

1-1 두 집합 $X=\{-2,\,0,\,2\}$, $Y=\{1,\,2,\,3,\,4,\,5\}$에 대하여 다음 대응 중 X에서 Y로의 함수인 것은?

① $x \longrightarrow x+5$

② $x \longrightarrow x^2$

③ $x \longrightarrow |x-2|+1$

④ $x \longrightarrow x^3+3$

⑤ $x \longrightarrow -(x-1)^2+3$

한번 더 확인

1-2 집합 $X=\{-1,\,0,\,1\}$에 대하여 다음 대응 중 X에서 X로의 함수인 것만을 **보기**에서 있는 대로 고르시오.

보기

ㄱ. $x \longrightarrow |x|$

ㄴ. $x \longrightarrow x-1$

ㄷ. $x \longrightarrow \begin{cases} 1 & (x \geq 0) \\ -1 & (x < 0) \end{cases}$

2-1 두 집합 $X=\{2,\,3,\,4,\,6\}$, $Y=\{1,\,2,\,3,\,4\}$에 대하여 함수 $f : X \longrightarrow Y$가

$f(x)=(x$의 양의 약수의 개수$)$

일 때, 함수 f의 치역의 모든 원소의 합을 구하시오.

2-2 실수 전체의 집합 R에서 R로의 함수 f가

$$f(x)=\begin{cases} 2x-1 & (x는\ 유리수) \\ -x & (x는\ 무리수) \end{cases}$$

일 때, $f(2)+f(1+\sqrt{3})$의 값을 구하시오.

3-1 정의역이 $X=\{x \,|\, -2 \leq x \leq 2\}$, 치역이 $Y=\{y \,|\, a \leq y \leq b\}$인 함수 $f(x)=x^2+2x$가 있을 때, 상수 a, b에 대하여 $a+b$의 값을 구하시오.

3-2 집합 $X=\{0,\,1,\,2\}$에 대하여 함수 $f : X \longrightarrow X$가 $f(x)=ax^2-ax+1$일 때, 양수 a의 값을 구하시오.

4-1 집합 $X=\{-1,\,1\}$을 정의역으로 하는 두 함수

$f(x)=x+a$, $g(x)=x^2-bx+1$

에 대하여 $f=g$일 때, 상수 a, b의 곱 ab의 값을 구하시오.

4-2 집합 $X=\{-2,\,0,\,2\}$를 정의역으로 하는 두 함수

$f(x)=x^2-ax-1$, $g(x)=b|x|+c$

에 대하여 $f=g$일 때, 상수 a, b, c의 곱 abc의 값을 구하시오.

유형 확인

5-1 실수 선체의 집합에서 정의된 다음 **보기**의 함수의 그래프 중 일대일함수의 그래프의 개수를 p, 일대일대응의 그래프의 개수를 q라 할 때, $p+q$의 값을 구하시오.

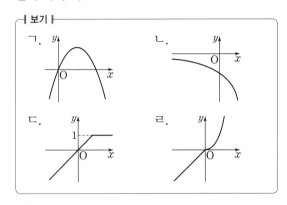

6-1 실수 전체의 집합에서 정의된 함수

$$f(x)=\begin{cases} x^2-2x+b & (x\le 1) \\ ax+4 & (x>1) \end{cases}$$

가 일대일대응이 되도록 하는 정수 b의 최댓값을 구하시오.

7-1 자연수 전체의 집합에서 정의된 두 함수 f, g에 대하여 f는 항등함수, g는 상수함수이다.
$f(3)=g(7)$일 때, $f(5)+g(4)$의 값을 구하시오.

8-1 집합 $X=\{1, 2, 3, 4\}$에 대하여 X에서 X로의 항등함수의 개수를 a, 상수함수의 개수를 b, 일대일대응의 개수를 c라 할 때, $a+b+c$의 값을 구하시오.

한번 더 확인

5-2 실수 전체의 집합에서 정의된 다음 **보기**의 함수 중 일대일대응인 것의 개수를 구하시오.

┤ 보기 ├

ㄱ. $y=-x+2$　　　　ㄴ. $y=7$

ㄷ. $y=2x$　　　　　　ㄹ. $y=x^2-1$

6-2 실수 전체의 집합에서 정의된 함수

$$f(x)=\begin{cases} (a-2)x+4 & (x\le 0) \\ x+4 & (x>0) \end{cases}$$

가 일대일대응이 되도록 하는 실수 a의 값의 범위를 구하시오.

7-2 집합 $X=\{2, 5, 10\}$에 대하여 X에서 X로의 세 함수 f, g, h는 각각 일대일대응, 항등함수, 상수함수이다. $f(5)=g(2)=h(10)$, $f(2)f(5)=f(10)$일 때, $f(2)-h(5)$의 값을 구하시오.

8-2 두 집합 $X=\{1, 2, 3\}$, $Y=\{1, 2, 3, 4, 5\}$에 대하여 X에서 Y로의 함수 f 중 $f(2)=2$, $f(1)>f(2)$를 만족시키는 일대일함수의 개수를 구하시오.

5 합성함수와 역함수

개념 미리보기

1 합성함수

개념 01 합성함수

합성함수 $g \circ f$ $\longrightarrow$ $(g \circ f)(x) = g(f(x))$

개념 02 합성함수의 성질

합성함수
- $g \circ f \neq f \circ g$ ➡ 교환법칙 ×
- $h \circ (g \circ f) = (h \circ g) \circ f$ ➡ 결합법칙 ○

2 역함수

개념 01 역함수

함수 f의 역함수가 존재 $\Longleftrightarrow$ 함수 f는 일대일대응

개념 02 역함수 구하기

$y = f(x)$ $\xrightarrow{\substack{x를\ y로 \\ 나타내기}}$ $x = f^{-1}(y)$ $\xrightarrow{\substack{x와\ y를 \\ 서로\ 바꾸기}}$ $y = f^{-1}(x)$

개념 03 역함수의 성질

❶ $(f^{-1})^{-1} = f$
❷ $f^{-1} \circ f = I, f \circ f^{-1} = I$
❸ $f \circ g = I, g \circ f = I \Longleftrightarrow g = f^{-1}$

개념 04 합성함수의 역함수

합성함수의 역함수 $\longrightarrow$ $(g \circ f)^{-1} = f^{-1} \circ g^{-1}$

개념 05 역함수의 그래프

함수 $y = f(x)$의 그래프 $\xleftrightarrow{\substack{직선\ y=x에 \\ 대하여\ 대칭}}$ 역함수 $y = f^{-1}(x)$의 그래프

1 합성함수

개념 01 합성함수

(1) 두 함수 $f: X \longrightarrow Y$, $g: Y \longrightarrow Z$가 주어졌을 때, 집합 X의 각 원소 x에 집합 Y의 원소 $f(x)$를 대응시키고, 다시 이 $f(x)$에 집합 Z의 원소 $g(f(x))$를 대응시키면 X를 정의역, Z를 공역으로 하는 새로운 함수를 정의할 수 있다.

이 함수를 f와 g의 **합성함수**라 하고, 기호로 $\boldsymbol{g} \circ \boldsymbol{f}$와 같이 나타낸다.

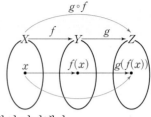

(2) 합성함수 $g \circ f: X \longrightarrow Z$에서 x의 함숫값을 기호로 $(\boldsymbol{g} \circ \boldsymbol{f})(\boldsymbol{x})$와 같이 나타낸다.

이때, 집합 X의 원소 x에 집합 Z의 원소 $g(f(x))$가 대응하므로

$$\boldsymbol{g} \circ \boldsymbol{f}: X \longrightarrow Z, (\boldsymbol{g} \circ \boldsymbol{f})(\boldsymbol{x}) = \boldsymbol{g}(\boldsymbol{f}(\boldsymbol{x}))$$

따라서 f와 g의 합성함수를 $\boldsymbol{y} = \boldsymbol{g}(\boldsymbol{f}(\boldsymbol{x}))$와 같이 나타낼 수 있다.

주의 합성함수 $g \circ f$는 $(f$의 치역$) \subset \underset{Y}{\underline{(g\text{의 정의역})}}$일 때에만 정의할 수 있다.

예 다음 그림과 같은 두 함수 $f: X \longrightarrow Y$, $g: Y \longrightarrow Z$에 대하여

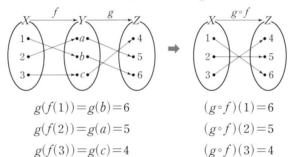

$$g(f(1)) = g(b) = 6 \qquad (g \circ f)(1) = 6$$
$$g(f(2)) = g(a) = 5 \qquad (g \circ f)(2) = 5$$
$$g(f(3)) = g(c) = 4 \qquad (g \circ f)(3) = 4$$

이와 같이 정의역 X의 임의의 원소 x에 대하여 $(g \circ f)(x) = g(f(x))$가 성립한다.

해결의 법칙

| 합성함수 $g \circ f$ | $\longrightarrow$ | $(\boldsymbol{g} \circ \boldsymbol{f})(\boldsymbol{x}) = \boldsymbol{g}(\boldsymbol{f}(\boldsymbol{x}))$ |

| 정답과 해설 33쪽 |

개념 확인 1 두 함수 $f: X \longrightarrow Y$, $g: Y \longrightarrow Z$가 오른쪽 그림과 같을 때, 다음을 구하시오.

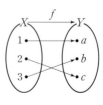

(1) $(g \circ f)(1)$ (2) $(g \circ f)(2)$

(3) $(g \circ f)(3)$

세 함수 f, g, h에 대하여 합성함수는 다음과 같은 성질을 갖는다.

  (1) $g \circ f \neq f \circ g$ ← 교환법칙이 성립하지 않는다.

  (2) $h \circ (g \circ f) = (h \circ g) \circ f$ ← 결합법칙이 성립한다.

  (3) $f : X \longrightarrow X$일 때, $f \circ I = I \circ f = f$ (단, I는 X에서 X로의 항등함수이다.)

참고 $h \circ (g \circ f) = (h \circ g) \circ f$가 성립하므로 $h \circ g \circ f$와 같이 표현할 수 있다.

설명

(1) 두 함수 $f(x) = x + 1$, $g(x) = 2x$에 대하여

    $(g \circ f)(x) = g(f(x)) = g(x+1) = 2(x+1) = 2x + 2$

    $(f \circ g)(x) = f(g(x)) = f(2x) = 2x + 1$

    $\therefore g \circ f \neq f \circ g \Rightarrow$ 교환법칙이 성립하지 않는다.

> 합성함수를 구할 때에는 반드시 합성된 순서에 주의해야 해.

(2) 합성이 가능한 정의역과 공역을 갖는 세 함수 f, g, h에 대하여

    $(h \circ (g \circ f))(x) = h((g \circ f)(x)) = h(g(f(x)))$

    $((h \circ g) \circ f)(x) = (h \circ g)(f(x)) = h(g(f(x)))$

    $\therefore h \circ (g \circ f) = (h \circ g) \circ f \Rightarrow$ 결합법칙이 성립한다.

(3) 항등함수를 I라 하면 $I(x) = x$이므로

    $(f \circ I)(x) = f(I(x)) = f(x)$

    $(I \circ f)(x) = I(f(x)) = f(x)$

    $\therefore f \circ I = I \circ f = f$

해결의 법칙

합성함수

$g \circ f \neq f \circ g \Rightarrow$ 교환법칙 ×

$h \circ (g \circ f) = (h \circ g) \circ f \Rightarrow$ 결합법칙 ○

| 정답과 해설 33쪽 |

개념 확인 2 두 함수 $f(x) = x - 2$, $g(x) = 3x$에 대하여 다음을 구하시오.

(1) $(g \circ f)(1)$

(2) $(f \circ g)(1)$

1 두 함수 f, g가 그림과 같을 때, 다음을 구하시오.

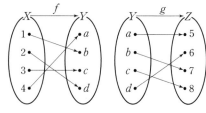

(1) $g(f(2))$

(2) $(g \circ f)(3)$

(3) $(g \circ f)(4)$

2 두 함수 f, g가 그림과 같을 때, 다음을 구하시오.

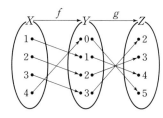

(1) $(g \circ f)(1)$

(2) $(g \circ f)(2)$

(3) $(g \circ f)(3)$

3 두 함수 $f(x)=2x+1$, $g(x)=x^2-2$에 대하여 다음을 구하시오.

(1) $(f \circ g)(1)$

(2) $(g \circ f)(1)$

(3) $(f \circ g)(x)$

(4) $(g \circ f)(x)$

4 세 함수 $f(x)=x+2$, $g(x)=-3x$, $h(x)=x^2+1$에 대하여 다음을 구하시오.

(1) $(g \circ h)(2)$

(2) $(h \circ g \circ f)(-1)$

(3) $(h \circ (g \circ f))(x)$

(4) $((h \circ g) \circ f)(x)$

대표 유형 01 합성함수의 함숫값 개념 01, 02

두 함수

$$f(x)=\begin{cases} -3x+11 & (x \geq 4) \\ 4 & (x < 4) \end{cases}, g(x)=\frac{1}{4}x^2-3$$

에 대하여 $(f \circ g)(4)+(g \circ f)(5)$의 값을 구하시오.

풀이　$g(4)=1$이므로
　　$(f \circ g)(4)=f(g(4))=f(1)=4$
　　$f(5)=-3 \times 5+11=-4$이므로
　　$(g \circ f)(5)=g(f(5))=g(-4)=1$
　　$\therefore (f \circ g)(4)+(g \circ f)(5)=4+1=5$

답 5

해결의 법칙

| 합성함수 $g \circ f$ | ⟶ | $(g \circ f)(x)=g(f(x))$ |

| 정답과 해설 33쪽 |

01-1 두 함수

$$f(x)=x^2-2, g(x)=\begin{cases} -x+3 & (x \geq 1) \\ 4 & (x < 1) \end{cases}$$

에 대하여 $(f \circ g)(-1)+(g \circ f)(2)$의 값을 구하시오.

01-2 세 함수 f, g, h에 대하여 $f(x)=2x+1, (g \circ h)(x)=-3x+4$일 때, $((f \circ g) \circ h)(-1)$의 값을 구하시오.

대표 유형 02 $f \circ g = g \circ f$를 만족시키는 미정계수 구하기 개념 01, 02

두 함수 $f(x) = x+1$, $g(x) = ax+5$에 대하여 $f \circ g = g \circ f$가 성립할 때, 상수 a의 값을 구하시오.

풀이

❶ $(f \circ g)(x)$ 구하기

$$(f \circ g)(x) = f(g(x))$$
$$= f(ax+5)$$
$$= (ax+5)+1 = ax+6$$

> $f(x)$에 x 대신 $g(x)$를 대입하면 $f(g(x))$, $g(x)$에 x 대신 $f(x)$를 대입하면 $g(f(x))$야.

❷ $(g \circ f)(x)$ 구하기

$$(g \circ f)(x) = g(f(x))$$
$$= g(x+1)$$
$$= a(x+1)+5 = ax+a+5$$

❸ a의 값 구하기

$f \circ g = g \circ f$이므로 $ax+6 = ax+a+5$에서

$a+5 = 6$ $\therefore a = 1$

답 1

해결의 법칙

$f \circ g = g \circ f$인 경우 ⟶ $f \circ g$, $g \circ f$를 각각 구하여 동류항의 계수 비교하기

| 정답과 해설 33쪽 |

02-1 두 함수 $f(x) = -x-a$, $g(x) = ax+6$에 대하여 $f \circ g = g \circ f$가 성립할 때, 양수 a의 값을 구하시오.

02-2 두 함수 $f(x) = 2x+1$, $g(x) = 3x+a$에 대하여 $f \circ g = g \circ f$가 성립할 때, $g(-1)$의 값을 구하시오. (단, a는 상수)

대표 유형 03 $f \circ g = h$를 만족시키는 함수 구하기 　　　　　　　　개념 01, 02

다음 물음에 답하시오.

(1) 두 함수 $f(x) = 2x + 1$, $h(x) = 4x^2 - 1$에 대하여 $(f \circ g)(x) = h(x)$를 만족시키는 함수 $g(x)$를 구하시오.

(2) 두 함수 $g(x) = \dfrac{1}{2}x + 3$, $h(x) = x - 2$에 대하여 $(f \circ g)(x) = h(x)$를 만족시키는 함수 $f(x)$를 구하시오.

풀이 (1) $(f \circ g)(x) = f(g(x)) = 2g(x) + 1$이고, $(f \circ g)(x) = h(x)$이므로

$2g(x) + 1 = 4x^2 - 1$, $2g(x) = 4x^2 - 2$ 　　∴ $g(x) = 2x^2 - 1$

(2) $(f \circ g)(x) = f(g(x)) = f\left(\dfrac{1}{2}x + 3\right)$이고, $(f \circ g)(x) = h(x)$이므로

$f\left(\dfrac{1}{2}x + 3\right) = x - 2$

이때, $\dfrac{1}{2}x + 3 = t$라 하면 $x = 2t - 6$이므로

$f(t) = (2t - 6) - 2 = 2t - 8$

∴ $f(x) = 2x - 8$

답 (1) $g(x) = 2x^2 - 1$　(2) $f(x) = 2x - 8$

해결의 법칙

$f \circ g = h$를 만족시키는 함수 f 또는 g 구하기

$f(x)$, $h(x)$가 주어진 경우	$\longrightarrow$	$f(g(x)) = h(x)$임을 이용하여 $g(x)$ 구하기
$g(x)$, $h(x)$가 주어진 경우	$\longrightarrow$	$f(g(x)) = h(x)$이므로 $g(x) = t$로 놓고 $f(t)$ 구하기

| 정답과 해설 34쪽 |

03-1 두 함수 $f(x) = 2x - 3$, $g(x) = -2x + 1$에 대하여 다음을 만족시키는 함수 $h(x)$를 구하시오.

(1) $(f \circ h)(x) = g(x)$ 　　　　　　　　　　　(2) $(h \circ g)(x) = f(x)$

03-2 두 함수 $f(x) = 2x^2 - 1$, $g(x) = 3x + 2$에 대하여 함수 h가 $h \circ g = f$를 만족시킬 때, $h(5)$의 값을 구하시오.

대표 유형 04 합성함수의 추정 개념 01, 02

함수 $f(x)=x+3$에 대하여
$$f^1=f,\ f^2=f\circ f,\ f^3=f\circ f^2,\ \cdots,\ f^{n+1}=f\circ f^n\ (n\text{은 자연수})$$
과 같이 정의할 때, $f^{15}(5)$의 값을 구하시오.

풀이

❶ $f^1(x),\ f^2(x),\ f^3(x),\ \cdots$
를 구하여 규칙을 찾아
$f^n(x)$ 구하기

$f^1(x)=f(x)=x+\mathbf{3}\ \rightarrow\ 3\times\mathbf{1}$

$f^2(x)=(f\circ f)(x)=f(f(x))=f(x+3)=(x+3)+3=x+\mathbf{6}\ \rightarrow\ 3\times\mathbf{2}$

$f^3(x)=(f\circ f^2)(x)=f(f^2(x))=f(x+6)=(x+6)+3=x+\mathbf{9}\ \rightarrow\ 3\times 3$

$f^4(x)=(f\circ f^3)(x)=f(f^3(x))=f(x+9)=(x+9)+3=x+\mathbf{12}\ \rightarrow\ 3\times 4$

$\vdots$

$\therefore f^n(x)=x+3n\ (\text{단},\ n\text{은 자연수})$

❷ $f^{15}(5)$의 값 구하기

따라서 $f^{15}(x)=x+45$이므로
$f^{15}(5)=50$

답 50

해결의 법칙

합성함수 f^n의 추정 $\longrightarrow$ $f^2,\ f^3,\ f^4,\ \cdots$를 구하여 규칙 찾기

| 정답과 해설 34쪽 |

04-1 함수 $f(x)=-x+3$에 대하여
$$f^1=f,\ f^2=f\circ f,\ f^3=f\circ f^2,\ \cdots,\ f^{n+1}=f\circ f^n\ (n\text{은 자연수})$$
과 같이 정의할 때, $f^{20}(8)$의 값을 구하시오.

04-2 오른쪽 그림과 같이 정의된 함수 $f:X\longrightarrow X$에 대하여 $f^{50}(2)+f^{100}(3)$의 값을 구하시오.
(단, $f^1=f,\ f^{n+1}=f\circ f^n$이고, n은 자연수)

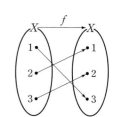

2 역함수

 01 역함수

1 역함수

함수 $f: X \longrightarrow Y$가 일대일대응일 때, 집합 Y의 각 원소 y에 대하여 $f(x)=y$인 집합 X의 원소 x가 오직 하나씩 존재한다.

따라서 Y의 각 원소 y에 $f(x)=y$인 X의 원소 x를 대응시키면 Y를 정의역, X를 공역으로 하는 새로운 함수를 정의할 수 있다.

이 함수를 f의 **역함수**라 하고, 기호로 f^{-1}와 같이 나타낸다.

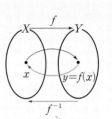

> 'f의 역함수' 또는 'f inverse'라 읽는다.

> f의 치역이 f^{-1}의 정의역이 되고 f의 정의역이 f^{-1}의 치역이 돼.

함수 $f: X \longrightarrow Y$가 일대일대응일 때

(1) f의 역함수 $f^{-1}: Y \longrightarrow X$가 존재한다.

(2) $y=f(x) \Longleftrightarrow x=f^{-1}(y)$

2 역함수가 존재할 조건

함수 $f: X \longrightarrow Y$의 역함수 f^{-1}가 존재할 필요충분조건은 f가 일대일대응인 것이다.

설명
2 (1) 함수 $f: X \longrightarrow Y$가 일대일대응인 경우

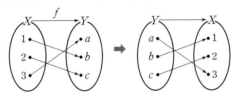

> 역의 대응도 함수가 되고 이 함수를 f의 역함수라고 해.

(2) 함수 $g: X \longrightarrow Y$가 일대일대응이 아닌 경우

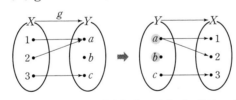

> 역의 대응은 함수가 아니야. 즉, 이 경우 역함수가 정의되지 않아.

따라서 주어진 함수의 역함수가 존재할 필요충분조건은 주어진 함수가 일대일대응인 것이다.

해결의 법칙

함수 f의 **역함수가 존재** $\Longleftrightarrow$ 함수 f는 **일대일대응**

| 정답과 해설 34쪽 |

개념 확인 1 다음 **보기**의 함수 중 역함수가 존재하는 것만을 있는 대로 고르시오.

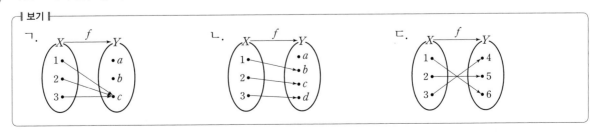

일반적으로 함수를 나타낼 때, 정의역의 원소를 x, 치역의 원소를 y로 나타내므로 함수 $y=f(x)$의 역함수 $x=f^{-1}(y)$도 x와 y를 서로 바꾸어

$$y=f^{-1}(x)$$

와 같이 나타낸다.

함수 $y=f(x)$의 역함수가 존재할 때, 역함수 $y=f^{-1}(x)$는 다음과 같이 구할 수 있다.

$$y=f(x) \xrightarrow[\text{나타내기}]{x를\ y로} x=f^{-1}(y) \xrightarrow[\text{서로 바꾸기}]{x와\ y를} y=f^{-1}(x)$$

이때, 함수 f의 치역이 역함수 f^{-1}의 정의역이 되고, 함수 f의 정의역이 역함수 f^{-1}의 치역이 된다.

예   함수 $f(x)=2x+1$의 역함수를 구해 보자.

함수 $y=2x+1$은 실수 전체의 집합 R에서 R로의 일대일대응이므로 역함수가 존재한다.

(i) $y=2x+1$에서 x를 y로 나타내면

$$2x=y-1 \qquad \therefore x=\frac{1}{2}y-\frac{1}{2}$$

(ii) x와 y를 서로 바꾸면 $y=\frac{1}{2}x-\frac{1}{2}$

따라서 구하는 역함수는 $y=\frac{1}{2}x-\frac{1}{2}$, 즉 $f^{-1}(x)=\frac{1}{2}x-\frac{1}{2}$이다.

이때, 함수 $f(x)=2x+1$의 치역이 실수 전체의 집합이므로 역함수 $f^{-1}(x)=\frac{1}{2}x-\frac{1}{2}$의 정의역은 실수 전체의 집합이다.

따라서 역함수 $f^{-1}(x)$의 정의역을 별도로 언급할 필요가 없다.

그러나 역함수 f^{-1}의 정의역이 실수 전체의 집합이 아닌 경우에는 반드시 정의역을 표시해야 한다.
      → 함수 $f(x)=2x+1\ (x\geq0)$의 치역이 $\{y|y\geq1\}$이므로 역함수의 정의역은 $\{x|x\geq1\}$이다.
        따라서 역함수 $f^{-1}(x)=\frac{1}{2}x-\frac{1}{2}\ (x\geq1)$이다.

해결의 법칙

함수 $y=f(x)$의 역함수 구하기

$$y=f(x) \xrightarrow[\text{나타내기}]{x를\ y로} x=f^{-1}(y) \xrightarrow[\text{서로 바꾸기}]{x와\ y를} y=f^{-1}(x)$$

> 역함수를 구하기 전에 주어진 함수가 일대일대응인지 먼저 확인해야 해.

| 정답과 해설 34쪽 |

개념 확인 2   다음 함수의 역함수를 구하시오.

(1) $y=-\frac{1}{2}x+1$ (2) $y=3x-2\ (x\geq0)$

(1) 함수 $f : X \longrightarrow Y$가 일대일대응일 때, 그 역함수 $f^{-1} : Y \longrightarrow X$에 대하여

  ① $(f^{-1})^{-1} = f$ ← f^{-1}의 역함수는 f

  ② $(f^{-1} \circ f)(x) = x \ (x \in X)$ ← $f^{-1} \circ f$는 집합 X에서의 항등함수

    $(f \circ f^{-1})(y) = y \ (y \in Y)$ ← $f \circ f^{-1}$는 집합 Y에서의 항등함수

(2) 두 함수 $f : X \longrightarrow Y$, $g : Y \longrightarrow X$가 일대일대응이고 I는 항등함수일 때

  $f \circ g = I, \ g \circ f = I \Longleftrightarrow g = f^{-1}$ ← 합성함수가 항등함수이면 두 함수는 역함수 관계

설명

(1) ① $y = f(x)$에서 역함수의 정의로부터 $x = f^{-1}(y)$

    $x = f^{-1}(y)$에서 역함수의 정의로부터 $y = (f^{-1})^{-1}(x)$

    즉, $y = f(x), \ y = (f^{-1})^{-1}(x)$이므로 $f(x) = (f^{-1})^{-1}(x)$

      $\therefore (f^{-1})^{-1} = f$

  ② $f(x) = y$라 하면 $f^{-1}(y) = x$이므로

    $(f^{-1} \circ f)(x) = f^{-1}(f(x)) = f^{-1}(y) = x \ (x \in X)$

    $(f \circ f^{-1})(y) = f(f^{-1}(y)) = f(x) = y \ (y \in Y)$

예

함수 $f : X \longrightarrow Y$가 오른쪽 그림과 같을 때, 역함수의 성질을 확인해 보자.

(1) $(f^{-1})^{-1}(1) = f(1) = a$

(2) $(f^{-1} \circ f)(2) = f^{-1}(f(2)) = f^{-1}(c) = 2$

(3) $(f \circ f^{-1})(b) = f(f^{-1}(b)) = f(3) = b$

해결의 법칙

$(f^{-1})^{-1} = f$	$f^{-1} \circ f = I, \ f \circ f^{-1} = I$	$f \circ g = I, \ g \circ f = I \Longleftrightarrow g = f^{-1}$

| 정답과 해설 34쪽 |

개념 확인 3 오른쪽 그림과 같이 주어진 함수 $f : X \longrightarrow Y$에 대하여 다음을 구하시오.

(1) $(f^{-1})(1)$ (2) $(f^{-1})^{-1}(2)$

(3) $(f^{-1} \circ f)(3)$ (4) $(f \circ f^{-1})(5)$

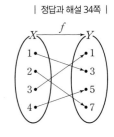

두 함수 $f: X \longrightarrow Y$, $g: Y \longrightarrow Z$가 일대일대응이고 그 역함수가 각각 f^{-1}, g^{-1}일 때,

$$(g \circ f)^{-1} = f^{-1} \circ g^{-1}$$

설명

$(g \circ f) \circ (f^{-1} \circ g^{-1}) = g \circ (f \circ f^{-1}) \circ g^{-1}$
$\qquad\qquad\qquad\quad = g \circ I \circ g^{-1} = g \circ g^{-1} = I$
$(f^{-1} \circ g^{-1}) \circ (g \circ f) = f^{-1} \circ (g^{-1} \circ g) \circ f$
$\qquad\qquad\qquad\quad = f^{-1} \circ I \circ f = f^{-1} \circ f = I$

따라서 $f^{-1} \circ g^{-1}$는 $g \circ f$의 역함수이다.

$\therefore (g \circ f)^{-1} = f^{-1} \circ g^{-1}$

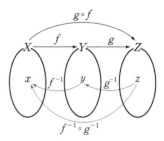

주의 합성함수의 역함수는 $(g \circ f)^{-1} = f^{-1} \circ g^{-1}$와 같이 순서가 바뀌는 것에 주의한다.

예

두 함수 $f(x) = -x + 2$, $g(x) = \dfrac{1}{2}x + 1$에 대하여 $(g \circ f)^{-1} = f^{-1} \circ g^{-1}$가 성립함을 확인

해 보자.

$$(g \circ f)(x) = g(f(x)) = g(-x+2) = \frac{1}{2}(-x+2) + 1 = -\frac{1}{2}x + 2$$

$y = -\dfrac{1}{2}x + 2$로 놓고 x를 y로 나타내면 $x = -2y + 4$

x와 y를 서로 바꾸면 $y = -2x + 4$이므로

$$(g \circ f)^{-1}(x) = -2x + 4 \qquad\qquad \cdots\cdots \bigcirc$$

또, 두 함수 f, g에서

$y = -x + 2$로 놓고 x를 y로 나타내면 $x = -y + 2$

x와 y를 서로 바꾸면 $y = -x + 2$이므로 $f^{-1}(x) = -x + 2$

$y = \dfrac{1}{2}x + 1$로 놓고 x를 y로 나타내면 $x = 2y - 2$

x와 y를 서로 바꾸면 $y = 2x - 2$이므로 $g^{-1}(x) = 2x - 2$

$$\therefore (f^{-1} \circ g^{-1})(x) = f^{-1}(g^{-1}(x)) = f^{-1}(2x - 2)$$
$$\qquad\qquad\qquad\qquad = -(2x - 2) + 2 = -2x + 4 \qquad \cdots\cdots \bigcirc$$

따라서 ㉠, ㉡에서 $(g \circ f)^{-1} = f^{-1} \circ g^{-1}$

해결의 법칙

합성함수의 역함수 $\longrightarrow$ $(g \circ f)^{-1} = f^{-1} \circ g^{-1}$

| 정답과 해설 34쪽 |

개념 확인 4 두 함수 $f(x) = -2x$, $g(x) = x + 3$에 대하여 $(g \circ f)^{-1} = f^{-1} \circ g^{-1}$가 성립함을 확인하시오.

함수 $y=f(x)$의 그래프와 그 역함수 $y=f^{-1}(x)$의 그래프는 직선 $y=x$에 대하여 대칭이다.

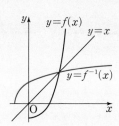

| 설명 | 함수 $y=f(x)$의 역함수 $y=f^{-1}(x)$가 존재할 때, 함수 $y=f(x)$의 그래프 위의 점을 (a, b)라 하면
$$b=f(a) \Longleftrightarrow a=f^{-1}(b)$$
이므로 점 (b, a)는 역함수 $y=f^{-1}(x)$의 그래프 위의 점이다.
이때, 두 점 (a, b)와 (b, a)는 직선 $y=x$에 대하여 대칭이므로 함수 $y=f(x)$의 그래프와 그 역함수 $y=f^{-1}(x)$의 그래프는 직선 $y=x$에 대하여 대칭이다.

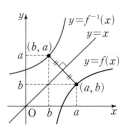

| 예 | 함수 $y=3x+2$의 그래프와 그 역함수의 그래프는 직선 $y=x$에 대하여 대칭이다.
따라서 함수 $y=3x+2$의 역함수의 그래프는 역함수를 구하지 않고도 대칭이동을 이용하여 오른쪽 그림과 같이 그릴 수 있다.

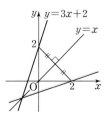

| 해결의 법칙 |

함수 $y=f(x)$의 그래프 　←─── 직선 $y=x$에 대하여 대칭 ───→　 역함수 $y=f^{-1}(x)$의 그래프

| 정답과 해설 34쪽 |

개념 확인 **5**　다음 함수의 역함수의 그래프를 직선 $y=x$를 이용하여 그리시오.

(1) $y=\dfrac{1}{2}x-1$

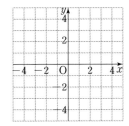

(2) $y=-2x+2$

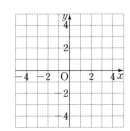

1 다음 **보기**의 함수 중 역함수가 존재하는 것만을 있는 대로 고르시오.

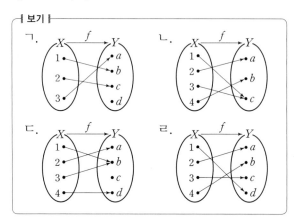

2 실수 전체의 집합에서 정의된 다음 **보기**의 그래프 중 역함수가 존재하는 함수의 그래프를 있는 대로 고르시오.

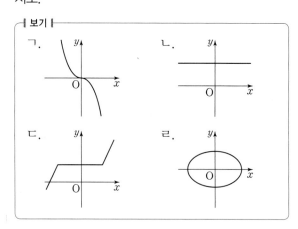

3 오른쪽 그림과 같이 주어진 함수 $f : X \longrightarrow Y$에 대하여 다음을 구하시오.

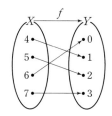

(1) $f^{-1}(0)$

(2) $(f^{-1})^{-1}(5)$

(3) $(f^{-1} \circ f)(4)$

(4) $(f \circ f^{-1})(3)$

4 다음 함수의 역함수를 구하시오.

(1) $y = 4x + 5$

(2) $y = -2x - 3$

(3) $y = \dfrac{1}{3}x - 1 \ (x \geq 3)$

대표 유형 01 역함수의 함숫값   개념 01

다음 물음에 답하시오.

(1) 함수 $f(x)=-3x+7$에 대하여 $f^{-1}(1)$의 값을 구하시오.

(2) 함수 $f(x)=ax+b$에 대하여 $f(-1)=6$, $f^{-1}(2)=3$일 때, $f(5)$의 값을 구하시오. (단, a, b는 상수)

풀이 (1) ❶ $f^{-1}(1)=k$로 놓기 $f^{-1}(1)=k$라 하면 역함수의 정의에 의하여

$$f(k)=1$$

❷ $f(k)=1$을 만족시키는 k의 값 구하기 $f(k)=1$에서 $-3k+7=1$, $3k=6$ $\therefore k=2$

$$\therefore f^{-1}(1)=2$$

(2) ❶ a, b의 값 구하기 $f(-1)=6$에서 $-a+b=6$ ……㉠

$f^{-1}(2)=3$에서 $f(3)=2$이므로 $3a+b=2$ ……㉡

㉠, ㉡을 연립하여 풀면 $a=-1$, $b=5$

❷ $f(5)$의 값 구하기   따라서 $f(x)=-x+5$이므로

$$f(5)=0$$

답 (1) 2   (2) 0

해결의 법칙

$f^{-1}(b)=a$이면   ⟶ $f(a)=b$

| 정답과 해설 36쪽 |

01-1 두 함수 $f(x)=x+1$, $g(x)=2x-3$에 대하여 $f^{-1}(3)+g^{-1}(3)$의 값을 구하시오.

01-2 함수 $f(x)=ax+b$에 대하여 $f^{-1}(2)=1$, $f^{-1}(5)=-2$일 때, ab의 값을 구하시오. (단, a, b는 상수)

01-3 두 함수 $f(x)=4x-5$, $g(x)=3x+1$에 대하여 $(f \circ g^{-1})(k)=7$을 만족시키는 상수 k의 값을 구하시오.

대표 유형 **02** 역함수가 존재하기 위한 조건 개념 01

함수 $f(x)=\begin{cases} 2x-1 & (x\geq 0) \\ (1-2a)x-1 & (x<0) \end{cases}$ 의 역함수가 존재할 때, 실수 a의 값의 범위를 구하시오.

풀이

❶ 일대일대응이 되도록 함수의 그래프 그리기

함수 $f(x)$의 역함수가 존재하므로 $f(x)$는 일대일대응이다. 따라서 $y=f(x)$의 그래프는 오른쪽 그림과 같아야 한다.

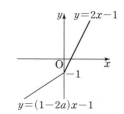

❷ a의 값의 범위 구하기

즉, $x\geq 0$인 부분에서의 직선의 기울기가 양수이므로 $x<0$인 부분에서의 직선의 기울기도 양수이어야 한다.

$1-2a>0$ ∴ $a<\dfrac{1}{2}$

답 $a<\dfrac{1}{2}$

참고 $x<0$인 부분에서의 직선의 기울기가 0이거나 음수인 경우의 그래프는 각각 오른쪽 그림과 같고, 이 경우 함수 $f(x)$는 일대일대응이 아니다.

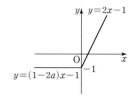

[기울기가 0인 경우]

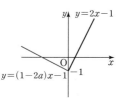

[기울기가 음수인 경우]

해결의 법칙

함수 f의 **역함수가 존재** ⟺ 함수 f는 **일대일대응**

| 정답과 해설 36쪽 |

02-1 집합 $X=\{x|-2\leq x\leq 3\}$에서 집합 $Y=\{y|-3\leq y\leq 7\}$로의 함수 $f(x)=ax+b$의 역함수가 존재할 때, 상수 a, b에 대하여 $2a+b$의 값을 구하시오. (단, $a>0$)

02-2 실수 전체의 집합에서 정의된 함수 $f(x)=|3x-1|+kx-6$의 역함수가 존재할 때, 실수 k의 값의 범위를 구하시오.

대표 유형 03 역함수 구하기 개념 02

함수 $f(x)=2x+a$의 역함수가 $f^{-1}(x)=bx-4$일 때, 상수 a, b에 대하여 $a-b$의 값을 구하시오.

풀이

❶ $y=f(x)$로 놓고 x를 y로 나타내기

$f(x)=2x+a$에서 $y=2x+a$로 놓고 x를 y로 나타내면

$2x=y-a$　　∴ $x=\dfrac{1}{2}y-\dfrac{a}{2}$

❷ x와 y를 서로 바꾸어 역함수 구하기

x와 y를 서로 바꾸면 $y=\dfrac{1}{2}x-\dfrac{a}{2}$

∴ $f^{-1}(x)=\dfrac{1}{2}x-\dfrac{a}{2}$

❸ $a-b$의 값 구하기

따라서 $\dfrac{1}{2}x-\dfrac{a}{2}=bx-4$이므로

$\dfrac{1}{2}=b$, $-\dfrac{a}{2}=-4$　　∴ $a=8$, $b=\dfrac{1}{2}$

∴ $a-b=\dfrac{15}{2}$

답 $\dfrac{15}{2}$

해결의 법칙

함수 $y=f(x)$의 역함수 구하기

$y=f(x)$ $\xrightarrow[\text{나타내기}]{x를\ y로}$ $x=f^{-1}(y)$ $\xrightarrow[\text{서로 바꾸기}]{x와\ y를}$ $y=f^{-1}(x)$

| 정답과 해설 36쪽 |

03-1 함수 $f(x)=ax+b$의 역함수가 $f^{-1}(x)=-4x+1$일 때, 상수 a, b에 대하여 ab의 값을 구하시오.

03-2 두 함수 $f(x)=2x-3$, $g(x)=-x+3$에 대하여 $h(x)=(g\circ f)(x)$일 때, $h^{-1}(x)$를 구하시오.

03-3 실수 전체의 집합에서 정의된 함수 f가 $f(2x+1)=4x+1$을 만족시키고 $f^{-1}(x)=ax+b$일 때, 상수 a, b에 대하여 ab의 값을 구하시오.

대표 유형 **04** **역함수의 성질을 이용하여 함숫값 구하기** 개념 03, 04

두 함수 $f(x)=x+3$, $g(x)=3x-5$에 대하여 다음을 구하시오.

(1) $(g^{-1} \circ f)^{-1}(2)$ (2) $(g \circ (f \circ g)^{-1} \circ g^{-1})(1)$

풀이   (1) $(g^{-1} \circ f)^{-1}(2) = (f^{-1} \circ g)(2) = f^{-1}(g(2)) = f^{-1}(1)$

$f^{-1}(1)=k$라 하면 $f(k)=1$이므로

$k+3=1$ $\therefore k=-2$

$\therefore (g^{-1} \circ f)^{-1}(2) = f^{-1}(1) = -2$

(2) $(g \circ (f \circ g)^{-1} \circ g^{-1})(1) = (g \circ (g^{-1} \circ f^{-1}) \circ g^{-1})(1)$

$= ((g \circ g^{-1}) \circ f^{-1} \circ g^{-1})(1)$ ← $g \circ g^{-1} = I$ (항등함수)

$= (f^{-1} \circ g^{-1})(1) = f^{-1}(g^{-1}(1))$

$f^{-1}(g^{-1}(1))=a$라 하면 $f(a)=g^{-1}(1)$

이때, $g^{-1}(1)=b$라 하면 $g(b)=1$이므로 $3b-5=1$ $\therefore b=2$

즉, $f(a)=g^{-1}(1)=2$이므로 $a+3=2$ $\therefore a=-1$

$\therefore (g \circ (f \circ g)^{-1} \circ g^{-1})(1) = f^{-1}(g^{-1}(1)) = -1$

> 역함수를 분배하면
> $(g \circ f)^{-1} = f^{-1} \circ g^{-1}$
> 합성 순서가 바뀌.

답 (1) -2 (2) -1

해결의 법칙

| $(f^{-1})^{-1}=f$ | $f^{-1} \circ f = I, f \circ f^{-1} = I$ | $(g \circ f)^{-1} = f^{-1} \circ g^{-1}$ |

| 정답과 해설 37쪽 |

04-1 두 함수 $f(x)=3x+2$, $g(x)=2x-5$에 대하여 $(f \circ g^{-1})^{-1}(a)=3$을 만족시키는 상수 a의 값을 구하시오.

04-2 두 함수 $f(x)=-x^3$, $g(x)=\begin{cases} -x-1 & (x<1) \\ -3x+1 & (x \geq 1) \end{cases}$에 대하여 $(f \circ (f \circ g)^{-1} \circ f)(1)$의 값을 구하시오.

대표 유형 05 역함수의 그래프의 성질 　　　개념 05

함수 $f(x)=\dfrac{2}{3}x-1$의 그래프와 그 역함수 $y=f^{-1}(x)$의 그래프의 교점의 좌표를 $(a,\,b)$라 할 때, $a+b$의 값을 구하시오.

풀이

❶ $y=f(x)$의 그래프와 $y=f^{-1}(x)$의 그래프의 관계 파악하기

함수 $y=f(x)$의 그래프와 그 역함수 $y=f^{-1}(x)$의 그래프는 직선 $y=x$에 대하여 대칭이므로 오른쪽 그림과 같다.
즉, 함수 $y=f(x)$의 그래프와 그 역함수 $y=f^{-1}(x)$의 그래프의 교점의 좌표는 $y=f(x)$의 그래프와 직선 $y=x$의 교점의 좌표와 같다.

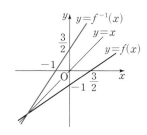

❷ $y=f(x)$의 그래프와 직선 $y=x$의 교점의 x좌표 구하기

$\dfrac{2}{3}x-1=x$에서

$-\dfrac{1}{3}x=-1$　　$\therefore x=-3$

❸ $a+b$의 값 구하기

따라서 구하는 교점의 좌표는 $(-3,\,-3)$이므로
$a=-3,\ b=-3$　　$\therefore a+b=-6$

답 -6

참고 함수 $f(x)=-x^2+1\,(x\geq0)$과 같이 함수 $y=f(x)$의 그래프와 그 역함수 $y=f^{-1}(x)$의 그래프가 직선 $y=x$ 밖에서 만나는 경우도 있다.
따라서 주어진 함수 $y=f(x)$의 그래프와 그 역함수 $y=f^{-1}(x)$의 그래프의 교점을 직선 $y=x$를 이용하여 구하는 경우에는 그 교점이 주어진 함수 $y=f(x)$의 그래프와 직선 $y=x$의 교점과 일치하는지 확인해야 한다.

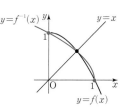

해결의 법칙

함수 $y=f(x)$의 그래프 ⟷(직선 $y=x$에 대하여 대칭) 역함수 $y=f^{-1}(x)$의 그래프

| 정답과 해설 37쪽 |

05-1 함수 $f(x)=2x+a$의 그래프와 그 역함수 $y=f^{-1}(x)$의 그래프의 교점의 x좌표가 2일 때, 상수 a의 값을 구하시오.

05-2 함수 $f(x)=x^2-2x\,(x\geq1)$에 대하여 함수 $y=f(x)$의 그래프와 그 역함수 $y=f^{-1}(x)$의 그래프의 교점을 P라 할 때, 원점 O와 점 P 사이의 거리를 구하시오.

대표 유형 06 그래프를 이용하여 역함수의 함숫값 구하기

개념 01, 05

함수 $y=f(x)$의 그래프와 직선 $y=x$가 오른쪽 그림과 같을 때, $(f \circ f)^{-1}(b)$의 값을 구하시오. (단, 모든 점선은 x축 또는 y축에 평행하다.)

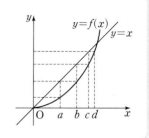

풀이   직선 $y=x$를 이용하여 y축과 점선이 만나는 점의 y좌표를 구하면 오른쪽 그림과 같다.

$(f \circ f)^{-1}(b)=(f^{-1} \circ f^{-1})(b)=f^{-1}(f^{-1}(b))$에서

$f^{-1}(b)=k$라 하면 $f(k)=b$이므로 $k=c$

즉, $f^{-1}(f^{-1}(b))=f^{-1}(c)$

$f^{-1}(c)=l$이라 하면 $f(l)=c$이므로 $l=d$

$\therefore (f \circ f)^{-1}(b)=f^{-1}(f^{-1}(b))=f^{-1}(c)=d$

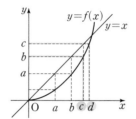

직선 $y=x$ 위의 점은 x좌표와 y좌표가 같음을 이용해.

답 d

해결의 법칙

$y=f(x)$의 그래프가 $\longrightarrow$ $y=f^{-1}(x)$의 그래프는
점 (a, b)를 지나는 경우   점 (b, a)를 지난다.

| 정답과 해설 37쪽 |

06-1   함수 $y=f(x)$의 그래프와 직선 $y=x$가 오른쪽 그림과 같을 때, 다음을 구하시오.

(단, 모든 점선은 x축 또는 y축에 평행하다.)

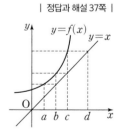

(1) $(f \circ f)(b)+f^{-1}(b)$

(2) $(f \circ f)^{-1}(d)$

유형 확인

1-1 두 함수 $f(x)=x+3$, $g(x)=x^2-1$에 대하여 $(f\circ g)(-1)+(g\circ f)(0)$의 값을 구하시오.

한번 더 확인

1-2 자연수 전체의 집합에서 정의된 함수 f가

$$f(x)=\begin{cases} \dfrac{x}{2} & (x\text{는 짝수}) \\ x+3 & (x\text{는 홀수}) \end{cases}$$

일 때, $(f\circ f\circ f)(10)$의 값을 구하시오.

2-1 세 함수 f, g, h가 다음 조건을 모두 만족시킨다.

> ㈎ $f(x)=2x+3$
> ㈏ $(h\circ g)(5)=3$

이때, $(h\circ(g\circ f))(1)$의 값을 구하시오.

2-2 세 함수 f, g, h에 대하여

$$f(x)=-4x+1,\ (h\circ g)(x)=3x+6$$

일 때, $(h\circ(g\circ f))(a)=-3$을 만족시키는 상수 a의 값을 구하시오.

3-1 두 함수 $f(x)=2x-3$, $g(x)=ax+b$에 대하여 $f\circ g=g\circ f$가 성립할 때, 함수 $y=g(x)$의 그래프는 a의 값에 관계없이 항상 일정한 점을 지난다. 이때, 이 점의 좌표를 구하시오.

3-2 실수 전체의 집합 R에서 R로의 두 함수

$$f(x)=3x-8,\ g(x)=ax+b$$

에 대하여 $f\circ g=g\circ f$가 성립할 때, ab의 최댓값을 구하시오. (단, $a>0$, $b>0$)

4-1 두 함수 $f(x)=3x-1$, $g(x)=-3x+5$에 대하여 함수 h가 $f\circ h=g$를 만족시킬 때, $h(1)$의 값을 구하시오.

4-2 두 함수 $f(x)=-2x+3$, $g(x)=4x+1$에 대하여 $(h\circ f)(x)=g(x)$를 만족시키는 함수 $h(x)$가 존재할 때, $h(3)$의 값을 구하시오.

5-1 집합 $X=\{1, 2, 3\}$에 대하여 함수 $f: X \longrightarrow X$를
$$f(x)=\begin{cases} x+1 & (x \leq 2) \\ 1 & (x=3) \end{cases}$$
로 정의하자. $f^1=f,\ f^2=f \circ f,\ f^3=f \circ f^2,\ \cdots,$
$f^{n+1}=f \circ f^n$이라 할 때, $f^{10}(3)$의 값을 구하시오.
(단, n은 자연수)

5-2 집합 $X=\{1, 2, 3\}$에 대하여 X에서 X로의 두 함
수 f, g가 다음 그림과 같다.

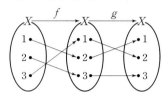

$f^1=f,\ f^2=f \circ f,\ f^3=f \circ f^2,\ \cdots,\ f^{n+1}=f \circ f^n$이라
할 때, $(g \circ f)^n=I$를 만족시키는 자연수 n의 최솟
값을 구하시오. (단, I는 항등함수)

6-1 함수 $f(x)=ax+b$에 대하여 $f^{-1}(-1)=2$,
$f^{-1}(7)=-2$일 때, $a+b$의 값을 구하시오.
(단, a, b는 상수)

6-2 실수 전체의 집합에서 정의된 함수 f가
$$f\left(\frac{x+1}{2}\right)=x-3$$을 만족시킬 때, $f^{-1}(-2)$의 값을
구하시오.

7-1 집합 $X=\{x \mid 1 \leq x \leq a\}$에서 집합
$Y=\{y \mid -1 \leq y \leq b\}$로의 함수 $f(x)=-3x+8$
의 역함수가 존재할 때, 상수 a, b에 대하여 $a-b$
의 값을 구하시오.

7-2 함수 $f(x)=\begin{cases} x-2 & (x \geq 0) \\ (4-k^2)x-2 & (x < 0) \end{cases}$의 역함수가
존재하도록 하는 정수 k의 개수를 구하시오.

8-1 역함수가 존재하는 함수 f가 모든 실수 x에 대하여
$f\left(\dfrac{2x-1}{2}\right)=3x$를 만족시킬 때, 함수 $f(x)$의 역함
수 $f^{-1}(x)$를 구하시오.

8-2 두 함수 $f(x)=-x+3,\ g(x)=\dfrac{1}{2}x+1$에 대하여
$h(x)=(g \circ f)(x)$일 때, $h^{-1}(x)$를 구하시오.

유형 확인

9-1 두 함수 $f(x)=-3x+1$, $g(x)=x+4$에 대하여 $(f^{-1}\circ(g\circ f^{-1})^{-1})(5)$의 값을 구하시오.

한번 더 확인

9-2 두 함수
$$f(x)=2x+1,\ g(x)=\begin{cases}x^2-2x-1 & (x<1)\\ -3x+1 & (x\geq1)\end{cases}$$
에 대하여 $(f\circ(f\circ g)^{-1}\circ f)(2)$의 값을 구하시오.

10-1 함수 $f(x)=ax-3$의 그래프와 그 역함수 $y=f^{-1}(x)$의 그래프의 교점의 x좌표가 3일 때, 상수 a의 값을 구하시오.

10-2 함수 $f(x)=\dfrac{1}{3}x^2+\dfrac{2}{3}$ $(x\geq0)$의 역함수를 $g(x)$라 할 때, 두 함수 $y=f(x)$와 $y=g(x)$의 그래프의 두 교점 사이의 거리를 구하시오.

11-1 함수 $y=f(x)$의 그래프와 직선 $y=x$가 다음 그림과 같을 때, $(f\circ f)(5)+(f\circ f)^{-1}(8)$의 값을 구하시오.
(단, 모든 점선은 x축 또는 y축에 평행하다.)

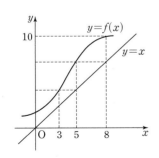

11-2 함수 $y=f(x)$의 그래프와 직선 $y=x$가 오른쪽 그림과 같을 때, **보기**에서 옳은 것만을 있는 대로 고르시오. (단, 모든 점선은 x축 또는 y축에 평행하다.)

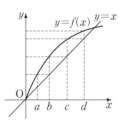

┤보기├
ㄱ. $(f\circ f\circ f)(a)=d$
ㄴ. $(f^{-1}\circ f)^{-1}(c)=c$
ㄷ. $(f\circ f)^{-1}(d)=b$

6 유리함수

개념 미리보기

1 유리식

개념 01 유리식의 뜻과 성질

유리식 $\longrightarrow$ 두 다항식 A, B $(B\neq0)$에 대하여 $\dfrac{A}{B}$ 꼴로 나타내어지는 식

유리식을 통분할 때 $\Rightarrow$ $\dfrac{A}{B}=\dfrac{A\times C}{B\times C}$ 유리식을 약분할 때 $\Rightarrow$ $\dfrac{A}{B}=\dfrac{A\div C}{B\div C}$

개념 02 유리식의 사칙연산

유리식의 덧셈과 뺄셈 $\longrightarrow$ 분모가 다를 경우 분모를 통분하여 계산하기

유리식의 곱셈 $\longrightarrow$ 분모는 분모끼리, 분자는 분자끼리 곱하여 계산하기

유리식의 나눗셈 $\longrightarrow$ 나누는 식의 분모와 분자를 바꾼 식을 곱하여 계산하기

개념 03 특수한 형태의 유리식의 계산

$$\dfrac{1}{AB}=\dfrac{1}{B-A}\left(\dfrac{1}{A}-\dfrac{1}{B}\right) \qquad \dfrac{\dfrac{A}{B}}{\dfrac{C}{D}}=\dfrac{AD}{BC}$$

2 유리함수

개념 01 유리함수

유리함수 $\longrightarrow$ $y=f(x)$에서 $f(x)$가 x에 대한 유리식인 함수

유리함수의 정의역 $\longrightarrow$ 분모가 0이 되지 않도록 하는 실수 전체의 집합

개념 02 유리함수 $y=\dfrac{k}{x}\,(k\neq0)$의 그래프

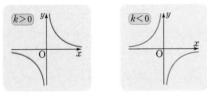

개념 03 유리함수 $y=\dfrac{k}{x-p}+q\,(k\neq0)$의 그래프

$y=\dfrac{k}{x}$ $\xrightarrow[y\text{축의 방향으로 }q\text{만큼 평행이동}]{x\text{축의 방향으로 }p\text{만큼}}$ $y=\dfrac{k}{x-p}+q$

유리함수 $y=\dfrac{ax+b}{cx+d}\,(c\neq0,\,ad-bc\neq0)$의 그래프 $\longrightarrow$ $y=\dfrac{k}{x-p}+q\,(k\neq0)$ 꼴로 변형하여 그래프 그리기

1 유리식

개념 01 유리식의 뜻과 성질

1 유리식

두 다항식 A, B ($B \neq 0$)에 대하여 $\dfrac{A}{B}$ 꼴로 나타내어지는 식을 **유리식**이라 한다.

특히, B가 0이 아닌 상수이면 $\dfrac{A}{B}$는 다항식이 되므로 다항식도 유리식이다.

참고 다항식은 유리식의 특수한 경우이며 다항식이 아닌 유리식을 **분수식**이라 한다.

2 유리식의 성질

세 다항식 A, B, C ($B \neq 0$, $C \neq 0$)에 대하여

(1) $\dfrac{A}{B} = \dfrac{A \times C}{B \times C}$ (2) $\dfrac{A}{B} = \dfrac{A \div C}{B \div C}$

유리식을 통분할 때는 (1)을, 약분할 때는 (2)를 이용하면 돼.

예

1 $\underbrace{4x-1, \dfrac{2x}{3}, \dfrac{x^2-2}{5}}_{\text{다항식}}, \underbrace{\dfrac{1}{x-3}, 1+\dfrac{1}{x}, \dfrac{x^2+1}{x+2}}_{\text{분수식}}$ ➡ 유리식

2 (1) 두 유리식 $\dfrac{3}{x-1}$, $\dfrac{1}{x+2}$ 을 통분하면 ➡ $\dfrac{3(x+2)}{(x-1)(x+2)}$, $\dfrac{x-1}{(x-1)(x+2)}$

   (2) 유리식 $\dfrac{(x-1)(x-3)}{(x+2)(x-3)}$ 을 약분하면 ➡ $\dfrac{x-1}{x+2}$

해결의 법칙

유리식을 통분할 때 ➡ $\dfrac{A}{B} = \dfrac{A \times C}{B \times C}$ 유리식을 약분할 때 ➡ $\dfrac{A}{B} = \dfrac{A \div C}{B \div C}$

| 정답과 해설 41쪽 |

개념 확인 1 다음 두 유리식을 통분하시오.

(1) $\dfrac{1}{x-2}$, $\dfrac{2}{x^2-2x}$

(2) $\dfrac{3}{x^2-1}$, $\dfrac{1}{x^2+x-2}$

개념 확인 2 다음 유리식을 약분하시오.

(1) $\dfrac{x^2-1}{x+1}$

(2) $\dfrac{x^2-2x-8}{x^2-4}$

네 다항식 $A, B, C, D\,(C \neq 0,\ D \neq 0)$에 대하여

(1) **덧셈**: $\dfrac{A}{C} + \dfrac{B}{C} = \dfrac{A+B}{C}$ ⎤

                         분모가 다를 경우 분모를 통분하여 계산하기

(2) **뺄셈**: $\dfrac{A}{C} - \dfrac{B}{C} = \dfrac{A-B}{C}$ ⎦

(3) **곱셈**: $\dfrac{A}{C} \times \dfrac{B}{D} = \dfrac{AB}{CD}$ ← 분모는 분모끼리, 분자는 분자끼리 곱하여 계산하기

(4) **나눗셈**: $\dfrac{A}{C} \div \dfrac{B}{D} = \dfrac{A}{C} \times \dfrac{D}{B} = \dfrac{AD}{BC}$ (단, $B \neq 0$) ← 나누는 식의 분모와 분자를 바꾼 식을 곱하여 계산하기

예

유리식의 사칙연산을 해 보자.

(1) $\dfrac{2}{x+1} + \dfrac{1}{x-2} = \dfrac{2(x-2)}{(x+1)(x-2)} + \dfrac{x+1}{(x+1)(x-2)}$

$\qquad = \dfrac{2x-4+x+1}{(x+1)(x-2)} = \dfrac{3x-3}{(x+1)(x-2)}$

(2) $\dfrac{3}{x-2} - \dfrac{2}{x+2} = \dfrac{3(x+2)}{(x-2)(x+2)} - \dfrac{2(x-2)}{(x-2)(x+2)}$

$\qquad = \dfrac{3x+6-2x+4}{(x-2)(x+2)} = \dfrac{x+10}{(x-2)(x+2)}$

(3) $\dfrac{x}{4x-8} \times \dfrac{2x+4}{3x} = \dfrac{\cancel{x}}{4(x-2)} \times \dfrac{2(x+2)}{3\cancel{x}} = \dfrac{x+2}{6(x-2)}$

(4) $\dfrac{4}{x+2} \div \dfrac{x+3}{x+2} = \dfrac{4}{\cancel{x+2}} \times \dfrac{\cancel{x+2}}{x+3} = \dfrac{4}{x+3}$

> 유리식의 사칙연산은 유리수의 사칙연산과 같은 방법으로 하면 돼.

해결의 법칙

유리식의 덧셈과 뺄셈	→	분모가 다를 경우 분모를 통분하여 계산하기
유리식의 곱셈	→	분모는 분모끼리, 분자는 분자끼리 곱하여 계산하기
유리식의 나눗셈	→	나누는 식의 분모와 분자를 바꾼 식을 곱하여 계산하기

| 정답과 해설 41쪽 |

개념 확인 3 다음 식을 간단히 하시오.

(1) $\dfrac{1}{x-1} + \dfrac{2}{x+2}$ (2) $\dfrac{1}{x} - \dfrac{1}{x-1}$

(3) $\dfrac{2x}{3x+6} \times \dfrac{x+2}{4}$ (4) $\dfrac{1}{x} \div \dfrac{x+1}{x}$

1 (분자의 차수)≥(분모의 차수)인 경우

분자의 차수가 분모의 차수보다 크거나 같으면 분자를 분모로 나누어

(분자의 차수)<(분모의 차수)가 되도록 변형한다.

2 분모가 두 개 이상의 인수의 곱인 경우

분모가 두 개 이상의 인수의 곱이면 다음과 같이 **부분분수**로 변형한다.

$$\frac{1}{AB} = \frac{1}{B-A}\left(\frac{1}{A} - \frac{1}{B}\right) (단, A \neq B)$$

참고 $\dfrac{1}{B-A}\left(\dfrac{1}{A} - \dfrac{1}{B}\right) = \dfrac{1}{B-A} \times \dfrac{B-A}{AB} = \dfrac{1}{AB}$

3 분모 또는 분자가 유리식인 경우

분모 또는 분자가 유리식이면 다음과 같이 분자에 분모의 역수를 곱하여 계산한다.

$$\frac{\dfrac{A}{B}}{\dfrac{C}{D}} = \frac{A}{B} \div \frac{C}{D} = \frac{A}{B} \times \frac{D}{C} = \frac{AD}{BC}$$

참고 분자 또는 분모에 또 다른 분수식을 포함한 유리식을 **번분수식**이라 한다.

예

1 $\dfrac{2x+3}{x+1} = \dfrac{2(x+1)+1}{x+1} = 2 + \dfrac{1}{x+1}$

2 $\dfrac{2}{(x+2)(x+4)} = \dfrac{2}{(x+4)-(x+2)}\left(\dfrac{1}{x+2} - \dfrac{1}{x+4}\right) = \dfrac{1}{x+2} - \dfrac{1}{x+4}$

3 (1) $\dfrac{\dfrac{2}{x}}{\dfrac{x}{x+1}} = \dfrac{2}{x} \div \dfrac{x}{x+1} = \dfrac{2}{x} \times \dfrac{x+1}{x} = \dfrac{2(x+1)}{x^2}$

(2) $\dfrac{1}{x - \dfrac{1}{x}} = \dfrac{1}{\dfrac{x^2-1}{x}} = \dfrac{x}{x^2-1}$

해결의 법칙

$$\frac{1}{AB} = \frac{1}{B-A}\left(\frac{1}{A} - \frac{1}{B}\right) \qquad \frac{\dfrac{A}{B}}{\dfrac{C}{D}} = \frac{AD}{BC}$$

| 정답과 해설 41쪽 |

개념 확인 **4**   다음 식을 간단히 하시오.

(1) $\dfrac{1}{(x+1)(x+2)} + \dfrac{1}{(x+2)(x+3)}$

(2) $\dfrac{x}{1 - \dfrac{1}{1-x}}$

1 다음 두 유리식을 통분하시오.

(1) $\dfrac{x}{x+1}$, $\dfrac{1}{x^2+x}$

(2) $\dfrac{1}{x^2+2x}$, $\dfrac{2}{x+2}$

(3) $\dfrac{3}{x^2+x-6}$, $\dfrac{x+3}{x^2-4}$

2 다음 유리식을 약분하시오.

(1) $\dfrac{x^2+2x-8}{2x^2-3x-2}$

(2) $\dfrac{x^2+3x+2}{3x^2+4x+1}$

(3) $\dfrac{x^3+1}{x+1}$

3 다음 식을 간단히 하시오.

(1) $\dfrac{1}{x^2+x}+\dfrac{1}{x^2+4x+3}$

(2) $2-\dfrac{3}{3x+1}$

(3) $\dfrac{x-1}{4x}\times\dfrac{x}{x^2-1}$

(4) $\dfrac{x^2-3x+2}{x+2}\div\dfrac{x-1}{x+2}$

4 다음 식을 간단히 하시오.

(1) $\dfrac{2}{(x+1)(x+3)}+\dfrac{2}{(x+3)(x+5)}$

(2) $\dfrac{x-\dfrac{1}{x}}{1-\dfrac{1}{x}}$

STEP ② 필수 유형

대표 유형 ①① 유리식의 사칙연산 개념 02

다음 식을 간단히 하시오.

(1) $\dfrac{x}{x^2-y^2}+\dfrac{y}{y^2-x^2}$

(2) $\dfrac{x+3}{x^2-1}-\dfrac{x+4}{x^2-x-2}$

(3) $\dfrac{x+1}{x^2-2x-8}\times\dfrac{x^2-5x+4}{x^2+x}$

(4) $\dfrac{x^2+6x+9}{2x^2-5x-3}\div\dfrac{x+3}{x-3}$

풀이

(1) (주어진 식) $=\dfrac{x-y}{x^2-y^2}=\dfrac{x-y}{(x+y)(x-y)}=\dfrac{1}{x+y}$

(2) (주어진 식) $=\dfrac{x+3}{(x+1)(x-1)}-\dfrac{x+4}{(x+1)(x-2)}$

$=\dfrac{(x+3)(x-2)-(x+4)(x-1)}{(x+1)(x-1)(x-2)}=\dfrac{x^2+x-6-(x^2+3x-4)}{(x+1)(x-1)(x-2)}$

$=\dfrac{-2(x+1)}{(x+1)(x-1)(x-2)}=-\dfrac{2}{(x-1)(x-2)}$

분모, 분자에 이차식이 있으면 먼저 인수분해해야 돼.

(3) (주어진 식) $=\dfrac{x+1}{(x+2)(x-4)}\times\dfrac{(x-1)(x-4)}{x(x+1)}=\dfrac{x-1}{x(x+2)}$

(4) (주어진 식) $=\dfrac{(x+3)^2}{(2x+1)(x-3)}\times\dfrac{x-3}{x+3}=\dfrac{x+3}{2x+1}$

풀이 참조

해결의 법칙

유리식의 덧셈과 뺄셈	→	분모가 다를 경우 분모를 통분하여 계산하기
유리식의 곱셈	→	분모는 분모끼리, 분자는 분자끼리 곱하여 계산하기
유리식의 나눗셈	→	나누는 식의 분모와 분자를 바꾼 식을 곱하여 계산하기

| 정답과 해설 42쪽 |

01-1 다음 식을 간단히 하시오.

(1) $\dfrac{1}{x+1}+\dfrac{2}{x^2+x}-\dfrac{x}{x^2+3x+2}$

(2) $\dfrac{x^2-5x+6}{x^2-x-12}\times\dfrac{x^2-9}{x^2+2x-8}\div\dfrac{x-3}{x-4}$

대표 유형 02 유리식과 항등식

다음 식의 분모가 0이 되지 않도록 하는 모든 실수 x에 대하여 등식

$$\frac{a}{x-3}+\frac{b}{x+2}=\frac{5x-5}{(x-3)(x+2)}$$

가 성립할 때, ab의 값을 구하시오. (단, a, b는 상수)

풀이

❶ 좌변을 통분하여 정리하기

주어진 식의 좌변을 통분하여 정리하면

$$\frac{a}{x-3}+\frac{b}{x+2}=\frac{a(x+2)+b(x-3)}{(x-3)(x+2)}=\frac{(a+b)x+2a-3b}{(x-3)(x+2)}$$

❷ x에 대한 항등식임을 이용하여 분자의 동류항의 계수 비교하기

즉, $\dfrac{(a+b)x+2a-3b}{(x-3)(x+2)}=\dfrac{5x-5}{(x-3)(x+2)}$가 x에 대한 항등식이므로

양변의 분자의 동류항의 계수를 비교하면 $a+b=5$, $2a-3b=-5$

❸ ab의 값 구하기

두 식을 연립하여 풀면 $a=2$, $b=3$ ∴ $ab=6$

답 6

다른 풀이

주어진 식의 양변에 $(x-3)(x+2)$를 곱하면

$a(x+2)+b(x-3)=5x-5$ ∴ $(a+b)x+2a-3b=5x-5$

이 식이 x에 대한 항등식이므로 $a+b=5$, $2a-3b=-5$

두 식을 연립하여 풀면 $a=2$, $b=3$ ∴ $ab=6$

해결의 법칙

유리식으로 이루어진 항등식에서 미정계수를 구할 때 → 분모를 통분한 후 분자의 동류항의 계수 비교하기

| 정답과 해설 42쪽 |

02-1 다음 식의 분모가 0이 되지 않도록 하는 모든 실수 x에 대하여 등식

$$\frac{a}{2x+1}+\frac{b}{x-1}=\frac{x-7}{(2x+1)(x-1)}$$

이 성립할 때, $a+b$의 값을 구하시오. (단, a, b는 상수)

02-2 다음 식의 분모가 0이 되지 않도록 하는 모든 실수 x에 대하여 등식

$$\frac{a}{x^2-5x+6}+\frac{1}{x^2-x-2}=\frac{b}{(x-3)(x-2)(x+1)}$$

가 성립할 때, ab의 값을 구하시오. (단, a, b는 상수)

대표 유형 03 **부분분수로의 변형**   개념 03

다음 물음에 답하시오.

(1) $\dfrac{1}{x(x+1)}+\dfrac{1}{(x+1)(x+2)}+\dfrac{1}{(x+2)(x+3)}$ 을 간단히 하시오.

(2) $\dfrac{1}{1\times2}+\dfrac{1}{2\times3}+\dfrac{1}{3\times4}+\cdots+\dfrac{1}{9\times10}$ 의 값을 구하시오.

풀이 (1) (주어진 식)

$$=\dfrac{1}{(x+1)-x}\left(\dfrac{1}{x}-\dfrac{1}{x+1}\right)+\dfrac{1}{(x+2)-(x+1)}\left(\dfrac{1}{x+1}-\dfrac{1}{x+2}\right)+\dfrac{1}{(x+3)-(x+2)}\left(\dfrac{1}{x+2}-\dfrac{1}{x+3}\right)$$

$$=\left(\dfrac{1}{x}-\dfrac{1}{x+1}\right)+\left(\dfrac{1}{x+1}-\dfrac{1}{x+2}\right)+\left(\dfrac{1}{x+2}-\dfrac{1}{x+3}\right)$$

$$=\dfrac{1}{x}-\dfrac{1}{x+3}=\dfrac{3}{x(x+3)}$$

(2) (주어진 식)

$$=\dfrac{1}{2-1}\left(1-\dfrac{1}{2}\right)+\dfrac{1}{3-2}\left(\dfrac{1}{2}-\dfrac{1}{3}\right)+\dfrac{1}{4-3}\left(\dfrac{1}{3}-\dfrac{1}{4}\right)+\cdots+\dfrac{1}{10-9}\left(\dfrac{1}{9}-\dfrac{1}{10}\right)$$

$$=\left(1-\dfrac{1}{2}\right)+\left(\dfrac{1}{2}-\dfrac{1}{3}\right)+\left(\dfrac{1}{3}-\dfrac{1}{4}\right)+\cdots+\left(\dfrac{1}{9}-\dfrac{1}{10}\right)$$

$$=1-\dfrac{1}{10}=\dfrac{9}{10}$$

답 (1) $\dfrac{3}{x(x+3)}$ (2) $\dfrac{9}{10}$

해결의 법칙

부분분수로의 변형 $\longrightarrow$ $\dfrac{1}{AB}=\dfrac{1}{B-A}\left(\dfrac{1}{A}-\dfrac{1}{B}\right)$

| 정답과 해설 43쪽 |

03-1 $\dfrac{1}{(x+1)(x+2)}+\dfrac{2}{(x+2)(x+4)}+\dfrac{3}{(x+4)(x+7)}$ 을 간단히 하시오.

03-2 $\dfrac{1}{1\times3}+\dfrac{1}{2\times4}+\dfrac{1}{3\times5}+\cdots+\dfrac{1}{9\times11}$ 의 값을 구하시오.

대표 유형 04 **여러 가지 유리식의 계산** 개념 03

다음 식을 간단히 하시오.

(1) $\dfrac{x^2-x+1}{x-1} - \dfrac{x^2+2x+1}{x+2}$

(2) $\dfrac{1+\dfrac{x+y}{x-y}}{1-\dfrac{x-y}{x+y}}$

풀이　(1) 분자를 분모로 나누어 분자의 차수를 낮춘 후 계산하면

$$(주어진 식) = \frac{x(x-1)+1}{x-1} - \frac{x(x+2)+1}{x+2} = x + \frac{1}{x-1} - \left(x + \frac{1}{x+2}\right)$$

$$= \frac{1}{x-1} - \frac{1}{x+2} = \frac{(x+2)-(x-1)}{(x-1)(x+2)} = \frac{3}{(x-1)(x+2)}$$

(2) 분자, 분모를 각각 통분하여 계산하면

$$(주어진 식) = \frac{\dfrac{(x-y)+(x+y)}{x-y}}{\dfrac{(x+y)-(x-y)}{x+y}} = \frac{\dfrac{2x}{x-y}}{\dfrac{2y}{x+y}} = \frac{2x(x+y)}{(x-y)\times 2y} = \frac{x(x+y)}{y(x-y)}$$

🖹 (1) $\dfrac{3}{(x-1)(x+2)}$　(2) $\dfrac{x(x+y)}{y(x-y)}$

해결의 법칙

| (분자의 차수)≥(분모의 차수)인 유리식의 계산 | → | 분자를 분모로 나누어 간단한 꼴로 변형하기 | (분자의 차수)<(분모의 차수) |
| 번분수식의 계산 | → | 유리식의 성질을 차례대로 적용하기 | |

6 유리함수

| 정답과 해설 43쪽 |

04-1　$\dfrac{x^2+x-2}{x+1} - \dfrac{x^2-3x+1}{x-3}$ 을 간단히 하시오.

04-2　$1 - \dfrac{1}{1-\dfrac{1}{1-\dfrac{1}{x}}}$ 을 간단히 하시오.

대표 유형 05 비례식과 유리식 개념 02

0이 아닌 세 실수 x, y, z에 대하여 다음 식의 값을 구하시오.

(1) $x : y : z = 1 : 2 : 3$일 때, $\dfrac{3x+2y-z}{2x+y-z}$

(2) $\dfrac{x+y}{3} = \dfrac{y+z}{7} = \dfrac{z+x}{8}$일 때, $\dfrac{z-x}{x-y}$

풀이 (1) $x=k$, $y=2k$, $z=3k\,(k \neq 0)$로 놓으면

$$\frac{3x+2y-z}{2x+y-z} = \frac{3 \times k + 2 \times 2k - 3k}{2 \times k + 2k - 3k} = \frac{4k}{k} = 4$$

(2) $\dfrac{x+y}{3} = \dfrac{y+z}{7} = \dfrac{z+x}{8} = k\,(k \neq 0)$로 놓으면

$x+y=3k$ ……㉠, $y+z=7k$ ……㉡, $z+x=8k$ ……㉢

㉠+㉡+㉢을 하면

$2(x+y+z)=18k$ ∴ $x+y+z=9k$ ……㉣

㉠을 ㉣에 대입하여 정리하면 $z=6k$

㉡을 ㉣에 대입하여 정리하면 $x=2k$

㉢을 ㉣에 대입하여 정리하면 $y=k$

∴ $\dfrac{z-x}{x-y} = \dfrac{6k-2k}{2k-k} = \dfrac{4k}{k} = 4$

답 (1) 4 (2) 4

해결의 법칙

$x : y : z = a : b : c$, 즉 $\dfrac{x}{a} = \dfrac{y}{b} = \dfrac{z}{c}$가 주어지면 $\longrightarrow$ $\dfrac{x}{a} = \dfrac{y}{b} = \dfrac{z}{c} = k\,(k \neq 0)$로 놓고 주어진 식에 $x=ak$, $y=bk$, $z=ck$ 대입하기

| 정답과 해설 43쪽 |

05-1 $4x=y$, $2y=3z$일 때, $\dfrac{xy-z^2}{(x-y+2z)^2}$의 값을 구하시오. (단, $xyz \neq 0$)

05-2 $(x+y):(y+z):(z+x)=3:4:5$일 때, $\dfrac{x^3+y^3+z^3}{xyz}$의 값을 구하시오. (단, $xyz \neq 0$)

2 유리함수

개념 01 유리함수

 유리함수의 뜻

함수 $y=f(x)$에서 $f(x)$가 x에 대한 유리식일 때, 이 함수를 **유리함수**라 한다.

특히, $f(x)$가 x에 대한 다항식일 때, 이 함수를 다항함수라 한다.

참고 다항함수는 유리함수의 특수한 경우이며 다항함수가 아닌 유리함수를 **분수함수**라 한다.

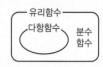

② 유리함수의 정의역

유리함수의 정의역이 주어져 있지 않은 경우에는 분모가 0이 되지 않도록 하는 실수 전체의 집합을 정의역으로 생각한다.

설명 ① $\underbrace{y=x+1,\ y=\dfrac{x^2-3}{2}}_{\text{다항함수}},\ \underbrace{y=\dfrac{1}{x-2},\ y=\dfrac{x-4}{x^2+1}}_{\text{분수함수}}$ ➡ 유리함수

② (1) 유리함수 $y=\dfrac{x-1}{x^2+1}$의 정의역 ➡ $\{x\,|\,x$는 실수$\}$

                ↳ 모든 실수 x에 대하여 $x^2+1>0$

  (2) 유리함수 $y=\dfrac{1}{x+2}$의 정의역 ➡ $\{x\,|\,x\neq-2$인 실수$\}$

                ↳ $x+2\neq0$에서 $x\neq-2$

  (3) 유리함수 $y=\dfrac{x-2}{x^2-4}$의 정의역 ➡ $\{x\,|\,x\neq\pm2$인 실수$\}$

                ↳ $x^2-4\neq0$에서 $x\neq\pm2$

해결의 법칙

유리함수의 정의역 ⟶ 분모가 0이 되지 않도록 하는 실수 전체의 집합

| 정답과 해설 43쪽 |

[개념 확인 1] 다음 유리함수의 정의역을 구하시오.

(1) $y=\dfrac{2}{x-1}$

(2) $y=\dfrac{x-2}{2x+3}$

(3) $y=\dfrac{1}{x^2}$

(4) $y=\dfrac{5x}{x^2+4}$

개념 02 유리함수 $y=\dfrac{k}{x}\,(k\neq0)$의 그래프

1 점근선

곡선 위의 점이 어떤 직선에 한없이 가까워질 때, 이 직선을 그 곡선의 **점근선**이라 한다.

2 유리함수 $y=\dfrac{k}{x}\,(k\neq0)$의 그래프

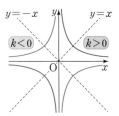

(1) **정의역**: $\{x\,|\,x\neq0$인 실수$\}$, **치역**: $\{y\,|\,y\neq0$인 실수$\}$

(2) **점근선의 방정식**: $x=0(y$축$)$, $y=0(x$축$)$

(3) $k>0$이면 그래프는 제1, 3사분면에 있고,
   $k<0$이면 그래프는 제2, 4사분면에 있다.

(4) **대칭성**: 원점 및 두 직선 $y=x$, $y=-x$에 대하여 대칭이다.

(5) $|k|$의 값이 커질수록 그래프는 원점에서 멀어진다.

설명   유리함수 $y=\dfrac{k}{x}\,(k\neq0)$의 그래프는 k의 값에 따라 다음 그림과 같은 곡선이 된다.

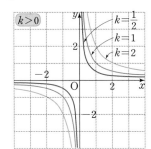 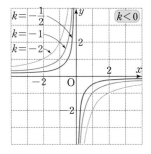

이때, $y=\dfrac{k}{x}\,(k\neq0)$의 그래프는 원점에 대하여 대칭이고, $|k|$의 값이 커질수록 원점에서

멀어진다.

해결의 법칙

함수 $y=\dfrac{k}{x}\,(k\neq0)$의 그래프

| 정답과 해설 44쪽 |

개념 확인 2   다음 함수의 그래프를 그리시오.

(1) $y=\dfrac{3}{x}$ (2) $y=-\dfrac{4}{x}$

1 유리함수 $y=\dfrac{k}{x-p}+q\,(k\neq 0)$의 그래프

유리함수 $y=\dfrac{k}{x-p}+q\,(k\neq 0)$의 그래프는 함수 $y=\dfrac{k}{x}$의 그래프를 x축의 방향으로 p만큼, y축의 방향으로 q만큼 평행이동한 것이다.

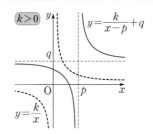

(1) **정의역**: $\{x\,|\,x\neq p$인 실수$\}$, **치역**: $\{y\,|\,y\neq q$인 실수$\}$

(2) **점근선의 방정식**: $x=p,\ y=q$

(3) **대칭성**: 점 $(p,\,q)$에 대하여 대칭이다.

2 유리함수 $y=\dfrac{ax+b}{cx+d}\,(c\neq 0,\,ad-bc\neq 0)$의 그래프

유리함수 $y=\dfrac{ax+b}{cx+d}$의 그래프는 $y=\dfrac{k}{x-p}+q\,(k\neq 0)$ 꼴로 변형하여 그린다.

　　└→ 두 점근선의 방정식 ➡ $x=-\dfrac{d}{c},\ y=\dfrac{a}{c}$

예　　함수 $y=\dfrac{2x+1}{x-1}$의 그래프를 그려 보자.

$$y=\frac{2x+1}{x-1}=\frac{2(x-1)+3}{x-1}=\frac{3}{x-1}+2$$

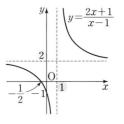

이므로 함수 $y=\dfrac{2x+1}{x-1}$의 그래프는 함수 $y=\dfrac{3}{x}$의 그래프를 x축

의 방향으로 1만큼, y축의 방향으로 2만큼 평행이동한 것이다.

따라서 그래프는 오른쪽 그림과 같고

　　정의역 ➡ $\{x\,|\,x\neq 1$인 실수$\}$, 치역 ➡ $\{y\,|\,y\neq 2$인 실수$\}$

　　점근선의 방정식 ➡ $x=1,\ y=2$

참고 유리함수 $y=\dfrac{ax+b}{cx+d}$에서 $c\neq 0,\,ad-bc\neq 0$이어야 하는 이유

　(i) $c=0$인 경우: $y=\dfrac{ax+b}{d}=\dfrac{a}{d}x+\dfrac{b}{d}$ ➡ 다항함수 꼴

　(ii) $c\neq 0$인 경우: $y=\dfrac{ax+b}{cx+d}=\dfrac{\frac{bc-ad}{c}}{cx+d}+\dfrac{a}{c}$에서 $ad-bc=0$이면 $y=\dfrac{a}{c}$ ➡ 상수함수 꼴

　(i), (ii)에 의하여 $y=\dfrac{ax+b}{cx+d}$가 다항함수가 아닌 유리함수이려면 $c\neq 0,\,ad-bc\neq 0$이어야 한다.

해결의 법칙

유리함수 $y=\dfrac{ax+b}{cx+d}\,(c\neq 0,\,ad-bc\neq 0)$의 그래프	⟶	$y=\dfrac{k}{x-p}+q\,(k\neq 0)$ 꼴로 변형하여 그래프 그리기

| 정답과 해설 44쪽 |

개념 확인 3　함수 $y=-\dfrac{1}{x+2}+3$의 그래프를 그리고, 다음을 구하시오.

(1) 정의역

(2) 치역

(3) 점근선의 방정식

1 다음 유리함수의 정의역을 구하시오.

(1) $y = \dfrac{2x+5}{3x-4}$

(2) $y = \dfrac{3x}{2x^2+1}$

(3) $y = \dfrac{x-3}{x^2-9}$

2 함수 $y = \dfrac{1}{x+1} + 2$의 그래프를 그리고, 다음을 구하시오.

┤그래프├

(1) 정의역

(2) 치역

(3) 점근선의 방정식

3 함수 $y = -\dfrac{2}{x-1} - 3$의 그래프를 그리고, 다음을 구하시오.

┤그래프├

(1) 정의역

(2) 치역

(3) 점근선의 방정식

4 다음 함수를 $y = \dfrac{k}{x-p} + q$ 꼴로 변형하시오.

(1) $y = \dfrac{x+1}{x-2}$

(2) $y = \dfrac{2-x}{x+3}$

(3) $y = \dfrac{2x-3}{x-1}$

(4) $y = \dfrac{1-4x}{x-2}$

대표 유형 01 유리함수의 그래프의 평행이동

함수 $y = \dfrac{2x+1}{x+2}$의 그래프는 함수 $y = \dfrac{k}{x}$의 그래프를 x축의 방향으로 p만큼, y축의 방향으로 q만큼 평행이동한 것이다. 상수 p, q, k에 대하여 $p+q+k$의 값을 구하시오.

풀이

❶ $y = \dfrac{k}{x-p} + q$ 꼴로 변형 하기

$$y = \frac{2x+1}{x+2} = \frac{2(x+2)-3}{x+2} = -\frac{3}{x+2} + 2$$

❷ $y = \dfrac{k}{x}$의 그래프의 평행 이동 생각하기

즉, $y = \dfrac{2x+1}{x+2}$의 그래프는 $y = -\dfrac{3}{x}$의 그래프를 x축의 방향으로 -2만큼, y축의 방향으로 2만큼 평행이동한 것이다.

❸ $p+q+k$의 값 구하기

따라서 $p=-2$, $q=2$, $k=-3$이므로
$p+q+k = -3$

답 -3

해결의 법칙

$$y = \frac{k}{x} \xrightarrow[\text{y축의 방향으로 q만큼 평행이동}]{\text{x축의 방향으로 p만큼}} y = \frac{k}{x-p} + q$$

| 정답과 해설 44쪽 |

01-1 함수 $y = \dfrac{2x-3}{x+1}$의 그래프는 $y = \dfrac{k}{x}$의 그래프를 x축의 방향으로 p만큼, y축의 방향으로 q만큼 평행이동한 것이다. 상수 p, q, k에 대하여 $p+q+k$의 값을 구하시오.

01-2 함수 $y = \dfrac{x+1}{x-1}$의 그래프를 x축의 방향으로 p만큼, y축의 방향으로 q만큼 평행이동하면 $y = \dfrac{6x+8}{x+1}$의 그래프와 일치한다. 상수 p, q에 대하여 $p+q$의 값을 구하시오.

대표 유형 02 유리함수의 정의역과 치역 　　　　　　　　　　　　　　개념 03

함수 $y=\dfrac{2x+5}{x+1}$ 의 정의역이 $\{x\,|\,0\leq x\leq 3\}$ 일 때, 치역을 구하시오.

풀이　　❶ 그래프 그리기

$$y=\dfrac{2x+5}{x+1}=\dfrac{2(x+1)+3}{x+1}=\dfrac{3}{x+1}+2$$

이므로 $y=\dfrac{2x+5}{x+1}$ 의 그래프는 $y=\dfrac{3}{x}$ 의 그래프를 x축의 방향으로 -1만큼, y축의 방향으로 2만큼 평행이동한 것이다.

$x=0$일 때 $y=\dfrac{0+5}{0+1}=5$, $x=3$일 때 $y=\dfrac{6+5}{3+1}=\dfrac{11}{4}$이므로 정의역이 $\{x\,|\,0\leq x\leq 3\}$일 때 $y=\dfrac{2x+5}{x+1}$ 의 그래프는 오른쪽 그림과 같다.

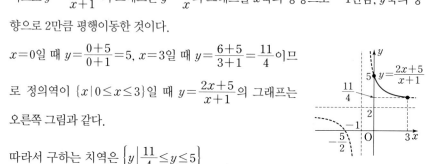

　　　　❷ 치역 구하기　　　따라서 구하는 치역은 $\left\{y\,\middle|\,\dfrac{11}{4}\leq y\leq 5\right\}$

　　　　　　　　　　　　　　　　　　　　　　　　　　　🖪 $\left\{y\,\middle|\,\dfrac{11}{4}\leq y\leq 5\right\}$

해결의 법칙

유리함수의 정의역과 치역 ⟶ 유리함수를 $y=\dfrac{k}{x-p}+q$ 꼴로 변형하여 그래프 그리기

| 정답과 해설 45쪽 |

02-1　　함수 $y=\dfrac{3x-4}{x-1}$ 의 정의역이 $\left\{x\,\middle|-1\leq x\leq \dfrac{1}{2}\right\}$ 일 때, 치역을 구하시오.

02-2　　$0\leq x\leq 1$에서 함수 $y=\dfrac{3x+a}{x+1}$ 의 최댓값이 5일 때, 최솟값을 구하시오. (단, $a>3$)

대표 유형 **03** 유리함수의 그래프의 대칭성 개념 03

함수 $y=\dfrac{x-1}{x-3}$의 그래프가 두 직선 $y=x+a$, $y=-x+b$에 대하여 각각 대칭일 때, $a+b$의 값을 구하시오. (단, a, b는 상수)

풀이

❶ 그래프 그리기

$$y=\frac{x-1}{x-3}=\frac{(x-3)+2}{x-3}=\frac{2}{x-3}+1$$

에서 점근선의 방정식은 $x=3$, $y=1$이므로 그 그래프는 오른쪽 그림과 같다.

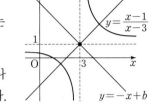

❷ $a+b$의 값 구하기

주어진 함수의 그래프는 두 점근선의 교점 $(3, 1)$을 지나고 기울기가 1 또는 -1인 직선에 대하여 각각 대칭이다.

따라서 두 직선 $y=x+a$, $y=-x+b$는 점 $(3, 1)$을 지나므로

$1=3+a$, $1=-3+b$

즉, $a=-2$, $b=4$이므로 $a+b=2$

답 2

해결의 법칙

함수 $y=\dfrac{k}{x-p}+q\,(k\neq0)$의 그래프의 대칭성

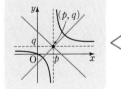

두 점근선의 교점 (p, q)에 대하여 대칭

점 (p, q)를 지나고 기울기가 ±1인 두 직선에 대하여 각각 대칭

| 정답과 해설 45쪽 |

03-1 함수 $y=\dfrac{6x+5}{3x-1}$의 그래프가 점 (a, b)에 대하여 대칭일 때, $a+b$의 값을 구하시오.

03-2 함수 $y=\dfrac{-3x+7}{x-2}$의 그래프가 직선 $y=ax+b$에 대하여 대칭일 때, 상수 a, b의 값을 구하시오. (단, $a>0$)

대표 유형 **04** 유리함수의 식 구하기

개념 03

함수 $y=\dfrac{ax+b}{x+c}$의 그래프가 오른쪽 그림과 같을 때, 상수 a, b, c에 대하여 abc의 값을 구하시오.

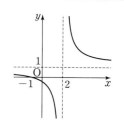

풀이

❶ 유리함수의 식 구하기

주어진 함수의 그래프의 점근선의 방정식이 $x=2$, $y=1$이므로 주어진 함수는

$$y=\dfrac{k}{x-2}+1 \ (k\neq0) \qquad \cdots\cdots \ \text{㉠}$$

로 놓을 수 있다.

㉠의 그래프가 점 $(-1, 0)$을 지나므로

$$0=\dfrac{k}{-1-2}+1 \text{에서} \dfrac{k}{3}=1 \qquad \therefore \ k=3$$

$k=3$을 ㉠에 대입하면 $y=\dfrac{3}{x-2}+1=\dfrac{(x-2)+3}{x-2}=\dfrac{x+1}{x-2}$

❷ abc의 값 구하기

따라서 $a=1$, $b=1$, $c=-2$이므로 $abc=-2$

달 -2

해결의 법칙

점근선의 방정식이 $x=p$, $y=q$이고 점 (a, b)를 지나는 유리함수의 식 $\longrightarrow$ $y=\dfrac{k}{x-p}+q \ (k\neq0)$로 놓고 $x=a$, $y=b$를 대입하여 k의 값 구하기

| 정답과 해설 45쪽 |

04-1 함수 $y=\dfrac{k}{x-p}+q$의 그래프가 오른쪽 그림과 같을 때, 상수 p, q, k에 대하여 $p+q+k$의 값을 구하시오.

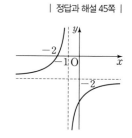

04-2 함수 $y=\dfrac{ax+b}{x+c}$의 그래프가 점 $(1, 5)$를 지나고 점근선의 방정식이 $x=-2$, $y=3$일 때, 상수 a, b, c에 대하여 $a+b-c$의 값을 구하시오.

대표 유형 **05** 유리함수의 합성 개념 03

함수 $f(x) = \dfrac{x-1}{x} \, (x \neq 1)$에 대하여 $f^{100}(5)$의 값을 구하시오. (단, $f^1 = f,\ f^{n+1} = f \circ f^n$이고, n은 자연수)

풀이

❶ $f^2(x),\ f^3(x),\ f^4(x),$
 $\cdots$ 구하기

$f(x) = \dfrac{x-1}{x}$에 대하여 $f^2(x),\ f^3(x),\ f^4(x),\ \cdots$를 구하면

$$f^2(x) = (f \circ f)(x) = f(f(x)) = \frac{\dfrac{x-1}{x} - 1}{\dfrac{x-1}{x}} = \frac{-1}{x-1}$$

$$f^3(x) = (f \circ f^2)(x) = f(f^2(x)) = \frac{\dfrac{-1}{x-1} - 1}{\dfrac{-1}{x-1}} = \frac{-1 - x + 1}{-1} = x$$

$$f^4(x) = (f \circ f^3)(x) = f(f^3(x)) = f(x) = \frac{x-1}{x}$$

❷ 규칙 찾기

따라서 자연수 k에 대하여

$$f(x) = f^4(x) = f^7(x) = \cdots = f^{3k-2}(x) = \frac{x-1}{x}$$

$$f^2(x) = f^5(x) = f^8(x) = \cdots = f^{3k-1}(x) = \frac{-1}{x-1}$$

$$f^3(x) = f^6(x) = f^9(x) = \cdots = f^{3k}(x) = x$$

❸ $f^{100}(5)$의 값 구하기

$$\therefore f^{100}(5) = f^{3 \times 34 - 2}(5) = f(5) = \frac{4}{5}$$

답 $\dfrac{4}{5}$

해결의 법칙

유리함수 $f(x)$의 합성 ⟶ $f^2(x),\ f^3(x),\ f^4(x),\ \cdots$를 차례로 구해서 규칙 찾기

| 정답과 해설 46쪽 |

05-1 유리함수 $f(x) = 1 - \dfrac{1}{2x} \left(x \neq \dfrac{1}{2},\ x \neq 1 \right)$에 대하여 $f^n(x) = x$를 만족시키는 n의 최솟값을 구하시오.

(단, $f^1 = f,\ f^{n+1} = f \circ f^n$이고, n은 자연수)

05-2 유리함수 $y = f(x)$의 그래프가 오른쪽 그림과 같을 때, $f^{200}(2)$의 값을 구하시오.

(단, $f^1 = f,\ f^{n+1} = f \circ f^n$이고, n은 자연수)

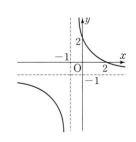

대표 유형 06 유리함수의 역함수

개념 03

> 함수 $f(x) = \dfrac{ax}{x-1}$에 대하여 $f = f^{-1}$가 성립할 때, 상수 a의 값을 구하시오. (단, f^{-1}는 f의 역함수이다.)

풀이

❶ 역함수 구하기

$y = \dfrac{ax}{x-1}$로 놓고 x를 y로 나타내면

$(x-1)y = ax, \ (y-a)x = y \qquad \therefore x = \dfrac{y}{y-a}$

x와 y를 서로 바꾸면 $y = \dfrac{x}{x-a}$

$\therefore f^{-1}(x) = \dfrac{x}{x-a}$

> x와 y를 먼저 바꾸고 역함수를 구해도 돼.
>
> $y = \dfrac{ax}{x-1}$에서 $x = \dfrac{ay}{y-1}$
>
> $(y-1)x = ay, \ (x-a)y = x$
>
> $\therefore y = \dfrac{x}{x-a}$

❷ a의 값 구하기

$f = f^{-1}$이므로 $\dfrac{ax}{x-1} = \dfrac{x}{x-a}$

$\therefore a = 1$

답 1

참고 유리함수 $y = \dfrac{ax+b}{cx+d} \ (c \neq 0, \ ad-bc \neq 0)$의 역함수 구하기

$y = \dfrac{ax+b}{cx+d}$에서 x를 y로 나타내면 $(cy-a)x = -dy+b \qquad \therefore x = \dfrac{-dy+b}{cy-a}$

x와 y를 서로 바꾸어 역함수를 구하면 $y = \dfrac{-dx+b}{cx-a}$ ← $y = \dfrac{ax+b}{cx+d}$에서 a와 d의 위치가 서로 바뀌고, 그 부호가 각각 바뀐다.

해결의 법칙

유리함수 $y = f(x)$의 역함수 구하기

$y = f(x)$ $\xrightarrow[\text{나타내기}]{x를\ y로}$ $x = f^{-1}(y)$ $\xrightarrow[\text{서로 바꾸기}]{x와\ y를}$ $y = f^{-1}(x)$

| 정답과 해설 46쪽 |

06-1 함수 $y = \dfrac{x+k}{2x-3}$의 역함수의 그래프가 점 $(0, -1)$을 지날 때, 상수 k의 값을 구하시오.

06-2 함수 $f(x) = \dfrac{ax+b}{2x+1}$의 그래프가 점 $(1, 2)$를 지나고 $f = f^{-1}$가 성립할 때, 상수 a, b에 대하여 ab의 값을 구하시오.

유형 확인

1-1 $\dfrac{2x}{x^2-1}-\dfrac{1}{x+1}$ 을 간단히 하면?

① $\dfrac{1}{x+1}$ ② $\dfrac{2}{(x+1)(x-1)}$

③ $\dfrac{x}{x-1}$ ④ $\dfrac{x}{(x+1)(x-1)}$

⑤ $\dfrac{1}{x-1}$

한번 더 확인

1-2 $\dfrac{x^2-3x+2}{2x^2+x-3}\times\dfrac{2x+3}{2x^2-8x+8}$ 을 간단히 하였더니 $\dfrac{1}{ax+b}$ 이 되었다. 상수 $a,\ b$에 대하여 $a+b$의 값을 구하시오.

2-1 다음 식의 분모가 0이 되지 않도록 하는 모든 실수 x에 대하여 등식

$$\dfrac{a}{x+1}+\dfrac{b}{x^2+4x+3}=\dfrac{x+5}{x^2+4x+3}$$

가 성립할 때, $a+b$의 값을 구하시오.

(단, $a,\ b$는 상수)

2-2 1이 아닌 모든 실수 x에 대하여 등식

$$\dfrac{x^2}{x^2-2x+1}+\dfrac{2x-4}{x-1}=a+\dfrac{b}{(x-1)^2}$$

가 성립할 때, 상수 $a,\ b$의 값을 구하시오.

3-1 $\dfrac{1}{(x-2)(x-1)}+\dfrac{2}{(x-1)(x+1)}$

$$+\dfrac{1}{(x+1)(x+2)}$$

을 간단히 하였더니 $\dfrac{c}{(x+a)(x+b)}$ 가 되었다. 상수 $a,\ b,\ c$에 대하여 $a+b+c$의 값을 구하시오.

3-2 $\dfrac{1}{a(a+2)}+\dfrac{1}{(a+2)(a+4)}+\dfrac{1}{(a+4)(a+6)}$

$$=\dfrac{3}{16}$$

을 만족시키는 양수 a의 값을 구하시오.

4-1 세 자연수 $a,\ b,\ c$에 대하여

$$\dfrac{47}{13}=a+\dfrac{1}{b+\dfrac{5}{c}}$$

이 성립할 때, $a+b+c$의 값을 구하시오.

4-2 $1-\dfrac{2}{1-\dfrac{1}{1+\dfrac{1}{x}}}$ 를 간단히 하시오.

5-1 $(x+y):(y+z):(z+x)=12:13:5$일 때,

$\dfrac{y^2-z^2}{x^2+z^2}$의 값을 구하시오. (단, $xyz \neq 0$)

5-2 $\dfrac{x+y}{3}=\dfrac{y+z}{5}=\dfrac{z+x}{4}$일 때, $\dfrac{(x+y+z)^3}{x^3+y^3+z^3}$의 값을 구하시오. (단, $xyz \neq 0$)

6-1 다음 함수 중 그 그래프가 평행이동 또는 대칭이동에 의하여 함수 $y=\dfrac{4}{x}$의 그래프와 겹쳐질 수 있는 것은?

① $y=\dfrac{3}{x}$ ② $y=-\dfrac{2}{x}+1$

③ $y=\dfrac{-x+1}{2x}$ ④ $y=\dfrac{x+3}{x-1}$

⑤ $y=\dfrac{2x+2}{2x-1}$

6-2 다음 **보기**의 함수의 그래프 중에서 함수 $y=\dfrac{x}{x-1}$의 그래프를 평행이동하여 겹칠 수 있는 것만을 있는 대로 고르시오.

┤ 보기 ├

ㄱ. $y=\dfrac{x-2}{x-1}$ ㄴ. $y=\dfrac{1}{x-1}$

ㄷ. $y=\dfrac{3x+4}{x+1}$ ㄹ. $y=\dfrac{2x-3}{x+1}$

7-1 정의역이 $\{x \mid 1 \leq x \leq a\}$인 함수 $y=\dfrac{2x-1}{x+1}$의 최댓값이 1, 최솟값이 b일 때, ab의 값을 구하시오.

7-2 정의역이 $\{x \mid 0 \leq x \leq 2\}$인 함수 $y=\dfrac{2x-5}{x-3}$의 최댓값과 최솟값을 구하시오.

8-1 함수 $y=\dfrac{3x+8}{x+3}$의 그래프가 직선 $y=ax+b$에 대하여 대칭일 때, 상수 a, b의 값을 구하시오. (단, $a<0$)

8-2 함수 $y=\dfrac{bx+3}{x+a}$의 그래프가 두 직선 $y=-x+1$, $y=x-3$에 대하여 각각 대칭일 때, $a+b$의 값을 구하시오. (단, a, b는 상수)

유형 확인

9-1 함수 $y=-\dfrac{2x}{x+1}$의 그래프에 대한 설명으로 옳지 않은 것은?

① 정의역은 $\{x\,|\,x\neq-1$인 실수$\}$이다.
② 치역은 $\{y\,|\,y\neq-2$인 실수$\}$이다.
③ 점 $(0,\,0)$을 지난다.
④ 점근선의 방정식은 $x=-1,\ y=-2$이다.
⑤ 직선 $y=x$에 대하여 대칭이다.

한번 더 확인

9-2 함수 $y=\dfrac{x+2}{x+1}$의 그래프에 대한 설명으로 옳은 것만을 보기에서 있는 대로 고른 것은?

┤ 보기 ├
ㄱ. 점근선의 방정식은 $x=-1,\ y=1$이다.
ㄴ. 제4사분면을 지난다.
ㄷ. 직선 $y=-x+2$에 대하여 대칭이다.

① ㄱ   ② ㄱ, ㄴ   ③ ㄱ, ㄷ
④ ㄴ, ㄷ   ⑤ ㄱ, ㄴ, ㄷ

10-1 함수 $y=\dfrac{ax+b}{x+c}$의 그래프가 점 $(0,\,1)$을 지나고, 두 직선 $x=1,\ y=3$을 점근선으로 할 때, 상수 $a,\ b,\ c$에 대하여 $a+b+c$의 값을 구하시오.

10-2 함수 $y=\dfrac{ax+b}{x+c}$의 그래프가 오른쪽 그림과 같을 때, 상수 $a,\ b,\ c$에 대하여 $a+b+c$의 값을 구하시오.

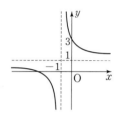

11-1 함수 $f(x)=\dfrac{x+1}{x-1}$에 대하여 $f^{303}(10)$의 값을 구하시오. (단, $f^1=f,\ f^{n+1}=f\circ f^n$이고, n은 자연수)

11-2 함수 $f(x)=\dfrac{1}{1-x}\ (x\neq0)$에 대하여 $f^{150}(3)$의 값을 구하시오. (단, $f^1=f,\ f^{n+1}=f\circ f^n$이고, n은 자연수)

12-1 함수 $f(x)=\dfrac{ax+b}{x+2}$의 그래프가 점 $(1,\,-1)$을 지나고 $f=f^{-1}$가 성립할 때, 상수 $a,\ b$에 대하여 ab의 값을 구하시오.

12-2 두 함수 $y=\dfrac{ax+2}{x+5},\ y=\dfrac{bx+c}{x-6}$의 그래프가 직선 $y=x$에 대하여 대칭일 때, abc의 값을 구하시오. (단, $a,\ b,\ c$는 상수)

7 무리함수

개념 미리보기

1 무리식

개념 01 무리식

무리식 $\longrightarrow$ 근호 ($\sqrt{}$) 안에 문자가 포함되어 있는 식 중에서 유리식으로 나타낼 수 없는 식

$\sqrt{A(x)}$의 값이 실수가 되기 위한 조건 $\Rightarrow A(x) \geq 0$

$\dfrac{1}{\sqrt{A(x)}}$의 값이 실수가 되기 위한 조건 $\Rightarrow A(x) > 0$

개념 02 무리식의 계산

분모가 무리식인 경우 $\longrightarrow$ 분모를 유리화하여 계산하기

2 무리함수

개념 01 무리함수

무리함수 $\longrightarrow$ $y = f(x)$에서 $f(x)$가 x에 대한 무리식인 함수

무리함수의 정의역 $\longrightarrow$ 근호 안의 식의 값이 0 이상이 되도록 하는 실수 전체의 집합

개념 02 무리함수 $y = \sqrt{ax}$와 $y = -\sqrt{ax}\,(a \neq 0)$의 그래프

$y = \pm\sqrt{ax}\,(a \neq 0)$의 그래프 $\longrightarrow$

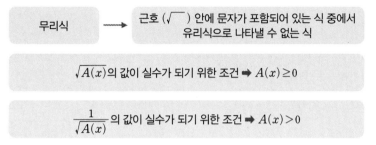

개념 03 무리함수 $y = \sqrt{a(x-p)} + q\,(a \neq 0)$의 그래프

함수 $y = \sqrt{ax+b} + c\,(a \neq 0)$의 그래프 $\longrightarrow$ $y = \sqrt{a(x-p)} + q$ 꼴로 변형하여 그래프 그리기

1 무리식

개념 ⓞ¹ 무리식

❶ 무리식

근호($\sqrt{}$) 안에 문자가 포함되어 있는 식 중에서 유리식으로 나타낼 수 없는 식을 **무리식**이라 한다.

[참고] 유리식과 무리식을 통틀어 식이라 하고 다음과 같이 분류할 수 있다.

$$식 \begin{cases} 유리식 \begin{cases} 다항식 \\ 분수식 \end{cases} \\ 무리식 \end{cases}$$

❷ 무리식의 값이 실수가 되기 위한 조건

무리식의 값이 실수가 되려면 근호 안의 식의 값이 양수 또는 0이어야 하고, 분모는 0이 아니어야 한다.

$$(근호\ 안의\ 식의\ 값) \geq 0, (분모) \neq 0$$

[설명]

무리식 $\sqrt{A}$에서 $A < 0$이면
$$\sqrt{A} = \sqrt{-(-A)} = \sqrt{-A}i$$
이므로 $\sqrt{A}$의 값은 허수이다.

따라서 무리식 $\sqrt{A}$의 값이 실수가 되기 위한 조건은 $A \geq 0$이다.

[예]

❶ $\sqrt{2-x}$, $\dfrac{2}{\sqrt{x+3}}$, $\sqrt{x^2+1}$ ➡ 무리식

$\dfrac{\sqrt{3}}{x}$, $\dfrac{1}{x+\sqrt{2}}$, $\sqrt{x^2}$ ➡ 유리식

> $\sqrt{x^2}$은
> $\sqrt{x^2} = |x|$이므로
> 무리식이 아니야.

❷ 무리식 $\sqrt{2-x}$의 값이 실수가 되려면 ➡ $2-x \geq 0$, 즉 $x \leq 2$

무리식 $\dfrac{2}{\sqrt{x+3}}$의 값이 실수가 되려면 ➡ $x+3 > 0$, 즉 $x > -3$

> (분모) $\neq 0$이어야 하므로
> $x+3 = 0$인 경우는 제외한다.

무리식 $\sqrt{x^2+1}$의 값이 실수가 되려면 ➡ $x^2+1 \geq 0$, 즉 x는 모든 실수

해결의 법칙

$\sqrt{A(x)}$의 값이 실수가 되기 위한 조건 ➡ $A(x) \geq 0$

$\dfrac{1}{\sqrt{A(x)}}$ 의 값이 실수가 되기 위한 조건 ➡ $A(x) > 0$

> (분모) $\neq 0$이어야 하므로
> $A(x) = 0$인 경우는 제외해야 해.

| 정답과 해설 51쪽 |

[개념 확인 1] 다음 무리식의 값이 실수가 되도록 하는 실수 x의 값의 범위를 구하시오.

(1) $\sqrt{2x-1}$

(2) $\dfrac{1}{\sqrt{x+2}}$

무리식의 계산은 무리수의 계산과 마찬가지 방법으로 제곱근의 성질과 분모의 유리화를 이용한다.

(1) 제곱근의 성질

$a>0,\ b>0$일 때

① $\sqrt{a}\sqrt{b}=\sqrt{ab}$ 　　　　　　　② $\sqrt{a^2b}=a\sqrt{b}$

③ $\dfrac{\sqrt{a}}{\sqrt{b}}=\sqrt{\dfrac{a}{b}}$ 　　　　　　　④ $\sqrt{\dfrac{a}{b^2}}=\dfrac{\sqrt{a}}{b}$

(2) 분모의 유리화

$a>0,\ b>0$일 때

① $\dfrac{a}{\sqrt{b}}=\dfrac{a\sqrt{b}}{\sqrt{b}\sqrt{b}}=\dfrac{a\sqrt{b}}{b}$

② $\dfrac{c}{\sqrt{a}+\sqrt{b}}=\dfrac{c(\sqrt{a}-\sqrt{b})}{(\sqrt{a}+\sqrt{b})(\sqrt{a}-\sqrt{b})}=\dfrac{c(\sqrt{a}-\sqrt{b})}{a-b}$ (단, $a\neq b$)

③ $\dfrac{c}{\sqrt{a}-\sqrt{b}}=\dfrac{c(\sqrt{a}+\sqrt{b})}{(\sqrt{a}-\sqrt{b})(\sqrt{a}+\sqrt{b})}=\dfrac{c(\sqrt{a}+\sqrt{b})}{a-b}$ (단, $a\neq b$)

> 분모와 분자에 적당한 수 또는 식을 곱하여 분모가 근호를 포함하지 않도록 변형하는 것을 분모의 유리화라고 해.

예 무리수에서 곱셈 공식 $(a+b)(a-b)=a^2-b^2$을 이용하여 분모를 유리화하였다.

$$\dfrac{\sqrt{2}}{\sqrt{6}+\sqrt{2}}=\dfrac{\sqrt{2}(\sqrt{6}-\sqrt{2})}{(\sqrt{6}+\sqrt{2})(\sqrt{6}-\sqrt{2})}=\dfrac{\sqrt{12}-2}{(\sqrt{6})^2-(\sqrt{2})^2}$$

$$=\dfrac{2\sqrt{3}-2}{6-2}=\dfrac{2(\sqrt{3}-1)}{4}=\dfrac{\sqrt{3}-1}{2}$$

마찬가지 방법으로 분모에 근호를 포함한 무리식에서도 분모의 유리화를 할 수 있다.

$$\dfrac{1}{\sqrt{x+1}+\sqrt{x}}=\dfrac{\sqrt{x+1}-\sqrt{x}}{(\sqrt{x+1}+\sqrt{x})(\sqrt{x+1}-\sqrt{x})}$$

$$=\dfrac{\sqrt{x+1}-\sqrt{x}}{(x+1)-x}=\sqrt{x+1}-\sqrt{x}$$

$$\dfrac{1}{\sqrt{x+1}-\sqrt{x}}=\dfrac{\sqrt{x+1}+\sqrt{x}}{(\sqrt{x+1}-\sqrt{x})(\sqrt{x+1}+\sqrt{x})}$$

$$=\dfrac{\sqrt{x+1}+\sqrt{x}}{(x+1)-x}=\sqrt{x+1}+\sqrt{x}$$

해결의 법칙

분모가 무리식인 경우 ⟶ 분모를 유리화하여 계산하기

| 정답과 해설 51쪽 |

개념 확인 2 다음 무리식의 분모를 유리화하시오.

(1) $\dfrac{2}{\sqrt{x+2}-\sqrt{x}}$ 　　　　　　　　　　(2) $\dfrac{3}{\sqrt{x+3}+\sqrt{x}}$

STEP 1 개념 드릴

1 다음 무리식의 값이 실수가 되도록 하는 실수 x의 값의 범위를 구하시오.

(1) $\sqrt{3-2x}$

(2) $\sqrt{x^2-3x+2}$

(3) $\dfrac{1}{\sqrt{2x+1}}$

(4) $\dfrac{2}{\sqrt{-2x^2-x+1}}$

2 다음 식을 간단히 하시오.

(1) $\sqrt{(x+3)^2}\ (x>-3)$

(2) $\sqrt{(x-5)^2}\ (x<5)$

(3) $\sqrt{(x-2)^2}\ (x>2)$

3 다음 무리식의 분모를 유리화하시오.

(1) $\dfrac{1}{\sqrt{x}-\sqrt{x-1}}$

(2) $\dfrac{1}{\sqrt{2x+1}+\sqrt{2x}}$

(3) $\dfrac{4}{\sqrt{x+2}-\sqrt{x-2}}$

(4) $\dfrac{3}{\sqrt{x+3}-\sqrt{x-3}}$

(5) $\dfrac{x}{1+\sqrt{x+1}}$

(6) $\dfrac{2x}{\sqrt{x+1}-\sqrt{1-x}}$

STEP **2** 필수 유형

대표 유형 **01** 무리식의 값이 실수가 되기 위한 조건   개념 01

> 다음 무리식의 값이 실수가 되도록 하는 실수 x의 값의 범위를 구하시오.
>
> (1) $\sqrt{x+3}+\sqrt{2-3x}$ (2) $\sqrt{x-4}-\dfrac{1}{\sqrt{7-x}}$ (3) $\dfrac{\sqrt{-x^2-5x+6}}{\sqrt{x+5}}$

풀이   (1) (근호 안의 식의 값)≥ 0이어야 하므로

$x+3\geq 0$에서 $x\geq -3$, $2-3x\geq 0$에서 $x\leq \dfrac{2}{3}$

$\therefore -3\leq x\leq \dfrac{2}{3}$

(2) (근호 안의 식의 값)≥ 0이고 (분모)$\neq 0$이어야 하므로

$x-4\geq 0$에서 $x\geq 4$, $7-x>0$에서 $x<7$

$\therefore 4\leq x<7$

(3) (근호 안의 식의 값)≥ 0이고 (분모)$\neq 0$이어야 하므로

$-x^2-5x+6\geq 0$에서 $x^2+5x-6\leq 0$

$(x+6)(x-1)\leq 0$ $\therefore -6\leq x\leq 1$

$x+5>0$에서 $x>-5$

$\therefore -5<x\leq 1$

답 (1) $-3\leq x\leq \dfrac{2}{3}$ (2) $4\leq x<7$ (3) $-5<x\leq 1$

해결의 법칙

$\sqrt{A(x)}$의 값이 실수가 되기 위한 조건 ➡ $A(x)\geq 0$

$\dfrac{1}{\sqrt{A(x)}}$의 값이 실수가 되기 위한 조건 ➡ $A(x)>0$ (분모)$\neq 0$이어야 하므로 $A(x)=0$인 경우는 제외해야 해.

| 정답과 해설 52쪽 |

01-1 다음 무리식의 값이 실수가 되도록 하는 실수 x의 값의 범위를 구하시오.

(1) $2\sqrt{2x-1}+\sqrt{x+1}$ (2) $\sqrt{3x+1}-\dfrac{3}{\sqrt{1-x^2}}$

01-2 무리식 $\sqrt{x^2-2kx-2k+3}$의 값이 모든 실수 x에 대하여 항상 실수가 되도록 하는 실수 k의 값의 범위를 구하시오.

대표 유형 02 무리식의 값 구하기   개념 02

다음 식의 값을 구하시오.

(1) $x=\sqrt{3}$일 때, $\dfrac{\sqrt{x}+1}{\sqrt{x}-1}+\dfrac{\sqrt{x}-1}{\sqrt{x}+1}$

(2) $x=\dfrac{1}{\sqrt{3}+\sqrt{2}}$, $y=\dfrac{1}{\sqrt{3}-\sqrt{2}}$일 때, x^2+xy+y^2

풀이 (1) ❶ 주어진 식을 통분하여 간
단히 하기

$$\dfrac{\sqrt{x}+1}{\sqrt{x}-1}+\dfrac{\sqrt{x}-1}{\sqrt{x}+1}=\dfrac{(\sqrt{x}+1)^2+(\sqrt{x}-1)^2}{(\sqrt{x}-1)(\sqrt{x}+1)}$$
$$=\dfrac{(x+2\sqrt{x}+1)+(x-2\sqrt{x}+1)}{x-1}=\dfrac{2(x+1)}{x-1}$$

❷ $x=\sqrt{3}$을 대입하여 식의
값 구하기

$x=\sqrt{3}$을 대입하면
$$\dfrac{2(x+1)}{x-1}=\dfrac{2(\sqrt{3}+1)}{\sqrt{3}-1}=\dfrac{2(\sqrt{3}+1)^2}{(\sqrt{3}-1)(\sqrt{3}+1)}$$
$$=\dfrac{2(4+2\sqrt{3})}{3-1}=4+2\sqrt{3}$$

(2) ❶ x, y의 분모를 각각 유리
화하기

$$x=\dfrac{1}{\sqrt{3}+\sqrt{2}}=\dfrac{\sqrt{3}-\sqrt{2}}{(\sqrt{3}+\sqrt{2})(\sqrt{3}-\sqrt{2})}=\sqrt{3}-\sqrt{2}$$
$$y=\dfrac{1}{\sqrt{3}-\sqrt{2}}=\dfrac{\sqrt{3}+\sqrt{2}}{(\sqrt{3}-\sqrt{2})(\sqrt{3}+\sqrt{2})}=\sqrt{3}+\sqrt{2}$$

❷ x^2+xy+y^2
$=(x+y)^2-xy$에
$x+y$, xy의 값 대입하기

$\therefore\ x+y=(\sqrt{3}-\sqrt{2})+(\sqrt{3}+\sqrt{2})=2\sqrt{3}$
$xy=(\sqrt{3}-\sqrt{2})(\sqrt{3}+\sqrt{2})=1$
따라서 구하는 식의 값은
$$x^2+xy+y^2=(x+y)^2-xy=(2\sqrt{3})^2-1=11$$

🗐 (1) $4+2\sqrt{3}$ (2) 11

해결의 법칙

식을 간단히 할 수 있는 경우 ⟶ 식을 간단히 한 후 수 대입하기

식을 간단히 할 수 없는 경우 ⟶ 수 먼저 대입하기

| 정답과 해설 52쪽 |

02-1 $x=2-\sqrt{6}$일 때, $\dfrac{1}{1+\sqrt{1-x}}+\dfrac{1}{1-\sqrt{1-x}}$의 값을 구하시오.

02-2 $x=\sqrt{2}+1$, $y=\sqrt{2}-1$일 때, $\dfrac{\sqrt{x}+\sqrt{y}}{\sqrt{x}-\sqrt{y}}$의 값을 구하시오.

2 무리함수

개념 01 무리함수

1 무리함수

(1) 함수 $y=f(x)$에서 $f(x)$가 x에 대한 무리식일 때, 이 함수를 **무리함수**라 한다.

(2) 무리함수에서 정의역이 주어져 있지 않은 경우에는 근호 안의 식의 값이 0 이상이 되도록 하는 실수 전체의 집합을 정의역으로 생각한다.

2 무리함수 $y=\sqrt{x}$의 그래프

무리함수 $y=\sqrt{x}$의 그래프는 그 역함수 $y=x^2 (x\geq 0)$의 그래프와 직선 $y=x$에 대하여 대칭이므로 오른쪽 그림과 같다.

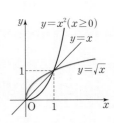

예

1 무리함수 $y=\sqrt{x+1}$의 정의역 ➡ $x+1\geq 0$에서 $x\geq -1$
➡ $\{x\,|\,x\geq -1\}$

2 무리함수 $y=\sqrt{x}$의 그래프를 x축, y축, 원점에 대하여 대칭이동하면 다음 무리함수의 그래프를 그릴 수 있다.

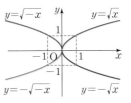

(1) x축에 대하여 대칭이동 ➡ 함수 $y=-\sqrt{x}$의 그래프

(2) y축에 대하여 대칭이동 ➡ 함수 $y=\sqrt{-x}$의 그래프

(3) 원점에 대하여 대칭이동 ➡ 함수 $y=-\sqrt{-x}$의 그래프

해결의 법칙

무리함수의 정의역 → 근호 안의 식의 값이 0 이상이 되도록 하는 실수 전체의 집합

| 정답과 해설 53쪽 |

개념 확인 1 다음 함수의 정의역을 구하시오.

(1) $y=\sqrt{x-2}$
(2) $y=\sqrt{3-2x}$
(3) $y=\sqrt{3x+1}-1$

(1) 무리함수 $y=\sqrt{ax}\,(a\neq0)$의 그래프

① $a>0$일 때

정의역: $\{x\,|\,x\geq0\}$, 치역: $\{y\,|\,y\geq0\}$

② $a<0$일 때

정의역: $\{x\,|\,x\leq0\}$, 치역: $\{y\,|\,y\geq0\}$

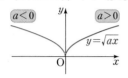

(2) 무리함수 $y=-\sqrt{ax}\,(a\neq0)$의 그래프

① $a>0$일 때

정의역: $\{x\,|\,x\geq0\}$, 치역: $\{y\,|\,y\leq0\}$

② $a<0$일 때

정의역: $\{x\,|\,x\leq0\}$, 치역: $\{y\,|\,y\leq0\}$

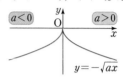

참고 두 함수 $y=\sqrt{ax}$, $y=-\sqrt{ax}\,(a\neq0)$의 그래프는 $|a|$의 값이 커질수록 x축에서 멀어진다.

예

함수	$y=\sqrt{3x}$	$y=-\sqrt{3x}$
그래프		
정의역과 치역	$\{x\,|\,x\geq0\}$, $\{y\,|\,y\geq0\}$	$\{x\,|\,x\geq0\}$, $\{y\,|\,y\leq0\}$

함수	$y=\sqrt{-3x}$	$y=-\sqrt{-3x}$
그래프		
정의역과 치역	$\{x\,|\,x\leq0\}$, $\{y\,|\,y\geq0\}$	$\{x\,|\,x\leq0\}$, $\{y\,|\,y\leq0\}$

해결의 법칙

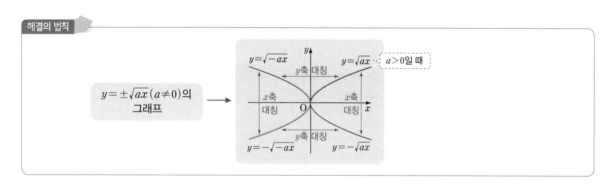

| 정답과 해설 53쪽 |

개념 확인 2 다음 함수의 그래프를 그리시오.

(1) $y=\sqrt{2x}$

(2) $y=-\sqrt{2x}$

(3) $y=\sqrt{-2x}$

(4) $y=-\sqrt{-2x}$

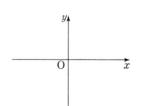

■ 무리함수 $y=\sqrt{a(x-p)}+q\,(a\neq0)$의 그래프

무리함수 $y=\sqrt{a(x-p)}+q\,(a\neq0)$의 그래프는 함수 $y=\sqrt{ax}$의 그래프를

x축의 방향으로 p만큼, y축의 방향으로 q만큼

평행이동한 것이다.

   (1) $a>0$일 때, 정의역: $\{x\,|\,x\geq p\}$, 치역: $\{y\,|\,y\geq q\}$

   (2) $a<0$일 때, 정의역: $\{x\,|\,x\leq p\}$, 치역: $\{y\,|\,y\geq q\}$

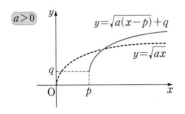 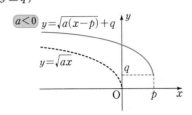

■ 무리함수 $y=\sqrt{ax+b}+c\,(a\neq0)$의 그래프

무리함수 $y=\sqrt{ax+b}+c\,(a\neq0)$의 그래프는 $y=\sqrt{a(x-p)}+q$ 꼴로 변형하여 그린다.

[예]

함수 $y=\sqrt{-2x+8}+1$의 그래프를 그려 보자.

$$y=\sqrt{-2x+8}+1=\sqrt{-2(x-4)}+1$$

이므로 함수 $y=\sqrt{-2x+8}+1$의 그래프는 $y=\sqrt{-2x}$의 그래프를 x축의 방향으로 **4**만큼, y축의 방향으로 **1**만큼 평행이동한 것이다.

따라서 그래프는 오른쪽 그림과 같고

정의역 ➡ $\{x\,|\,x\leq4\}$, 치역 ➡ $\{y\,|\,y\geq1\}$

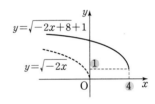

해결의 법칙

함수 $y=\sqrt{ax+b}+c\,(a\neq0)$의 그래프	➡	$y=\sqrt{a(x-p)}+q$ 꼴로 변형하여 그래프 그리기

| 정답과 해설 53쪽 |

개념 확인 **3**   무리함수 $y=-\sqrt{x+2}-1$의 그래프를 그리고, 다음을 구하시오.

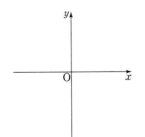

   (1) 정의역

   (2) 치역

1 다음 함수의 그래프를 그리고, 정의역과 치역을 구하시오.

(1) $y=\sqrt{5x}$

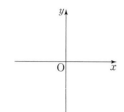

① 정의역   ② 치역

(2) $y=-\sqrt{5x}$

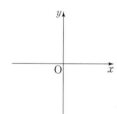

① 정의역   ② 치역

(3) $y=\sqrt{-5x}$

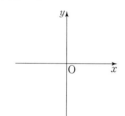

① 정의역   ② 치역

(4) $y=-\sqrt{-5x}$

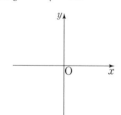

① 정의역   ② 치역

2 다음 함수의 그래프를 그리고, 정의역과 치역을 구하시오.

(1) $y=\sqrt{-(x-1)}+2$

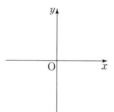

① 정의역   ② 치역

(2) $y=-\sqrt{2(x+2)}+1$

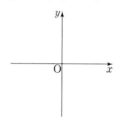

① 정의역   ② 치역

(3) $y=\sqrt{2x-1}+3$

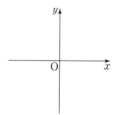

① 정의역   ② 치역

(4) $y=-\sqrt{4-2x}+1$

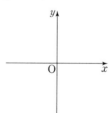

① 정의역   ② 치역

대표 유형 01 **무리함수의 그래프의 평행이동과 대칭이동** 개념 **03**

> 함수 $y=\sqrt{x+1}$의 그래프를 x축의 방향으로 -1만큼, y축의 방향으로 2만큼 평행이동한 후 y축에 대하여 대칭이동하면 $y=\sqrt{ax+b}+c$의 그래프와 겹쳐진다. 상수 a, b, c에 대하여 $a+b+c$의 값을 구하시오.

풀이

❶ $y=\sqrt{x+1}$의 그래프를 평행이동하기

$y=\sqrt{x+1}$의 그래프를 x축의 방향으로 -1만큼, y축의 방향으로 2만큼 평행이동하면

$y-2=\sqrt{(x+1)+1}$ ∴ $y=\sqrt{x+2}+2$

❷ ❶의 그래프를 대칭이동하기

이 그래프를 y축에 대하여 대칭이동하면

$y=\sqrt{-x+2}+2$

❸ $a+b+c$의 값 구하기

$y=\sqrt{-x+2}+2$의 그래프는 $y=\sqrt{ax+b}+c$의 그래프와 겹쳐지므로

$a=-1, b=2, c=2$

∴ $a+b+c=3$

답 3

> **해결의 법칙**
>
> 평행이동과 대칭이동이 연속적으로 이루어지는 경우 ⟶ 주어진 순서대로 적용하기

| 정답과 해설 54쪽 |

01-1 함수 $y=\sqrt{ax+4}+3$의 그래프는 $y=\sqrt{2x}$의 그래프를 x축의 방향으로 m만큼, y축의 방향으로 n만큼 평행이동한 것이다. 상수 a, m, n에 대하여 $a+m+n$의 값을 구하시오.

01-2 함수 $y=\sqrt{ax}+1$의 그래프를 x축의 방향으로 3만큼, y축의 방향으로 b만큼 평행이동한 후 x축에 대하여 대칭이동하면 $y=-\sqrt{3x+c}$의 그래프와 겹쳐진다. 상수 a, b, c에 대하여 abc의 값을 구하시오.

대표 유형 02 무리함수의 정의역과 치역 개념 03

함수 $y=a\sqrt{x-1}+2a^2$의 그래프가 점 $(2, 3)$을 지나고, 치역이 $\{y|y\geq b\}$일 때, 상수 a, b에 대하여 ab의 값을 구하시오.

풀이

❶ a의 값 구하기

함수 $y=a\sqrt{x-1}+2a^2$의 그래프가 점 $(2, 3)$을 지나므로
$3=a\sqrt{2-1}+2a^2$, $2a^2+a-3=0$
$(2a+3)(a-1)=0$ ∴ $a=-\dfrac{3}{2}$ 또는 $a=1$

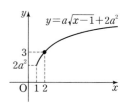

❷ 치역 구하기

이때, 치역이 $\{y|y\geq b\}$이므로 $a>0$이어야 한다.
즉, $a=1$이므로 $y=\sqrt{x-1}+2$에서 치역은 $\{y|y\geq 2\}$이다.

❸ ab의 값 구하기

따라서 $b=2$이므로 $ab=2$

달 2

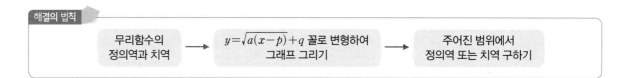

해결의 법칙

무리함수의 정의역과 치역 → $y=\sqrt{a(x-p)}+q$ 꼴로 변형하여 그래프 그리기 → 주어진 범위에서 정의역 또는 치역 구하기

| 정답과 해설 54쪽 |

02-1 함수 $y=\sqrt{-3x+a}+2$의 정의역이 $\{x|x\leq -1\}$이고 치역이 $\{y|y\geq b\}$일 때, 상수 a, b에 대하여 $a+b$의 값을 구하시오.

02-2 $-6\leq x\leq 0$에서 함수 $y=\sqrt{-2x+a}-1$의 최댓값이 3, 최솟값이 b일 때, $a+b$의 값을 구하시오. (단, a는 상수)

대표 유형 03 무리함수의 식 구하기 개념 03

함수 $y=\sqrt{ax+b}+c$의 그래프가 오른쪽 그림과 같을 때, 상수 a, b, c의 값을 구하시오.

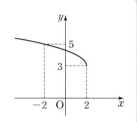

풀이

❶ 평행이동을 이용하여 무리함수의 식 세우기

주어진 함수의 그래프는 $y=\sqrt{ax}$ $(a<0)$의 그래프를 x축의 방향으로 2만큼, y축의 방향으로 3만큼 평행이동한 것이므로
$y=\sqrt{a(x-2)}+3$ ……… ㉠

❷ 지나는 점의 좌표를 대입하여 a의 값 구하기

이때, ㉠의 그래프가 점 $(-2, 5)$를 지나므로
$5=\sqrt{-4a}+3$에서 $\sqrt{-4a}=2$
$-4a=4$ ∴ $a=-1$

❸ b, c의 값 구하기

$a=-1$을 ㉠에 대입하면
$y=\sqrt{-(x-2)}+3=\sqrt{-x+2}+3$
즉, $y=\sqrt{ax+b}+c=\sqrt{-x+2}+3$이므로
$b=2$, $c=3$

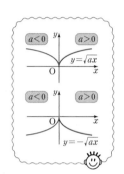

📋 $a=-1$, $b=2$, $c=3$

해결의 법칙

무리함수의 그래프가 시작하는 점의 좌표가 (p, q)인 경우 → 함수의 식을 $y=\pm\sqrt{a(x-p)}+q$ 꼴로 놓기

| 정답과 해설 54쪽 |

03-1 함수 $y=-\sqrt{ax+b}+c$의 그래프가 오른쪽 그림과 같을 때, 상수 a, b, c에 대하여 $a+b+c$의 값을 구하시오.

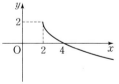

03-2 함수 $y=-\sqrt{ax+6}+b$의 정의역이 $\{x\,|\,x\geq-2\}$이고 치역이 $\{y\,|\,y\leq1\}$일 때, 상수 a, b에 대하여 $a+b$의 값을 구하시오.

대표 유형 **04** 무리함수의 그래프와 직선의 위치 관계   개념 03

함수 $y=\sqrt{x+3}$의 그래프와 직선 $y=x+k$의 위치 관계가 다음과 같을 때, 실수 k의 값 또는 k의 값의 범위를 구하시오.

(1) 서로 다른 두 점에서 만난다.

(2) 한 점에서 만난다.

(3) 만나지 않는다.

풀이 함수 $y=\sqrt{x+3}$의 그래프와 직선 $y=x+k$는 오른쪽 그림과 같다.

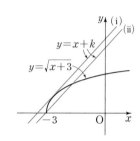

(ⅰ) $y=\sqrt{x+3}$의 그래프와 직선 $y=x+k$가 접할 때

$\sqrt{x+3}=x+k$의 양변을 제곱하여 정리하면

$x^2+(2k-1)x+k^2-3=0$

이 이차방정식의 판별식을 D라 하면

$D=(2k-1)^2-4(k^2-3)=0,\ 4k=13$ ∴ $k=\dfrac{13}{4}$

(ⅱ) 직선 $y=x+k$가 점 $(-3,\ 0)$을 지날 때

$0=-3+k$ ∴ $k=3$

(1) 서로 다른 두 점에서 만날 때는 직선이 (ⅰ)과 (ⅱ) 사이에 있거나 (ⅱ)일 때이므로 $3\le k<\dfrac{13}{4}$

(2) 한 점에서 만날 때는 직선이 (ⅰ)이거나 (ⅱ)보다 아래쪽에 있을 때이므로 $k=\dfrac{13}{4}$ 또는 $k<3$

(3) 만나지 않을 때는 직선이 (ⅰ)보다 위쪽에 있을 때이므로 $k>\dfrac{13}{4}$

답 (1) $3\le k<\dfrac{13}{4}$ (2) $k=\dfrac{13}{4}$ 또는 $k<3$ (3) $k>\dfrac{13}{4}$

해결의 법칙

무리함수의 그래프와 직선의 위치 관계 → 그래프를 그려서 파악하기

곡선과 직선이 접할 때는 두 그래프의 교점을 구하는 방정식에서 판별식 $D=0$이야.

| 정답과 해설 55쪽 |

04-1 함수 $y=\sqrt{1-x}$의 그래프와 직선 $y=-x+k$가 한 점에서 만나도록 하는 실수 k의 값의 범위를 구하시오.

04-2 함수 $y=\sqrt{x-4}$의 그래프와 직선 $y=mx$가 서로 다른 두 점에서 만나도록 하는 실수 m의 값의 범위를 구하시오.

대표 유형 05 **무리함수의 역함수**   개념 03

함수 $y=\sqrt{-2x+1}+3$의 역함수가 $y=a(x+b)^2+c\,(x\geq d)$일 때, 상수 a, b, c, d에 대하여 $a+b+c+d$의 값을 구하시오.

풀이

❶ 역함수의 정의역 구하기

함수 $y=\sqrt{-2x+1}+3$의 치역이 $\{y\,|\,y\geq3\}$이므로 역함수의 정의역은 $\{x\,|\,x\geq3\}$이다.

❷ 주어진 함수에서 x를 y로 나타내기

$y=\sqrt{-2x+1}+3$에서 x를 y로 나타내면

$y-3=\sqrt{-2x+1}$, $(y-3)^2=-2x+1$

$x=-\dfrac{1}{2}(y-3)^2+\dfrac{1}{2}$

❸ x와 y를 바꾸어 역함수 구하기

x와 y를 서로 바꾸면 구하는 역함수는

$y=-\dfrac{1}{2}(x-3)^2+\dfrac{1}{2}\,(x\geq3)$

❹ $a+b+c+d$의 값 구하기

따라서 $a=-\dfrac{1}{2}$, $b=-3$, $c=\dfrac{1}{2}$, $d=3$이므로

$a+b+c+d=0$

답 0

해결의 법칙

무리함수 $y=f(x)$의 역함수 구하기

$y=f(x)$ $\xrightarrow{\substack{x를\ y로 \\ 나타내기}}$ $x=f^{-1}(y)$ $\xrightarrow{\substack{x와\ y를 \\ 서로\ 바꾸기}}$ $y=f^{-1}(x)$

함수의 정의역은 역함수의 치역이 되고, 함수의 치역은 역함수의 정의역이 돼.

| 정답과 해설 55쪽 |

05-1 함수 $y=\sqrt{x+2}-1$의 역함수가 $y=x^2+ax+b\,(x\geq c)$일 때, 상수 a, b, c에 대하여 abc의 값을 구하시오.

05-2 함수 $y=\sqrt{2x-a}+1$의 역함수를 $g(x)$라 하자. $g(2)=1$일 때, $g(1)$의 값을 구하시오. (단, a는 상수)

대표 유형 06 무리함수의 그래프와 그 역함수의 그래프의 교점 개념 03

함수 $f(x)=\sqrt{x+2}$와 그 역함수 $f^{-1}(x)$에 대하여 $y=f(x)$의 그래프와 $y=f^{-1}(x)$의 그래프의 교점의 좌표를 (a, b)라 할 때, $a+b$의 값을 구하시오.

풀이   함수 $y=f(x)$의 그래프와 그 역함수 $y=f^{-1}(x)$의 그래프는 직선 $y=x$에 대하여 대칭이다.

따라서 두 함수의 그래프의 교점은 함수 $f(x)=\sqrt{x+2}$의 그래프와 직선 $y=x$의 교점과 같다.

$\sqrt{x+2}=x$의 양변을 제곱하면

$x+2=x^2$, $x^2-x-2=0$

$(x+1)(x-2)=0$ ∴ $x=-1$ 또는 $x=2$

그런데 오른쪽 그림에서 $x>0$이므로 $x=2$

따라서 교점의 좌표는 $(2, 2)$이므로 $a=2$, $b=2$

∴ $a+b=4$

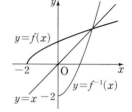

답 4

해결의 법칙

무리함수 $y=f(x)$의 그래프와
그 역함수 $y=f^{-1}(x)$의 그래프의 교점   →   무리함수 $y=f(x)$의 그래프와
직선 $y=x$의 교점

| 정답과 해설 55쪽 |

06-1   함수 $f(x)=\sqrt{-2x+3}$과 그 역함수 $f^{-1}(x)$에 대하여 $y=f(x)$의 그래프와 $y=f^{-1}(x)$의 그래프의 교점의 좌표를 (a, b)라 할 때, $a+b$의 값을 구하시오.

06-2   함수 $f(x)=\sqrt{x-1}+1$과 그 역함수 $f^{-1}(x)$에 대하여 $y=f(x)$의 그래프와 $y=f^{-1}(x)$의 그래프가 서로 다른 두 점에서 만날 때, 두 점 사이의 거리를 구하시오.

유형 확인

1-1 무리식 $\sqrt{3-x}+\dfrac{\sqrt{2x+6}}{4-x}$ 의 값이 실수가 되도록 하는 실수 x의 최댓값을 M, 최솟값을 m이라 할 때, $M+m$의 값을 구하시오.

한번 더 확인

1-2 무리식 $\sqrt{kx^2+2kx+4}$의 값이 모든 실수 x에 대하여 항상 실수가 되도록 하는 실수 k의 값의 범위를 구하시오.

2-1 무리식 $\dfrac{x}{1+\sqrt{x+1}}-\dfrac{x}{1-\sqrt{x+1}}$를 간단히 하면?

① $-2\sqrt{x-1}$ ② $-2\sqrt{x+1}$

③ $2\sqrt{x-1}$ ④ $2\sqrt{x+1}$

⑤ $2x\sqrt{x+1}$

2-2 자연수 n에 대하여 $f(n)=\dfrac{1}{\sqrt{n+1}+\sqrt{n}}$일 때, $f(1)+f(2)+f(3)+\cdots+f(15)$의 값을 구하시오.

3-1 $x=\dfrac{\sqrt{2}}{2}$일 때, $\dfrac{\sqrt{1-x}}{\sqrt{1+x}}+\dfrac{\sqrt{1+x}}{\sqrt{1-x}}$의 값을 구하시오.

3-2 $x=\dfrac{\sqrt{2}+1}{\sqrt{2}-1}$, $y=\dfrac{\sqrt{2}-1}{\sqrt{2}+1}$일 때, $\dfrac{\sqrt{y}}{\sqrt{x}}+\dfrac{\sqrt{x}}{\sqrt{y}}$의 값을 구하시오.

4-1 함수 $y=\sqrt{2x+4}+3$의 그래프를 x축의 방향으로 p만큼, y축의 방향으로 q만큼 평행이동한 후 원점에 대하여 대칭이동하면 $y=-\sqrt{-2x-6}$의 그래프와 일치한다. 상수 p, q에 대하여 $p+q$의 값을 구하시오.

4-2 오른쪽 그림과 같이 한 변의 길이가 1인 정사각형 ABCD의 꼭짓점 C는 함수 $y=\sqrt{x}$의 그래프 위를 움직이고 있다. 점 A가 그리는 도형의 방정식이 $y=\sqrt{ax+b}+c$일 때, 상수 a, b, c에 대하여 $a+b+c$의 값을 구하시오. (단, 선분 AB는 y축에 평행하고, 선분 BC는 x축에 평행하다.)

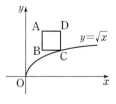

유형 확인

5-1　$-4 \leq x \leq 0$에서 함수 $y=\sqrt{a-3x}+b$의 최댓값이 5, 최솟값이 3일 때, 상수 a, b에 대하여 ab의 값을 구하시오.

한번 더 확인

5-2　$-2 \leq x \leq a$에서 함수 $y=\sqrt{1-4x}+5$의 최댓값이 b, 최솟값이 7일 때, $a+b$의 값을 구하시오.

6-1　함수 $y=-\sqrt{ax+b}+c$의 그래프가 오른쪽 그림과 같을 때, 상수 a, b, c에 대하여 $a+b+c$의 값을 구하시오.

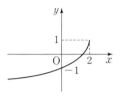

6-2　함수 $y=\sqrt{ax+b}+c$의 그래프가 오른쪽 그림과 같을 때, 함수 $y=\dfrac{cx+1}{ax+b}$의 두 점근선의 교점의 좌표를 (p, q)라 하자. 이때, $p+q$의 값을 구하시오.

（단, a, b, c는 상수）

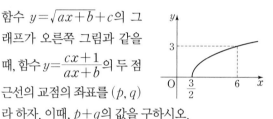

7-1　다음 중 함수 $y=\sqrt{-x+1}-2$에 대한 설명으로 옳지 <u>않은</u> 것은?

① 그래프는 점 $(-3, 0)$을 지난다.
② 정의역은 $\{x \mid x \leq 1\}$이다.
③ 치역은 $\{y \mid y \geq -2\}$이다.
④ 그래프는 제1사분면을 지나지 않는다.
⑤ $y=\sqrt{-x}$의 그래프를 x축의 방향으로 1만큼, y축의 방향으로 2만큼 평행이동한 것이다.

7-2　다음 중 함수 $y=-\sqrt{2x}+1$에 대한 설명으로 옳은 것은?

① 정의역은 $\{x \mid x \leq 0\}$이다.
② 치역은 $\{y \mid y \geq 1\}$이다.
③ 그래프는 제2사분면을 지난다.
④ 그래프는 $y=\sqrt{2x}-1$의 그래프와 x축에 대하여 대칭이다.
⑤ 역함수는 $y=\dfrac{1}{2}(x+1)^2 \ (x \leq -1)$이다.

유형 확인

8-1 함수 $y=\sqrt{x-1}$의 그래프와 직선 $y=x+k$가 서로 다른 두 점에서 만나도록 하는 실수 k의 값의 범위를 구하시오.

한번 더 확인

8-2 두 집합

$$A=\{(x,\,y)\,|\,y=\sqrt{3-x}\},\ B=\{(x,\,y)\,|\,y=x+k\}$$

에 대하여 $n(A\cap B)=1$이 되도록 하는 실수 k의 최솟값을 구하시오.

9-1 무리함수 $f(x)=\sqrt{x-2}+3$에 대하여 함수 $g(x)$가 $f(g(x))=g(f(x))=x$를 만족시킬 때, 함수 $g(x)$를 구하시오.

9-2 함수 $f(x)=-\sqrt{2x+4}-3$의 역함수는 $g(x)=\dfrac{1}{2}x^2+px+q$이고 함수 $g(x)$의 정의역은 $\{x\,|\,x\leq r\}$이다. 상수 $p,\,q,\,r$에 대하여 $p-q+r$의 값을 구하시오.

10-1 함수 $f(x)=\sqrt{2x+6}+1$의 그래프와 그 역함수 $y=f^{-1}(x)$의 그래프의 교점의 좌표를 구하시오.

10-2 두 함수 $y=\sqrt{x+1}-1,\ x=\sqrt{y+1}-1$의 그래프가 서로 다른 두 점에서 만날 때, 두 점 사이의 거리를 구하시오.

11-1 집합 $\{x\,|\,x>1\}$에서 정의된 두 함수

$$f(x)=\frac{2x+3}{x-1},\ g(x)=\sqrt{3x-1}$$

에 대하여 $(g\circ f^{-1})^{-1}(\sqrt{5})$의 값을 구하시오.

11-2 집합 $X=\{x\,|\,x>1\}$일 때, X에서 X로의 두 함수

$$f(x)=\frac{x}{x-1},\ g(x)=\sqrt{2x-1}$$

에 대하여 $(f\circ(g\circ f)^{-1}\circ f)(2)$의 값을 구하시오.

8 경우의 수

1 경우의 수

개념 **01** 합의 법칙

> 사건 A 또는 사건 B가
> 일어나는 경우의 수 $\longrightarrow$ 합의 법칙 이용

개념 **02** 곱의 법칙

> 두 사건 A, B가 잇달아
> 일어나는 경우의 수 $\longrightarrow$ 곱의 법칙 이용

2 순열

개념 **01** 순열

> 순열 $\longrightarrow$ 서로 다른 n개에서 r개를 택하여 일렬로 나열하는 것

> 서로 다른 n개에서 r개를 택하는 **순열**의 수 $\longrightarrow$ $_n\mathrm{P}_r = \underbrace{n(n-1)(n-2)\cdots(n-r+1)}_{r개}$

개념 **02** $_n\mathrm{P}_r$의 계산

> $n! = n(n-1)(n-2)\times\cdots\times3\times2\times1$

> $n!$ ➡ n부터 1까지 1씩 작아지는 n개의 자연수의 곱

> $_n\mathrm{P}_r = \dfrac{n!}{(n-r)!}$

> $_n\mathrm{P}_r$ ➡ n부터 1씩 작아지는 r개의 자연수의 곱

3 조합

개념 **01** 조합

> 조합 $\longrightarrow$ 서로 다른 n개에서 순서를 생각하지 않고 r개를 택하는 것

> 서로 다른 n개에서 r개를 택하는 **조합**의 수 $\longrightarrow$ $_n\mathrm{C}_r = \dfrac{_n\mathrm{P}_r}{r!} = \dfrac{n!}{r!(n-r)!}$

개념 **02** $_n\mathrm{C}_r$의 계산

> ❶ $_n\mathrm{C}_r = {}_n\mathrm{C}_{n-r}$ (단, $0 \le r \le n$)
> ❷ $_n\mathrm{C}_r = {}_{n-1}\mathrm{C}_r + {}_{n-1}\mathrm{C}_{r-1}$ (단, $1 \le r < n$)

1 경우의 수

개념 01 합의 법칙

대표 유형 01, 02, 04, 05

1 경우의 수

(1) **사건**: 실험이나 관찰에 의하여 일어나는 결과

(2) **경우의 수**: 사건이 일어날 수 있는 모든 경우의 가짓수

2 합의 법칙

두 사건 A, B가 동시에 일어나지 않을 때, 두 사건 A, B가 일어나는 경우의 수가 각각 m, n이면

$$(\text{사건 } A \text{ 또는 사건 } B\text{가 일어나는 경우의 수}) = m + n$$

└→ ~이거나

이것을 **합의 법칙**이라 한다.

참고 합의 법칙은 어느 두 사건도 동시에 일어나지 않는 셋 이상의 사건에 대해서도 성립한다.

예

경우의 수를 구할 때는 중복되지 않게 빠짐없이 구해야 해.

1 한 개의 주사위를 던질 때, 홀수의 눈이 나오는 경우 ← 사건

➡ 1, 3, 5의 3가지 ← 경우의 수

2 서로 다른 두 개의 주사위를 동시에 던질 때, 두 주사위의 눈의 수의 합이 5 또는 8인 경우의 수를 구해 보자.

두 개의 주사위에서 나온 눈의 수를 각각 a, b라 하고, 이를 순서쌍 (a, b)로 나타내면

(i) 두 눈의 수의 합이 5인 경우는

$(1, 4), (2, 3), (3, 2), (4, 1)$ ➡ 4가지

(ii) 두 눈의 수의 합이 8인 경우는

$(2, 6), (3, 5), (4, 4), (5, 3), (6, 2)$ ➡ 5가지

이때, (i), (ii)는 동시에 일어날 수 없으므로 구하는 경우의 수는 합의 법칙에 의하여

$$4 + 5 = 9$$

참고 두 사건 A, B가 일어나는 경우의 수가 각각 m, n일 때, 사건 A 또는 사건 B가 일어나는 경우의 수는

(1) 두 사건 A, B가 동시에 일어나지 않으면 ➡ $m + n$

(2) 두 사건 A, B가 동시에 일어나는 경우의 수가 l이면 ➡ $m + n - l$

해결의 법칙

| 사건 A 또는 사건 B가 일어나는 경우의 수 | ⟶ | 합의 법칙 이용 |

| 정답과 해설 60쪽 |

개념 확인 1 1부터 10까지의 자연수가 각각 하나씩 적혀 있는 10장의 카드 중에서 1장을 뽑을 때, 카드에 적혀 있는 수가 3의 배수 또는 5의 배수인 경우의 수를 구하시오.

두 사건 A, B에 대하여 사건 A가 일어나는 경우의 수가 m이고, 그 각각에 대하어 사건 B가 일어나는 경우의 수가 n이면

$$(두 사건 A, B가 \underline{잇달아} 일어나는 경우의 수)= m \times n$$

└→ 동시에, 연이어

이것을 **곱의 법칙**이라 한다.

참고 곱의 법칙은 잇달아 일어나는 셋 이상의 사건에 대해서도 성립한다.

예 오른쪽 그림과 같이 학교에서 학원으로 가는 길은 a, b, c의 3가지, 학원에서 집으로 가는 길은 p, q의 2가지가 있다. 이때, 학교에서 학원으로 갔다가 집으로 가는 경우의 수는 곱의 법칙에 의하여

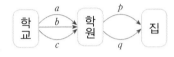

$$3 \times 2 = 6$$

└── 학교에서 학원으로 가는 사건과 학원에서 집으로
     가는 사건은 연속하여 일어나므로 곱한다.

참고 **합의 법칙과 곱의 법칙 비교**

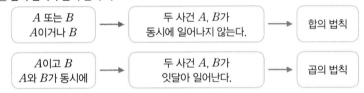

A 또는 B A이거나 B	→	두 사건 A, B가 동시에 일어나지 않는다.	→	합의 법칙
A이고 B A와 B가 동시에	→	두 사건 A, B가 잇달아 일어난다.	→	곱의 법칙

해결의 법칙

두 사건 A, B가 잇달아 일어나는 경우의 수 → 곱의 법칙 이용

| 정답과 해설 60쪽 |

개념 확인 2 4종류의 햄버거와 3종류의 음료수 중 각각 한 종류씩 선택하는 방법의 수를 구하시오.

개념 확인 3 4가지의 서로 다른 상의와 2가지의 서로 다른 하의가 있을 때, 상의와 하의를 하나씩 짝 지어 입는 방법의 수를 구하시오.

1 다음을 구하시오.

(1) 사과 3개, 귤 4개, 배 2개 중에서 한 개를 골라 먹는 방법의 수

(2) 1부터 10까지의 자연수가 각각 하나씩 적힌 10장의 카드 중에서 한 장을 뽑을 때, 카드에 적힌 수가 소수 또는 4의 배수인 경우의 수

(3) 서로 다른 두 개의 주사위를 동시에 던질 때, 나온 눈의 수의 합이 7 또는 10인 경우의 수

(4) 1부터 30까지의 자연수가 각각 하나씩 적힌 30개의 공이 들어 있는 주머니에서 공을 한 개 꺼낼 때, 공에 적힌 수가 6의 배수 또는 7의 배수인 경우의 수

(5) 서로 다른 세 개의 주사위를 동시에 던질 때, 나온 눈의 수의 합이 4 이하인 경우의 수

2 다음을 구하시오.

(1) 중학생 8명, 고등학생 7명의 모임에서 중학생, 고등학생 각각 한 명씩 대표를 뽑는 방법의 수

(2) 3개의 자음 ㄱ, ㄴ, ㄷ과 4개의 모음 ㅏ, ㅓ, ㅗ, ㅣ가 있다. 자음 1개와 모음 1개를 짝 지어 만들 수 있는 모든 글자의 수

(3) 서로 다른 두 개의 주사위를 동시에 던질 때, 나온 눈의 수의 곱이 홀수인 경우의 수

(4) 십의 자리의 숫자는 3의 배수이고, 일의 자리의 숫자는 홀수인 두 자리 자연수의 개수

(5) 6종류의 커피, 4종류의 생과일주스, 5종류의 조각 케이크를 판매하고 있는 카페에서 커피, 생과일주스, 조각 케이크를 각각 하나씩 골라 주문하는 방법의 수

대표 유형 01 **합의 법칙** 개념 01

1부터 20까지의 자연수가 각각 하나씩 적힌 20장의 카드에서 한 장을 뽑을 때, 다음을 구하시오.

(1) 카드에 적힌 수가 5의 배수 또는 7의 배수인 경우의 수

(2) 카드에 적힌 수가 2의 배수 또는 3의 배수인 경우의 수

풀이 (1) ❶ 5의 배수인 경우 구하기 　(ⅰ) 카드에 적힌 수가 5의 배수인 경우는

5, 10, 15, 20의 4가지

❷ 7의 배수인 경우 구하기 　(ⅱ) 카드에 적힌 수가 7의 배수인 경우는

7, 14의 2가지

❸ 경우의 수 구하기 　(ⅰ), (ⅱ)는 동시에 일어날 수 없으므로 구하는 경우의 수는 합의 법칙에 의하여

$4+2=6$

(2) ❶ 2의 배수인 경우 구하기 　카드에 적힌 수가 2의 배수인 경우는

2, 4, 6, ⋯, 20의 10가지

❷ 3의 배수인 경우 구하기 　카드에 적힌 수가 3의 배수인 경우는

3, 6, 9, 12, 15, 18의 6가지

❸ 경우의 수 구하기 　카드에 적힌 수가 2와 3의 최소공배수인 6의 배수인 경우는

6, 12, 18의 3가지

따라서 구하는 경우의 수는 $10+6-3=13$

🔖 (1) 6 　(2) 13

해결의 법칙

두 사건 A, B가 일어나는 경우의 수가 각각 m, n일 때, 사건 A 또는 사건 B가 일어나는 경우의 수

> 두 사건 A, B가 동시에 일어나지 않으면
> ➡ $m+n$

> 두 사건 A, B가 동시에 일어나는 경우의 수가 l이면
> ➡ $m+n-l$

| 정답과 해설 60쪽 |

01-1 서로 다른 두 개의 주머니에 1부터 5까지의 자연수가 각각 하나씩 적힌 5개의 공이 각각 들어 있다. 각 주머니에서 공을 한 개씩 꺼낼 때, 꺼낸 공에 적힌 수의 차가 1 이하인 경우의 수를 구하시오.

01-2 1부터 100까지의 자연수가 각각 하나씩 적힌 100장의 카드에서 한 장을 뽑을 때, 카드에 적힌 수가 3의 배수 또는 5의 배수인 경우의 수를 구하시오.

대표 유형 02 방정식, 부등식을 만족시키는 순서쌍의 개수 개념 01

다음을 구하시오.

(1) 방정식 $x+2y+3z=10$을 만족시키는 자연수 x, y, z의 순서쌍 (x, y, z)의 개수

(2) 부등식 $3x+y<8$을 만족시키는 음이 아닌 정수 x, y의 순서쌍 (x, y)의 개수

풀이 (1) x, y, z가 자연수이므로 $x\geq1$, $y\geq1$, $z\geq1$

주어진 방정식에서 z의 계수의 절댓값이 가장 크므로 z가 될 수 있는 자연수를 구하면

$3z<10$에서 $z=1$ 또는 $z=2$ 또는 $z=3$

$z=1$일 때, $x+2y=7$이므로 순서쌍 (x, y)는 $(5, 1)$, $(3, 2)$, $(1, 3)$의 3개

$z=2$일 때, $x+2y=4$이므로 순서쌍 (x, y)는 $(2, 1)$의 1개

$z=3$일 때, $x+2y=1$이므로 순서쌍 (x, y)는 없다.

따라서 구하는 순서쌍 (x, y, z)의 개수는 $3+1=4$

> 계수의 절댓값이 큰 문자부터 그 값을 정해 봐.

(2) x, y가 음이 아닌 정수이므로 $x\geq0$, $y\geq0$

주어진 부등식에서 x의 계수의 절댓값이 더 크므로 x가 될 수 있는 음이 아닌 정수를 구하면

$3x<8$에서 $x=0$ 또는 $x=1$ 또는 $x=2$

$x=0$일 때, $y<8$이므로 y는 0, 1, 2, 3, 4, 5, 6, 7의 8가지

$x=1$일 때, $y<5$이므로 y는 0, 1, 2, 3, 4의 5가지

$x=2$일 때, $y<2$이므로 y는 0, 1의 2가지

따라서 구하는 순서쌍 (x, y)의 개수는 $8+5+2=15$

답 (1) 4 (2) 15

해결의 법칙

방정식, 부등식을 만족시키는 자연수 또는 정수의 순서쌍의 개수 ⟶ 계수의 절댓값이 가장 큰 항을 기준으로 수를 대입하여 생각하기

| 정답과 해설 61쪽 |

02-1 다음을 구하시오.

(1) 방정식 $x+2y+4z=9$를 만족시키는 음이 아닌 정수 x, y, z의 순서쌍 (x, y, z)의 개수

(2) 부등식 $2x+y<10$을 만족시키는 자연수 x, y의 순서쌍 (x, y)의 개수

02-2 100원, 500원, 1000원짜리 3종류의 학용품을 합하여 4000원이 되게 사는 방법의 수를 구하시오.

(단, 3종류의 학용품이 적어도 한 개씩은 포함되어야 한다.)

대표 유형 03 곱의 법칙   **개념 02**

다음 물음에 답하시오.

(1) 다항식 $(a+b)(x+y)^2$의 전개식에서 서로 다른 항의 개수를 구하시오.

(2) 72의 양의 약수의 개수를 구하시오.

풀이   (1) $(a+b)(x+y)^2=(a+b)(x^2+2xy+y^2)$에서 a, b 중 어느 하나를 택하면 그 각각에 대하여 x^2, $2xy$, y^2의 3가지 중 하나를 선택할 수 있으므로 주어진 다항식의 전개식에서 서로 다른 항의 개수는 곱의 법칙에 의하여

$2 \times 3 = 6$

> $(a+b)(x^2+2xy+y^2)$을 전개하면 a, b에 대하여 x^2, $2xy$, y^2을 각각 곱하여 항이 만들어져. :-)

(2) 72를 소인수분해하면 $2^3 \times 3^2$이므로 72의 양의 약수는

$2^m \times 3^n \ (m=0, 1, 2, 3, \ n=0, 1, 2)$

으로 나타낼 수 있다.

이때, m을 택하는 경우는 0, 1, 2, 3의 4가지이고, 그 각각에 대하여 n을 택하는 경우는 0, 1, 2의 3가지이다.

따라서 구하는 72의 양의 약수의 개수는 곱의 법칙에 의하여

$4 \times 3 = 12$

$\times$	1	2^1	2^2	2^3
1	1×1	$2^1 \times 1$	$2^2 \times 1$	$2^3 \times 1$
3^1	1×3^1	$2^1 \times 3^1$	$2^2 \times 3^1$	$2^3 \times 3^1$
3^2	1×3^2	$2^1 \times 3^2$	$2^2 \times 3^2$	$2^3 \times 3^2$

답 (1) 6   (2) 12

해결의 법칙

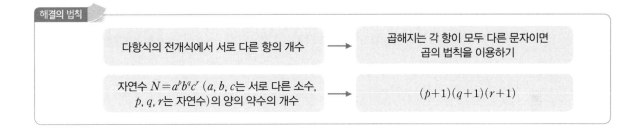

다항식의 전개식에서 서로 다른 항의 개수	$\rightarrow$	곱해지는 각 항이 모두 다른 문자이면 곱의 법칙을 이용하기
자연수 $N=a^p b^q c^r$ (a, b, c는 서로 다른 소수, p, q, r는 자연수)의 양의 약수의 개수	$\rightarrow$	$(p+1)(q+1)(r+1)$

| 정답과 해설 61쪽 |

03-1 다음 다항식의 전개식에서 서로 다른 항의 개수를 구하시오.

(1) $(a+b)(p+q+r+s)(x+y+z)$

(2) $(a+b)^2(x+y)^3$

03-2 $2^4 \times 3^x \times 5^2$의 양의 약수의 개수가 60일 때, 자연수 x의 값을 구하시오.

8
경우의 수

대표 유형 04 수형도를 이용하는 경우의 수

개념 01

A, B, C, D 네 사람이 각각 자신의 이름이 적힌 명함을 책상 위에 뒤집어 놓고 임의로 한 장의 명함을 집었을 때, 네 명 모두 다른 사람의 명함을 집는 경우의 수를 구하시오.

풀이

❶ 수형도 그리기

A, B, C, D 네 사람의 명함을 차례대로 a, b, c, d라 하면 네 명 모두 다른 사람의 명함을 집어야 하므로 A가 집는 명함은 b, c, d 중 하나이고, 그 각각에 대하여 B, C, D가 차례로 다른 사람의 명함을 집는 경우를 수형도로 나타내면 다음과 같다.

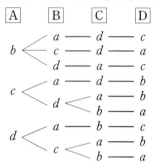

> 수형도를 이용하면 빠뜨리거나 중복되지 않게 헤아릴 수 있어.

❷ 경우의 수 구하기

따라서 구하는 경우의 수는 9이다.

답 9

해결의 법칙

경우의 수를 구할 때 규칙성을 찾기 어려운 경우 ⟶ 수형도 이용하기

| 정답과 해설 62쪽 |

04-1 3개의 숫자 1, 2, 3을 일렬로 배열하여 세 자리 자연수 $a_1a_2a_3$을 만들 때,

$$a_1 \neq 1, \ a_2 \neq 2, \ a_3 \neq 3$$

을 만족시키는 자연수의 개수를 구하시오.

04-2 a, a, b, c의 네 문자를 같은 문자끼리 이웃하지 않도록 배열하는 경우의 수를 구하시오.

대표 유형 05 도로망에서의 방법의 수 개념 01, 02

오른쪽 그림과 같이 네 지점 A, B, C, D가 여러 개의 길로 연결되어 있다.
A지점에서 출발하여 D지점으로 가는 방법의 수를 구하시오.
(단, 한 번 지나간 지점은 다시 지나지 않는다.)

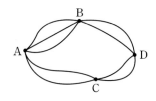

풀이

❶ A지점에서 D지점으로 가는 방법 구하기 — A지점에서 D지점으로 가는 방법은 A → B → D, A → C → D의 2가지가 있다.

❷ A → B → D로 가는 방법의 수 구하기 — (ⅰ) A → B → D로 가는 방법의 수는 곱의 법칙에 의하여
$3 \times 2 = 6$

❸ A → C → D로 가는 방법의 수 구하기 — (ⅱ) A → C → D로 가는 방법의 수는 곱의 법칙에 의하여
$2 \times 2 = 4$

❹ A지점에서 D지점으로 가는 방법의 수 구하기 — (ⅰ), (ⅱ)는 동시에 일어날 수 없으므로 구하는 방법의 수는 합의 법칙에 의하여
$6 + 4 = 10$

답 10

8 경우의 수

해결의 법칙

도로망에서의 방법의 수

동시에 갈 수 없는 길 ➡ 합의 법칙 이용   잇달아 갈 수 있는 길 ➡ 곱의 법칙 이용

| 정답과 해설 62쪽 |

05-1 4개의 도시 A, B, C, D 사이의 도로가 오른쪽 그림과 같을 때, A도시에서 출발하여 B도시와 C도시를 모두 한 번씩 지난 후 D도시로 가는 방법의 수를 구하시오.
(단, 한 번 지나간 도시는 다시 지나지 않는다.)

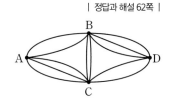

05-2 오른쪽 그림은 A지점과 B지점 사이의 도로망을 나타낸 것이다. A지점에서 B지점으로 갔다가 다시 A지점으로 돌아오는 방법의 수를 구하시오. (단, A지점에서 B지점까지, B지점에서 A지점까지 가는 동안 진행 방향을 바꾸지 않는다.)

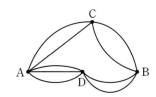

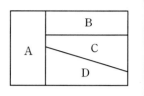

대표 유형 06 도형에서 색칠하는 방법의 수　　개념 02

오른쪽 그림의 A, B, C, D 4개의 영역을 서로 다른 4가지 색을 이용하여 칠하려고 한다. 같은 색을 중복하여 사용해도 좋으나 인접한 영역은 서로 다른 색으로 칠하는 방법의 수를 구하시오. (단, 한 영역에는 한 가지 색만 칠한다.)

풀이

❶ 각 영역에 칠할 수 있는 색의 개수 구하기

A에 칠할 수 있는 색 ➡ 4가지

B에 칠할 수 있는 색 ➡ $4-1=3$(가지)
　　　　　　　　　↳ A에 칠한 색 제외

C에 칠할 수 있는 색 ➡ $4-2=2$(가지)
　　　　　　　　　↳ A와 B에 칠한 색 제외

D에 칠할 수 있는 색 ➡ $4-2=2$(가지)
　　　　　　　　　↳ A와 C에 칠한 색 제외

이웃하는 영역이 가장 많은 A부터 색을 칠해 봐.

❷ 방법의 수 구하기

따라서 구하는 방법의 수는 곱의 법칙에 의하여
$4 \times 3 \times 2 \times 2 = 48$

답 48

해결의 법칙

도형에서 색칠하는 방법의 수

이웃하는 영역이 가장 많은 영역부터 칠하기 → 각 영역에 색을 칠하는 사건은 잇달아 일어나므로 곱의 법칙 이용하기

| 정답과 해설 62쪽 |

06-1 오른쪽 그림의 A, B, C, D 4개의 영역을 서로 다른 4가지 색을 이용하여 칠하려고 한다. 같은 색을 중복하여 사용해도 좋으나 인접한 영역은 서로 다른 색으로 칠하는 방법의 수를 구하시오. (단, 한 영역에는 한 가지 색만 칠한다.)

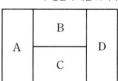

06-2 오른쪽 그림의 A, B, C, D, E 5개의 영역을 서로 다른 5가지 색을 이용하여 칠하려고 한다. 같은 색을 중복하여 사용해도 좋으나 인접한 영역은 서로 다른 색으로 칠하는 방법의 수를 구하시오. (단, 한 영역에는 한 가지 색만 칠한다.)

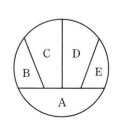

2 순열

개념 **01** 순열   대표 유형 **01~07**

❶ 순열

서로 다른 n개에서 $r(0<r\leq n)$개를 택하여 일렬로 나열하는 것을 **순열**이라 하고, 이 순열의 수를 기호로 $_n\mathrm{P}_r$와 같이 나타낸다.

참고 $_n\mathrm{P}_r$에서 P는 순열을 뜻하는 'Permutation'의 첫 글자이다.

❷ 순열의 수

서로 다른 n개에서 r개를 택하는 순열의 수는

$$_n\mathrm{P}_r=\underbrace{n(n-1)(n-2)\cdots(n-r+1)}_{r개}\ (단,\ 0<r\leq n)$$

설명   서로 다른 n개에서 r개를 택하여 일렬로 나열할 때, 각 자리에 올 수 있는 경우는 다음과 같다.

첫 번째	두 번째	세 번째	⋯	r번째
↓	↓	↓	⋯	↓
n가지	$(n-1)$가지	$(n-2)$가지	⋯	$\{n-(r-1)\}$가지
	첫 번째 자리에 놓인 것 제외	앞의 두 자리에 놓인 것 제외		앞의 $(r-1)$개의 자리에 놓인 것 제외

따라서 곱의 법칙에 의하여 서로 다른 n개에서 r개를 택하는 순열의 수는 다음과 같다.

$$_n\mathrm{P}_r=\underbrace{n(n-1)(n-2)\cdots(n-r+1)}_{r개}\ (단,\ 0<r\leq n)\ \leftarrow n부터\ 1씩\ 작아지는\ r개의\ 자연수의\ 곱$$

예

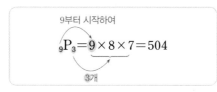

9부터 시작하여
$$_9\mathrm{P}_3=9\times8\times7=504$$
3개

7부터 시작하여
$$_7\mathrm{P}_4=7\times6\times5\times4=840$$
4개

해결의 법칙

서로 다른 n개에서 r개를 택하는 **순열의 수** → $_n\mathrm{P}_r=\underbrace{n(n-1)(n-2)\cdots(n-r+1)}_{r개}$

| 정답과 해설 63쪽 |

개념 확인 1   다음 값을 구하시오.

(1) $_6\mathrm{P}_3$ (2) $_8\mathrm{P}_1$

① n의 계승

1부터 n까지의 모든 자연수의 곱을 **n의 계승**이라 하고, 이것을 기호로 **$n!$**과 같이 나타낸다. 즉,

$$n! = n(n-1)(n-2) \times \cdots \times 3 \times 2 \times 1$$

참고 $n!$은 'n팩토리얼(factorial)'이라 읽는다.

② $n!$을 이용한 순열의 수

(1) $_nP_n = n!$, $_nP_0 = 1$, $0! = 1$

(2) $_nP_r = \dfrac{n!}{(n-r)!}$ (단, $0 \leq r \leq n$)

설명 ② (1) 서로 다른 n개에서 n개를 모두 택하는 순열의 수는

$$_nP_n = n(n-1)(n-2) \times \cdots \times 3 \times 2 \times 1$$

이므로 $_nP_n = n!$

(2) $0 < r < n$일 때 순열의 수 $_nP_r$를 계승을 이용하여 나타내면

$$_nP_r = n(n-1)(n-2) \cdots (n-r+1)$$
$$= \frac{n(n-1)(n-2) \cdots (n-r+1)(n-r) \times \cdots \times 3 \times 2 \times 1}{(n-r) \times \cdots \times 3 \times 2 \times 1}$$
$$= \frac{n!}{(n-r)!}$$

여기서 $r = n$일 때, $_nP_n = \dfrac{n!}{(n-n)!} = \dfrac{n!}{0!}$이 성립하도록 $0! = 1$로 정의한다.

또한 $r = 0$일 때, $_nP_0 = \dfrac{n!}{(n-0)!}$이 성립하도록 $_nP_0 = 1$로 정의한다.

$$\therefore \, _nP_r = \frac{n!}{(n-r)!} \, (단, \, 0 \leq r \leq n)$$

예 ② (1) $_5P_5 = 5! = 5 \times 4 \times 3 \times 2 \times 1 = 120$

(2) $_7P_2 = \dfrac{7!}{(7-2)!} = \dfrac{7!}{5!} = \dfrac{7 \times 6 \times 5 \times 4 \times 3 \times 2 \times 1}{5 \times 4 \times 3 \times 2 \times 1} = \underbrace{7 \times 6}_{2개} = 42$

해결의 법칙

$n! = n(n-1)(n-2) \times \cdots \times 3 \times 2 \times 1$	$n!$ ➡ n부터 1까지 1씩 작아지는 n개의 자연수의 곱
$_nP_r = \dfrac{n!}{(n-r)!}$	$_nP_r$ ➡ n부터 1씩 작아지는 r개의 자연수의 곱

| 정답과 해설 63쪽 |

개념 확인 2 다음 값을 구하시오.

(1) $6!$

(2) $_8P_3$

1 다음을 기호 $_nP_r$를 이용하여 나타내시오.

(1) 서로 다른 5개의 깃발 중에서 2개를 뽑아 일렬로 나열하는 방법의 수

(2) e, d, u, c, a, t, i, o, n의 서로 다른 9개의 문자 중에서 5개를 뽑아 일렬로 나열하는 방법의 수

(3) 30명의 학생을 일렬로 세우는 방법의 수

(4) 25명의 학생 중에서 반장, 부반장, 회장, 부회장 을 뽑는 방법의 수

(5) 1, 2, 3, 4, 5, 6, 7의 숫자가 각각 하나씩 적힌 7장 의 카드에서 3장을 뽑아 만들 수 있는 세 자리 자 연수의 개수

2 다음 값을 구하시오.

(1) $7!$

(2) $\dfrac{6!}{3!}$

(3) $_6P_4$

(4) $_7P_3 \times 2!$

3 다음 등식을 만족시키는 자연수 n 또는 r의 값을 모두 구하시오.

(1) $_nP_2 = 42$

(2) $_nP_3 = 60$

(3) $_4P_r = 24$

(4) $_6P_r = 360$

대표 유형 **01** $_n\mathrm{P}_r$의 계산 개념 01, 02

다음 등식을 만족시키는 자연수 n의 값을 구하시오.

(1) $_n\mathrm{P}_3 = 5\,_n\mathrm{P}_2$ (2) $_n\mathrm{P}_2 + 4\,_n\mathrm{P}_1 = 28$ (3) $_{n-1}\mathrm{P}_2 + _{n+1}\mathrm{P}_2 = 62$

풀이 (1) $_n\mathrm{P}_3 = n(n-1)(n-2)$, $_n\mathrm{P}_2 = n(n-1)$이므로 $_n\mathrm{P}_3 = 5\,_n\mathrm{P}_2$에서

$n(n-1)(n-2) = 5n(n-1)$

$n \geq 3$이므로 양변을 $n(n-1)$로 나누면

$n-2 = 5$ $\therefore n = 7$

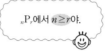

$_n\mathrm{P}_r$에서 $n \geq r$야.

(2) $_n\mathrm{P}_2 = n(n-1)$, $_n\mathrm{P}_1 = n$이므로 $_n\mathrm{P}_2 + 4\,_n\mathrm{P}_1 = 28$에서

$n(n-1) + 4n = 28$, $n^2 + 3n - 28 = 0$

$(n+7)(n-4) = 0$ $\therefore n = 4$ $(\because n \geq 2)$

(3) $_{n-1}\mathrm{P}_2 = (n-1)(n-2)$, $_{n+1}\mathrm{P}_2 = (n+1)n$이므로 $_{n-1}\mathrm{P}_2 + _{n+1}\mathrm{P}_2 = 62$에서

$(n-1)(n-2) + (n+1)n = 62$

$2n^2 - 2n - 60 = 0$, $n^2 - n - 30 = 0$

$(n+5)(n-6) = 0$ $\therefore n = 6$ $(\because n \geq 3)$

답 (1) 7 (2) 4 (3) 6

해결의 법칙

$$_n\mathrm{P}_r = n(n-1)(n-2) \cdots (n-r+1) = \frac{n!}{(n-r)!}$$

| 정답과 해설 63쪽 |

01-1 다음 등식을 만족시키는 자연수 n의 값을 구하시오.

(1) $_n\mathrm{P}_4 = 20\,_n\mathrm{P}_2$ (2) $_{n+1}\mathrm{P}_2 + _n\mathrm{P}_2 = 162$

01-2 비례식 $_n\mathrm{P}_3 : _{n-1}\mathrm{P}_2 = 8 : 1$이 성립하도록 하는 자연수 n의 값을 구하시오.

대표 유형 02 순열을 이용한 경우의 수   개념 01, 02

다음을 구하시오.

(1) 여학생 2명과 남학생 3명을 일렬로 세우는 방법의 수

(2) 7명의 학생 중에서 4명을 뽑아 일렬로 세우는 방법의 수

(3) 10명의 후보 중에서 회장, 부회장, 총무를 각각 1명씩 선출하는 방법의 수

풀이

(1) 학생 5명을 일렬로 세우는 방법의 수이므로

$5! = 5 \times 4 \times 3 \times 2 \times 1 = 120$

(2) 7명 중에서 4명을 뽑아 일렬로 세우는 방법의 수이므로

$_7P_4 = 7 \times 6 \times 5 \times 4 = 840$

> '뽑아서 일렬로 세운다'
> 고 했으니까 순열 문제야.

(3) 10명 중에서 3명을 뽑아 일렬로 세우는 방법의 수와 같으므로

$_{10}P_3 = 10 \times 9 \times 8 = 720$

립 (1) 120 (2) 840 (3) 720

해결의 법칙

> 서로 다른 n개를 모두 나열하는 순열의 수 ➡ $_nP_n = n!$

> 서로 다른 n개에서 r개를 뽑아 나열하는 순열의 수 ➡ $_nP_r$

8

경우의 수

| 정답과 해설 63쪽 |

02-1 다음을 구하시오.

(1) 4명의 이어달리기 선수들이 달리는 순서를 정하는 방법의 수

(2) 어느 농구 대회에 참가한 12개의 팀 중에서 1등, 2등, 3등을 뽑아 상을 주는 방법의 수

02-2 서로 다른 n권의 책 중에서 3권을 뽑아 책꽂이에 일렬로 꽂는 방법의 수가 210일 때, n의 값을 구하시오.

대표 유형 03 이웃하거나 이웃하지 않는 순열의 수 　　　　　　　개념 01, 02

> 여학생 3명과 남학생 4명이 일렬로 서서 사진을 찍을 때, 다음을 구하시오.
>
> (1) 여학생 3명이 모두 이웃하게 서는 방법의 수
> (2) 여학생끼리는 서로 이웃하지 않게 서는 방법의 수

풀이 (1) **❶** 여학생 3명을 한 사람으로 생각하여 일렬로 세우기

여학생 3명을 한 사람으로 생각하여 5명을 일렬로 세우는 방법의 수는

$5! = 5 \times 4 \times 3 \times 2 \times 1 = 120$

❷ 여학생끼리 자리 바꾸기

그 각각에 대하여 여학생 3명이 자리를 바꾸는 방법의 수는

$3! = 3 \times 2 \times 1 = 6$

❸ 방법의 수 구하기

따라서 구하는 방법의 수는 $120 \times 6 = 720$

(2) **❶** 이웃해도 되는 남학생을 먼저 세우기

이웃해도 되는 남학생 4명을 일렬로 세우는 방법의 수는

$4! = 4 \times 3 \times 2 \times 1 = 24$

❷ 남학생 사이사이와 양 끝에 여학생 세우기

남학생 사이사이와 양 끝의 5개의 자리 중에서 3개의 자리에 여학생 3명을 세우는 방법의 수는

$_5P_3 = 5 \times 4 \times 3 = 60$

❸ 방법의 수 구하기

따라서 구하는 방법의 수는 $24 \times 60 = 1440$

답 (1) 720　(2) 1440

해결의 법칙

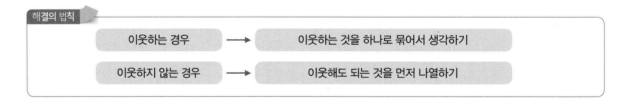

| 이웃하는 경우 | → | 이웃하는 것을 하나로 묶어서 생각하기 |
| 이웃하지 않는 경우 | → | 이웃해도 되는 것을 먼저 나열하기 |

| 정답과 해설 63쪽 |

03-1 서로 다른 수학책 4권과 영어책 2권을 책꽂이에 일렬로 꽂을 때, 다음을 구하시오.

(1) 영어책 2권이 서로 이웃하도록 꽂는 방법의 수

(2) 영어책 2권이 서로 이웃하지 않도록 꽂는 방법의 수

03-2 어른 3명과 어린이 4명이 놀이공원에 일렬로 서서 입장하는데, 어른과 어린이가 교대로 서는 방법의 수를 구하시오.

대표 유형 04 자리가 정해진 순열의 수

c, h, u, n, j, a, e의 7개의 문자를 일렬로 나열할 때, 다음을 구하시오.

(1) c로 시작하여 e로 끝나는 경우의 수

(2) c와 j 사이에 3개의 문자가 있는 경우의 수

풀이 (1) ❶ c로 시작하여 e로 끝나는 경우 생각하기

c로 시작하여 e로 끝나는 경우는 c와 e를 제외한 나머지 5개의 문자를 c와 e 사이에 일렬로 나열하는 경우와 같다.

❷ 경우의 수 구하기

따라서 구하는 경우의 수는
$5! = 5 \times 4 \times 3 \times 2 \times 1 = 120$

(2) ❶ c□□□j를 만드는 경우의 수 구하기

(i) c와 j를 제외한 나머지 5개의 문자 중에서 3개를 택하여 c와 j 사이에 일렬로 나열하는 경우의 수는
$_5P_3 = 5 \times 4 \times 3 = 60$

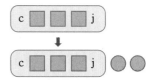

❷ c□□□j를 한 문자로 생각하여 문자 나열하기

(ii) c□□□j를 한 문자로 생각하고, (i)에서 선택되지 않은 2개의 문자와 함께 3개의 문자를 일렬로 나열하는 경우의 수는
$3! = 3 \times 2 \times 1 = 6$

이때, c와 j가 서로 자리를 바꾸는 경우의 수는 $2! = 2 \times 1 = 2$

❸ 경우의 수 구하기

따라서 구하는 경우의 수는
$60 \times 6 \times 2 = 720$

> c와 j가 자리를 바꾸는 경우를 빼먹지 않아야 해!

目 (1) 120　(2) 720

해결의 법칙

| 특정한 것의 자리가 정해진 경우 | ⟶ | 주어진 조건에 맞도록 특정한 것을 먼저 배열하기 |

| 정답과 해설 64쪽 |

04-1 o, r, a, n, g, e의 6개의 문자를 일렬로 나열할 때, 다음을 구하시오.

(1) o로 시작하여 e로 끝나는 경우의 수

(2) o와 n 사이에 2개의 문자가 있는 경우의 수

04-2 g, r, o, u, n, d의 6개의 문자를 일렬로 나열할 때, 양 끝에 자음이 오는 경우의 수를 구하시오.

8 경우의 수

대표 유형 05 '적어도'의 조건이 있는 순열의 수   개념 01, 02

> 남학생 4명, 여학생 3명을 일렬로 세울 때, 적어도 한쪽 끝에 여학생을 세우는 방법의 수를 구하시오.

풀이

❶ 7명을 일렬로 세우는 방법의 수 구하기

7명의 학생을 일렬로 세우는 방법의 수는
$7!=7\times6\times5\times4\times3\times2\times1=5040$

❷ 양 끝에 모두 남학생을 세우는 방법의 수 구하기

양 끝에 남학생 4명 중에서 2명을 택하여 세우는 방법의 수는
$_4P_2=4\times3=12$
양 끝에 선 남학생 2명을 제외한 5명을 일렬로 세우는 방법의 수는
$5!=5\times4\times3\times2\times1=120$
양 끝에 모두 남학생을 세우는 방법의 수는
$12\times120=1440$

❸ 적어도 한쪽 끝에 여학생을 세우는 방법의 수 구하기

따라서 적어도 한쪽 끝에 여학생을 세우는 방법의 수는
$5040-1440=3600$

| 남 ☐☐☐☐☐ 남 |
| 여 ☐☐☐☐☐ 남 |
| 남 ☐☐☐☐☐ 여 |
| 여 ☐☐☐☐☐ 여 |

적어도 한쪽 끝에 여학생을 세우는 경우

目 3600

다른 풀이

(i) 여학생이 맨 앞에, 남학생이 맨 뒤에 서는 방법의 수는
$3\times4\times5!=3\times4\times120=1440$

(ii) 남학생이 맨 앞에, 여학생이 맨 뒤에 서는 방법의 수는
$4\times3\times5!=4\times3\times120=1440$

(iii) 양 끝에 모두 여학생이 서는 방법의 수는
$_3P_2\times5!=6\times120=720$

(i), (ii), (iii)에서 구하는 방법의 수는 $1440+1440+720=3600$

> 적어도 한쪽 끝에 여학생을 세우는 방법의 수를 직접 구하는 것보다 전체 방법의 수에서 양 끝에 모두 남학생을 세우는 방법의 수를 빼서 구하는 것이 더 간단해.

해결의 법칙

적어도 ~인 경우의 수 ⟶ (전체 경우의 수) − (모두 ~가 아닌 경우의 수)

| 정답과 해설 64쪽 |

05-1 다섯 개의 숫자 1, 2, 3, 4, 5를 일렬로 나열할 때, 적어도 한쪽 끝에 짝수가 오는 경우의 수를 구하시오.

05-2 e, x, p, o, r, t의 6개의 문자를 일렬로 나열할 때, 적어도 한쪽 끝에 모음이 오는 경우의 수를 구하시오.

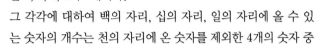

대표 유형 06 자연수의 개수　　　　　　　　　　　　　　　　　　개념 01, 02

5개의 숫자 0, 1, 2, 3, 4 중에서 서로 다른 4개의 숫자를 택하여 네 자리 자연수를 만들 때, 다음을 구하시오.

(1) 네 자리 자연수의 개수

(2) 짝수의 개수

8 경우의 수

풀이 (1) ❶ 각 자리에 올 수 있는 숫자 구하기

천의 자리에는 0이 올 수 없으므로 천의 자리에 올 수 있는 숫자는 1, 2, 3, 4의 4개이다.

그 각각에 대하여 백의 자리, 십의 자리, 일의 자리에 올 수 있는 숫자의 개수는 천의 자리에 온 숫자를 제외한 4개의 숫자 중에서 3개를 택하여 일렬로 나열하는 순열의 수와 같으므로 $_4\mathrm{P}_3 = 4 \times 3 \times 2 = 24$

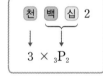

❷ 네 자리 자연수의 개수 구하기

따라서 구하는 네 자리 자연수의 개수는 $4 \times 24 = 96$

(2) ❶ 일의 자리의 숫자가 0인 경우의 수 구하기

짝수는 일의 자리의 숫자가 0, 2, 4이므로 □□□0, □□□2, □□□4 꼴이다.

(i) □□□0 꼴

천의 자리, 백의 자리, 십의 자리에 올 수 있는 숫자의 개수는 1, 2, 3, 4의 4개의 숫자 중에서 3개를 택하여 일렬로 나열하는 순열의 수와 같으므로

$_4\mathrm{P}_3 = 4 \times 3 \times 2 = 24$

❷ 일의 자리의 숫자가 2 또는 4인 경우의 수 구하기

(ii) □□□2, □□□4 꼴

천의 자리에 올 수 있는 숫자는 0과 일의 자리에 온 숫자를 제외한 3개의 숫자 중 하나이고, 그 각각에 대하여 백의 자리, 십의 자리에 올 수 있는 숫자의 개수는 나머지 3개의 숫자 중에서 2개를 택하여 일렬로 나열하는 순열의 수 $_3\mathrm{P}_2$와 같으므로

$2 \times 3 \times {_3\mathrm{P}_2} = 36$

❸ 짝수의 개수 구하기

(i), (ii)에서 구하는 짝수의 개수는 $24 + 36 = 60$

답 (1) 96　(2) 60

해결의 법칙

자연수의 개수를 구할 때 ⟶ 맨 앞의 자리에는 0이 올 수 없음에 주의하기

| 정답과 해설 65쪽 |

06-1 6개의 숫자 0, 1, 2, 3, 4, 5 중에서 서로 다른 4개의 숫자를 택하여 네 자리 자연수를 만들 때, 다음을 구하시오.

(1) 짝수의 개수　　　　　　　　　　　　　　(2) 5의 배수의 개수

대표 유형 **07** 사전식 배열의 경우의 수 개념 01, 02

5개의 문자 a, b, c, d, e를 모두 한 번씩만 사용하여 사전식으로 $abcde$에서 $edcba$까지 배열할 때, 다음 물음에 답하시오.

(1) $bdeac$는 몇 번째에 오는지 구하시오.

(2) 85번째에 오는 문자열을 구하시오.

풀이 (1) $a\square\square\square\square$ 꼴인 문자열의 개수 ➡ $4!=24$

$ba\square\square\square$ 꼴인 문자열의 개수 ➡ $3!=6$

$bc\square\square\square$ 꼴인 문자열의 개수 ➡ $3!=6$

$bda\square\square$ 꼴인 문자열의 개수 ➡ $2!=2$

$bdc\square\square$ 꼴인 문자열의 개수 ➡ $2!=2$

이때, $bdeac$는 $bde\square\square$ 꼴에서 첫 번째에 오는 문자열이므로

$24+6+6+2+2+1=41$(번째)

에 오는 문자열이다.

(2) $a\square\square\square\square$ 꼴인 문자열의 개수 ➡ $4!=24$

$b\square\square\square\square$ 꼴인 문자열의 개수 ➡ $4!=24$ ← 여기까지 48개

$c\square\square\square\square$ 꼴인 문자열의 개수 ➡ $4!=24$ ← 여기까지 72개

$da\square\square\square$ 꼴인 문자열의 개수 ➡ $3!=6$ ← 여기까지 78개

$db\square\square\square$ 꼴인 문자열의 개수 ➡ $3!=6$ ← 여기까지 84개

이때, $24+24+24+6+6=84$이므로 85번째에 오는 문자열은 $dcabe$이다.

目 (1) 41번째 (2) $dcabe$

해결의 법칙

숫자 1, 2, 3, 4, …를 모두 한 번씩 사용하여 배열할 때 ⟶ 수를 크기순으로 배열하기

문자 a, b, c, d, …를 모두 한 번씩 사용하여 배열할 때 ⟶ 문자를 사전식으로 배열하기

사전식으로 배열한다는 것은 알파벳 순으로 배열하는 것을 의미해.

| 정답과 해설 65쪽 |

07-1 4개의 문자 a, h, m, t를 모두 한 번씩만 사용하여 사전식으로 ahmt에서 tmha까지 배열할 때, math는 몇 번째에 오는지 구하시오.

07-2 5개의 숫자 1, 2, 3, 4, 5를 모두 한 번씩만 사용하여 다섯 자리 자연수를 만들 때, 24000보다 큰 자연수의 개수를 구하시오.

3 조합

개념 01 조합

1 조합

서로 다른 n개에서 순서를 생각하지 않고 $r(0<r\leq n)$개를 택하는 것을 n개에서 r개를 택하는 **조합**이라 하고, 이 조합의 수를 기호로 $_n\mathrm{C}_r$와 같이 나타낸다.

서로 다른 $_n\mathrm{C}_r$ 택하는
것의 개수   것의 개수

참고 $_n\mathrm{C}_r$에서 C는 조합를 뜻하는 'Combination'의 첫 글자이다.

2 조합의 수

(1) $_n\mathrm{C}_n=1$, $_n\mathrm{C}_0=1$

(2) $_n\mathrm{C}_r=\dfrac{_n\mathrm{P}_r}{r!}=\dfrac{n!}{r!(n-r)!}$ (단, $0\leq r\leq n$)

설명

2 3개의 문자 a, b, c에서 2개를 택하는 조합의 수는 $_3\mathrm{C}_2$이고, 그 각각에 대하여 오른쪽과 같이 $2!$가지의 순열을 만들 수 있다.

즉, a, b, c에서 2개를 택하여 일렬로 나열하는 경우의 수는 곱의 법칙에 의하여 $_3\mathrm{C}_2\times 2!$이고,

조합 $_3\mathrm{C}_2$		순열 $_3\mathrm{P}_2$
$\{a, b\}$	$\longrightarrow$	ab, ba
$\{b, c\}$	$\longrightarrow$	bc, cb
$\{a, c\}$	$\longrightarrow$	ac, ca

이것은 a, b, c에서 2개를 택하는 순열의 수 $_3\mathrm{P}_2$와 같으므로 $_3\mathrm{C}_2\times 2!=_3\mathrm{P}_2$

> 조합에서 순서를 고려하면 순열이 돼.

따라서 서로 다른 3개에서 2개를 택하는 조합의 수는 $_3\mathrm{C}_2=\dfrac{_3\mathrm{P}_2}{2!}=\dfrac{3\times 2}{2\times 1}=3$

일반적으로 서로 다른 n개에서 $r(0<r\leq n)$개를 택하는 조합의 수 $_n\mathrm{C}_r$와 순열의 수 $_n\mathrm{P}_r$ 사이에는 다음이 성립한다.

$$_n\mathrm{C}_r=\dfrac{_n\mathrm{P}_r}{r!}=\dfrac{n!}{r!(n-r)!}$$

여기서 $r=0$일 때, $_n\mathrm{C}_0=\dfrac{n!}{0!(n-0)!}$이 성립하도록 $_n\mathrm{C}_0=1$로 정의한다.

$$\therefore _n\mathrm{C}_r=\dfrac{_n\mathrm{P}_r}{r!}=\dfrac{n!}{r!(n-r)!}$$ (단, $0\leq r\leq n$)

예

서로 다른 6개 중에서 3개를 택하는 방법의 수는

$$_6\mathrm{C}_3=\dfrac{_6\mathrm{P}_3}{3!}=\dfrac{\overset{3개}{\overbrace{6\times 5\times 4}}}{3\times 2\times 1}=20$$

해결의 법칙

서로 다른 n개에서 r개를 택하는 **조합**의 수 $\longrightarrow$ $_n\mathrm{C}_r=\dfrac{_n\mathrm{P}_r}{r!}=\dfrac{n!}{r!(n-r)!}$

| 정답과 해설 65쪽 |

개념 확인 1 다음 값을 구하시오.

(1) $_5\mathrm{C}_2$ (2) $_4\mathrm{C}_3$ (3) $_4\mathrm{C}_1$ (4) $_7\mathrm{C}_4$

(1) $_nC_r = {_nC_{n-r}}$ (단, $0 \leq r \leq n$)

(2) $_nC_r = {_{n-1}C_r} + {_{n-1}C_{r-1}}$ (단, $1 \leq r < n$)

설명

(1) 서로 다른 8개에서 3개를 택하는 조합의 수는 남아 있는 5개를 택하는 조합의 수와 같으므로

$$_8C_3 = {_8C_5}$$

일반적으로 $0 \leq r \leq n$일 때

$$_nC_{n-r} = \frac{n!}{(n-r)!\{n-(n-r)\}!} = \frac{n!}{(n-r)!\,r!} = \frac{n!}{r!(n-r)!} = {_nC_r}$$

따라서 $_nC_r = {_nC_{n-r}}$가 성립함을 알 수 있다.

(2) 특정한 선수 P를 포함한 5명의 축구 선수 중에서 공격수 3명을 뽑는 방법의 수는 $_5C_3$이다.

그런데 이렇게 5명의 축구 선수 중에서 3명을 뽑는 방법의 수는 뽑힌 3명의 선수 중

P가 포함되지 않는 경우와 포함되는 경우

로 나누어 생각할 수 있다.

이때, 각 경우의 수는 다음과 같다.

(ⅰ) 특정한 선수 P를 제외하고 뽑는 경우	(ⅱ) 특정한 선수 P를 반드시 뽑는 경우
P를 제외한 4명 중에서 3명을 뽑으면 되므로 $_4C_3$	P를 먼저 뽑고 나머지 4명 중에서 2명을 뽑으면 되므로 $_4C_2$

즉, 5명 중에서 3명을 뽑는 방법의 수는

$$_5C_3 = {_4C_3} + {_4C_2}$$

일반적으로 $1 \leq r < n$일 때, $_nC_r = {_{n-1}C_r} + {_{n-1}C_{r-1}}$이 성립함을 알 수 있다.

| 정답과 해설 65쪽 |

개념 확인 2 다음 값을 구하시오.

(1) $_6C_4$ 　　　　　　　　　　　　　　　　(2) $_8C_6$

(3) $_3C_2 + {_3C_1}$ 　　　　　　　　　　　　　(4) $_5C_3 + {_5C_2}$

1 다음을 기호 $_nC_r$를 이용하여 나타내시오.

(1) 서로 다른 10장의 카드에서 4장을 뽑는 방법의 수

(2) 7개의 문자 a, b, c, d, e, f, g 중에서 2개를 뽑는 방법의 수

(3) 12명의 남학생, 13명의 여학생 중에서 계주에 나설 남학생 3명, 여학생 2명을 뽑는 방법의 수

(4) 서로 다른 빨간색 공 6개와 파란색 공 4개가 들어 있는 주머니에서 빨간색 공 1개, 파란색 공 2개를 꺼내는 방법의 수

(5) 서로 다른 볼펜 4자루, 연필 3자루, 샤프 6자루 중에서 볼펜 1자루, 연필 1자루, 샤프 4자루를 뽑는 방법의 수

2 다음 값을 구하시오.

(1) $_7C_2$

(2) $_{12}C_0$

(3) $_8C_8$

(4) $_7C_6$

(5) $_6C_4 + _6C_3$

(6) $_8C_3 + _8C_2$

3 다음 등식을 만족시키는 자연수 n 또는 r의 값을 구하시오.

(1) $_nC_2 = 21$

(2) $_nC_3 = 165$

(3) $_8C_r = 70$

8 경우의 수

대표 유형 01 $_nC_r$의 계산 **개념 01, 02**

다음 등식을 만족시키는 자연수 n의 값을 구하시오.

(1) $_nC_3 = _nP_2$

(2) $_{n+1}C_{n-2} + _{n+1}C_{n-1} = 35$

풀이

(1) $_nC_3 = _nP_2$에서 $\dfrac{n(n-1)(n-2)}{3 \times 2 \times 1} = n(n-1)$

$n \geq 3$이므로 양변을 $n(n-1)$로 나누면

$\dfrac{n-2}{6} = 1$ $\therefore n = 8$

> $_nC_r$에서 $n \geq r$이어야 함을 잊지마.

(2) $_{n+1}C_{n-2} = _{n+1}C_{n+1-(n-2)} = _{n+1}C_3$,

$_{n+1}C_{n-1} = _{n+1}C_{n+1-(n-1)} = _{n+1}C_2$이므로

$_{n+1}C_{n-2} + _{n+1}C_{n-1} = 35$, 즉 $_{n+1}C_3 + _{n+1}C_2 = 35$에서 $\dfrac{(n+1)n(n-1)}{3 \times 2 \times 1} + \dfrac{(n+1)n}{2 \times 1} = 35$

$n(n+1)(n-1) + 3n(n+1) = 210$ $\therefore n(n+1)(n+2) = 210$

이때, $210 = 5 \times 6 \times 7$이므로 $n = 5$

답 (1) 8 (2) 5

다른 풀이

(2) $_{n+1}C_{n-2} + _{n+1}C_{n-1} = _{n+2}C_{n-1}$이고, $_{n+2}C_{n-1} = _{n+2}C_{n+2-(n-1)} = _{n+2}C_3$이므로

$_{n+2}C_3 = 35$에서 $\dfrac{(n+2)(n+1)n}{3 \times 2 \times 1} = 35$

$\therefore n(n+1)(n+2) = 210$

이때, $210 = 5 \times 6 \times 7$이므로 $n = 5$

해결의 법칙

| $_nC_r$의 계산 | → | $_nC_r = \dfrac{_nP_r}{r!}$, $_nC_r = _nC_{n-r}$를 이용하기 |

| 정답과 해설 66쪽 |

01-1 $_{n+2}C_n + _{n+1}C_{n-1} = 169$를 만족시키는 자연수 n의 값을 구하시오.

01-2 $_nC_2 + _{n+1}C_3 = 2 \cdot _nP_2$를 만족시키는 자연수 n의 값을 구하시오.

대표 유형 02 조합을 이용한 경우의 수
개념 01, 02

> 서로 다른 검은 공 7개와 흰 공 5개가 들어 있는 주머니에서 공을 꺼낼 때, 다음을 구하시오.
>
> (1) 6개의 공을 꺼낼 때, 검은 공 2개와 흰 공 4개를 꺼내는 경우의 수
>
> (2) 3개의 공을 꺼낼 때, 모두 같은 색의 공을 꺼내는 경우의 수

풀이 (1)

❶ 검은 공 7개 중에서 2개 꺼내기

검은 공 7개 중에서 2개를 꺼내는 경우의 수는

$$_7C_2 = \frac{7 \times 6}{2 \times 1} = 21$$

❷ 흰 공 5개 중에서 4개 꺼내기

흰 공 5개 중에서 4개를 꺼내는 경우의 수는

$$_5C_4 = _5C_1 = 5 \quad \cdots \boxed{_nC_1 = n}$$

❸ 경우의 수 구하기

따라서 구하는 경우의 수는 $21 \times 5 = 105$

(2)

❶ 검은 공 7개 중에서 3개 꺼내기

검은 공 7개 중에서 3개를 꺼내는 경우의 수는

$$_7C_3 = \frac{7 \times 6 \times 5}{3 \times 2 \times 1} = 35$$

❷ 흰 공 5개 중에서 3개 꺼내기

흰 공 5개 중에서 3개를 꺼내는 경우의 수는

$$_5C_3 = _5C_2 = \frac{5 \times 4}{2 \times 1} = 10$$

> 모두 같은 색의 공을 꺼내는 경우는
> (i) 모두 검은 공을 꺼내거나
> (ii) 모두 흰 공을 꺼내는 경우야.

❸ 경우의 수 구하기

따라서 구하는 경우의 수는 $35 + 10 = 45$

답 (1) 105 (2) 45

해결의 법칙

서로 다른 n개에서 r개를 뽑는 조합의 수 $\longrightarrow$ $_nC_r$

| 정답과 해설 66쪽 |

02-1 동아리 회원 10명 중에서 회장 1명과 부회장 2명을 뽑는 방법의 수를 구하시오.

02-2 남학생 6명과 여학생 4명으로 구성된 모임에서 2명의 대표를 뽑을 때, 성별이 같은 사람을 뽑는 방법의 수를 구하시오.

대표 유형 **03** **특정한 것을 포함하거나 포함하지 않는 조합의 수** 개념 01, 02

> A, B를 포함한 10명으로 구성된 모임에서 4명의 대표를 뽑을 때, 다음을 구하시오.
>
> (1) A, B가 모두 포함되는 경우의 수
>
> (2) A, B가 모두 포함되지 않는 경우의 수
>
> (3) A는 포함되고, B는 포함되지 않는 경우의 수

풀이 (1) A, B를 먼저 뽑고 나머지 8명 중에서 2명을 뽑으면 되므로 구하는 경우의 수는

$$_8C_2 = \frac{8 \times 7}{2 \times 1} = 28$$

(2) A, B를 제외한 나머지 8명 중에서 4명을 뽑으면 되므로 구하는 경우의 수는

$$_8C_4 = \frac{8 \times 7 \times 6 \times 5}{4 \times 3 \times 2 \times 1} = 70$$

(3) A를 먼저 뽑고, B를 제외한 나머지 8명 중에서 3명을 뽑으면 되므로 구하는 경우의 수는

$$_8C_3 = \frac{8 \times 7 \times 6}{3 \times 2 \times 1} = 56$$

답 (1) 28 (2) 70 (3) 56

해결의 법칙

| 정답과 해설 66쪽 |

03-1 A, B, C를 포함한 8명의 학생 중에서 3명을 뽑을 때, 다음을 구하시오.

(1) A, B, C가 모두 포함되는 경우의 수

(2) A, B, C가 모두 포함되지 않는 경우의 수

03-2 A, B, C, D를 포함한 10명의 학생 중에서 3명의 위원을 뽑을 때, A는 포함되고 B, C, D는 포함되지 않는 경우의 수를 구하시오.

대표 유형 **04** '적어도'의 조건이 있는 조합의 수

개념 01, 02

남학생 6명, 여학생 4명으로 구성된 모임에서 3명의 대표를 뽑을 때, 다음을 구하시오.

(1) 여학생을 적어도 1명 뽑는 방법의 수

(2) 남학생과 여학생을 각각 적어도 1명씩 뽑는 방법의 수

풀이 (1) ❶ 10명 중에서 대표 3명 뽑기

전체 10명 중에서 대표 3명을 뽑는 방법의 수는

$$_{10}C_3 = \frac{10 \times 9 \times 8}{3 \times 2 \times 1} = 120$$

❷ 남학생 6명 중에서 대표 3명 뽑기

남학생 6명 중에서 대표 3명을 뽑는 방법의 수는

$$_6C_3 = \frac{6 \times 5 \times 4}{3 \times 2 \times 1} = 20$$

❸ 방법의 수 구하기

따라서 구하는 방법의 수는 $120 - 20 = 100$

남	남	남
남	남	여
남	여	여
여	여	여

여학생을 적어도 1명 뽑는 경우

(2) ❶ 10명 중에서 대표 3명 뽑기

전체 10명 중에서 대표 3명을 뽑는 방법의 수는

$$_{10}C_3 = 120$$

❷ 남학생 중에서만 대표 3명 뽑기와 여학생 중에서만 대표 3명 뽑기

남학생 6명 중에서 대표 3명을 뽑는 방법의 수는

$$_6C_3 = 20$$

여학생 4명 중에서 대표 3명을 뽑는 방법의 수는

$$_4C_3 = {_4}C_1 = 4$$

❸ 방법의 수 구하기

따라서 구하는 방법의 수는 $120 - 20 - 4 = 96$

남	남	남
남	남	여
남	여	여
여	여	여

남학생과 여학생을 각각 적어도 1명씩 뽑는 경우

답 (1) 100 (2) 96

해결의 법칙

적어도 ~인 경우의 수 ⟶ (전체 경우의 수) − (모두 ~가 아닌 경우의 수)

| 정답과 해설 67쪽 |

04-1 1부터 9까지의 자연수가 각각 하나씩 적힌 9장의 카드 중에서 3장을 뽑을 때, 소수가 적힌 카드를 적어도 1장 뽑는 경우의 수를 구하시오.

04-2 야구 동아리에 가입한 학생 9명과 농구 동아리에 가입한 학생 5명이 있다. 이 학생들 중에서 3명의 대표를 뽑을 때, 야구 동아리와 농구 동아리에 가입한 학생을 각각 적어도 1명씩 포함하여 뽑는 방법의 수를 구하시오.

(단, 야구 동아리와 농구 동아리를 동시에 가입한 학생은 없다.)

대표 유형 **05** **뽑아서 나열하는 경우의 수** 개념 01, 02

남학생 5명과 여학생 3명이 있을 때, 다음을 구하시오.

(1) 남학생 3명과 여학생 2명을 뽑아 일렬로 세우는 방법의 수

(2) 특정한 남학생 1명을 포함한 남학생 3명과 특정한 여학생 1명을 포함한 여학생 2명을 뽑아 일렬로 세우는 방법의 수

풀이 (1) ❶ 남학생 3명, 여학생 2명 뽑기

남학생 5명 중에서 3명을 뽑는 방법의 수는
$$_5C_3 = {}_5C_2 = \frac{5 \times 4}{2 \times 1} = 10$$
여학생 3명 중에서 2명을 뽑는 방법의 수는
$$_3C_2 = {}_3C_1 = 3$$

❷ 뽑힌 5명을 일렬로 세우기

뽑힌 5명을 일렬로 세우는 방법의 수는
$$5! = 5 \times 4 \times 3 \times 2 \times 1 = 120$$

❸ 방법의 수 구하기

따라서 구하는 방법의 수는 $10 \times 3 \times 120 = 3600$

(2) ❶ 특정한 학생 1명씩을 포함하여 남학생 3명, 여학생 2명 뽑기

특정한 남학생 1명을 뽑고, 나머지 남학생 4명 중에서 2명을 뽑는 방법의 수는
$$_4C_2 = \frac{4 \times 3}{2 \times 1} = 6$$
특정한 여학생 1명을 뽑고, 나머지 여학생 2명 중에서 1명을 뽑는 방법의 수는
$$_2C_1 = 2$$

❷ 뽑힌 5명을 일렬로 세우기

뽑힌 5명을 일렬로 세우는 방법의 수는
$$5! = 5 \times 4 \times 3 \times 2 \times 1 = 120$$

❸ 방법의 수 구하기

따라서 구하는 방법의 수는 $6 \times 2 \times 120 = 1440$

答 (1) 3600   (2) 1440

해결의 법칙

n개에서 r개를 뽑아 나열하는 방법의 수 ⟶ $_nC_r \times r!$

뽑는 방법의 수 ➡ 조합
나열하는 방법의 수 ➡ 순열

| 정답과 해설 67쪽 |

05-1 서로 다른 5권의 소설책과 4권의 시집이 있다. 이 중에서 소설책 3권과 시집 1권을 선택하여 책꽂이에 일렬로 꽂는 방법의 수를 구하시오.

05-2 A, B를 포함한 8명 중에서 A, B를 포함하여 4명을 뽑아 일렬로 세울 때, A, B가 서로 이웃하도록 세우는 방법의 수를 구하시오.

대표 유형 06 직선 또는 삼각형의 개수   개념 01, 02

오른쪽 그림과 같이 반원 위에 7개의 점이 있을 때, 다음을 구하시오.

(1) 2개의 점을 이어 만들 수 있는 서로 다른 직선의 개수

(2) 3개의 점을 이어 만들 수 있는 삼각형의 개수

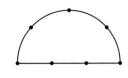

풀이 (1) **①** 7개의 점 중에서 2개의 점 택하기

7개의 점 중에서 2개를 택하는 방법의 수는

$$_7C_2 = \frac{7 \times 6}{2 \times 1} = 21$$

② 한 직선 위의 점 중에서 2개의 점 택하기

일직선 위에 있는 4개의 점 중에서 2개의 점을 택하는 방법의 수는

$$_4C_2 = \frac{4 \times 3}{2 \times 1} = 6$$

③ 직선의 개수 구하기

이때, 일직선 위에 있는 점으로 만들 수 있는 직선은 1개뿐이므로 구하는 직선의 개수는

$$21 - 6 + 1 = 16$$

(2) **①** 7개의 점 중에서 3개의 점 택하기

7개의 점 중에서 3개의 점을 택하는 방법의 수는

$$_7C_3 = \frac{7 \times 6 \times 5}{3 \times 2 \times 1} = 35$$

② 한 직선 위의 점 중에서 3개의 점 택하기

일직선 위에 있는 4개의 점 중에서 3개의 점을 택하는 방법의 수는

$$_4C_3 = {}_4C_1 = 4$$

③ 삼각형의 개수 구하기

그런데 일직선 위에 있는 4개의 점에서 택한 3개의 점으로는 삼각형을 만들 수 없으므로 구하는 삼각형의 개수는

$$35 - 4 = 31$$

> 한 직선 위에 있는 세 점으로는 삼각형을 만들 수 없어.

답 (1) 16   (2) 31

해결의 법칙

어느 세 점도 일직선 위에 있지 않은 서로 다른 n개의 점 중에서

두 점을 지나는 직선의 개수 ➡ $_nC_2$

세 점을 꼭짓점으로 하는 삼각형의 개수 ➡ $_nC_3$

| 정답과 해설 67쪽 |

06-1 오른쪽 그림과 같이 두 평행선 위에 있는 8개의 점 중에서 2개의 점을 이어 만들 수 있는 서로 다른 직선의 개수를 구하시오.

06-2 오른쪽 그림과 같이 삼각형 위에 9개의 점이 일정한 간격으로 놓여 있을 때, 이 중 세 점을 꼭짓점으로 하는 삼각형의 개수를 구하시오.

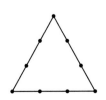

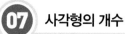 **대표 유형 07** 사각형의 개수 개념 01, 02

오른쪽 그림과 같이 3개의 평행선과 5개의 평행선이 서로 만날 때, 이 평행선으로 만들 수 있는 평행사변형의 개수를 구하시오.

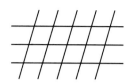

풀이

❶ 평행사변형이 만들어지는 경우 생각하기

가로로 그어진 평행선에서 2개, 세로로 그어진 평행선에서 2개를 택하면 평행사변형이 결정된다.

❷ 2종류의 평행선에서 각각 2개씩 택하기

가로로 그어진 3개의 평행선에서 2개를 택하는 방법의 수는

$_3C_2 = {}_3C_1 = 3$

세로로 그어진 5개의 평행선에서 2개를 택하는 방법의 수는

$_5C_2 = \dfrac{5 \times 4}{2 \times 1} = 10$

❸ 평행사변형의 개수 구하기

따라서 구하는 평행사변형의 개수는

$3 \times 10 = 30$

답 30

> **해결의 법칙**
>
> m개의 평행선과 이와 평행하지 않은 n개의 평행선으로 만들 수 있는 사각형의 개수 ⟶ $_mC_2 \times {}_nC_2$

| 정답과 해설 68쪽 |

07-1 오른쪽 그림과 같이 4개의 평행선과 6개의 평행선이 서로 만날 때, 이 평행선으로 만들 수 있는 평행사변형의 개수를 구하시오.

07-2 오른쪽 그림과 같이 가로선과 세로선이 같은 간격을 이루며 서로 수직으로 만날 때, 이 선으로 만들 수 있는 사각형 중에서 다음을 구하시오.

(1) 직사각형의 개수

(2) 정사각형이 아닌 직사각형의 개수

유형 확인

1-1 서로 다른 두 개의 주사위를 동시에 던질 때, 나온 눈의 수의 합이 6의 배수가 되는 경우의 수를 구하시오.

2-1 방정식 $3x+y+2z=15$를 만족시키는 자연수 x, y, z의 순서쌍 (x, y, z)의 개수를 구하시오.

3-1 다항식 $(a+b)^2(x+y+z)$의 전개식에서 서로 다른 항의 개수를 구하시오.

4-1 4개의 도시 A, B, C, D 사이의 도로가 다음 그림과 같을 때, A도시에서 출발하여 C도시로 가는 방법의 수를 구하시오.
    (단, 한 번 지나간 도시는 다시 지나지 않는다.)

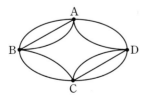

한번 더 확인

1-2 1부터 50까지의 자연수가 각각 하나씩 적힌 50장의 카드에서 한 장을 뽑을 때, 카드에 적힌 수가 2의 배수 또는 5의 배수인 경우의 수를 구하시오.

2-2 부등식 $x+2y \leq 7$을 만족시키는 음이 아닌 정수 x, y의 순서쌍 (x, y)의 개수를 구하시오.

3-2 다항식 $(a+b)(p-q)-(c-d)(x+y+z)$의 전개식에서 서로 다른 항의 개수를 구하시오.

4-2 다음 그림은 세 도시 A, B, C 사이의 도로망을 나타낸 것이다. A도시에서 C도시로 갔다가 다시 A도시로 돌아오는 방법의 수를 구하시오.(단, A도시에서 C도시까지, C도시에서 A도시까지 가는 동안 진행 방향은 바꾸지 않는다.)

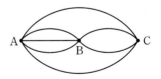

5-1 서로 다른 4가지 색으로 다음 그림에 색을 칠하려고 한다. A, B, C, D의 영역에 같은 색을 중복하여 사용해도 좋으나 인접한 영역은 서로 다른 색으로 칠하는 방법의 수를 구하시오.

(단, 한 영역에는 한 가지 색만 칠한다.)

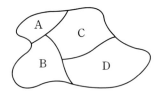

5-2 다음 그림의 A, B, C, D, E 5개의 영역을 서로 다른 5가지 색으로 칠하려고 한다. 같은 색을 중복하여 사용해도 좋으나 인접한 영역은 서로 다른 색으로 칠하는 방법의 수를 구하시오.

(단, 한 영역에는 한 가지 색만 칠한다.)

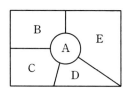

6-1 서로 다른 국어책 2권, 영어책 3권, 수학책 2권을 책꽂이에 일렬로 꽂을 때, 국어책은 국어책끼리, 영어책은 영어책끼리 이웃하게 꽂는 방법의 수를 구하시오.

6-2 7개의 숫자 1, 2, 3, 4, 5, 6, 7을 일렬로 나열할 때, 짝수끼리는 서로 이웃하지 않게 나열하는 방법의 수를 구하시오.

7-1 j, o, y, f, u, l의 6개의 문자 중에서 3개를 택하여 일렬로 나열할 때, 맨 앞에 j가 오도록 나열하는 방법의 수를 구하시오.

7-2 6명의 학생 A, B, C, D, E, F를 일렬로 세울 때, A를 맨 앞에 세우고 B는 A와 이웃하지 않게 세우는 방법의 수를 구하시오.

8-1 남학생 3명, 여학생 4명 중에서 반장 1명, 부반장 1명을 뽑을 때, 반장, 부반장 중에서 적어도 한 명은 여학생이 뽑히는 경우의 수를 구하시오.

8-2 a, b, c, d, e, f의 6개의 문자를 일렬로 나열할 때, a, b, c 중에서 적어도 2개가 이웃하도록 나열하는 방법의 수를 구하시오.

유형 확인

9-1 6개의 숫자 0, 1, 2, 3, 4, 5 중에서 서로 다른 3개의 숫자를 골라 세 자리 자연수를 만들 때, 짝수의 개수를 구하시오.

한번 더 확인

9-2 5개의 숫자 0, 1, 2, 3, 4 중에서 서로 다른 4개의 숫자를 골라 네 자리 자연수를 만들 때, 홀수의 개수를 구하시오.

10-1 여섯 개의 숫자 1, 2, 3, 4, 5, 6 중에서 서로 다른 4개의 숫자를 이용하여 네 자리 자연수를 만들 때, 4400보다 큰 자연수의 개수를 구하시오.

10-2 5개의 문자 a, b, c, d, e를 모두 한 번씩만 사용하여 사전식으로 $abcde$에서 $edcba$까지 배열할 때, $cdabe$는 몇 번째에 오는지 구하시오.

11-1 $_{n-1}\mathrm{P}_2+3=_{n+1}\mathrm{C}_{n-1}$을 만족시키는 자연수 n의 값을 구하시오.

11-2 $_n\mathrm{P}_2+4_n\mathrm{C}_3=_n\mathrm{P}_3$을 만족시키는 자연수 n의 값을 구하시오.

12-1 집합 $A=\{1, 2, 3, \cdots, 9\}$에 대하여 원소 1은 반드시 포함하면서 3개 이하의 원소로 구성된 집합 A의 부분집합의 개수를 구하시오.

12-2 전체집합 $U=\{x \mid x$는 10 이하의 자연수$\}$의 부분집합 A가 다음 두 조건을 만족시킬 때, 집합 A의 개수를 구하시오.

> ㈎ $n(A)=4$
> ㈏ 집합 A의 원소 중 가장 큰 원소는 8이다.

13-1 A사는 제품 B의 평가단을 모집하려고 한다. 10대 4명과 20대 6명이 지원하였는데, 이 중에서 4명의 평가단을 뽑을 때, 10대가 적어도 1명 포함되는 경우의 수를 구하시오.

14-1 서로 다른 색의 풍선 5개와 깃발 3개가 있다. 이 중에서 3개의 풍선과 2개의 깃발을 선택해 일렬로 나열하여 신호를 보내려고 할 때, 보낼 수 있는 신호의 가짓수를 구하시오.

15-1 다음 그림과 같은 정십각형 ABCDEFGHIJ에서 세 꼭짓점을 선택하여 삼각형을 만들려고 한다. 만들어진 삼각형 중 직각삼각형이 아닌 것의 개수를 구하시오.

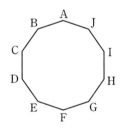

16-1 다음 그림과 같이 반원 위에 10개의 점이 있을 때, 이 중에서 4개의 점을 이어 만들 수 있는 사각형의 개수를 구하시오.

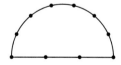

13-2 남학생 5명과 여학생 4명이 연극반에 지원하였다. 지원자 9명 중에서 4명을 선발할 때, 남학생과 여학생이 적어도 한 명씩은 포함되도록 하는 방법의 수를 구하시오.

14-2 남학생 A와 여학생 B를 포함하여 남학생 6명, 여학생 4명이 있다. 이 중에서 남학생 3명과 여학생 3명을 뽑아 일렬로 세우는데, A, B가 모두 포함되는 경우의 수를 구하시오.

15-2 다음 그림과 같이 직사각형 2개로 만든 도형 위에 있는 8개의 점 중에서 3개의 점을 이어 만들 수 있는 삼각형의 개수를 구하시오.

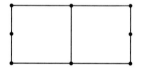

16-2 다음 그림은 합동인 정사각형 12개를 이어 붙여 만든 도형이다. 이 도형의 선들로 이루어진 사각형 중에서 정사각형이 아닌 직사각형의 개수를 구하시오.

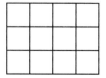

Memo

Memo

Memo

쉽게 시작하는 **기본 개념서**

개념 해결의 법칙

고등 수학 (하)

개념 해결의 법칙
정답과 해설
고등 수학(하)
천재교육

자세하고 친절한 해설

전략
문제를 접근할 수 있는 실마리를 제공

다른 풀이
다른 여러 가지 풀이 방법으로
수학적 사고력을 강화

Lecture
문제 풀이에 대한 보충 설명, 문제 해결의
노하우 소개

1 | 집합

1 (1) ×   (2) ○   (3) ×   (4) ○

2 (1) ∉   (2) ∉   (3) ∈   (4) ∉

3 (1) ① $A = \{5, 6, 7, 8, 9\}$

    ② $A = \{x \mid x$는 4보다 크고 10보다 작은 자연수$\}$

    ③

 (2) ① $B = \{1, 2, 3, 6\}$

    ② $B = \{x \mid x$는 6의 양의 약수$\}$

    ③

4 (1) B, C (2) A (3) C

5 (1) 6   (2) 5   (3) 2

1 (1) ○   (2) ×   (3) ×   (4) ○

2 (1) ∉   (2) ∈   (3) ∈

   (4) ∈   (5) ∈   (6) ∉

3 (1) $A = \{1, 3, 5, 7, 9\}$

 (2) $A = \{x \mid x$는 1 이상 10 이하의 홀수$\}$

 (3)

4 (1) 무   (2) 유, 공   (3) 유   (4) 유, 공

5 (1) 2   (2) 6   (3) 9   (4) 5

01-1 ⑤

01-2 ⑤

02-1 ②

02-2 ③

03-1 $\{-7, -5, -3, -2, 0, 2, 3, 5, 7\}$

03-2 ⑤

04-1 ㄴ, ㄷ

04-2 4

1 (1) ∅   (2) $\{1\}, \{2\}$ (3) $\{1, 2\}$

2 (1) ≠   (2) =   (3) ≠

3 (1) ∅, $\{2\}, \{4\}, \{2, 4\}$ (2) ∅, $\{2\}, \{4\}$

4 (1) 16   (2) 15

5 (1) 8   (2) 4   (3) 2

1 (1) $A \not\subset B, B \not\subset A$ (2) $A \subset B, B \not\subset A$ (3) $A \subset B, B \not\subset A$

2 (1) $A \neq B$ (2) $A = B$ (3) $A = B$

3 (1) 부분집합: ∅, $\{0\}$

    진부분집합: ∅

 (2) 부분집합: ∅, $\{a\}, \{b\}, \{a, b\}$

    진부분집합: ∅, $\{a\}, \{b\}$

 (3) 부분집합: ∅, $\{1\}, \{3\}, \{9\}, \{1, 3\}, \{1, 9\}, \{3, 9\}, \{1, 3, 9\}$

    진부분집합: ∅, $\{1\}, \{3\}, \{9\}, \{1, 3\}, \{1, 9\}, \{3, 9\}$

4 (1) 64   (2) 63   (3) 8   (4) 32

01-1 ⑤

01-2 ③

02-1 ± 4

02-2 $-1 < a \leq 3$

03-1 3

03-2 2

04-1 8

04-2 8

04-3 14

05-1 8

05-2 4

05-3 9

1-1 ①, ③	**1-2** ④	**2-1** 1	**2-2** 10
3-1 ⑤	**3-2** ②	**4-1** ②	**4-2** ④
5-1 4	**5-2** 5	**6-1** $a = 2, n = 3$	**6-2** -2
7-1 71	**7-2** 4	**8-1** 4	**8-2** 16

2 | 집합의 연산

개념 확인 30쪽~31쪽

1 (1) $A \cup B = \{1, 3, 5, 9\}$, $A \cap B = \{1, 5\}$
  (2) $A \cup B = \{a, i, n, o, r, s, w\}$, $A \cap B = \{n\}$
2 (1) $\{6, 7\}$ (2) $\{1, 3, 5, 7\}$ (3) $\{1, 3, 5\}$ (4) $\{6\}$

STEP 1 개념 드릴 33쪽

1 (1) $A \cup B = \{2, 3, 5, 6, 7\}$, $A \cap B = \varnothing$
  (2) $A \cup B = \{1, 2, 3, 4, 5, 7, 9\}$, $A \cap B = \{1, 3, 5\}$
  (3) $A \cup B = \{-6, 1, 2, 3, 4, 5, 6\}$, $A \cap B = \{6\}$
2 (1) × (2) × (3) ○
3 (1) $\{3, 4, 6, 7, 8, 9\}$
  (2) $\{1, 2, 5, 10\}$
  (3) $\{1, 2, 3, 4, 5, 6, 7, 8, 9, 10\}$
  (4) $\varnothing$
4 (1) $\{4, 8, 10\}$
  (2) $\{1, 3\}$
  (3) $\{5, 7, 9, 11, 12\}$
  (4) $\{1, 3, 4, 5, 7, 8, 9, 10, 11, 12\}$

STEP 2 필수 유형 34쪽~40쪽

01-1 8
01-2 ③
02-1 32
02-2 16
03-1 $\{1, 3, 4, 5, 7, 8, 9, 11, 12\}$
03-2 $\{2\}$
04-1 $\{1, 3, 5, 7\}$
04-2 $\{2, 4, 6, 8\}$
05-1 $\{-3, 0, 3\}$
05-2 2
06-1 ④
06-2 ②, ④
07-1 16
07-2 8
07-3 16

개념 확인 41쪽~43쪽

1 $\{1, 3, 4, 5\}$
2 U
3 (1) 6 (2) 2 (3) 3

STEP 1 개념 드릴 44쪽

1 (1) $\{1, 2, 4, 6, 8\}$ (2) $\{2, 4, 6\}$
2 (1) $\varnothing$ (2) $\{1, 3, 9\}$ (3) $\{1\}$ (4) $\{3, 9\}$
3 (1) 4 (2) 14 (3) 12
4 (1) 8 (2) 6 (3) 3

STEP 2 필수 유형 45쪽~48쪽

01-1 (1) $A \cap B$ (2) B
01-2 ①
02-1 ④
02-2 $B \subset A$
03-1 17
03-2 35
04-1 29
04-2 13

STEP 3 유형 드릴 49쪽~51쪽

1-1 21	**1**-2 36	**2**-1 ㄱ, ㄷ	**2**-2 ①, ④
3-1 ②		**3**-2 ④	
4-1 $\{1, 4, 6, 7, 8\}$		**4**-2 $\{1, 2, 5, 9, 10\}$	
5-1 ④	**5**-2 ④	**6**-1 3	**6**-2 $\{5\}$
7-1 ㄴ, ㄹ	**7**-2 ⑤	**8**-1 8	**8**-2 8
9-1 ①	**9**-2 ④	**10**-1 ③	**10**-2 ㄱ, ㅁ
11-1 14	**11**-2 24	**12**-1 17	**12**-2 4

3 | 명제

1 명제: (2) 거짓

2 (1) 3은 짝수가 아니다.   (2) $-1 \geq 0$

   (3) 4는 2의 배수가 아니다.

3 (1) $x=5$ (2) $x \neq 2$ (3) $x \geq 4$ (4) $x < -3$

4 (1) $\{1, 2, 4, 8\}$ (2) $\{1, 2\}$

5 (1) $\{1, 2, 3, 4, 6\}$ (2) $\{2, 6\}$

6 (1) $x \neq -1$ 또는 $x \neq 2$ (2) $1 \leq x \leq 3$

7 (1) 가정: $x > 2$이다., 결론: $x > 1$이다. (참)

   (2) 가정: $x^2 = 1$이다., 결론: $x = 1$이다. (거짓)

8 (1) 모든 양수 x에 대하여 $2x > x$이다. (참)

   (2) 어떤 자연수 x에 대하여 $x < 1$이다. (거짓)

1 (1) $\times$ (2) $\bigcirc$ (3) $\times$ (4) $\bigcirc$

2 (1) 4는 짝수가 아니다. (거짓)   (2) $2 \times 5 \neq 10$ (거짓)

   (3) 8은 3의 배수가 아니다. (참)

   (4) 정사각형은 직사각형이다. (참)

3 (1) $x + y \neq 0$ (2) $x \neq 0$ 또는 $y \neq 0$

   (3) $0 \leq x \leq 2$ (4) $x \leq 3$ 또는 $x > 4$

4 (1) $\{1, 2, 3, 4, 5\}$ (2) $\{3, 6, 9\}$

   (3) $\{6, 7, 8, 9, 10\}$ (4) $\{1, 2, 4, 5, 7, 8, 10\}$

5 (1) 가정: $1 < x < 2$이다., 결론: $0 < x < 3$이다. (참)

   (2) 가정: $a + b$는 자연수이다., 결론: a, b는 자연수이다. (거짓)

   (3) 가정: $x^2 = 4$이다., 결론: $x = 2$이다. (거짓)

   (4) 가정: 두 삼각형의 넓이가 같다., 결론: 두 삼각형은 합동이다.

                                  (거짓)

01-1 ④

01-2 ③

02-1 $\{1, 4, 6\}$

02-2 $\{1, 2\}$

03-1 (1) 거짓   (2) 거짓   (3) 참   (4) 거짓

04-1 ④

04-2 ⑤

05-1 5

05-2 $1 \leq a \leq 3$

06-1 ②

06-2 (1) 명제: 참, 명제의 부정: 거짓

     (2) 명제: 거짓, 명제의 부정: 참

1 역: n이 3의 배수이면 n은 6의 배수이다. (거짓)

   대우: n이 3의 배수가 아니면 n은 6의 배수가 아니다. (참)

2 (1) 충분조건   (2) 필요조건   (3) 필요충분조건

3 (1) 필요조건   (2) 충분조건   (3) 필요충분조건

1 (1) x가 16의 양의 약수이면 x는 8의 양의 약수이다. (거짓)

   (2) 정삼각형이면 삼각형의 세 변의 길이가 같다. (참)

   (3) $a + c = b + c$이면 $a = b$이다. (참)

2 (1) $x^2 > 9$이면 $x > 3$이다. (거짓)

   (2) n이 홀수가 아니면 n은 소수가 아니다. (거짓)

   (3) $a + b \leq 2$이면 $a \leq 1$ 또는 $b \leq 1$이다. (참)

3 (1) 필요조건   (2) 충분조건   (3) 필요충분조건

   (4) 충분조건   (5) 필요조건   (6) 필요충분조건

01-1 (1) 역: $x = 0$ 또는 $y = 0$이면 $x^2 + y^2 = 0$이다. (거짓)

       대우: $x \neq 0$이고 $y \neq 0$이면 $x^2 + y^2 \neq 0$이다. (참)

   (2) 역: $x > 1$이고 $y > 1$이면 $xy > 1$, $x + y > 2$이다. (참)

       대우: $x \leq 1$ 또는 $y \leq 1$이면 $xy \leq 1$, $x + y \leq 2$이다. (거짓)

01-2 ③

02-1 -1

02-2 6

03-1 ①

03-2 ㄱ

04-1 (1), (2)

05-1 $a \geq 5$

05-2 2

06-1 ⑤

06-2 (1) 충분   (2) 필요

1 (1) $\times$ (2) $\bigcirc$ (3) $\bigcirc$ (4) $\times$

2 9

3 $-5 \leq 3x + 4y \leq 5$

1 (1) $\bigcirc$ (2) $\bigcirc$ (3) $\times$ (4) $\bigcirc$

2 (1) 12   (2) 12   (3) 2   (4) $\dfrac{2}{5}$

3 (1) 6   (2) $\dfrac{4}{3}$ (3) 2   (4) 1

4 (1) $-\sqrt{6} \leq ax + by \leq \sqrt{6}$ (2) $-\sqrt{10} \leq x + y \leq \sqrt{10}$

   (3) 3   (4) $\dfrac{16}{5}$

STEP 2 필수 유형   80쪽~85쪽

01-1 풀이 참조

01-2 풀이 참조

02-1 풀이 참조

02-2 풀이 참조

03-1 (1) 풀이 참조 (2) 풀이 참조

04-1 $\dfrac{1}{2}$

04-2 4

05-1 16

05-2 4

06-1 7650

06-2 5

STEP 3 유형 드릴   86쪽~89쪽

1-1 $\{2, 3, 4, 5, 7, 8, 9, 10\}$ **1-2** 3

2-1 ②, ④   **2-2** ①, ④   **3-1** ④   **3-2** ④

4-1 3   **4-2** 2   **5-1** ④   **5-2** ③

6-1 ⑤   **6-2** ㄷ, ㄹ   **7-1** 10   **7-2** -1

8-1 ④   **8-2** ㄱ, ㄷ, ㄹ   **9-1** ③   **9-2** ③

10-1 1   **10-2** 6   **11-1** ㄱ, ㄴ   **11-2** ㄴ

12-1 (가) 모두 홀수   (나) 짝수   (다) 홀수

12-2 (가) 유리수   (나) π

13-1 ④   **13-2** ③   **14-1** 20   **14-2** 4

4 | 함수

개념 확인   92쪽~95쪽

1 (1) 함수가 아니다.   (2) 함수가 아니다.   (3) 함수이다.

2 (1) 정의역: $\{1, 2, 3\}$, 공역: $\{0, 1, 2, 3, 4\}$, 치역: $\{0, 2, 4\}$
   (2) 정의역: $\{1, 2, 3, 4\}$, 공역: $\{a, b, c, d\}$, 치역: $\{a, b, d\}$

3 (1) 서로 같은 함수가 아니다.   (2) 서로 같은 함수이다.

4 (1) 풀이 참조   (2) 풀이 참조

STEP 1 개념 드릴   96쪽

1 (1) 함수이다.   (2) 함수가 아니다.   (3) 함수가 아니다.

2 (1) 정의역: $\{1, 2, 3\}$, 공역: $\{a, b, c, d\}$, 치역: $\{a, c\}$
   (2) 정의역: $\{-1, 0, 1, 2\}$, 공역: $\{-2, -1, 0, 1, 2\}$
      치역: $\{-2, -1, 2\}$

3 (1) $\{3, 4, 5\}$ (2) $\{1, 3, 5\}$ (3) $\{2, 5, 10\}$

4 (1) 서로 같은 함수가 아니다.   (2) 서로 같은 함수이다.

5 (1) 함수의 그래프가 아니다.   (2) 함수의 그래프이다.

STEP 2 필수 유형   97쪽~100쪽

01-1 ④

01-2 3

02-1 20

02-2 4

03-1 ㄴ

03-2 $a=5, b=6$

04-1 ①

개념 확인   102쪽

1 (1) ㄴ, ㄷ   (2) ㄴ, ㄷ   (3) ㄷ   (4) ㄹ

STEP 1 개념 드릴   103쪽

1 (1) ㄱ, ㄴ, ㄷ   (2) ㄱ, ㄷ   (3) ㄱ   (4) ㄹ

2 (1) ㄱ, ㄷ   (2) ㄱ, ㄷ   (3) ㄷ   (4) ㄴ

3 (1) ㄱ, ㄴ, ㄹ, ㅁ   (2) ㄱ, ㄴ, ㄹ   (3) ㄴ   (4) ㄷ

STEP 2 필수 유형   104쪽~107쪽

01-1 ㄴ

02-1 $a=-\dfrac{1}{2}, b=\dfrac{3}{2}$

02-2 10

03-1 7

03-2 45

04-1 37

04-2 24

STEP 3 유형 드릴   108쪽~109쪽

1-1 ③   **1-2** ㄱ, ㄷ   **2-1** 9   **2-2** $2-\sqrt{3}$

3-1 7   **3-2** $\dfrac{1}{2}$ **4-1** -2 **4-2** 0

5-1 3   **5-2** 2   **6-1** 4   **6-2** $a>2$

7-1 8   **7-2** 3   **8-1** 29   **8-2** 9

5 | 합성함수와 역함수

개념 확인   112쪽~113쪽

1 (1) 7   (2) 8   (3) 6

2 (1) -3 (2) 1

STEP 1   개념 드릴   114쪽

1 (1) 6   (2) 8   (3) 5

2 (1) 4   (2) 3   (3) 2

3 (1) -1 (2) 7   (3) $(f \circ g)(x) = 2x^2 - 3$
    (4) $(g \circ f)(x) = 4x^2 + 4x - 1$

4 (1) -15 (2) 10   (3) $(h \circ (g \circ f))(x) = 9x^2 + 36x + 37$
    (4) $((h \circ g) \circ f)(x) = 9x^2 + 36x + 37$

STEP 2   필수 유형   115쪽~118쪽

01-1 15

01-2 15

02-1 4

02-2 -1

03-1 (1) $h(x) = -x + 2$ (2) $h(x) = -x - 2$

03-2 1

04-1 8

04-2 5

개념 확인   119쪽~123쪽

1 ㄷ

2 (1) $y = -2x + 2$ (2) $y = \dfrac{1}{3}x + \dfrac{2}{3} \ (x \geq -2)$

3 (1) 3   (2) 7   (3) 3   (4) 5

4 풀이 참조

5 (1) 풀이 참조   (2) 풀이 참조

STEP 1   개념 드릴   124쪽

1 ㄹ

2 ㄱ

3 (1) 6   (2) 2   (3) 4   (4) 3

4 (1) $y = \dfrac{1}{4}x - \dfrac{5}{4}$ (2) $y = -\dfrac{1}{2}x - \dfrac{3}{2}$ (3) $y = 3x + 3 \ (x \geq 0)$

STEP 2   필수 유형   125쪽~130쪽

01-1 5

01-2 -3

01-3 10

02-1 5

02-2 $k < -3$ 또는 $k > 3$

03-1 $-\dfrac{1}{16}$

03-2 $h^{-1}(x) = -\dfrac{1}{2}x + 3$

03-3 $\dfrac{1}{4}$

04-1 14

04-2 8

05-1 -2

05-2 $3\sqrt{2}$

06-1 (1) $a + d$ (2) b

STEP 3   유형 드릴   131쪽~133쪽

1-1 11	**1-2** 4	**2-1** 3	**2-2** 1
3-1 $(3, 3)$	**3-2** 1	**4-1** 1	**4-2** 1
5-1 1	**5-2** 2	**6-1** 1	**6-2** 1
7-1 -2	**7-2** 3		
8-1 $f^{-1}(x) = \dfrac{1}{3}x - \dfrac{1}{2}$		**8-2** $h^{-1}(x) = -2x + 5$	
9-1 1	**9-2** -1	**10-1** 2	**10-2** $\sqrt{2}$
11-1 13	**11-2** ㄱ, ㄴ, ㄷ		

6 | 유리함수

개념 확인   136쪽~138쪽

1 (1) $\dfrac{x}{x(x-2)}$, $\dfrac{2}{x(x-2)}$

  (2) $\dfrac{3(x+2)}{(x-1)(x+1)(x+2)}$, $\dfrac{x+1}{(x-1)(x+1)(x+2)}$

2 (1) $x-1$ (2) $\dfrac{x-4}{x-2}$

3 (1) $\dfrac{3x}{(x-1)(x+2)}$ (2) $-\dfrac{1}{x(x-1)}$ (3) $\dfrac{x}{6}$ (4) $\dfrac{1}{x+1}$

4 (1) $\dfrac{2}{(x+1)(x+3)}$ (2) $x-1$

STEP 1 개념 드릴   139쪽

1 (1) $\dfrac{x^2}{x(x+1)}$, $\dfrac{1}{x(x+1)}$ (2) $\dfrac{1}{x(x+2)}$, $\dfrac{2x}{x(x+2)}$

  (3) $\dfrac{3(x+2)}{(x-2)(x+2)(x+3)}$, $\dfrac{(x+3)^2}{(x-2)(x+2)(x+3)}$

2 (1) $\dfrac{x+4}{2x+1}$ (2) $\dfrac{x+2}{3x+1}$ (3) x^2-x+1

3 (1) $\dfrac{2x+3}{x(x+1)(x+3)}$ (2) $\dfrac{6x-1}{3x+1}$ (3) $\dfrac{1}{4(x+1)}$ (4) $x-2$

4 (1) $\dfrac{4}{(x+1)(x+5)}$ (2) $x+1$

STEP 2 필수 유형   140쪽~144쪽

01-1 (1) $\dfrac{4}{x(x+2)}$ (2) $\dfrac{x-3}{x+4}$

02-1 3

02-2 4

03-1 $\dfrac{6}{(x+1)(x+7)}$

03-2 $\dfrac{36}{55}$

04-1 $\dfrac{-3x+5}{(x+1)(x-3)}$

04-2 x

05-1 $-\dfrac{4}{7}$

05-2 6

개념 확인   145쪽~147쪽

1 (1) $\{x\,|\,x\neq1$인 실수$\}$ (2) $\left\{x\,\middle|\,x\neq-\dfrac{3}{2}$인 실수$\right\}$

  (3) $\{x\,|\,x\neq0$인 실수$\}$ (4) $\{x\,|\,x$는 실수$\}$

2 (1)   (2)

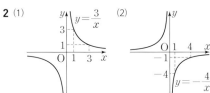

3   (1) $\{x\,|\,x\neq-2$인 실수$\}$

                     (2) $\{y\,|\,y\neq3$인 실수$\}$

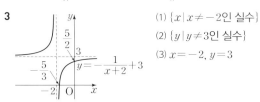

                     (3) $x=-2$, $y=3$

STEP 1 개념 드릴   148쪽

1 (1) $\left\{x\,\middle|\,x\neq\dfrac{4}{3}$인 실수$\right\}$ (2) $\{x\,|\,x$는 실수$\}$ (3) $\{x\,|\,x\neq\pm3$인 실수$\}$

2   (1) $\{x\,|\,x\neq-1$인 실수$\}$

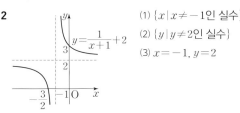

                   (2) $\{y\,|\,y\neq2$인 실수$\}$

                   (3) $x=-1$, $y=2$

3   (1) $\{x\,|\,x\neq1$인 실수$\}$

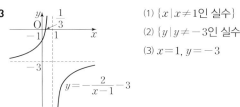

                   (2) $\{y\,|\,y\neq-3$인 실수$\}$

                   (3) $x=1$, $y=-3$

4 (1) $y=\dfrac{3}{x-2}+1$ (2) $y=\dfrac{5}{x+3}-1$

  (3) $y=-\dfrac{1}{x-1}+2$ (4) $y=-\dfrac{7}{x-2}-4$

STEP 2 필수 유형   149쪽~154쪽

01-1 -4

01-2 3

02-1 $\left\{y\,\middle|\,\dfrac{7}{2}\leq y\leq5\right\}$

02-2 4

03-1 $\dfrac{7}{3}$

03-2 $a=1$, $b=-5$

04-1 -5

04-2 13

05-1 4

05-2 2

06-1 1

06-2 -7

1-1 ⑤   **1-2** -2 **2-1** 3 **2-2** $a=3,\ b=1$

3-1 4 **3-2** 2 **4-1** 12 **4-2** $-2x-1$

5-1 7 **5-2** 6 **6-1** ④   **6-2** ㄴ, ㄷ

7-1 1 **7-2** 최댓값: $\dfrac{5}{3}$, 최솟값: 1

8-1 $a=-1,\ b=0$ **8-2** -3

9-1 ⑤   **9-2** ①   **10-1** 1 **10-2** 5

11-1 $\dfrac{11}{9}$ **11-2** 3 **12-1** 2 **12-2** -60

7 | 무리함수

1 (1) $x \geq \dfrac{1}{2}$ (2) $x > -2$

2 (1) $\sqrt{x+2}+\sqrt{x}$ (2) $\sqrt{x+3}-\sqrt{x}$

1 (1) $x \leq \dfrac{3}{2}$ (2) $x \leq 1$ 또는 $x \geq 2$ (3) $x > -\dfrac{1}{2}$ (4) $-1 < x < \dfrac{1}{2}$

2 (1) $x+3$ (2) $-x+5$ (3) $x-2$

3 (1) $\sqrt{x}+\sqrt{x-1}$ (2) $\sqrt{2x+1}-\sqrt{2x}$ (3) $\sqrt{x+2}+\sqrt{x-2}$

    (4) $\dfrac{\sqrt{x+3}+\sqrt{x-3}}{2}$ (5) $\sqrt{x+1}-1$ (6) $\sqrt{x+1}+\sqrt{1-x}$

01-1 (1) $x \geq \dfrac{1}{2}$ (2) $-\dfrac{1}{3} \leq x < 1$

01-2 $-3 \leq k \leq 1$

02-1 $-2-\sqrt{6}$

02-2 $\sqrt{2}+1$

1 (1) $\{x \mid x \geq 2\}$ (2) $\left\{x \mid x \leq \dfrac{3}{2}\right\}$ (3) $\left\{x \mid x \geq -\dfrac{1}{3}\right\}$

2 풀이 참조

3 그래프: 풀이 참조   (1) $\{x \mid x \geq -2\}$ (2) $\{y \mid y \leq -1\}$

1 그래프: 풀이 참조   (1) ① $\{x \mid x \geq 0\}$ ② $\{y \mid y \geq 0\}$

                        (2) ① $\{x \mid x \geq 0\}$ ② $\{y \mid y \geq 0\}$

                        (3) ① $\{x \mid x \leq 0\}$ ② $\{y \mid y \geq 0\}$

                        (4) ① $\{x \mid x \leq 0\}$ ② $\{y \mid y \leq 0\}$

2 그래프: 풀이 참조   (1) ① $\{x \mid x \leq 1\}$ ② $\{y \mid y \geq 2\}$

                        (2) ① $\{x \mid x \geq -2\}$ ② $\{y \mid y \leq 1\}$

                        (3) ① $\left\{x \mid x \geq \dfrac{1}{2}\right\}$ ② $\{y \mid y \geq 3\}$

                        (4) ① $\{x \mid x \leq 2\}$ ② $\{y \mid y \leq 1\}$

01-1 3

01-2 27

02-1 -1

02-2 5

03-1 0

03-2 4

04-1 $k=\dfrac{5}{4}$ 또는 $k<1$

04-2 $0<m<\dfrac{1}{4}$

05-1 2

05-2 $\dfrac{1}{2}$

06-1 2

06-2 $\sqrt{2}$

1-1 0 **1-2** $0 \leq k \leq 4$ **2-1** ④   **2-2** 3

3-1 $2\sqrt{2}$ **3-2** 6 **4-1** 2 **4-2** 3

5-1 4 **5-2** $\dfrac{29}{4}$ **6-1** 3 **6-2** $\dfrac{3}{2}$

7-1 ⑤   **7-2** ④

8-1 $-1 \leq k < -\dfrac{3}{4}$ **8-2** -3

9-1 $g(x)=(x-3)^2+2\ (x \geq 3)$ **9-2** $-\dfrac{5}{2}$

10-1 $(5,\ 5)$ **10-2** $\sqrt{2}$ **11-1** 7 **11-2** $\dfrac{5}{2}$

8 | 경우의 수

개념 확인 180쪽~181쪽

1 5

2 12

3 8

STEP 1 개념 드릴 182쪽

1 (1) 9 (2) 6 (3) 9 (4) 9 (5) 4

2 (1) 56 (2) 12 (3) 9 (4) 15 (5) 120

STEP 2 필수 유형 183쪽~188쪽

01-1 13

01-2 47

02-1 (1) 9 (2) 16

02-2 9

03-1 (1) 24 (2) 12

03-2 3

04-1 2

04-2 6

05-1 26

05-2 100

06-1 48

06-2 540

개념 확인 189쪽~190쪽

1 (1) 120 (2) 8

2 (1) 720 (2) 336

STEP 1 개념 드릴 191쪽

1 (1) $_5P_2$ (2) $_9P_5$ (3) $_{30}P_{30}$ (4) $_{25}P_4$ (5) $_7P_3$

2 (1) 5040 (2) 120 (3) 360 (4) 420

3 (1) 7 (2) 5 (3) 3 또는 4 (4) 4

STEP 2 필수 유형 192쪽~198쪽

01-1 (1) 7 (2) 9

01-2 8

02-1 (1) 24 (2) 1320

02-2 7

03-1 (1) 240 (2) 480

03-2 144

04-1 (1) 24 (2) 144

04-2 288

05-1 84

05-2 432

06-1 (1) 156 (2) 108

07-1 14번째

07-2 84

개념 확인 199쪽~200쪽

1 (1) 10 (2) 4 (3) 4 (4) 35

2 (1) 15 (2) 28 (3) 6 (4) 20

STEP 1 개념 드릴 201쪽

1 (1) $_{10}C_4$ (2) $_7C_2$ (3) $_{12}C_3 \times _{13}C_2$ (4) $_6C_1 \times _4C_2$ (5) $_4C_1 \times _9C_1 \times _6C_4$

2 (1) 21 (2) 1 (3) 1 (4) 7 (5) 35 (6) 84

3 (1) 7 (2) 11 (3) 4

STEP 2 필수 유형 202쪽~208쪽

01-1 12

01-2 8

02-1 360

02-2 21

03-1 (1) 1 (2) 10

03-2 15

04-1 74

04-2 270

05-1 960

05-2 180

06-1 17

06-2 72

07-1 90

07-2 (1) 36 (2) 22

STEP 3 유형 드릴 209쪽~212쪽

1-1 6	**1-2** 30	**2-1** 12	**2-2** 20
3-1 9	**3-2** 10	**4-1** 12	**4-2** 64
5-1 48	**5-2** 420	**6-1** 288	**6-2** 1440
7-1 20	**7-2** 96	**8-1** 36	**8-2** 576
9-1 52	**9-2** 36	**10-1** 144	**10-2** 61번째
11-1 5	**11-2** 5	**12-1** 37	**12-2** 35
13-1 195	**13-2** 120	**14-1** 3600	**14-2** 21600
15-1 80	**15-2** 52	**16-1** 185	**16-2** 40

정답과 해설

I 집합과 명제

1 | 집합   002
2 | 집합의 연산   007
3 | 명제   016

II 함수

4 | 함수   028
5 | 합성함수와 역함수   033
6 | 유리함수   041
7 | 무리함수   051

III 경우의 수

8 | 경우의 수   060

1 | 집합

1 집합의 뜻과 표현

2 집합 A의 원소는 2, 4, 6이다.

4 0보다 크고 2보다 작은 짝수는 없으므로
$C=\{x\,|\,x$는 0보다 크고 2보다 작은 짝수$\}=\varnothing$
따라서 집합 C는 공집합이면서 유한집합이다.

5 (2) 1 이상 10 이하의 2의 배수는 2, 4, 6, 8, 10이므로
$A=\{2, 4, 6, 8, 10\}$
$\therefore n(A)=5$
(3) $(x-2)(x-3)=0$에서 $x=2$ 또는 $x=3$
따라서 $A=\{2, 3\}$이므로
$n(A)=2$

1 (1) $\{1\}$
(2), (3) '잘하는', '가까운'은 기준이 명확하지 않아 그 대상을 분명하게 정할 수 없으므로 집합이 아니다.

2 10보다 작은 소수는 2, 3, 5, 7이므로
$A=\{2, 3, 5, 7\}$
(1) $1\notin A$ (2) $2\in A$ (3) $3\in A$
(4) $5\in A$ (5) $7\in A$ (6) $9\notin A$

4 (1) $\{5, 10, 15, 20, \cdots\}$이므로 무한집합이다.
(2) 1보다 크고 3보다 작은 홀수는 없으므로 공집합이다.
또, 공집합은 유한집합이다.
(3) $\{1\}$이므로 유한집합이다.
(4) $x=\pm\sqrt{2}$이므로 $x^2=2$를 만족시키는 정수는 없다.
따라서 주어진 집합은 공집합이다.
또, 공집합은 유한집합이다.

5 (1) $A=\{\varnothing, 0\}$의 원소는 $\varnothing$, 0, 즉 2개이므로 $n(A)=2$
(2) $A=\{3, 6, 9, 12, 15, 18\}$이므로 $n(A)=6$
(3) $A=\{1, 2, 3, 4, \cdots, 9\}$이므로 $n(A)=9$
(4) $|x|<3$에서 $-3<x<3$
따라서 정수 x는 $-2, -1, 0, 1, 2$의 5개이므로 $n(A)=5$

01-1 답 ⑤
| 해결 전략 | 집합은 대상을 분명하게 정할 수 있는 것들의 모임이다.

⑤ '재미있는'은 기준이 명확하지 않아 그 대상을 분명하게 정할 수 없으므로 집합이 아니다.

01-2 답 ⑤
| 해결 전략 | (원소)$\in$(집합)임을 이용한다.

집합 A의 원소는 1, 2, $\{2, 3\}$, 4이다.
① 2는 집합 A의 원소이므로 $2\in A$
② 3은 집합 A의 원소가 아니므로 $3\notin A$
③ 4는 집합 A의 원소이므로 $4\in A$
④ $\{1, 2\}$는 집합 A의 원소가 아니므로 $\{1, 2\}\notin A$
⑤ $\{2, 3\}$은 집합 A의 원소이므로 $\{2, 3\}\in A$
따라서 옳은 것은 ⑤이다.

02-1 답 ②
| 해결 전략 | 먼저 각 집합을 원소나열법으로 나타낸다.

① $\{2, 4, 6, 8\}$
② $\{1, 2, 4, 8\}$

③ {1, 2, 3, 4}

④ {2, 4, 6, 8, …}

⑤ {…, −3, −1, 1, 3, …}

따라서 집합 $A=\{1, 2, 4, 8\}$과 같은 집합은 ②이다.

02-2 답 ③

|해결 전략| 집합에 속하는 원소들이 갖는 공통된 성질과 집합에 속하는 모든 원소가 일치하는지 확인한다.

③ $\{x\,|\,x$는 1보다 크고 50보다 작은 짝수$\}$ ➡ $\{2, 4, 6, 8, \cdots, 48\}$

03-1 답 $\{-7, -5, -3, -2, 0, 2, 3, 5, 7\}$

|해결 전략| 표를 이용하여 A와 B의 원소를 하나씩 곱한다.

집합 $A=\{-1, 0, 1\}$에 대하여

$x\in A$이므로 $x=-1, 0, 1$

집합 $B=\{2, 3, 5, 7\}$에 대하여

$y\in B$이므로 $y=2, 3, 5, 7$

오른쪽 표에 의하여 xy의 값은

$-7, -5, -3, -2, 0, 2, 3, 5, 7$

이므로 집합 C를 원소나열법으로 나타내면

$C=\{-7, -5, -3, -2, 0, 2, 3, 5, 7\}$

y \ x	-1	0	1
2	-2	0	2
3	-3	0	3
5	-5	0	5
7	-7	0	7

03-2 답 ⑤

|해결 전략| 소인수분해했을 때 소인수가 2와 3뿐이면 A의 원소임을 이용한다.

①~④ $24=2^3\times3$, $36=2^2\times3^2$, $72=2^3\times3^2$, $108=2^2\times3^3$은 소인수가 2와 3뿐이므로 집합 A의 원소이다.

⑤ $120=2^3\times3\times5$는 5를 소인수로 가지므로 집합 A의 원소가 아니다.

따라서 집합 A의 원소가 아닌 것은 ⑤이다.

04-1 답 ㄴ, ㄷ

|해결 전략| $n(A)$는 유한집합 A의 원소의 개수를 뜻한다.

ㄱ. $n(\{a, b, 1, 2\})=4$

ㄴ. $n(\varnothing)=0$

ㄷ. 집합 $\{\varnothing\}$의 원소는 $\varnothing$, 즉 1개이므로

$\quad n(\{\varnothing\})=1$

ㄹ. $n(\{2, 3, 4, 7\})-n(\{3, 4, 7\})=4-3=1$

따라서 옳은 것은 ㄴ, ㄷ이다.

04-2 답 4

|해결 전략| 먼저 세 집합 A, B, C를 원소나열법으로 나타낸다.

$A=\{1, 3, 9, 27, 81\}$

$(x-1)(x-3)<0$에서 $1<x<3$

이것을 만족시키는 정수는 2뿐이므로 $B=\{2\}$

$x^2=-2$를 만족시키는 실수 x는 존재하지 않으므로 $C=\varnothing$

$\therefore n(A)-n(B)+n(C)=5-1+0=4$

2 집합 사이의 포함 관계

개념 확인 16쪽~19쪽

1 (1) $\varnothing$ (2) $\{1\}, \{2\}$ (3) $\{1, 2\}$

2 (1) $\neq$ (2) $=$ (3) $\neq$

3 (1) $\varnothing, \{2\}, \{4\}, \{2, 4\}$ (2) $\varnothing, \{2\}, \{4\}$

4 (1) 16 (2) 15

5 (1) 8 (2) 4 (3) 2

2 $C=\{2, 3, 5, 7\}$

4 (1) $2^4=16$

(2) $2^4-1=15$

참고

(1) 집합 $A=\{1, 2, 3, 4\}$의 부분집합을 모두 구하면 다음과 같다.

$\varnothing, \{1\}, \{2\}, \{3\}, \{4\}, \{1, 2\}, \{1, 3\}, \{1, 4\}, \{2, 3\}, \{2, 4\}, \{3, 4\},$

$\{1, 2, 3\}, \{1, 2, 4\}, \{1, 3, 4\}, \{2, 3, 4\}, \{1, 2, 3, 4\}$

5 (1) $2^{4-1}=2^3=8$

(2) $2^{4-2}=2^2=4$

(3) $2^{4-1-2}=2^1=2$

STEP 1 개념 드릴 20쪽

1 (1) $A\not\subset B$, $B\not\subset A$ (2) $A\subset B$, $B\not\subset A$ (3) $A\subset B$, $B\not\subset A$

2 (1) $A\neq B$ (2) $A=B$ (3) $A=B$

3 (1) 부분집합: $\varnothing, \{0\}$

　　진부분집합: $\varnothing$

(2) 부분집합: $\varnothing, \{a\}, \{b\}, \{a, b\}$

　　진부분집합: $\varnothing, \{a\}, \{b\}$

(3) 부분집합: $\varnothing, \{1\}, \{3\}, \{9\}, \{1, 3\}, \{1, 9\}, \{3, 9\}, \{1, 3, 9\}$

　　진부분집합: $\varnothing, \{1\}, \{3\}, \{9\}, \{1, 3\}, \{1, 9\}, \{3, 9\}$

4 (1) 64 (2) 63 (3) 8 (4) 32

1 (1) $1\in A$이지만 $1\notin B$이므로 $A\not\subset B$

$\quad 7\in B$이지만 $7\notin A$이므로 $B\not\subset A$

(2) $x^2=1$에서 $x=\pm1$　　$\therefore A=\{-1, 1\}$

$\quad \therefore A\subset B$

$\quad 0\in B$이지만 $0\notin A$이므로 $B\not\subset A$

(3) $B=\{1, 2, 4, 8\}$이므로 $A\subset B$

$\quad 8\in B$이지만 $8\notin A$이므로 $B\not\subset A$

2 (1) $B=\{2, 3\}$이므로 $A\neq B$

(2) $A=\{2, 4, 6, 8, \cdots\}$, $B=\{2, 4, 6, 8, \cdots\}$이므로

$\quad A=B$

(3) $B=\{1, 2, 4\}$이므로 $A=B$

4 $A=\{3, 6, 9, 12, 15, 18\}$이므로

(1) $2^6=64$

(2) $2^6-1=63$

(3) $2^{6-3}=2^3=8$

(4) $2^{6-1}=2^5=32$

STEP **2** 필수 유형 |21쪽~25쪽|

01-1 답 ⑤

|해결 전략| 먼저 집합 A를 원소나열법으로 나타낸다.

$A=\{1, 3, 5, 7\}$

① $5\in A$

② $2\notin A$

③ $\{4, 6\}\not\subset A$

④ $\{5, 7\}\subset A$

⑤ $\varnothing$은 모든 집합의 부분집합이므로 $\varnothing\subset A$

따라서 옳은 것은 ⑤이다.

01-2 답 ③

|해결 전략| (원소)$\in$(집합), (부분집합)$\subset$(집합)임을 이용한다.

집합 X의 원소는 $\varnothing$, 1, 2, $\{1, 2\}$이므로

① $\varnothing\in X$

② $\varnothing$은 모든 집합의 부분집합이므로 $\varnothing\subset X$

③ $\{\varnothing\}\subset X$

④ $\{1, 2\}\in X$

⑤ $\{1, 2\}\subset X$

따라서 옳지 않은 것은 ③이다.

02-1 답 ±4

|해결 전략| $A\subset B$일 때, $x\in A$이면 $x\in B$임을 이용한다.

$3\in A$에서 $3\in B$이어야 하므로

$a=3$ 또는 $a^2-13=3$

(i) $a=3$일 때

   $A=\{3, 4\}$, $B=\{-4, 3, 11\}$이므로 $A\not\subset B$

(ii) $a^2-13=3$, 즉 $a=\pm4$일 때

   $a=4$이면

     $A=\{3, 11\}$, $B=\{3, 4, 11\}$이므로 $A\subset B$

   $a=-4$이면

     $A=\{3, 11\}$, $B=\{-4, 3, 11\}$이므로 $A\subset B$

(i), (ii)에서 구하는 a의 값은 ±4이다.

02-2 답 $-1<a\leq3$

|해결 전략| 집합이 부등식으로 표현되어 있을 때는 수직선을 이용하여 나타내고, 포함 관계가 성립할 조건을 찾는다.

$0\leq x-a<2$에서 $a\leq x<a+2$

$\therefore A=\{x\,|\,a\leq x<a+2\}$

$x^2-4x-5<0$에서 $(x+1)(x-5)<0$, 즉 $-1<x<5$

$\therefore B=\{x\,|-1<x<5\}$

$A\subset B$가 되도록 두 집합 A, B를 수직선 위에 나타내면 오른쪽 그림과 같으므로

$-1<a$, $a+2\leq5$

$\therefore -1<a\leq3$

03-1 답 3

|해결 전략| $A=B$이면 집합 A의 원소와 집합 B의 원소가 모두 같음을 이용한다.

$6\in A$에서 $6\in B$이어야 하므로

$a^2-a=6$, $a^2-a-6=0$

$(a+2)(a-3)=0$ $\therefore a=-2$ 또는 $a=3$

(i) $a=-2$일 때

   $A=\{-5, 3, 6\}$, $B=\{5, 6, 8\}$이므로 $A\neq B$

(ii) $a=3$일 때

   $A=\{5, 6, 8\}$, $B=\{5, 6, 8\}$이므로 $A=B$

(i), (ii)에서 구하는 a의 값은 3이다.

03-2 답 2

|해결 전략| $A\subset B$, $B\subset A$이면 $A=B$임을 이용한다.

$A\subset B$, $B\subset A$이므로 $A=B$

$2\in A$에서 $2\in B$이어야 하므로

$x^2-x=2$ 또는 $x-1=2$

(i) $x^2-x=2$에서 $x^2-x-2=0$

   $(x+1)(x-2)=0$ $\therefore x=-1$ 또는 $x=2$

   $x=-1$일 때, $A=\{-2, 2\}$, $B=\{-2, 2\}$이므로 $A=B$

   $x=2$일 때, $A=\{2, 4\}$, $B=\{1, 2\}$이므로 $A\neq B$

(ii) $x-1=2$에서 $x=3$

   $x=3$일 때, $A=\{2, 6\}$, $B=\{2, 6\}$이므로 $A=B$

(i), (ii)에서 $A=B$를 만족시키는 x의 값은 -1 또는 3이므로 구하는 x의 값의 합은

$-1+3=2$

04-1 답 8

|해결 전략| 원소의 개수가 n인 집합에 대하여 특정한 원소 k개는 반드시 원소로 갖고, m개는 원소로 갖지 않는 부분집합의 개수는 2^{n-k-m}임을 이용한다.

집합 A의 부분집합 중 1, 2는 반드시 원소로 갖고, 5, 7은 원소로 갖지 않는 부분집합은 집합 A에서 네 원소 1, 2, 5, 7을 제외한 집합 $\{3, 4, 6\}$의 부분집합에 두 원소 1, 2를 넣은 것과 같다.

따라서 구하는 부분집합의 개수는

$2^{7-2-2}=2^3=8$

04-2 답 8

|해결 전략| $\{3, 9, 15\}\subset X$이므로 X는 3, 9, 15를 반드시 원소로 갖고, $1\notin X$, $13\notin X$이므로 1, 13은 원소로 갖지 않는다.

집합 X는 $\{3, 9, 15\}\subset X$에서 3, 9, 15를 반드시 원소로 갖고, $1\notin X$, $13\notin X$에서 1, 13은 원소로 갖지 않는 집합 A의 부분집합이다.
즉, X는 집합 A에서 다섯 원소 1, 3, 9, 13, 15를 제외한 집합 $\{5, 7, 11\}$에 세 원소 3, 9, 15를 넣은 것과 같다.
따라서 구하는 부분집합의 개수는
$2^{8-3-2}=2^3=8$

04-3 답 14

|해결 전략| 구하는 부분집합의 개수는 집합 X의 부분집합의 개수에서 모두 짝수가 아닌 원소로 이루어진 부분집합의 개수를 뺀 것임을 이용한다.

집합 $X=\{1, 2, 4, 8\}$의 부분집합 중 적어도 한 개의 짝수를 원소로 갖는 부분집합은 집합 X의 부분집합 중 모두 짝수가 아닌 원소로 이루어진 집합, 즉 $\{1\}$의 부분집합을 제외한 것과 같다.
따라서 구하는 부분집합의 개수는
$2^4-2^1=16-2=14$

05-1 답 8

|해결 전략| $A\subset X\subset B$를 만족시키는 집합 X는 집합 B의 부분집합 중 집합 A의 모든 원소를 반드시 원소로 갖는 집합임을 이용한다.

집합 X는 집합 B의 부분집합 중 집합 A의 원소 1, 2, 3을 반드시 원소로 갖는 집합이므로 구하는 집합 X의 개수는
$2^{6-3}=2^3=8$

05-2 답 4

|해결 전략| $A\subset X\subset B$를 만족시키는 집합 X는 집합 B의 부분집합 중 집합 A의 모든 원소를 반드시 원소로 갖는 집합임을 이용한다.

두 집합 A, B를 원소나열법으로 나타내면
$A=\{1, 2, 3, 6\}$, $B=\{1, 2, 3, 6, 9, 18\}$
집합 X는 집합 B의 부분집합 중 집합 A의 원소 1, 2, 3, 6을 반드시 원소로 갖는 집합이므로 구하는 집합 X의 개수는
$2^{6-4}=2^2=4$

05-3 답 9

|해결 전략| $B\subset X\subset A$를 만족시키는 집합 X는 집합 A의 부분집합 중 집합 B의 모든 원소를 반드시 원소로 갖는 집합임을 이용한다.

$A=\{1, 2, 3, \cdots, k\}$
집합 X는 집합 A의 부분집합 중 집합 B의 원소 1, 2, 3, 6을 반드시 원소로 갖는 집합이다.
이때, 집합 X의 개수가 32이므로
$2^{k-4}=32=2^5$, $k-4=5$
$\therefore k=9$

1-1 답 ①, ③

|해결 전략| 집합은 대상을 분명하게 정할 수 있는 것들의 모임이다.

①, ③ '충분히 큰', '높은'은 기준이 명확하지 않아 그 대상을 분명하게 정할 수 없으므로 집합이 아니다.

1-2 답 ④

|해결 전략| 집합은 대상을 분명하게 정할 수 있는 것들의 모임이다.

④ '작은'은 기준이 명확하지 않아 그 대상을 분명하게 정할 수 없으므로 집합이 아니다.
⑤ 가장 작은 자연수의 모임은 $\{1\}$이므로 집합이다.

2-1 답 1

|해결 전략| $ax+by=5$는 집합 A의 원소들이 갖는 공통된 성질임을 이용하여 연립방정식을 세운다.

$(1, 3)\in A$이므로 $a+3b=5$ ┄┄┄┄ ㉠
$(-1, 2)\in A$이므로 $-a+2b=5$ ┄┄┄┄ ㉡
㉠, ㉡을 연립하여 풀면 $a=-1$, $b=2$
$\therefore a+b=1$

2-2 답 10

|해결 전략| 먼저 집합 C를 원소나열법으로 나타낸다.

집합 $A=\{-1, 0, 1\}$에 대하여 $x\in A$이므로 $x=-1, 0, 1$
집합 $B=\{1, 2\}$에 대하여 $y\in B$이므로 $y=1, 2$
오른쪽 표에 의하여 $x+y+xy$의 값은 $-1, 1, 2, 3, 5$이므로 집합 C를 원소나열법으로 나타내면

y \ x	-1	0	1
1	-1	1	3
2	-1	2	5

$C=\{-1, 1, 2, 3, 5\}$
따라서 집합 C의 모든 원소의 합은
$-1+1+2+3+5=10$

3-1 답 ⑤

|해결 전략| $n(A)$는 유한집합 A의 원소의 개수를 뜻한다.

① $A=\{\varnothing\}$이면 $n(A)=1$
② $A=\{1\}$, $B=\{2, 3\}$이면
$n(A)<n(B)$이지만 $A\not\subset B$이다.
③ $A=\{a, \{0, 1\}\}$의 원소는 a, $\{0, 1\}$, 즉 2개이므로
$n(A)=2$
④ $n(\{0\})+n(\varnothing)=1+0=1$
⑤ $A=\{1, 2, 3, 4\}$이면 $n(A)=4$
따라서 옳은 것은 ⑤이다.

3-2 답 ②

|해결 전략| $n(A)$는 유한집합 A의 원소의 개수를 뜻한다.

① $n(\{3\})=\mathbf{1}$

② $A=\varnothing$이면 $n(A)=n(\varnothing)=0$

③ $n(\{1, 2, 3\})-n(\{1, 3\})=3-2=\mathbf{1}$

④ $A=\{0, 1\}$, $B=\{0, 1\}$이면
$A\subset B$이지만 $n(A)=n(B)$이다.

⑤ $A=\{0\}$, $B=\{1\}$이면
$n(A)=n(B)$이지만 $A\neq B$이다.

따라서 옳은 것은 ②이다.

4-1 답 ②

|해결 전략| (원소)$\in$(집합), (부분집합)$\subset$(집합)임을 이용한다.

① 0은 집합 $\{1, 2\}$의 원소가 아니므로 $0\notin\{1, 2\}$

② $\varnothing$은 모든 집합의 부분집합이므로 $\varnothing\subset\{1, 2\}$

③ $\varnothing$은 집합 $\{0\}$의 원소가 아니므로 $\varnothing\notin\{0\}$

④ 모든 집합은 자기 자신의 부분집합이므로 $\{1, 2\}\subset\{1, 2\}$

⑤ $\{0\}$은 집합 $\{0, 1, 2\}$의 원소가 아니므로 $\{0\}\notin\{0, 1, 2\}$

따라서 옳은 것은 ②이다.

4-2 답 ④

|해결 전략| (원소)$\in$(집합), (부분집합)$\subset$(집합)임을 이용한다.

집합 $A=\{\varnothing, a, \{b\}, c\}$의 원소는 $\varnothing$, a, $\{b\}$, c이다.

① $\varnothing$은 집합 A의 원소이므로 $\varnothing\in A$

② $\varnothing$은 모든 집합의 부분집합이므로 $\varnothing\subset A$

③ a는 집합 A의 원소이므로 $\{a\}$는 집합 A의 부분집합이다.
$\qquad\therefore \{a\}\subset A$

④ $\{b\}$는 집합 A의 원소이므로 $\{b\}\in A$

⑤ $\{b\}$, c는 집합 A의 원소이므로 $\{\{b\}, c\}$는 집합 A의 부분집합이다.
$\qquad\therefore \{\{b\}, c\}\subset A$

따라서 옳지 않은 것은 ④이다.

5-1 답 4

|해결 전략| 두 집합 A, B를 수직선 위에 나타낸다.

$-1\leq x+2\leq 4$에서 $-3\leq x\leq 2$

$\therefore A=\{x\,|\,-3\leq x\leq 2\}$

$-2\leq x+a\leq 5$에서 $-2-a\leq x\leq 5-a$

$\therefore B=\{x\,|\,-2-a\leq x\leq 5-a\}$

$A\subset B$가 되도록 두 집합 A, B를 수
직선 위에 나타내면 오른쪽 그림과
같으므로

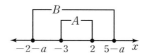

$-2-a\leq -3$, $5-a\geq 2$

$\therefore 1\leq a\leq 3$

따라서 실수 a의 최댓값은 3, 최솟값은 1이므로 그 합은

$3+1=4$

5-2 답 5

|해결 전략| $A\subset B$일 때, $x\in A$이면 $x\in B$임을 이용한다.

$2\in A$에서 $2\in B$이어야 하므로

$a=2$ 또는 $a^2-2a-1=2$

(i) $a=2$일 때
$A=\{0, 2\}$, $B=\{-1, 0, 2\}$이므로 $A\subset B$

(ii) $a^2-2a-1=2$, 즉 $a=-1$ 또는 $a=3$일 때 $\rightarrow$ $a^2-2a-3=0$, $(a+1)(a-3)=0$ $\quad\therefore a=-1$ 또는 $a=3$
$a=-1$이면
$A=\{2, 3\}$, $B=\{-1, 0, 2\}$이므로 $A\not\subset B$
$a=3$이면
$A=\{2, 3\}$, $B=\{0, 2, 3\}$이므로 $A\subset B$

(i), (ii)에서 구하는 a의 값의 합은

$2+3=5$

6-1 답 $a=2$, $n=3$

|해결 전략| $A\subset B$, $B\subset A$이면 $A=B$임을 이용한다.

$A\subset B$, $B\subset A$이므로 $A=B$

$2\in A$에서 $2\in B$이어야 하므로

$2n+1=2$ 또는 $a=2$

$2n+1=2$에서 $2n=1$을 만족시키는 정수 n은 없다.

$\therefore a=2$

또, $7\in A$에서 $7\in B$이므로

$2n+1=7$, $2n=6$ $\qquad\therefore n=3$

6-2 답 -2

|해결 전략| $A=B$이면 집합 A의 원소와 집합 B의 원소가 모두 같음을 이용한다.

$7\in A$에서 $7\in B$이어야 하므로

$a^2-2a-1=7$, $a^2-2a-8=0$, $(a+2)(a-4)=0$

$\therefore a=-2$ 또는 $a=4$

(i) $a=-2$일 때
$A=\{-3, 3, 7\}$, $B=\{-3, 3, 7\}$이므로 $A=B$

(ii) $a=4$일 때
$A=\{3, 7, 9\}$, $B=\{-3, 3, 7\}$이므로 $A\neq B$

(i), (ii)에서 구하는 a의 값은 -2이다.

다른 풀이

$A=B$이므로 $\{-3, 3\}\subset B$에서 $\{-3, 3\}\subset A$이어야 한다. 즉,
$\{-3, 3\}=\{a-1, a+5\}$

이때, $a-1<a+5$이므로 $a-1=-3$, $a+5=3$

$\therefore a=-2$

7-1 **답** 71

|해결 전략| 원소의 개수가 n인 집합의 진부분집합의 개수는 2^n-1임을 이용한다.

$n(A)=6$이므로 집합 A의 진부분집합의 개수는

$2^6-1=63$ $\therefore a=63$

또, 4는 반드시 원소로 갖고, 6, 12는 원소로 갖지 않는 부분집합은 집합 A에서 4, 6, 12를 제외한 집합 $\{1, 2, 3\}$의 부분집합에 원소 4를 넣은 것과 같다.

따라서 구하는 부분집합의 개수는

$2^{6-1-2}=2^3=8$ $\therefore b=8$

$\therefore a+b=71$

7-2 **답** 4

|해결 전략| 원소의 최솟값이 3인 집합 A의 부분집합은 3은 반드시 원소로 갖고, 1, 2는 원소로 갖지 않아야 한다.

원소의 최솟값이 3인 집합 A의 부분집합은 3은 반드시 원소로 갖고, 1, 2는 원소로 갖지 않아야 하므로 집합 A에서 1, 2, 3을 제외한 집합 $\{4, 5\}$의 부분집합에 원소 3을 넣은 것과 같다.

따라서 구하는 부분집합의 개수는

$2^{5-1-2}=2^2=4$

8-1 **답** 4

|해결 전략| 먼저 집합 B를 원소나열법으로 나타낸다.

집합 B를 원소나열법으로 나타내면

$B=\{1, 3, 5, 7\}$

집합 X는 집합 B의 부분집합 중 집합 A의 원소 3, 5를 반드시 원소로 갖는 집합이므로 구하는 집합 X의 개수는

$2^{4-2}=2^2=4$

8-2 **답** 16

|해결 전략| 먼저 집합 B를 원소나열법으로 나타낸다.

집합 $A=\{1, 2, 3, 5, 6, 10, 15\}$에 대하여 $x\in A$, $y\in A$, x, y는 서로 다른 소수이므로

$x=2, 3, 5$

$y=2, 3, 5$ (단, $x\neq y$)

오른쪽 표에 의하여 xy의 값은 6, 10, 15이므로 집합 B를 원소나열법으로 나타내면

$B=\{6, 10, 15\}$

y＼x	2	3	5
2	×	6	10
3	6	×	15
5	10	15	×

따라서 집합 X는 집합 A의 부분집합 중 집합 B의 원소 6, 10, 15를 반드시 원소로 갖는 집합이므로 구하는 집합 X의 개수는

$2^{7-3}=2^4=16$

> **주의**
> x, y는 서로 다른 소수이므로 표에서 $x=y$일 때의 xy의 값을 구하지 않도록 주의한다.

2 | 집합의 연산

1 집합의 연산

> **개념 확인** 30쪽~31쪽
>
> **1** (1) $A\cup B=\{1, 3, 5, 9\}$, $A\cap B=\{1, 5\}$
> (2) $A\cup B=\{a, i, n, o, r, s, w\}$, $A\cap B=\{n\}$
> **2** (1) $\{6, 7\}$ (2) $\{1, 3, 5, 7\}$ (3) $\{1, 3, 5\}$ (4) $\{6\}$

1 (1) $A=\{1, 3, 5\}$, $B=\{1, 5, 9\}$이므로
$A\cup B=\{1, 3, 5, 9\}$, $A\cap B=\{1, 5\}$

(2) $A=\{r, a, i, n\}$, $B=\{s, n, o, w\}$이므로
$A\cup B=\{a, i, n, o, r, s, w\}$, $A\cap B=\{n\}$

2 $U=\{1, 2, 3, 4, 5, 6, 7\}$, $A=\{1, 2, 3, 4, 5\}$, $B=\{2, 4, 6\}$

(1) $A^C=\{6, 7\}$

(2) $B^C=\{1, 3, 5, 7\}$

(3) $A-B=\{1, 3, 5\}$

(4) $B-A=\{6\}$

STEP ① 개념 드릴 |33쪽|

> **1** (1) $A\cup B=\{2, 3, 5, 6, 7\}$, $A\cap B=\varnothing$
> (2) $A\cup B=\{1, 2, 3, 4, 5, 7, 9\}$, $A\cap B=\{1, 3, 5\}$
> (3) $A\cup B=\{-6, 1, 2, 3, 4, 5, 6\}$, $A\cap B=\{6\}$
> **2** (1) × (2) × (3) ○
> **3** (1) $\{3, 4, 6, 7, 8, 9\}$
> (2) $\{1, 2, 5, 10\}$
> (3) $\{1, 2, 3, 4, 5, 6, 7, 8, 9, 10\}$
> (4) $\varnothing$
> **4** (1) $\{4, 8, 10\}$
> (2) $\{1, 3\}$
> (3) $\{5, 7, 9, 11, 12\}$
> (4) $\{1, 3, 4, 5, 7, 8, 9, 10, 11, 12\}$

1 (1) $A=\{3, 6\}$, $B=\{2, 5, 7\}$이므로
$A\cup B=\{2, 3, 5, 6, 7\}$, $A\cap B=\varnothing$

(2) $A=\{1, 3, 5, 7, 9\}$, $B=\{1, 2, 3, 4, 5\}$이므로
$A\cup B=\{1, 2, 3, 4, 5, 7, 9\}$, $A\cap B=\{1, 3, 5\}$

(3) $A=\{1, 2, 3, 4, 5, 6\}$, $B=\{-6, 6\}$이므로
$A\cup B=\{-6, 1, 2, 3, 4, 5, 6\}$, $A\cap B=\{6\}$

2 (1) $A \cap B = \{3, 9\}$이므로 두 집합 A, B는 서로소가 아니다.

(2) $A = \{1, 2, 3, 5, 7\}$, $B = \{2, 3, 5, 7\}$이므로
$$A \cap B = \{2, 3, 5, 7\}$$
따라서 두 집합 A, B는 서로소가 아니다.

(3) $A = \{1, 3, 5, 7, 9\}$, $B = \{4, 8\}$이므로
$$A \cap B = \varnothing$$
따라서 두 집합 A, B는 서로소이다.

3 $U = \{1, 2, 3, \cdots, 10\}$, $A = \{1, 2, 5, 10\}$

(1) $A^C = \{3, 4, 6, 7, 8, 9\}$

(2) $(A^C)^C = A = \{1, 2, 5, 10\}$

(3) $A \cup A^C = U = \{1, 2, 3, 4, 5, 6, 7, 8, 9, 10\}$

(4) $A \cap A^C = \varnothing$

4 $U = \{1, 2, 3, \cdots, 12\}$, $A = \{2, 4, 6, 8, 10\}$, $B = \{1, 2, 3, 6\}$

(1) $A - B = \{4, 8, 10\}$

(2) $B - A = \{1, 3\}$

(3) $A \cup B = \{1, 2, 3, 4, 6, 8, 10\}$이므로
$$(A \cup B)^C = \{5, 7, 9, 11, 12\}$$

(4) $A \cap B = \{2, 6\}$이므로
$$(A \cap B)^C = \{1, 3, 4, 5, 7, 8, 9, 10, 11, 12\}$$

STEP 2 필수 유형 ────────── |34쪽~40쪽|

01-1 답 8

|해결 전략| 먼저 주어진 집합을 원소나열법으로 나타낸다.

$A = \{1, 2, 5, 10\}$, $B = \{1, 2, 3, 6\}$, $C = \{1, 2, 3, 4, 5\}$에서
$B \cup C = \{1, 2, 3, 4, 5, 6\}$이므로
$$\begin{aligned} A \cap (B \cup C) &= \{1, 2, 5, 10\} \cap \{1, 2, 3, 4, 5, 6\} \\ &= \{1, 2, 5\} \end{aligned}$$
따라서 $A \cap (B \cup C)$의 모든 원소의 합은
$$1 + 2 + 5 = 8$$

01-2 답 ③

|해결 전략| 먼저 주어진 집합을 원소나열법으로 나타낸다.

$A = \{3, 6, 9, 12\}$, $B = \{1, 2, 3, 4\}$, $C = \{1, 2, 3, 4, 6, 12\}$

③ $A \cap B = \{3\}$이므로
$$\begin{aligned} (A \cap B) \cup C &= \{3\} \cup \{1, 2, 3, 4, 6, 12\} \\ &= \{1, 2, 3, 4, 6, 12\} \end{aligned}$$

④ $A \cup B = \{1, 2, 3, 4, 6, 9, 12\}$이므로
$$\begin{aligned} (A \cup B) \cap C &= \{1, 2, 3, 4, 6, 9, 12\} \cap \{1, 2, 3, 4, 6, 12\} \\ &= \{1, 2, 3, 4, 6, 12\} \end{aligned}$$

⑤ $B \cap C = \{1, 2, 3, 4\}$이므로
$$\begin{aligned} A \cup (B \cap C) &= \{3, 6, 9, 12\} \cup \{1, 2, 3, 4\} \\ &= \{1, 2, 3, 4, 6, 9, 12\} \end{aligned}$$

02-1 답 32

|해결 전략| 주어진 집합을 벤다이어그램으로 나타내어 집합 B를 구한다.

$A = \{1, 3, 9\}$, $A \cup B = \{1, 2, 3, 4, 5, 6, 7, 8, 9\}$, $A \cap B = \varnothing$이므로
오른쪽 벤다이어그램에서 집합 A와
서로소인 집합 B는
$B = \{2, 4, 5, 6, 7, 8\}$
따라서 집합 B의 모든 원소의 합은
$$2 + 4 + 5 + 6 + 7 + 8 = 32$$

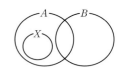

02-2 답 16

|해결 전략| 집합 A의 부분집합을 X라 하면 $X \cap B = \varnothing$이다.

$A = \{1, 2, 3, 4, 5, 6, 7, 8, 9\}$, $B = \{1, 2, 3, 4, 6, 12\}$이고,
조건을 만족시키는 집합을 X라 하면
$X \subset A$이고 $X \cap B = \varnothing$
즉, X는 집합 A의 부분집합 중 집합 B의 원소 1, 2, 3, 4, 6을 모두
원소로 갖지 않는 집합이다.
따라서 구하는 집합 X의 개수는
$$2^{9-5} = 2^4 = 16$$

> **LECTURE**
>
> 조건을 만족시키는 집합 X는 오른쪽 그림
> 과 같으므로 $A - B$의 부분집합이다.
> 즉, 집합 X는 집합 A에서 1, 2, 3, 4, 6을
> 제외한 집합 $\{5, 7, 8, 9\}$의 부분집합이다.
>
>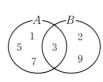

03-1 답 $\{1, 3, 4, 5, 7, 8, 9, 11, 12\}$

|해결 전략| 먼저 주어진 집합을 원소나열법으로 나타낸다.

$U = \{1, 2, 3, \cdots, 12\}$, $A = \{2, 4, 6, 8, 10, 12\}$, $B = \{4, 8, 12\}$에서
$A - B = \{2, 6, 10\}$이므로
$$(A - B)^C = \{1, 3, 4, 5, 7, 8, 9, 11, 12\}$$

03-2 답 $\{2\}$

|해결 전략| 먼저 주어진 집합을 원소나열법으로 나타낸다.

$U = \{1, 2, 3, \cdots, 15\}$, $A = \{2, 3, 5, 7, 11, 13\}$,
$B = \{1, 3, 5, 7, 9, 11, 13, 15\}$, $C = \{5, 10, 15\}$에서
$A - B = \{2\}$, $A - C = \{2, 3, 7, 11, 13\}$이므로
$$\begin{aligned} (A - B) \cap (A - C) &= \{2\} \cap \{2, 3, 7, 11, 13\} \\ &= \{2\} \end{aligned}$$

04-1 답 $\{1, 3, 5, 7\}$

|해결 전략| 주어진 집합을 벤다이어그램으로 나타낸다.

$B = \{2, 3, 9\}$, $A \cap B = \{3\}$,
$A \cup B = \{1, 2, 3, 5, 7, 9\}$를 벤다이어그램
으로 나타내면 오른쪽 그림과 같다.
$\therefore A = \{1, 3, 5, 7\}$

04-2 📋 $\{2, 4, 6, 8\}$

|해결 전략| 주어진 집합을 벤다이어그램으로 나타낸다.

$U = \{1, 2, 3, \cdots, 10\}$,
$A - B = \{4, 8\}$, $B - A = \{1, 3\}$,
$A^C \cup B^C = \{1, 3, 4, 5, 7, 8, 9, 10\}$을
벤다이어그램으로 나타내면 오른쪽 그
림과 같다.

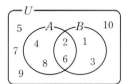

$\therefore A = \{2, 4, 6, 8\}$

05-1 📋 $\{-3, 0, 3\}$

|해결 전략| $-3 \in B$ 또는 $0 \in B$임을 이용하여 a의 값을 먼저 구한다.

$A \cup B = \{-3, 0, 1, 3\}$, $B = \{1, 3, a^2 - 1\}$이므로
$-3 \in B$ 또는 $0 \in B$
즉, $a^2 - 1 = -3$ 또는 $a^2 - 1 = 0$
이때, $a^2 - 1 = -3$을 만족시키는 실수 a는 존재하지 않으므로
$a^2 - 1 = 0$, $a^2 = 1$ $\quad \therefore a = \pm 1$
(ⅰ) $a = 1$일 때
$\quad A = \{-1, 2, 5\}$, $B = \{0, 1, 3\}$이므로
$\quad A \cup B = \{-1, 0, 1, 2, 3, 5\}$가 되어 조건을 만족시키지 않는다.
(ⅱ) $a = -1$일 때
$\quad A = \{-3, 0, 3\}$, $B = \{0, 1, 3\}$이므로
$\quad A \cup B = \{-3, 0, 1, 3\}$이 되어 조건을 만족시킨다.
(ⅰ), (ⅱ)에서 $a = -1$이므로
$A = \{-3, 0, 3\}$

05-2 📋 2

|해결 전략| $A - B = \{5\}$이면 $5 \in A$, $5 \notin B$임을 이용한다.

$A - B = \{5\}$이므로 $1 \in B$, $3 \in B$, $a^2 + a - 2 \in B$
이때, $B = \{1, 4, a^2 - 1\}$이므로
(ⅰ) $3 \in B$일 때, $a^2 - 1 = 3$
$\quad a^2 = 4$ $\quad \therefore a = \pm 2$
(ⅱ) $a^2 + a - 2 \in B$일 때, $a^2 + a - 2 = 4$
$\quad a^2 + a - 6 = 0$, $(a+3)(a-2) = 0$
$\quad \therefore a = -3$ 또는 $a = 2$
(ⅰ), (ⅱ)에서 $a = 2$

다른 풀이

$A - B = \{5\}$이므로 $3 \in B$이어야 한다.
즉, $a^2 - 1 = 3$이므로 $a = \pm 2$
(ⅰ) $a = 2$일 때
$\quad A = \{1, 3, 4, 5\}$, $B = \{1, 3, 4\}$이므로
$\quad A - B = \{5\}$가 되어 조건을 만족시킨다.
(ⅱ) $a = -2$일 때
$\quad A = \{0, 1, 3, 5\}$, $B = \{1, 3, 4\}$이므로
$\quad A - B = \{0, 5\}$가 되어 조건을 만족시키지 않는다.
(ⅰ), (ⅱ)에서 $a = 2$

06-1 📋 ④

|해결 전략| $B \subset A$를 만족시키도록 벤다이어그램으로 나타낸다.

$B \subset A$를 만족시기기도록 두 집합 A, B를
벤다이어그램으로 나타내면 오른쪽 그림
과 같다.

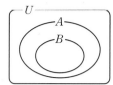

① $A^C \subset B^C$
② $B \subset A$이지만 $B \neq A$이면 $A - B \neq \varnothing$
③ $A \cap B^C = A - B \neq U$
⑤ $A^C \subset B^C$이므로 $A^C \cup B^C = B^C$

06-2 📋 ②, ④

|해결 전략| $A \cup B = B$가 나타내는 A, B 사이의 포함 관계를 알아본다.

$A \cup B = B$이므로 $A \subset B$
$A \subset B$를 만족시키도록 두 집합 A, B를
벤다이어그램으로 나타내면 오른쪽 그림
과 같다.

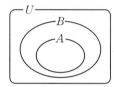

① $A \cap B = A$
② $A \cap B = A$이므로 $A \subset (A \cap B)$
③ $B - A \neq U$
④ $A \cup B = B$이므로 $(A \cup B) \subset B$
⑤ $A \cap B = A$이므로 $(A \cap B) \cup B = A \cup B = B$

07-1 📋 16

|해결 전략| 먼저 세 집합 A, B, X의 포함 관계를 알아본다.

$A = \{1, 4\}$, $B = \{1, 2, 3, 4, 6, 12\}$
$A \cup X = X$에서 $A \subset X$
$B \cap X = X$에서 $X \subset B$
$\therefore A \subset X \subset B$
즉, 집합 X는 집합 $B = \{1, 2, 3, 4, 6, 12\}$의 부분집합 중에서 1, 4
를 반드시 원소로 갖는 집합이다.
따라서 구하는 집합 X의 개수는
$2^{6-2} = 2^4 = 16$

07-2 📋 8

|해결 전략| 먼저 세 집합 B, $B - A$, X의 포함 관계를 알아본다.

$B \cap X = X$에서 $X \subset B$
$(B - A) \cup X = X$에서 $(B - A) \subset X$
$\therefore (B - A) \subset X \subset B$
이때, $B - A = \{2, 4\}$이므로 집합 X는 집합 $B = \{1, 2, 3, 4, 5\}$의
부분집합 중에서 2, 4를 반드시 원소로 갖는 집합이다.
따라서 구하는 집합 X의 개수는
$2^{5-2} = 2^3 = 8$

07-3 답 16

|해결 전략| 먼저 세 집합 $A \cap B$, $A \cup B$, X의 포함 관계를 알아본다.

$(A \cap B) \cap X = A \cap B$에서 $(A \cap B) \subset X$

$(A \cup B) \cup X = A \cup B$에서 $X \subset (A \cup B)$

$\therefore (A \cap B) \subset X \subset (A \cup B)$

이때, $A \cap B = \{1, 2, 3\}$이므로 집합 X는 집합

$A \cup B = \{1, 2, 3, 4, 5, 6, 7\}$의 부분집합 중에서 1, 2, 3을 반드시 원소로 갖는 집합이다.

따라서 구하는 집합 X의 개수는

$2^{7-3} = 2^4 = 16$

② 집합의 연산법칙

개념 확인 41쪽~43쪽

1 $\{1, 3, 4, 5\}$

2 U

3 (1) 6 (2) 2 (3) 3

1 $A \cap (B \cup C) = (A \cap B) \cup (A \cap C)$
$= \{1, 3\} \cup \{3, 4, 5\}$
$= \{1, 3, 4, 5\}$

2 $(A \cup B) \cup (A^C \cap B^C) = (A \cup B) \cup (A \cup B)^C$
$= U$

3 (1) $n(A \cup B) = n(A) + n(B) - n(A \cap B)$
$= 3 + 4 - 1 = 6$

(2) $n(A^C) = n(U) - n(A) = 8 - 6 = 2$

(3) $n(A - B) = n(A) - n(A \cap B) = 8 - 5 = 3$

STEP ❶ 개념 드릴 44쪽

1 (1) $\{1, 2, 4, 6, 8\}$ (2) $\{2, 4, 6\}$
2 (1) $\varnothing$ (2) $\{1, 3, 9\}$ (3) $\{1\}$ (4) $\{3, 9\}$
3 (1) 4 (2) 14 (3) 12
4 (1) 8 (2) 6 (3) 3

1 (1) $A \cup (B \cup C) = (A \cup B) \cup C$
$= \{2, 4, 6, 8\} \cup \{1, 2, 4, 6\}$
$= \{1, 2, 4, 6, 8\}$

(2) $(A \cap C) \cup (B \cap C) = (A \cup B) \cap C$
$= \{2, 4, 6, 8\} \cap \{1, 2, 4, 6\}$
$= \{2, 4, 6\}$

2 (1) $A^C \cap B^C = (A \cup B)^C$이고 $A \cup B = \{1, 3, 5, 7, 9\} = U$이므로
$A^C \cap B^C = \varnothing$

(2) $A^C \cup B^C = (A \cap B)^C$이고 $A \cap B = \{5, 7\}$이므로
$A^C \cup B^C = \{1, 3, 9\}$

(3) $(A^C \cup B)^C = A \cap B^C$
$= A - B = \{1\}$

(4) $(A \cup B^C)^C = A^C \cap B$
$= B - A = \{3, 9\}$

3 (1) $n(A \cup B) = n(A) + n(B) - n(A \cap B)$에서
$n(A \cap B) = n(A) + n(B) - n(A \cup B)$
$= 13 + 8 - 17 = 4$

(2) $n(A \cup B) = n(A) + n(B) - n(A \cap B)$
$= 5 + 9 - 0 = 14$

(3) $n(A \cup B) = n(A) + n(B) - n(A \cap B)$에서
$n(B) = n(A \cup B) + n(A \cap B) - n(A)$
$= 13 + 4 - 5 = 12$

4 (1) $n(A^C) = n(U) - n(A)$에서
$n(A) = n(U) - n(A^C)$
$= 15 - 7 = 8$

(2) $n(A - B) = n(A \cup B) - n(B)$
$= 10 - 4 = 6$

(3) $n(B - A) = n(B) - n(A \cap B)$에서
$n(A \cap B) = n(B) - n(B - A)$
$= 6 - 3 = 3$

STEP ❷ 필수 유형 45쪽~48쪽

01-1 답 (1) $A \cap B$ (2) B

|해결 전략| 집합의 연산법칙과 드모르간의 법칙을 이용하여 식을 간단히 한다.

(1) $A \cap (A - B)^C = A \cap (A \cap B^C)^C$
$= A \cap (A^C \cup B)$
$= (A \cap A^C) \cup (A \cap B)$
$= \varnothing \cup (A \cap B)$
$= A \cap B$

(2) $(A - B^C) \cup (A^C \cap B) = \{A \cap (B^C)^C\} \cup (A^C \cap B)$
$= (A \cap B) \cup (A^C \cap B)$
$= (A \cup A^C) \cap B$
$= U \cap B$
$= B$

01-2 답 ①

|해결 전략| 집합의 연산법칙과 드모르간의 법칙을 이용하여 식을 간단히 한다.

$$(A-B)\cup(A-C)=(A\cap B^C)\cup(A\cap C^C)$$
$$=A\cap(B^C\cup C^C)$$
$$=A\cap(B\cap C)^C$$
$$=A-(B\cap C)$$

02-1 답 ④

|해결 전략| 주어진 식의 좌변을 정리한 후 집합 A, B의 포함 관계를 알아본다.

주어진 식의 좌변을 정리하면
$$\{(A\cap B)\cup B\}\cup(A-B)=B\cup(A-B)\ (\because\ (A\cap B)\subset B)$$
$$=B\cup(A\cap B^C)$$
$$=(B\cup A)\cap(B\cup B^C)$$
$$=(B\cup A)\cap U$$
$$=B\cup A$$

즉, $A\cup B=B$이므로 $A\subset B$
따라서 항상 옳은 것은 ④ $A-B=\varnothing$이다.

02-2 답 $B\subset A$

|해결 전략| 주어진 식의 좌변을 정리한 후 집합 A, B의 포함 관계를 알아본다.

주어진 식의 좌변을 정리하면
$$\{A\cap(A^C\cup B)\}\cup\{B\cap(B\cup A)\}=\{(A\cap A^C)\cup(A\cap B)\}\cup B$$
$$=\{\varnothing\cup(A\cap B)\}\cup B$$
$$=(A\cap B)\cup B$$
$$=B$$

즉, $B=A\cap B$이므로 $B\subset A$

03-1 답 17

|해결 전략| 주어진 식을 $n(A\cup B)$를 포함한 식으로 나타낸다.

$n(A-B)=n(A\cup B)-n(B)$에서
$$n(A\cup B)=n(A-B)+n(B)$$
$$=8+9=17$$

다른 풀이

$n(A-B)=n(A)-n(A\cap B)$에서
$$n(A\cap B)=n(A)-n(A-B)=14-8=6$$
$$\therefore\ n(A\cup B)=n(A)+n(B)-n(A\cap B)$$
$$=14+9-6=17$$

03-2 답 35

|해결 전략| $n(A\cap B)$를 구한 후 주어진 식을 $n(A\cap B)$를 포함한 식으로 나타낸다.

$$n(A^C\cup B^C)=n((A\cap B)^C)$$
$$=n(U)-n(A\cap B)$$

이때, $n(A\cup B)=n(A)+n(B)-n(A\cap B)$에서
$$n(A\cap B)=n(A)+n(B)-n(A\cup B)$$
$$=25+30-40=15$$
$$\therefore\ n(A^C\cup B^C)=n(U)-n(A\cap B)$$
$$=50-15=35$$

04-1 답 29

|해결 전략| 먼저 주어진 조건을 집합으로 나타낸다.

수학 수업을 신청한 학생의 집합을 A, 영어 수업을 신청한 학생의 집합을 B라 하면
$$n(A)=16,\ n(B)=19,\ n(A\cap B)=6$$
이때, 수학 수업 또는 영어 수업을 신청한 학생의 집합은 $A\cup B$이므로 구하는 학생 수는
$$n(A\cup B)=n(A)+n(B)-n(A\cap B)$$
$$=16+19-6=29$$

04-2 답 13

|해결 전략| 먼저 주어진 조건을 집합으로 나타낸다.

스마트폰을 가지고 있는 학생의 집합을 A, 태블릿 PC를 가지고 있는 학생의 집합을 B라 하면
$$n(A)=17,\ n(B)=8$$
또한, 21명 모두 적어도 하나의 기기를 가지고 있으므로
$$n(A\cup B)=21$$
이때, $n(A\cup B)=n(A)+n(B)-n(A\cap B)$에서
$$n(A\cap B)=n(A)+n(B)-n(A\cup B)$$
$$=17+8-21$$
$$=4$$

따라서 스마트폰만 가지고 있는 학생의 집합은 $A-B$이므로 구하는 학생 수는
$$n(A-B)=n(A)-n(A\cap B)$$
$$=17-4=13$$

다른 풀이

$$n(A-B)=n(A\cup B)-n(B)$$
$$=21-8=13$$

참고

전체집합 U의 두 부분집합 A, B에 대하여 U의 모든 원소가 A, B 중 적어도 한 집합에 속하면
$$A\cup B=U,\ (A\cup B)^C=\varnothing$$

1-1 답 21

|해결 전략| 먼저 주어진 집합을 원소나열법으로 나타낸다.

$A=\{1, 2, 4, 8\}$, $B=\{2, 4, 6, 8, 10, 12\}$, $C=\{1, 2, 3, 6\}$에서

$B\cap C=\{2, 6\}$

$\therefore A\cup(B\cap C)=\{1, 2, 4, 8\}\cup\{2, 6\}=\{1, 2, 4, 6, 8\}$

따라서 $A\cup(B\cap C)$의 모든 원소의 합은

$1+2+4+6+8=21$

1-2 답 36

|해결 전략| 먼저 주어진 집합을 원소나열법으로 나타낸다.

$U=\{1, 2, 3, \cdots, 20\}$, $A=\{3, 5, 6, 9, 10, 12, 15, 18, 20\}$,

$B=\{1, 2, 3, 6, 9, 18\}$이므로

$A\cap B=\{3, 6, 9, 18\}$

따라서 $A\cap B$의 모든 원소의 합은

$3+6+9+18=36$

2-1 답 ㄱ, ㄷ

|해결 전략| 두 집합 A, B가 서로소이면 $A\cap B=\varnothing$이다.

ㄱ. $A\cap B=\varnothing$

ㄴ. $A=\{1, 3, 9\}$, $B=\{1, 2, 5, 10\}$이므로

　$A\cap B=\{1\}$

ㄷ. $A=\{-1, 0\}$, $B=\varnothing$이므로

　$A\cap B=\varnothing$

따라서 두 집합 A, B가 서로소인 것은 ㄱ, ㄷ이다.

2-2 답 ①, ④

|해결 전략| $A\cap B=\varnothing$이면 두 집합 A, B는 서로소이다.

주어진 조건을 벤다이어그램으로 나타내면
오른쪽 그림과 같다.

① $A-B=A$

② $B-A=B$

③ $A^C\cap B^C\neq\varnothing$

④ $n(A\cup B)=n(A)+n(B)-n(A\cap B)$에서

　$n(A\cap B)=0$이므로

　$n(A\cup B)=n(A)+n(B)$

⑤ $A^C-B^C=A^C\cap(B^C)^C=A^C\cap B$

　　　　　$=B-A=B$

따라서 항상 옳은 것은 ①, ④이다.

3-1 답 ②

|해결 전략| 먼저 주어진 집합을 원소나열법으로 나타낸다.

$U=\{1, 2, 3, 4, 5, 6, 7, 8\}$, $A=\{1, 2, 4\}$, $B=\{2, 3, 5, 7\}$

② $B-A=\{3, 5, 7\}$

따라서 옳지 않은 것은 ②이다.

3-2 답 ④

|해결 전략| 각 보기의 식의 좌변을 간단히 정리한 후 원소나열법으로 나타낸다.

③ $A^C\cap B=B-A=\{2\}$

④ $A\cup B=\{1, 2, 3, 5\}$이므로

　$A^C-B=A^C\cap B^C=(A\cup B)^C=\{4, 6\}$

⑤ $(A\cap B)\cup(A^C\cup B^C)=(A\cap B)\cup(A\cap B)^C$

　　　　　　　　　　　$=U$

　　　　　　　　　　　$=\{1, 2, 3, 4, 5, 6\}$

따라서 옳지 않은 것은 ④이다.

4-1 답 $\{1, 4, 6, 7, 8\}$

|해결 전략| 주어진 집합을 벤다이어그램으로 나타낸다.

$A\cup B=\{1, 2, 3, 4, 5, 6, 7, 8\}$,

$A-B=\{2, 3, 5\}$, $B-A=\{4, 6, 8\}$을 벤
다이어그램으로 나타내면 오른쪽 그림과 같다.

$\therefore B=\{1, 4, 6, 7, 8\}$

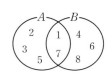

4-2 답 $\{1, 2, 5, 9, 10\}$

|해결 전략| 주어진 집합을 벤다이어그램으로 나타낸다.

$U=\{1, 2, 3, \cdots, 10\}$, $A=\{1, 2, 4, 7, 10\}$,

$A\cup B=\{1, 2, 3, 4, 6, 7, 8, 10\}$,

$A\cap B=\{4, 7\}$을 벤다이어그램으로 나
타내면 오른쪽 그림과 같다.

$\therefore B^C=\{1, 2, 5, 9, 10\}$

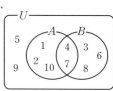

5-1 답 ④

|해결 전략| 각 보기의 집합을 벤다이어그램으로 나타낸다.

① $A\cap(B-C)$

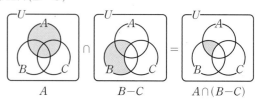

A 　　　 $B-C$ 　　 $A\cap(B-C)$

② $A \cap (C-B)$

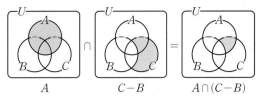

③ $A-(B \cap C)$

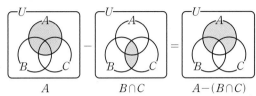

④ $A \cap (B-C)^C$

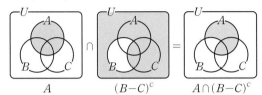

⑤ $A \cap (C-B)^C$

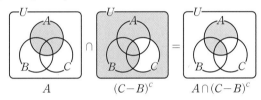

따라서 주어진 벤다이어그램의 색칠한 부분을 나타내는 집합은
④ $A \cap (B-C)^C$이다.

5-2 답 ④

|해결 전략| 각 보기의 집합을 벤다이어그램으로 나타낸다.

① $A-(B-C)$

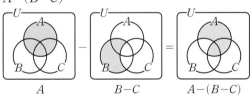

② $B-(A \cap C)$

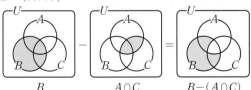

③ $(B \cup C)-A$

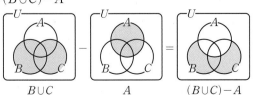

④ $(B-A) \cap (B-C)$

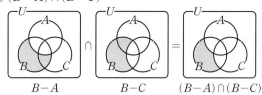

⑤ $(A-B) \cap (A-C)$

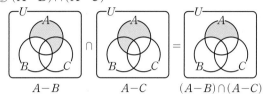

따라서 주어진 벤다이어그램의 색칠한 부분을 나타내는 집합은
④ $(B-A) \cap (B-C)$이다.

6-1 답 3

|해결 전략| $3 \in A$임을 이용하여 a의 값을 구한다.

$A \cap B=\{1, 3\}$에서 $3 \in A$이므로
$a^2-2a=3$, $a^2-2a-3=0$
$(a+1)(a-3)=0$ ∴ $a=-1$ 또는 $a=3$
(i) $a=-1$일 때
   $A=\{1, 2, 3\}$, $B=\{-3, -1, 2\}$이므로 $A \cap B=\{2\}$가 되어 조
   건을 만족시키지 않는다.
(ii) $a=3$일 때
   $A=\{1, 2, 3\}$, $B=\{1, 3, 6\}$이므로 $A \cap B=\{1, 3\}$이 되어 조건
   을 만족시킨다.
(i), (ii)에서 $a=3$

6-2 답 $\{5\}$

|해결 전략| $3 \in A$임을 이용하여 a의 값을 구한다.

$A-B=\{3\}$, $A=\{0, a, a+1\}$에서 $3 \in A$이므로
$a=3$ 또는 $a+1=3$
(i) $a=3$일 때
   $A=\{0, 3, 4\}$, $B=\{1, 4, 5\}$이므로 $A-B=\{0, 3\}$이 되어 조건
   을 만족시키지 않는다.
(ii) $a+1=3$, 즉 $a=2$일 때
   $A=\{0, 2, 3\}$, $B=\{0, 2, 5\}$이므로 $A-B=\{3\}$이 되어 조건을
   만족시킨다.
(i), (ii)에서 $a=2$이므로
$B-A=\{0, 2, 5\}-\{0, 2, 3\}=\{5\}$

7-1 답 ㄴ, ㄹ

|해결 전략| 주어진 식을 이용하여 A, B 사이의 포함 관계를 알아본다.

$A-(A \cap B^C)=A$, 즉 $A-(A-B)=A$에서 $A-B=\varnothing$이므로 $A \subset B$

ㄱ. $A \cup B=B$

ㄴ. $A \cap B^C=A-B=\varnothing$

ㄷ. $A \subset B$

ㄹ. $A \subset B$이므로 $B^C \subset A^C$

따라서 옳은 것은 ㄴ, ㄹ이다.

다른 풀이

주어진 식의 좌변을 정리하면

$$
\begin{aligned}
A-(A \cap B^C) &=A \cap (A \cap B^C)^C \\
&=A \cap (A^C \cup B) \\
&=(A \cap A^C) \cup (A \cap B) \\
&=\varnothing \cup (A \cap B) \\
&=A \cap B
\end{aligned}
$$

즉, $A \cap B=A$이므로 $A \subset B$

7-2 답 ⑤

|해결 전략| 주어진 식을 이용하여 A, B 사이의 포함 관계를 알아본다.

$(A \cup B) \cap A^C=\varnothing$, 즉 $(A \cup B)-A=\varnothing$에서 $A \cup B=A$이므로 $B \subset A$

① $B-A=\varnothing$

② $A \cup B=A$

③ $A \cap B=B$

④ $A^C \subset B^C$

따라서 옳은 것은 ⑤ $A \cup B^C=U$이다.

다른 풀이

주어진 식의 좌변을 정리하면

$$
\begin{aligned}
(A \cup B) \cap A^C &=(A \cap A^C) \cup (B \cap A^C) \\
&=\varnothing \cup (B \cap A^C) \\
&=B \cap A^C \\
&=B-A
\end{aligned}
$$

즉, $B-A=\varnothing$이므로 $B \subset A$

8-1 답 8

|해결 전략| 먼저 세 집합 A, $A-B$, X의 포함 관계를 알아본다.

$A \cap X=X$에서 $X \subset A$

$(A-B) \cup X=X$에서 $(A-B) \subset X$

$\therefore (A-B) \subset X \subset A$

이때, $A-B=\{1, 3\}$이므로 집합 X는 집합 $A=\{1, 3, 5, 7, 9\}$의 부분집합 중에서 1, 3을 반드시 원소로 갖는 집합이다.

따라서 구하는 집합 X의 개수는

$2^{5-2}=2^3=8$

8-2 답 8

|해결 전략| 주어진 두 조건을 이용하여 집합 X에 포함되는 원소와 포함되지 않는 원소를 구한다.

$A=\{1, 3, 4\}$, $A \cap X=\{3\}$에서 3은 집합 X의 원소이고, 1, 4는 집합 X의 원소가 아니다.

$B-A=\{2, 5, 9\}$, $(B-A) \cup X=\{2, 3, 5, 9, 10\}$에서 3, 10은 집합 X의 원소이고, 6, 7, 8은 집합 X의 원소가 아니다.

즉, 집합 X는 전체집합 $U=\{1, 2, 3, \cdots, 10\}$의 부분집합 중에서 3, 10은 반드시 원소로 갖고, 1, 4, 6, 7, 8은 원소로 갖지 않는 집합이다.

따라서 구하는 집합 X의 개수는

$2^{10-2-5}=2^3=8$

참고

원소의 개수가 n인 집합에 대하여 특정한 원소 k개는 반드시 원소로 갖고, m개는 원소로 갖지 않는 부분집합의 개수

➡ 2^{n-k-m} (단, $k+m<n$)

9-1 답 ①

|해결 전략| 집합의 연산법칙과 드모르간의 법칙을 이용하여 식을 간단히 한다.

$$
\begin{aligned}
(A \cup B) \cap (B-A)^C &=(A \cup B) \cap (B \cap A^C)^C \\
&=(A \cup B) \cap (B^C \cup A) \\
&=A \cup (B \cap B^C) \\
&=A \cup \varnothing \\
&=A
\end{aligned}
$$

9-2 답 ④

|해결 전략| 집합의 연산법칙과 드모르간의 법칙을 이용하여 식을 간단히 한다.

① $\begin{aligned}[t] A \cap (A \cup B)^C &=A \cap (A^C \cap B^C) \\ &=(A \cap A^C) \cap B^C \\ &=\varnothing \cap B^C \\ &=\varnothing \end{aligned}$

② $\begin{aligned}[t] A \cap (A^C \cup B) &=(A \cap A^C) \cup (A \cap B) \\ &=\varnothing \cup (A \cap B) \\ &=A \cap B \end{aligned}$

③ $\begin{aligned}[t] (A \cup B) \cup (A^C \cap B^C) &=(A \cup B) \cup (A \cup B)^C \\ &=U \end{aligned}$

④ $\begin{aligned}[t] \{(A \cap B)^C \cap (A \cup B^C)\} \cap A &=\{(A^C \cup B^C) \cap (A \cup B^C)\} \cap A \\ &=\{(A^C \cap A) \cup B^C\} \cap A \\ &=(\varnothing \cup B^C) \cap A \\ &=B^C \cap A \\ &=A-B \end{aligned}$

⑤ $\begin{aligned}[t] (A-B) \cap (A-C) &=(A \cap B^C) \cap (A \cap C^C) \\ &=A \cap (B^C \cap C^C) \\ &=A \cap (B \cup C)^C \\ &=A-(B \cup C) \end{aligned}$

따라서 항상 성립하는 것이 아닌 것은 ④이다.

10-1 답 ③

|해결 전략| 주어진 식의 좌변을 정리한 후 집합 A, B의 포함 관계를 알아본다.

주어진 식의 좌변을 정리하면
$$A-(A-B)=A\cap(A\cap B^C)^C$$
$$=A\cap(A^C\cup B)$$
$$=(A\cap A^C)\cup(A\cap B)$$
$$=\varnothing\cup(A\cap B)$$
$$=A\cap B$$
즉, $A\cap B=A\cup B$이므로 $A=B$

10-2 답 ㄱ, ㅁ

|해결 전략| 주어진 식의 좌변을 정리한 후 집합 A, B의 포함 관계를 알아본다.

주어진 식의 좌변을 정리하면
$$(A\cup B)\cap(A^C\cap B)^C=(A\cup B)\cap(A\cup B^C)$$
$$=A\cup(B\cap B^C)$$
$$=A\cup\varnothing$$
$$=A$$
즉, $A=A\cup B$이므로 $B\subset A$

ㄴ. $B\neq\varnothing$이면 $A-B\neq A$

ㄷ. $A\cup B^C=U$

ㄹ. $A^C\subset B^C$

ㅁ. $B-A=\varnothing$이므로 B와 $B-A$는 서로소이다.

따라서 옳은 것은 ㄱ, ㅁ이다.

11-1 답 14

|해결 전략| 주어진 식을 $n(A\cap B)$를 포함한 식으로 나타낸다.

$$n(A^C\cup B^C)=n((A\cap B)^C)$$
$$=n(U)-n(A\cap B)$$
이므로
$$n(A\cap B)=n(U)-n(A^C\cup B^C)$$
$$=40-33=7$$
$$\therefore n(A\cap B^C)=n(A-B)$$
$$=n(A)-n(A\cap B)$$
$$=21-7=14$$

참고

전체집합 U의 두 부분집합 A, B에 대하여

❶ $n(A^C)=n(U)-n(A)$

❷ $n(A-B)=n(A)-n(A\cap B)$
$$=n(A\cup B)-n(B)$$

11-2 답 24

|해결 전략| 주어진 벤다이어그램의 색칠한 부분을 두 부분으로 나누어 생각한다.

주어진 벤다이어그램의 색칠한 부분이 나타내는 집합의 원소의 개수는 $n((A\cup B)^C)+n(A\cap B)$이다.
$$n((A\cup B)^C)=n(U)-n(A\cup B)$$
$$=48-30=18$$
$$n(A\cup B)=n(A)+n(B)-n(A\cap B)$$이므로
$$n(A\cap B)=n(A)+n(B)-n(A\cup B)$$
$$=15+21-30=6$$
따라서 색칠한 부분을 나타내는 집합의 원소의 개수는
$$n((A\cup B)^C)+n(A\cap B)=18+6=24$$

> LECTURE
>
> 주어진 벤다이어그램의 색칠한 부분은 다음과 같이 두 부분으로 나누어 생각할 수 있다.
>
>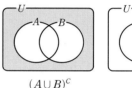
>
> $(A\cup B)^C$ $\qquad$ $A\cap B$
>
> 따라서 구하는 집합의 원소의 개수는
> $$n((A\cup B)^C)+n(A\cap B)$$

12-1 답 17

|해결 전략| 먼저 주어진 조건을 집합으로 나타낸다.

지후네 반 학생 중 축구 동아리에 가입한 학생의 집합을 A, 농구 동아리에 가입한 학생의 집합을 B라 하면
$$n(A)=13,\ n(B)=9,\ n(A\cap B)=5$$
축구 동아리와 농구 동아리 중 적어도 하나의 동아리에 가입한 학생의 집합은 $A\cup B$이므로 구하는 학생 수는
$$n(A\cup B)=n(A)+n(B)-n(A\cap B)$$
$$=13+9-5=17$$

12-2 답 4

|해결 전략| 먼저 주어진 조건을 집합으로 나타낸다.

인성이네 반 학생 전체의 집합을 U, A 영화를 본 학생의 집합을 A, B 영화를 본 학생의 집합을 B라 하면
$$n(U)=30,\ n(A)=13,\ n(B)=18,\ n(A^C\cap B^C)=3$$
이므로
$$n(A\cup B)=n(U)-n((A\cup B)^C)$$
$$=n(U)-n(A^C\cap B^C)$$
$$=30-3=27$$
이때, A 영화와 B 영화를 모두 본 학생의 집합은 $A\cap B$이므로 구하는 학생 수는
$$n(A\cap B)=n(A)+n(B)-n(A\cup B)$$
$$=13+18-27=4$$

3 | 명제

1 명제와 조건

1 (1) x의 값에 따라 참, 거짓이 달라지므로 명제가 아니다.
　 (2) 9의 양의 약수는 1, 3, 9이므로 거짓인 명제이다.
　 (3) 지구가 큰지 작은지는 보는 사람에 따라 다르므로 명제가 아니다.

2 주어진 명제의 부정은 다음과 같다.
　 (1) 3은 짝수가 아니다.
　 (2) $-1 \geq 0$
　 (3) 4는 2의 배수가 아니다.

3 주어진 조건의 부정은 다음과 같다.
　 (1) $x=5$
　 (2) $x \neq 2$
　 (3) $x \geq 4$
　 (4) $x < -3$

4 (1) 8의 양의 약수는 1, 2, 4, 8
　 따라서 주어진 조건의 진리집합은 $\{1, 2, 4, 8\}$
　 (2) $4x-3<9$에서 $4x<12$　　 ∴ $x<3$
　 따라서 주어진 조건의 진리집합은 $\{1, 2\}$

5 두 조건 p, q의 진리집합을 각각 P, Q
라 하면
$P=\{1, 2, 3, 6\}$, $Q=\{2, 4, 6\}$
(1) $P \cup Q = \{1, 2, 3, 4, 6\}$
(2) $P \cap Q = \{2, 6\}$

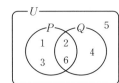

6 (1) '$x=-1$이고 $x=2$' $\xrightarrow{\text{부정}}$ '$x \neq -1$ 또는 $x \neq 2$'
　 (2) '$x<1$ 또는 $x>3$'의 부정은 '$x \geq 1$ 그리고 $x \leq 3$'이므로
　　 $1 \leq x \leq 3$

7 (1) 가정: $x>2$이다., 결론: $x>1$이다.
　 p: $x>2$, q: $x>1$이라 하고 두 조건 p, q의 진리집합을 각각 P, Q라 하면
　 $P=\{x|x>2\}$, $Q=\{x|x>1\}$
　 따라서 $P \subset Q$이므로 주어진 명제는 참이다.
　 (2) 가정: $x^2=1$이다., 결론: $x=1$이다.
　 p: $x^2=1$, q: $x=1$이라 하고 두 조건 p, q의 진리집합을 각각 P, Q라 하면
　 $P=\{-1, 1\}$, $Q=\{1\}$
　 따라서 $P \not\subset Q$이므로 주어진 명제는 거짓이다.

8 (1) 부정: 모든 양수 x에 대하여 $2x>x$이다.
　 모든 양수 x에 대하여 $x>0$이므로
　 $x+x>0+x$
　 즉, $2x>x$이다.
　 따라서 주어진 명제의 부정은 참이다.
　 (2) 부정: 어떤 자연수 x에 대하여 $x<1$이다.
　 어떤 자연수 x에 대해서도 $x \geq 1$이므로 $x<1$인 자연수는 존재하지 않는다.
　 따라서 주어진 명제의 부정은 거짓이다.

STEP 1 개념 드릴 59쪽

1 (1) x의 값에 따라 참, 거짓이 달라지므로 명제가 아니다.
　 (2) 1은 소수가 아니므로 거짓인 명제이다.
　 (3) 참, 거짓을 판별할 수 없으므로 명제가 아니다.
　 (4) 참인 명제이다.

2 주어진 명제의 부정은 다음과 같다.
　 (1) 4는 짝수가 아니다. (거짓)
　 (2) $2 \times 5 \neq 10$ (거짓)
　 (3) 8은 3의 배수가 아니다. (참)
　 (4) 정사각형은 직사각형이다. (참)

3 (1) $x+y=0$ $\xrightarrow{\text{부정}}$ $x+y\neq0$

(2) '$x=0$이고 $y=0$' $\xrightarrow{\text{부정}}$ '$x\neq0$ 또는 $y\neq0$'

(3) '$x<0$ 또는 $x>2$'의 부정은 '$x\geq0$ 그리고 $x\leq2$'이므로
    $0\leq x\leq2$

(4) $3<x\leq4$, 즉 '$x>3$ 그리고 $x\leq4$'의 부정은
    '$x\leq3$ 또는 $x>4$'

4 전체집합 $U=\{1,2,3,\cdots,10\}$에 대하여 두 조건 p, q의 진리집합을 각각 P, Q라 하면

(1) p: $2x-1\leq9$에서 $2x\leq10$, 즉 $x\leq5$
    $\therefore P=\{1,2,3,4,5\}$

(2) $Q=\{3,6,9\}$

(3) $\sim p$의 진리집합은 P^C이므로
    $P^C=\{6,7,8,9,10\}$

(4) $\sim q$의 진리집합은 Q^C이므로 $Q^C=\{1,2,4,5,7,8,10\}$

5 (1) 가정: $1<x<2$이다., 결론: $0<x<3$이다.
    p: $1<x<2$, q: $0<x<3$이라 하고, 두 조건 p, q의 진리집합을 각각 P, Q라 하면
    $P=\{x\,|\,1<x<2\}$,
    $Q=\{x\,|\,0<x<3\}$

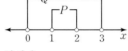

    따라서 $P\subset Q$이므로 주어진 명제는 참이다.

(2) 가정: $a+b$는 자연수이다., 결론: a, b는 자연수이다.
    [반례] $a=\dfrac{1}{2}$, $b=\dfrac{1}{2}$이면 $a+b$는 자연수이지만 a, b는 자연수가 아니다.
    따라서 주어진 명제는 거짓이다.

(3) 가정: $x^2=4$이다., 결론: $x=2$이다.
    [반례] $x=-2$이면 $x^2=4$이지만 $x\neq2$이다.
    따라서 주어진 명제는 거짓이다.

(4) 가정: 두 삼각형의 넓이가 같다., 결론: 두 삼각형은 합동이다.
    [반례] 밑변의 길이가 4, 높이가 1인 삼각형과 밑변의 길이가 2, 높이가 2인 삼각형은 넓이가 2로 같지만 두 삼각형은 합동이 아니다.
    따라서 주어진 명제는 거짓이다.

STEP 2 필수 유형 |60쪽~65쪽|

01-1 답 ④

|해결 전략| 명제는 참, 거짓을 판별할 수 있다.

① $\sqrt{2}+\sqrt{3}\neq\sqrt{5}$이므로 거짓인 명제이다.

② $(-3)^2=9$, $(-2)^2=4$, 즉 $(-3)^2>(-2)^2$이므로 거짓인 명제이다.

③ 9는 소수가 아니므로 거짓인 명제이다.

④ 참인 명제이다.

⑤ 참, 거짓을 판별할 수 없으므로 명제가 아니다.

01-2 답 ③

|해결 전략| 명제가 거짓이면 명제의 부정은 참이다.

①, ②, ④, ⑤ 주어진 명제가 참이므로 그 부정은 거짓이다.

③ 주어진 명제가 거짓이므로 그 부정은 참이다.

02-1 답 $\{1,4,6\}$

|해결 전략| 조건 p의 진리집합이 P이면 조건 $\sim p$의 진리집합은 P^C이다.

조건 p의 진리집합을 P라 하면
$P=\{2,3,5,7\}$
따라서 조건 $\sim p$의 진리집합은
$P^C=\{1,4,6\}$

02-2 답 $\{1,2\}$

|해결 전략| 두 조건 p, q의 진리집합 P, Q에 대하여 조건 '$\sim p$ 그리고 q'의 진리집합은 $P^C\cap Q$이다.

두 조건 p, q의 진리집합을 각각 P, Q라 하면
p: $x^2+x=0$에서 $x(x+1)=0$ $\therefore x=-1$ 또는 $x=0$
$\therefore P=\{-1,0\}$
q: $x(x-2)\leq0$에서 $0\leq x\leq2$
$\therefore Q=\{0,1,2\}$
따라서 조건 '$\sim p$ 그리고 q'의 진리집합은
$P^C\cap Q=Q-P=\{0,1,2\}-\{-1,0\}=\{1,2\}$

03-1 답 (1) 거짓 (2) 거짓 (3) 참 (4) 거짓

|해결 전략| 명제 $p\longrightarrow q$가 참이면 두 조건 p, q의 진리집합 P, Q에 대하여 $P\subset Q$임을 보이고, 거짓이면 반례를 보인다.

(1) [반례] $x=12$이면 x는 12의 양의 약수이지만 6의 양의 약수가 아니다.
    따라서 명제 $p\longrightarrow q$는 거짓이다.

(2) [반례] $x=6$이면 x는 3의 배수이지만 9의 배수가 아니다.
    따라서 명제 $p\longrightarrow q$는 거짓이다.

(3) 두 조건 p, q의 진리집합을 각각 P, Q라 하면
    p: $x^2-4x+3=0$에서 $(x-1)(x-3)=0$
    $\therefore x=1$ 또는 $x=3$
    $\therefore P=\{1,3\}$
    q: $0<x<4$에서 $Q=\{x\,|\,0<x<4\}$
    따라서 $P\subset Q$이므로 명제 $p\longrightarrow q$는 참이다.

(4) [반례] $x=1$, $y=0$이면 $xy=0$이지만 $x^2+y^2\neq0$이다.
    따라서 명제 $p\longrightarrow q$는 거짓이다.

04-1 답 ④

|해결 전략| 진리집합 P, Q의 포함 관계를 벤다이어그램으로 나타낸다.

명제 $p \longrightarrow \sim q$가 참이므로 $P \subset Q^C$

따라서 세 집합 U, P, Q를 벤다이어그램
으로 나타내면 오른쪽 그림과 같다.

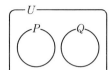

① $P \cup Q \neq Q$ ∴ 거짓
② $Q - P = Q$ ∴ 거짓
③ $P \cap Q = \varnothing$ ∴ 거짓
④ $P - Q = P$ ∴ 참
⑤ $P \cup Q^C = Q^C$ ∴ 거짓

따라서 옳은 것은 ④이다.

04-2 답 ⑤

|해결 전략| 두 조건 p, q의 진리집합 P, Q에 대하여 $P \subset Q$이면 명제 $p \longrightarrow q$
가 참이다.

① $P \not\subset Q$이므로 명제 $p \longrightarrow q$는 거짓
② $P \not\subset R$이므로 명제 $p \longrightarrow r$는 거짓
③ $Q \not\subset P^C$이므로 명제 $q \longrightarrow \sim p$는 거짓
④ $R \not\subset Q$이므로 명제 $r \longrightarrow q$는 거짓
⑤ $Q \subset R$이므로 명제 $q \longrightarrow r$는 참

따라서 참인 명제는 ⑤이다.

05-1 답 5

|해결 전략| 두 조건 p, q의 진리집합 P, Q에 대하여 $P \subset Q$가 되도록 수직선 위
에 나타낸다.

두 조건 p, q의 진리집합을 각각 P, Q라 하면
$P = \{x \mid 2 \leq x \leq 4\}$, $Q = \{x \mid 0 \leq x < a\}$

명제 $p \longrightarrow q$가 참이 되려면 $P \subset Q$이
어야 하므로 오른쪽 그림에서 $a > 4$

따라서 정수 a의 최솟값은 5이다.

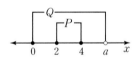

05-2 답 $1 \leq a \leq 3$

|해결 전략| 두 조건 p, q의 진리집합 P, Q에 대하여 $P \subset Q^C$가 되도록 수직선
위에 나타낸다.

$q: x < 1$ 또는 $x > 6$이므로 $\sim q: 1 \leq x \leq 6$

두 조건 p, q의 진리집합을 각각 P, Q라 하면
$P = \{x \mid a < x < a+3\}$, $Q^C = \{x \mid 1 \leq x \leq 6\}$

명제 $p \longrightarrow \sim q$가 참이 되려면
$P \subset Q^C$이어야 하므로 오른쪽 그림에서
$a \geq 1$이고 $a + 3 \leq 6$
∴ $1 \leq a \leq 3$

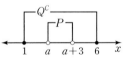

06-1 답 ②

|해결 전략| 명제 '모든 x에 대하여 p이다.'는 $P = U$일 때 참, 명제 '어떤 x에 대
하여 p이다.'는 $P \neq \varnothing$일 때 참임을 이용한다.

① $p: |x| \geq x$라 하고, 조건 p의 진리집합을 P라 하면
$P = \{-2, -1, 0, 1, 2\}$
따라서 $P = U$이므로 주어진 명제는 참이다.

② $p: x^2 > 0$이라 하고, 조건 p의 진리집합을 P라 하면
$P = \{-2, -1, 1, 2\}$
따라서 $P \neq U$이므로 주어진 명제는 거짓이다.

③ $p: (x-1)^2 \geq 0$이라 하고, 조건 p의 진리집합을 P라 하면
$P = \{-2, -1, 0, 1, 2\}$
따라서 $P \neq \varnothing$이므로 주어진 명제는 참이다.

④ $p: x \leq 0$이라 하고, 조건 p의 진리집합을 P라 하면
$P = \{-2, -1, 0\}$
따라서 $P \neq \varnothing$이므로 주어진 명제는 참이다.

⑤ $p: (x+1)^2 \leq 0$이라 하고, 조건 p의 진리집합을 P라 하면
$P = \{-1\}$
따라서 $P \neq \varnothing$이므로 주어진 명제는 참이다.

06-2 답 (1) 명제: 참, 명제의 부정: 거짓
(2) 명제: 거짓, 명제의 부정: 참

|해결 전략| '모든'과 '어떤'에 주의하여 참, 거짓을 판별한다.

(1) 모든 자연수 n에 대하여 $n^2 + n$, 즉 $n(n+1)$은 연속된 두 자연수
의 곱이므로 2의 배수이다. 따라서 주어진 명제는 참이다.
주어진 명제의 부정은 '어떤 자연수 n에 대하여 $n^2 + n$은 2의 배수
가 아니다.'이고 거짓이다.

(2) n^2이 짝수가 되는 홀수 n은 없으므로 주어진 명제는 거짓이다.
주어진 명제의 부정은 '모든 홀수 n에 대하여 n^2은 짝수가 아니
다.'이고 항상 성립하므로 참이다.

> **참고**
> (1) n이 홀수이면 $n+1$은 짝수, n이 짝수이면 $n+1$은 홀수이므로 $n(n+1)$
> 은 짝수, 즉 2의 배수이다.
> (2) n이 홀수이면 n^2도 홀수, n이 짝수이면 n^2도 짝수이다.

2 명제 사이의 관계

> **개념 확인** 66쪽~68쪽
>
> **1** 역: n이 3의 배수이면 n은 6의 배수이다. (거짓)
> 대우: n이 3의 배수가 아니면 n은 6의 배수가 아니다. (참)
> **2** (1) 충분조건 (2) 필요조건 (3) 필요충분조건
> **3** (1) 필요조건 (2) 충분조건 (3) 필요충분조건

1 역: n이 3의 배수이면 n은 6의 배수이다.
[반례] $n = 9$이면 n은 3의 배수이지만 n은 6의 배수가 아니다.
따라서 역은 거짓이다.
대우: n이 3의 배수가 아니면 n은 6의 배수가 아니다.
주어진 명제 'n이 6의 배수이면 n은 3의 배수이다.'가 참이므로 그
대우도 참이다.

2 (1) 두 조건 p: $x=0$, q: $x^2=x$에 대하여

$p \Longrightarrow q$, $q \not\Longrightarrow p$

따라서 p는 q이기 위한 충분조건이다.

(2) 두 조건 p: $x>0$, q: $x>1$에 대하여

$p \not\Longrightarrow q$, $q \Longrightarrow p$

따라서 p는 q이기 위한 필요조건이다.

(3) 두 조건 p: $x=1$, q: $(x-1)^2=0$에 대하여

$p \Longrightarrow q$, $q \Longrightarrow p$ $\therefore p \Longleftrightarrow q$

따라서 p는 q이기 위한 필요충분조건이다.

3 (1) $x^2=4$에서 $x=\pm2$

$P=\{-2, 2\}$, $Q=\{2\}$

$Q \subset P$이므로 $q \Longrightarrow p$

따라서 p는 q이기 위한 필요조건이다.

(2) $P=\{4, 8, 12, 16, \cdots\}$, $Q=\{2, 4, 6, 8, \cdots\}$

$P \subset Q$이므로 $p \Longrightarrow q$

따라서 p는 q이기 위한 충분조건이다.

(3) $x^2-3x+2=0$에서 $(x-1)(x-2)=0$

$\therefore x=1$ 또는 $x=2$

$P=\{1, 2\}$, $Q=\{1, 2\}$

$P=Q$이므로 $p \Longleftrightarrow q$

따라서 p는 q이기 위한 필요충분조건이다.

---

1 (1) x가 16의 양의 약수이면 x는 8의 양의 약수이다. (거짓)

(2) 정삼각형이면 삼각형의 세 변의 길이가 같다. (참)

(3) $a+c=b+c$이면 $a=b$이다. (참)

2 (1) $x^2>9$이면 $x>3$이다. (거짓)

(2) n이 홀수가 아니면 n은 소수가 아니다. (거짓)

(3) $a+b \le 2$이면 $a \le 1$ 또는 $b \le 1$이다. (참)

3 (1) 필요조건   (2) 충분조건   (3) 필요충분조건

(4) 충분조건   (5) 필요조건   (6) 필요충분조건

1 (1) 역: x가 16의 양의 약수이면 x는 8의 양의 약수이다.

$x=16$이면 x는 16의 양의 약수이지만 8의 양의 약수는 아니므로 주어진 명제의 역은 거짓이다.

(2) 역: 정삼각형이면 삼각형의 세 변의 길이가 같다.

주어진 명제의 역은 참이다.

(3) 역: $a+c=b+c$이면 $a=b$이다.

$a+c=b+c$에서 $a+c-c=b+c-c$, 즉 $a=b$이므로 주어진 명제의 역은 참이다.

2 (1) 대우: $x^2>9$이면 $x>3$이다.

$x^2>9$에서 $x^2-9>0$, $(x+3)(x-3)>0$

$\therefore x<-3$ 또는 $x>3$

따라서 주어진 명제의 대우는 거짓이다.

(2) 대우: n이 홀수가 아니면 n은 소수가 아니다.

$n=2$이면 n은 홀수가 아니지만 소수이므로 주어진 명제의 대우는 거짓이다.

(3) 대우: $a+b \le 2$이면 $a \le 1$ 또는 $b \le 1$이다.

명제 '$a>1$이고 $b>1$이면 $a+b>2$이다.'가 참이므로 주어진 명제의 대우도 참이다.

3 (1) 두 조건 p, q의 진리집합을 각각 P, Q라 하면

$P=\{5, 10, 15, 20, \cdots\}$, $Q=\{10, 20, 30, 40, \cdots\}$

$Q \subset P$이므로 $q \Longrightarrow p$

따라서 p는 q이기 위한 필요조건이다.

(2) 두 조건 p, q의 진리집합을 각각 P, Q라 하면

$P=\{x \mid 0 \le x<1\}$, $Q=\{x \mid x<2\}$

$P \subset Q$이므로 $p \Longrightarrow q$

따라서 p는 q이기 위한 충분조건이다.

(3) $|x-1|=2$에서 $x-1=\pm2$ $\therefore x=-1$ 또는 $x=3$

$x^2-2x-3=0$에서 $(x+1)(x-3)=0$

$\therefore x=-1$ 또는 $x=3$

두 조건 p, q의 진리집합을 각각 P, Q라 하면

$P=\{-1, 3\}$, $Q=\{-1, 3\}$

$P=Q$이므로 $p \Longleftrightarrow q$

따라서 p는 q이기 위한 필요충분조건이다.

(4) (i) 명제 $p \longrightarrow q$, 즉 '$0<a<b$이면 $a^2<b^2$이다.'는 참이다.

(ii) 명제 $q \longrightarrow p$, 즉 '$a^2<b^2$이면 $0<a<b$이다.'는 거짓이다.

[반례] $a=1$, $b=-2$

(i), (ii)에서 $p \Longrightarrow q$이므로 p는 q이기 위한 충분조건이다.

(5) 두 조건 p, q의 진리집합을 각각 P, Q라 하면 오른쪽 그림에서

$Q \subset P$이므로 $q \Longrightarrow p$

따라서 p는 q이기 위한 필요조건이다.

(6) (i) 명제 $p \longrightarrow q$, 즉 '$a=b=0$이면 $a+bi=0$이다.'는 참이다.

(ii) 명제 $q \longrightarrow p$, 즉 '$a+bi=0$이면 $a=b=0$이다.'는 참이다.

(i), (ii)에서 $p \Longrightarrow q$이고 $q \Longrightarrow p$, 즉 $p \Longleftrightarrow q$이므로 p는 q이기 위한 필요충분조건이다.

01-1 🔲 풀이 참조
|해결 전략| 명제 $p \longrightarrow q$의 역은 $q \longrightarrow p$, 대우는 $\sim q \longrightarrow \sim p$이다.

(1) 역: $x=0$ 또는 $y=0$이면 $x^2+y^2=0$이다. (거짓)
　[반례] $x=0$, $y=1$이면 $x=0$ 또는 $y=0$이지만 $x^2+y^2\neq0$이다.
　대우: $x\neq0$이고 $y\neq0$이면 $x^2+y^2\neq0$이다. (참)

(2) 역: $x>1$이고 $y>1$이면 $xy>1$, $x+y>2$이다. (참)
　대우: $x\leq1$ 또는 $y\leq1$이면 $xy\leq1$ 또는 $x+y\leq2$이다. (거짓)
　[반례] $x=\dfrac{5}{2}$, $y=\dfrac{1}{2}$이면 $x\leq1$ 또는 $y\leq1$이지만 $xy>1$, $x+y>2$
　이다.

01-2 🔲 ③
|해결 전략| 명제 $p \longrightarrow q$의 역은 $q \longrightarrow p$, 대우는 $\sim q \longrightarrow \sim p$이다.

① 역: $x>-1$이면 $x>1$이다. (거짓)
　[반례] $x=0$이면 $x>-1$이지만 $x\leq1$이다.
　대우: $x\leq-1$이면 $x\leq1$이다. (참)

② 역: $x+y<4$이면 $x<2$, $y<2$이다. (거짓)
　[반례] $x=-2$, $y=3$이면 $x+y<4$이지만 $x<2$, $y>2$이다.
　대우: $x+y\geq4$이면 $x\geq2$ 또는 $y\geq2$이다. (참)

③ 역: x, y가 유리수이면 $x+y$, xy도 유리수이다. (참)
　대우: x, y가 유리수가 아니면 $x+y$ 또는 xy가 유리수가 아니다.
　　　　　　　　　　　　　　　　　　　　　　　　　　　　(거짓)
　[반례] $x=\sqrt{2}$, $y=-\sqrt{2}$이면 x, y는 유리수가 아니지만 $x+y$, xy
　는 유리수이다.

④ 역: $\sqrt{x^2}=x$, $x^2+y>0$이면 $x>0$, $y>0$이다. (거짓)
　[반례] $x=2$, $y=-1$이면 $\sqrt{x^2}=x$, $x^2+y>0$이지만 $x>0$, $y<0$
　이다.
　대우: $\sqrt{x^2}\neq x$ 또는 $x^2+y\leq0$이면 $x\leq0$ 또는 $y\leq0$이다. (참)

⑤ 역: 평행사변형이면 정사각형이다. (거짓)
　대우: 평행사변형이 아니면 정사각형이 아니다. (참)

02-1 🔲 -1
|해결 전략| 주어진 명제가 참이면 그 대우도 참이다.

주어진 명제의 대우는
'$x=1$이면 $x^3-3x^2+(a+1)x+2=0$이다.'
명제가 참이면 그 대우도 참이므로
$x=1$일 때, $x^3-3x^2+(a+1)x+2=0$에서
$1-3+(a+1)+2=0$
$\therefore a=-1$

02-2 🔲 6
|해결 전략| 주어진 명제가 참이면 그 대우도 참이다.

주어진 명제의 대우는
'$x=a$이면 $(x-1)(x-2)(x-3)=0$이다.'
명제가 참이면 그 대우도 참이므로
$x=a$일 때, $(x-1)(x-2)(x-3)=0$에서
$(a-1)(a-2)(a-3)=0$

$\therefore a=1$ 또는 $a=2$ 또는 $a=3$
따라서 구하는 모든 상수 a의 값의 곱은
$1\times2\times3=6$

03-1 🔲 ①
|해결 전략| 두 명제 $p \longrightarrow q$와 $q \longrightarrow r$가 모두 참이면 명제 $p \longrightarrow r$가 참이다.

명제 $\sim p \longrightarrow \sim q$가 참이므로 그 대우 $q \longrightarrow p$도 참이다.
즉, 두 명제 $q \longrightarrow p$, $p \longrightarrow r$가 모두 참이므로 명제 $q \longrightarrow r$도 참이다.
명제 $q \longrightarrow r$가 참이므로 그 대우 $\sim r \longrightarrow \sim q$도 참이다.
따라서 항상 참인 명제는 ① $\sim r \longrightarrow \sim q$이다.

03-2 🔲 ㄱ
|해결 전략| 두 명제 $p \longrightarrow q$와 $q \longrightarrow r$가 모두 참이면 명제 $p \longrightarrow r$가 참이다.

ㄱ. 명제 $r \longrightarrow q$가 참이므로 그 대우 $q \longrightarrow \sim r$도 참이다.
　즉, 두 명제 $p \longrightarrow q$, $q \longrightarrow \sim r$가 모두 참이므로 명제 $p \longrightarrow \sim r$
　도 참이다.
ㄴ. 명제 $q \longrightarrow \sim r$가 참이므로 명제 $q \longrightarrow r$는 거짓이다.
ㄷ. 명제 $p \longrightarrow q$가 참이므로 그 대우 $\sim q \longrightarrow \sim p$도 참이다.
　즉, 두 명제 $r \longrightarrow \sim q$, $\sim q \longrightarrow \sim p$가 모두 참이므로 명제
　$r \longrightarrow \sim p$도 참이다.
　따라서 명제 $r \longrightarrow p$는 거짓이다.
따라서 항상 참인 것은 ㄱ이다.

04-1 🔲 (1), (2)
|해결 전략| 명제 $p \longrightarrow q$에 대하여 $p \Longrightarrow q$이고 $q \Longrightarrow p$이면 p는 q이기 위한 필요충분조건이다.

(1) (i) 명제 $p \longrightarrow q$, 즉 '$A\cup B=B$이면
　　$A\subset B$이다.'는 참이다.
　(ii) 명제 $q \longrightarrow p$, 즉 '$A\cup B=B$이면
　　$A\subset B$이다.'는 참이다.
　(i), (ii)에 의하여 $p \Longleftrightarrow q$이므로 p는 q이기 위한 필요충분조건이
　다.

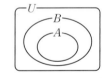

(2) (i) 명제 $p \longrightarrow q$, 즉 '$A-B=A$이면
　　$A\cap B=\varnothing$이다.'는 참이다.
　(ii) 명제 $q \longrightarrow p$, 즉 '$A\cap B=\varnothing$이면
　　$A-B=A$이다.'는 참이다.
　(i), (ii)에 의하여 $p \Longleftrightarrow q$이므로 p는 q이기 위한 필요충분조건이
　다.

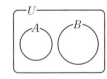

(3) (i) 명제 $p \longrightarrow q$, 즉 '$A\cap B=\varnothing$이면 $A\cup B=\varnothing$이다.'는 거짓이
　　다.
　[반례] $B=A^c$인 경우 $A\cap B=\varnothing$이지만 $A\cup B=U$이다.
　(ii) 명제 $q \longrightarrow p$, 즉 '$A\cup B=\varnothing$이면 $A\cap B=\varnothing$이다.'는 참이다.
　(i), (ii)에 의하여 $q \Longrightarrow p$이므로 p는 q이기 위한 필요조건이다.

05-1 🔲 $a\geq5$
|해결 전략| 두 조건 p, q의 진리집합을 각각 P, Q라 할 때, p가 q이기 위한 필요조건이면 $Q\subset P$이다.

두 조건 p, q의 진리집합을 각각 P, Q라 하면
$P=\{x|x\le a\}$, $Q=\{x|1\le x\le 5\}$
p가 q이기 위한 필요조건이므로
$q\Longrightarrow p$, 즉 $Q\subset P$ ...... ㉠
따라서 ㉠을 만족시키도록 두 집합 P, Q
를 수직선 위에 나타내면 오른쪽 그림과
같으므로
$a\ge 5$

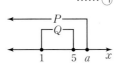

05-2 답 2

|해결 전략| 두 조건 p, q의 진리집합을 각각 P, Q라 할 때, p가 q이기 위한 충분
조건이면 $P\subset Q$, p가 q이기 위한 필요조건이면 $Q\subset P$이다.

p: $a\le x\le 7$, q: $1\le x\le 5$, r: $b<x\le 3$이라 하고 세 조건 p, q, r의
진리집합을 각각 P, Q, R라 하면
$P=\{x|a\le x\le 7\}$, $Q=\{x|1\le x\le 5\}$, $R=\{x|b<x\le 3\}$
p는 q이기 위한 필요조건이므로
$q\Longrightarrow p$, 즉 $Q\subset P$ ...... ㉠
r는 q이기 위한 충분조건이므로
$r\Longrightarrow q$, 즉 $R\subset Q$ ...... ㉡
따라서 ㉠, ㉡을 만족시키도록 세 집
합 P, Q, R를 수직선 위에 나타내면
오른쪽 그림과 같으므로
$a\le 1$, $1\le b<3$
이때, a의 최댓값은 1, b의 최솟값은 1이므로 그 합은
$1+1=2$

06-1 답 ⑤

|해결 전략| 두 조건 p, q의 진리집합을 각각 P, Q라 할 때, p가 q이기 위한 필요
조건이면 $Q\subset P$이다.

p는 q이기 위한 필요조건이므로 $Q\subset P$
① $P\cup Q=P$
② $P\cap Q=Q$
③ $P-Q=P\cap Q^{C}\ne\varnothing$
④ $P\not\subset Q$이므로 $P^{C}\cup Q\ne U$
⑤ $P^{C}\cap Q=Q-P=\varnothing$

LECTURE

전체집합 U의 두 부분집합 A, B에 대하여
$A\subset B\Longleftrightarrow A\cap B=A\Longleftrightarrow A\cup B=B$
$\Longleftrightarrow A-B=\varnothing\Longleftrightarrow B^{C}\subset A^{C}$

06-2 답 (1) 충분 (2) 필요

|해결 전략| 먼저 주어진 조건을 이용하여 P, Q의 포함 관계, P, R의 포함 관계
를 알아낸다.

(1) $P-Q=\varnothing$에서 $P\subset Q$이므로 p는 q이기 위한 충분조건이다.
(2) $P\cap R=R$에서 $R\subset P$이므로 $P^{C}\subset R^{C}$
    따라서 $\sim r$는 $\sim p$이기 위한 필요조건이다.

---

3 절대부등식

개념 확인   77쪽~78쪽

1 (1) × (2) ◯ (3) ◯ (4) ×

2 9

3 $-5\le 3x+4y\le 5$

1 (1) $|x|>0$은 $x<0$ 또는 $x>0$일 때만 성립하므로 절대부등식이
    아니다.
 (2) $x^2+2>0$은 모든 실수 x에 대하여 성립하므로 절대부등식이
    다.
 (3) $x^2-2x+1\ge 0$, 즉 $(x-1)^2\ge 0$은 모든 실수 x에 대하여 성립
    하므로 절대부등식이다.
 (4) $2x>x+2$는 $x>2$일 때만 성립하므로 절대부등식이 아니다.

2 $x>0$, $y>0$이므로 산술평균과 기하평균의 관계에 의하여
   $x+y\ge 2\sqrt{xy}$ (단, 등호는 $x=y$일 때 성립)
   $6\ge 2\sqrt{xy}$, $\sqrt{xy}\le 3$ ∴ $xy\le 9$
   따라서 xy의 최댓값은 9이다.

3 x, y가 실수이므로 코시-슈바르츠 부등식에 의하여
   $(3^2+4^2)(x^2+y^2)\ge(3x+4y)^2$
   $25\times 1\ge(3x+4y)^2$, $(3x+4y)^2\le 25$
   ∴ $-5\le 3x+4y\le 5\left(\text{단, 등호는 }\dfrac{x}{3}=\dfrac{y}{4},\text{ 즉 }4x=3y\text{일 때 성립}\right)$

STEP 1 개념 드릴 | 79쪽 |

1 (1) ◯ (2) ◯ (3) × (4) ◯

2 (1) 12 (2) 12 (3) 2 (4) $\dfrac{2}{5}$

3 (1) 6 (2) $\dfrac{4}{3}$ (3) 2 (4) 1

4 (1) $-\sqrt{6}\le ax+by\le\sqrt{6}$ (2) $-\sqrt{10}\le x+y\le\sqrt{10}$
   (3) 3 (4) $\dfrac{16}{5}$

1 (1) $x<x+3$, 즉 $0<3$은 모든 실수 x에 대하여 성립하므로 절대
    부등식이다.
 (2) $x^2+4x\ge -4$에서 $x^2+4x+4\ge 0$
    즉, $(x+2)^2\ge 0$이므로 절대부등식이다.
 (3) $x^2-6x+9>0$은 $x\ne 3$일 때만 성립하므로 절대부등식이 아니
    다.
 (4) $|x|+1>0$은 모든 실수 x에 대하여 성립하므로 절대부등식이
    다.

2 (1) $a>0$, $b>0$이므로 산술평균과 기하평균의 관계에 의하여
$$2a+3b\geq2\sqrt{6ab}=2\sqrt{6\times6}=12$$
$$\text{(단, 등호는 } 2a=3b\text{일 때 성립)}$$
따라서 $2a+3b$의 최솟값은 12이다.

(2) $a>0$, $b>0$이므로 산술평균과 기하평균의 관계에 의하여
$$3a+6b\geq2\sqrt{18ab}=2\sqrt{18\times2}=12$$
$$\text{(단, 등호는 } 3a=6b\text{, 즉 } a=2b\text{일 때 성립)}$$
따라서 $3a+6b$의 최솟값은 12이다.

(3) $a>0$, $b>0$이므로 산술평균과 기하평균의 관계에 의하여
$$a+2b\geq2\sqrt{2ab}\ \text{(단, 등호는 } a=2b\text{일 때 성립)}$$
$$4\geq2\sqrt{2ab},\ \sqrt{2ab}\leq2,\ 2ab\leq4\qquad\therefore ab\leq2$$
따라서 ab의 최댓값은 2이다.

(4) $a>0$, $b>0$이므로 산술평균과 기하평균의 관계에 의하여
$$2a+5b\geq2\sqrt{10ab}\ \text{(단, 등호는 } 2a=5b\text{일 때 성립)}$$
$$4\geq2\sqrt{10ab},\ \sqrt{10ab}\leq2,\ 10ab\leq4\qquad\therefore ab\leq\frac{2}{5}$$
따라서 ab의 최댓값은 $\dfrac{2}{5}$이다.

3 (1) $a>0$이므로 산술평균과 기하평균의 관계에 의하여
$$3a+\frac{3}{a}\geq2\sqrt{3a\times\frac{3}{a}}=2\times3=6$$
$$\left(\text{단, 등호는 } 3a=\frac{3}{a}\text{, 즉 } a=1\text{일 때 성립}\right)$$
따라서 구하는 최솟값은 6이다.

(2) $a>0$이므로 산술평균과 기하평균의 관계에 의하여
$$4a+\frac{1}{9a}\geq2\sqrt{4a\times\frac{1}{9a}}=2\times\frac{2}{3}=\frac{4}{3}$$
$$\left(\text{단, 등호는 } 4a=\frac{1}{9a}\text{, 즉 } a=\frac{1}{6}\text{일 때 성립}\right)$$
따라서 구하는 최솟값은 $\dfrac{4}{3}$이다.

(3) $\dfrac{b}{a}>0$, $\dfrac{a}{b}>0$이므로 산술평균과 기하평균의 관계에 의하여
$$\frac{b}{a}+\frac{a}{b}\geq2\sqrt{\frac{b}{a}\times\frac{a}{b}}=2$$
$$\left(\text{단, 등호는 } \frac{b}{a}=\frac{a}{b}\text{, 즉 } a=b\text{일 때 성립}\right)$$
따라서 구하는 최솟값은 2이다.

(4) $\dfrac{a}{4b}>0$, $\dfrac{b}{a}>0$이므로 산술평균과 기하평균의 관계에 의하여
$$\frac{a}{4b}+\frac{b}{a}\geq2\sqrt{\frac{a}{4b}\times\frac{b}{a}}=2\times\frac{1}{2}=1$$
$$\left(\text{단, 등호는 } \frac{a}{4b}=\frac{b}{a}\text{, 즉 } a=2b\text{일 때 성립}\right)$$
따라서 구하는 최솟값은 1이다.

4 (1) a, b, x, y가 실수이므로 코시−슈바르츠 부등식에 의하여
$$(a^2+b^2)(x^2+y^2)\geq(ax+by)^2$$
$$2\times3\geq(ax+by)^2,\ (ax+by)^2\leq6$$
$$\therefore -\sqrt{6}\leq ax+by\leq\sqrt{6}$$
$$\left(\text{단, 등호는 } \frac{x}{a}=\frac{y}{b}\text{, 즉 } bx=ay\text{일 때 성립}\right)$$

(2) x, y가 실수이므로 코시−슈바르츠 부등식에 의하여
$$(1^2+1^2)(x^2+y^2)\geq(x+y)^2$$
$$2\times5\geq(x+y)^2,\ (x+y)^2\leq10$$
$$\therefore -\sqrt{10}\leq x+y\leq\sqrt{10}\ \text{(단, 등호는 } x=y\text{일 때 성립)}$$

(3) a, b, x, y가 실수이므로 코시−슈바르츠 부등식에 의하여
$$(a^2+b^2)(x^2+y^2)\geq(ax+by)^2$$
$$1\times9\geq(ax+by)^2,\ (ax+by)^2\leq9$$
$$\therefore -3\leq ax+by\leq3$$
$$\left(\text{단, 등호는 } \frac{x}{a}=\frac{y}{b}\text{, 즉 } bx=ay\text{일 때 성립}\right)$$
따라서 $ax+by$의 최댓값은 3이다.

(4) x, y가 실수이므로 코시−슈바르츠 부등식에 의하여
$$(2^2+1^2)(x^2+y^2)\geq(2x+y)^2$$
$$5(x^2+y^2)\geq16$$
$$\therefore x^2+y^2\geq\frac{16}{5}\left(\text{단, 등호는 } \frac{x}{2}=y\text{, 즉 } x=2y\text{일 때 성립}\right)$$
따라서 x^2+y^2의 최솟값은 $\dfrac{16}{5}$이다.

STEP **2** 필수 유형

| 80쪽~85쪽 |

01-1 풀이 참조
|해결 전략| 주어진 명제의 대우가 참임을 보인다.

주어진 명제의 대우는
'실수 x, y에 대하여 $x\leq1$이고 $y\leq1$이면 $x+y\leq2$이다.'
$x\leq1$이고 $y\leq1$이므로 $x+y\leq2$
따라서 주어진 명제의 대우가 참이므로 주어진 명제는 참이다.

01-2 풀이 참조
|해결 전략| 주어진 명제의 대우가 참임을 보인다.

주어진 명제의 대우는
'a, b가 실수일 때, $a\neq0$ 또는 $b\neq0$이면 $a^2+b^2\neq0$이다.'
이때, $a\neq0$ 또는 $b\neq0$이면 $a^2>0$ 또는 $b^2>0$이다.
즉, $a^2+b^2>0$이므로 $a^2+b^2\neq0$이다.
따라서 주어진 명제의 대우가 참이므로 주어진 명제는 참이다.

> **참고**
> (i) $a\neq0$, $b=0$이면 $a^2>0$, $b^2=0$이므로 $a^2+b^2=a^2\neq0$
> (ii) $a=0$, $b\neq0$이면 $a^2=0$, $b^2>0$이므로 $a^2+b^2=b^2\neq0$
> (iii) $a\neq0$, $b\neq0$이면 $a^2>0$, $b^2>0$이므로 $a^2+b^2\neq0$

02-1 풀이 참조
|해결 전략| 명제를 부정하여 $\sqrt{3}+1$이 유리수라고 가정한 후 모순이 됨을 보인다.

$\sqrt{3}+1$이 유리수라고 가정하면 $\sqrt{3}+1=a$ (a는 유리수)로 나타낼 수 있다.
$$\therefore \sqrt{3}=a-1$$
이때, 유리수끼리의 뺄셈은 유리수이므로 우변의 $a-1$은 유리수이다.
그런데 좌변의 $\sqrt{3}$은 유리수가 아니므로 모순이다.
따라서 $\sqrt{3}+1$은 유리수가 아니다.

02-2 🗒 풀이 참조

|해결 전략| 결론을 부정하여 $b \neq 0$이라고 가정한 후 모순이 됨을 보인다.

$b \neq 0$이라고 가정하면 $a+b\sqrt{2}=0$에서 $\sqrt{2}=-\dfrac{a}{b}$이다.

이때, a, b가 유리수이므로 $-\dfrac{a}{b}$는 유리수이다.

그런데 좌변의 $\sqrt{2}$는 유리수가 아니므로 모순이다.

$\therefore b=0$

또, $b=0$을 등식 $a+b\sqrt{2}=0$에 대입하면 $a=0$

따라서 주어진 명제는 참이다.

03-1 🗒 (1) 풀이 참조 (2) 풀이 참조

|해결 전략| 양변의 제곱의 차를 조사한다.

(1) $(|a|+|b|)^2-|a+b|^2$

$=(|a|^2+2|a||b|+|b|^2)-(a+b)^2$

$=(a^2+2|a||b|+b^2)-(a^2+2ab+b^2)$

$=2(|ab|-ab)$ ← a, b가 실수일 때, $|a||b|=|ab|$

$|ab| \geq ab$이므로 $2(|ab|-ab) \geq 0$, 즉

$(|a|+|b|)^2 \geq |a+b|^2$

그런데 $|a|+|b| \geq 0$, $|a+b| \geq 0$이므로

$|a|+|b| \geq |a+b|$ (단, 등호는 $|ab|=ab$, 즉 $ab \geq 0$일 때 성립)

(2) $\left(1+\dfrac{a}{2}\right)^2-(\sqrt{1+a})^2=1+a+\dfrac{a^2}{4}-(1+a)=\dfrac{a^2}{4}>0$

즉, $\left(1+\dfrac{a}{2}\right)^2>(\sqrt{1+a})^2$

이때, $1+\dfrac{a}{2}>0$, $\sqrt{1+a}>0$이므로

$1+\dfrac{a}{2}>\sqrt{1+a}$

04-1 🗒 $\dfrac{1}{2}$

|해결 전략| 산술평균과 기하평균의 관계를 이용한다.

$a+b=8$이므로 $\dfrac{1}{a}+\dfrac{1}{b}=\dfrac{a+b}{ab}=\dfrac{8}{ab}$

한편, $a>0$, $b>0$이므로 산술평균과 기하평균의 관계에 의하여

$a+b \geq 2\sqrt{ab}$ (단, 등호는 $a=b$일 때 성립)

그런데 $a+b=8$이므로

$8 \geq 2\sqrt{ab}$, $\sqrt{ab} \leq 4$ $\therefore ab \leq 16$

따라서 $\dfrac{8}{ab} \geq \dfrac{1}{2}$이므로 구하는 최솟값은 $\dfrac{1}{2}$이다.

04-2 🗒 4

|해결 전략| 산술평균과 기하평균의 관계를 이용한다.

0이 아닌 실수 a, b에 대하여 $a^2>0$, $b^2>0$이므로 산술평균과 기하평균의 관계에 의하여

$a^2+b^2 \geq 2\sqrt{a^2b^2}=2|ab|$ (단, 등호는 $a^2=b^2$일 때 성립)

그런데 $a^2+b^2=8$이므로

$8 \geq 2|ab|$, $|ab| \leq 4$

$\therefore -4 \leq ab \leq 4$, $ab \neq 0$

따라서 ab의 최댓값은 4이다.

05-1 🗒 16

|해결 전략| 주어진 식을 전개하여 산술평균과 기하평균의 관계를 이용한다.

$(a+b)\left(\dfrac{1}{a}+\dfrac{9}{b}\right)=1+\dfrac{9a}{b}+\dfrac{b}{a}+9$

$=\dfrac{9a}{b}+\dfrac{b}{a}+10$

이때, $\dfrac{9a}{b}>0$, $\dfrac{b}{a}>0$이므로 산술평균과 기하평균의 관계에 의하여

$\dfrac{9a}{b}+\dfrac{b}{a}+10 \geq 2\sqrt{\dfrac{9a}{b} \times \dfrac{b}{a}}+10=16$

$\left(\text{단, 등호는 } \dfrac{9a}{b}=\dfrac{b}{a}, \text{ 즉 } 3a=b \text{일 때 성립}\right)$

따라서 구하는 최솟값은 16이다.

05-2 🗒 4

|해결 전략| 주어진 식을 변형하여 산술평균과 기하평균의 관계를 이용한다.

$a-\dfrac{1}{a}+\dfrac{4a}{a^2-1}=\dfrac{a^2-1}{a}+\dfrac{4a}{a^2-1}$

이때, $a>1$에서 $a^2>1$, 즉 $\dfrac{a^2-1}{a}>0$, $\dfrac{4a}{a^2-1}>0$이므로 산술평균과 기하평균의 관계에 의하여

$\dfrac{a^2-1}{a}+\dfrac{4a}{a^2-1} \geq 2\sqrt{\dfrac{a^2-1}{a} \times \dfrac{4a}{a^2-1}}=4$

$\left(\text{단, 등호는 } \dfrac{a^2-1}{a}=\dfrac{4a}{a^2-1} \text{일 때 성립}\right)$

따라서 구하는 최솟값은 4이다.

06-1 🗒 7650

|해결 전략| 코시-슈바르츠 부등식을 이용한다.

x, y가 실수이므로 코시-슈바르츠 부등식에 의하여

$\left\{\left(\dfrac{1}{3}\right)^2+\left(\dfrac{1}{5}\right)^2\right\}(x^2+y^2) \geq \left(\dfrac{x}{3}+\dfrac{y}{5}\right)^2$

그런데 $\dfrac{x}{3}+\dfrac{y}{5}=34$이므로 $\dfrac{34}{225}(x^2+y^2) \geq 34^2$

$\therefore x^2+y^2 \geq 7650$ (단, 등호는 $3x=5y$일 때 성립)

따라서 x^2+y^2의 최솟값은 7650이다.

06-2 🗒 5

|해결 전략| 코시-슈바르츠 부등식을 이용하여 $2x+y$의 값의 범위를 구한다.

x, y가 실수이므로 코시-슈바르츠 부등식에 의하여

$(2^2+1^2)(x^2+y^2) \geq (2x+y)^2$

그런데 $x^2+y^2=a$이므로 $5a \geq (2x+y)^2$

$\therefore -\sqrt{5a} \leq 2x+y \leq \sqrt{5a}\left(\text{단, 등호는 } \dfrac{x}{2}=y, \text{ 즉 } x=2y \text{일 때 성립}\right)$

따라서 $2x+y$의 최댓값은 $\sqrt{5a}$, 최솟값은 $-\sqrt{5a}$이고 그 차가 10이므로

$2\sqrt{5a}=10$, $\sqrt{5a}=5$, $5a=25$

$\therefore a=5$

1-1 답 {2, 3, 4, 5, 7, 8, 9, 10}

|해결 전략| 두 조건 p, q의 진리집합이 각각 P, Q일 때, 조건 'p 또는 $\sim q$'의 진리집합은 $P \cup Q^C$이다.

두 조건 p, q의 진리집합을 각각 P, Q라 하면
$P = \{2, 3, 5, 7\}$, $Q = \{1, 2, 3, 6\}$
이때, $U = \{1, 2, 3, \cdots, 10\}$이므로
$Q^C = \{4, 5, 7, 8, 9, 10\}$
따라서 조건 'p 또는 $\sim q$'의 진리집합은
$P \cup Q^C = \{2, 3, 5, 7\} \cup \{4, 5, 7, 8, 9, 10\}$
$\qquad\quad = \{2, 3, 4, 5, 7, 8, 9, 10\}$

1-2 답 3

|해결 전략| 두 조건 p, q의 진리집합이 각각 P, Q일 때, 조건 '$\sim p$ 그리고 $\sim q$'의 진리집합은 $P^C \cap Q^C$이다.

두 조건 p, q의 진리집합을 각각 P, Q라 하면
p: $x^2 - 2x > 0$에서 $x(x-2) > 0$ $\quad \therefore x < 0$ 또는 $x > 2$
$\therefore P = \{-3, -2, -1, 3\}$
q: $x^2 + 2x \le 0$에서 $x(x+2) \le 0$ $\quad \therefore -2 \le x \le 0$
$\therefore Q = \{-2, -1, 0\}$
이때, $U = \{-3, -2, -1, 0, 1, 2, 3\}$이므로
$P^C = \{0, 1, 2\}$, $Q^C = \{-3, 1, 2, 3\}$
따라서 조건 '$\sim p$ 그리고 $\sim q$'의 진리집합은
$P^C \cap Q^C = \{1, 2\}$
이므로 구하는 모든 원소의 합은
$1 + 2 = 3$

2-1 답 ②, ④

|해결 전략| 명제 $p \longrightarrow q$가 참임을 보일 때는 두 조건 p, q의 진리집합 P, Q에 대하여 $P \subset Q$임을 보이고, 거짓임을 보일 때는 반례를 보인다.

① [반례] $x = 6$이면 $x > 3$이지만 $4 \le x < 6$은 아니다.
② p: $x - 3 = 5$, q: $x^2 - 8x = 0$이라 하고, 두 조건 p, q의 진리집합을 각각 P, Q라 하면
$\quad P = \{8\}$, $Q = \{0, 8\}$
$\quad$ 따라서 $P \subset Q$이므로 주어진 명제는 참이다.
③ [반례] $x = \sqrt{2}$, $y = \sqrt{2}$이면 x, y는 무리수이지만 xy는 무리수가 아니다.
④ x가 6으로 나누어떨어지면 x는 6의 배수이고 x가 3으로 나누어떨어지면 x는 3의 배수이다.
$\quad$ 모든 6의 배수는 3의 배수이므로 주어진 명제는 참이다.
⑤ [반례] $\angle A = \angle B = 50°$, $\angle C = 80°$이면 $\triangle ABC$는 이등변삼각형이지만 정삼각형은 아니다.
따라서 참인 명제는 ②, ④이다.

> **LECTURE**
> 두 조건 p, q의 진리집합을 각각 P, Q라 하고, 명제 $p \longrightarrow q$가 거짓임을 보이는 반례를 x라 하면 $x \in P$, $x \notin Q$이다.
> 즉, x는 $P \cap Q^C$, 즉 $P - Q$의 원소이다.

2-2 답 ①, ④

|해결 전략| 명제 $p \longrightarrow q$가 참임을 보일 때는 두 조건 p, q의 진리집합 P, Q에 대하여 $P \subset Q$임을 보이고, 거짓임을 보일 때는 반례를 보인다.

① [반례] $x = 8$이면 x는 8의 양의 약수이지만 4의 양의 약수가 아니다.
② 두 조건 p, q의 진리집합을 각각 P, Q라 하면
$\quad P = \{x \mid |x| < 5\} = \{x \mid -5 < x < 5\}$, $Q = \{x \mid -7 \le x < 7\}$
$\quad$ 따라서 $P \subset Q$이므로 명제 $p \longrightarrow q$는 참이다.
③ 두 조건 p, q의 진리집합을 각각 P, Q라 하면
$\quad x^2 - 3x - 4 = 0$에서 $(x+1)(x-4) = 0$
$\quad \therefore x = -1$ 또는 $x = 4$
$\quad \therefore P = \{-1, 4\}$
$\quad q$: $-5 < x < 5$에서 $Q = \{x \mid -5 < x < 5\}$
$\quad$ 따라서 $P \subset Q$이므로 명제 $p \longrightarrow q$는 참이다.
④ [반례] $y = 1$이면 $x^2 + y^2 > x^2$이지만 $y > 0$이다.
⑤ 모든 14의 배수는 7의 배수이므로 주어진 명제 $p \longrightarrow q$는 참이다.
따라서 명제 $p \longrightarrow q$가 거짓인 것은 ①, ④이다.

3-1 답 ④

|해결 전략| 두 조건 p, q의 진리집합 P, Q에 대하여 $P \subset Q$이면 명제 $p \longrightarrow q$가 참이다.

① $R \subset Q^C$이므로 명제 $r \longrightarrow \sim q$는 참
② $R \subset P^C$이므로 명제 $r \longrightarrow \sim p$는 참
③ $P \subset R^C$이므로 명제 $p \longrightarrow \sim r$는 참
④ $P \not\subset Q^C$이므로 명제 $p \longrightarrow \sim q$는 거짓
⑤ $Q^C \subset P^C$이므로 명제 $\sim q \longrightarrow \sim p$는 참

3-2 답 ④

|해결 전략| 두 조건 p, q의 진리집합 P, Q에 대하여 $P \subset Q$이면 명제 $p \longrightarrow q$가 참이다.

$R \subset (P \cap Q)$이므로 $R \subset P$, $R \subset Q$
따라서 항상 참인 명제는 ④ $r \longrightarrow p$이다.

4-1 답 3

|해결 전략| 두 조건 p, q의 진리집합 P, Q에 대하여 $P \subset Q$가 되도록 수직선 위에 나타낸다.

q: $|x - a| < 3$에서 $-3 < x - a < 3$
$\therefore a - 3 < x < a + 3$
두 조건 p, q의 진리집합을 각각 P, Q라 하면
$P = \{x \mid 0 \le x \le 2\}$, $Q = \{x \mid a - 3 < x < a + 3\}$
명제 $p \longrightarrow q$가 참이려면 $P \subset Q$이어야 하므로 오른쪽 그림에서
$a - 3 < 0$이고 $a + 3 > 2$
$\therefore -1 < a < 3$
따라서 구하는 모든 정수 a의 값의 합은
$0 + 1 + 2 = 3$

4-2 답 2

|해결 전략| 두 조건 p, q의 진리집합 P, Q에 대하여 $Q^C \subset P$가 되도록 수직선 위에 나타낸다.

$q: a-5 < x \leq 2a$이므로 $\sim q: x \leq a-5$ 또는 $x > 2a$

두 조건 p, q의 진리집합을 각각 P, Q라 하면

$P=\{x | x < 0$ 또는 $x \geq 6\}$, $Q^C=\{x | x \leq a-5$ 또는 $x > 2a\}$

명제 $\sim q \longrightarrow p$가 참이려면

$Q^C \subset P$이어야 하므로 오른쪽 그림 에서

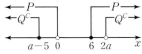

$a-5 < 0$이고 $2a \geq 6$

$\therefore 3 \leq a < 5$

따라서 구하는 정수 a는 3, 4의 2개이다.

5-1 답 ④

|해결 전략| '모든'과 '어떤'에 주의하여 참, 거짓을 판별한다.

① [반례] 2는 소수이지만 짝수이다.

② [반례] $x=0$이면 $x^2+1<2$이다.

③ 전체집합 $U=\{x | x$는 자연수$\}$일 때, $p: 2x+1=4$라 하고, 조건 p의 진리집합을 P라 하면

$2x+1=4$에서 $x=\dfrac{3}{2}$

$\therefore P=\varnothing$

따라서 주어진 명제는 거짓이다.

④ 전체집합 $U=\{x | x$는 음의 실수$\}$일 때, $p: x^2+x<0$이라 하고, 조건 p의 진리집합을 P라 하면

$x^2+x<0$에서 $x(x+1)<0$ $\therefore -1<x<0$

$\therefore P=\{x | -1<x<0\}$

따라서 $P \neq \varnothing$이므로 주어진 명제는 참이다.

⑤ [반례] $x=\sqrt{3}$이면 $\sqrt{3}x$는 유리수이다.

따라서 참인 명제는 ④이다.

5-2 답 ③

|해결 전략| '모든'과 '어떤'에 주의하여 참, 거짓을 판별한다.

① $p: x-1<5$라 하고, 조건 p의 진리집합을 P라 하면

$x-1<5$에서 $x<6$ $\therefore P=\{1, 2, 3, 4, 5\}$

따라서 $P=U$이므로 주어진 명제는 참이다.

② $x=2$이면 $x^2-4=0$이므로 주어진 명제는 참이다.

③ $p: x^2-x \geq 2$라 하고, 조건 p의 진리집합을 P라 하면

$x^2-x \geq 2$에서 $x^2-x-2 \geq 0$

$(x+1)(x-2) \geq 0$ $\therefore x \leq -1$ 또는 $x \geq 2$

$\therefore P=\{2, 3, 4, 5\}$

따라서 $P \neq U$이므로 주어진 명제는 거짓이다.

④ $x=1$, $y=2$이면 $x+y \leq 3$이므로 주어진 명제는 참이다.

⑤ $x=1$, $y=3$이면 $x^2+y^2=10$이므로 주어진 명제는 참이다.

따라서 거짓인 명제는 ③이다.

6-1 답 ⑤

|해결 전략| 명제 $p \longrightarrow q$의 역은 $q \longrightarrow p$이다.

① 역: $x^2>1$이면 $x>1$이다. (거짓)

[반례] $x=-2$이면 $x^2>1$이지만 $x<1$이다.

② 역: $a>b$이면 $a^2>b^2$이다. (거짓)

[반례] $a=-1$, $b=-2$이면 $a>b$이지만 $a^2<b^2$이다.

③ 역: $x>0$ 또는 $y>0$이면 $xy>0$이다. (거짓)

[반례] $x=1$, $y=-1$이면 $x>0$ 또는 $y>0$이지만 $xy<0$이다.

④ 역: $x+y$가 짝수이면 x, y도 짝수이다. (거짓)

[반례] $x=1$, $y=3$이면 $x+y$는 짝수이지만 x, y는 짝수가 아니다.

⑤ 역: $xy=0$이면 $x=0$ 또는 $y=0$이다. (참)

따라서 역이 참인 것은 ⑤이다.

6-2 답 ㄷ, ㄹ

|해결 전략| 명제 $p \longrightarrow q$의 역은 $q \longrightarrow p$, 대우는 $\sim q \longrightarrow \sim p$이다.

ㄱ. 역: $x=y$이면 $x^2-y^2=0$이다. (참)

대우: $x \neq y$이면 $x^2-y^2 \neq 0$이다. (거짓)

[반례] $x=-1$, $y=1$이면 $x \neq y$이지만 $x^2-y^2=0$이다.

ㄴ. 역: $x+y\sqrt{2}=0$이면 $x^2+y^2=0$이다. (거짓)

[반례] $x=2$, $y=-\sqrt{2}$이면 $x+y\sqrt{2}=0$이지만 $x^2+y^2 \neq 0$이다.

대우: $x+y\sqrt{2} \neq 0$이면 $x^2+y^2 \neq 0$이다. (참)

ㄷ. 역: $a=0$이고 $b=0$이면 $|a|+|b|=0$이다. (참)

대우: $a \neq 0$ 또는 $b \neq 0$이면 $|a|+|b| \neq 0$이다. (참)

ㄹ. 역: 두 집합 A, B에 대하여 $A \cap B=A$이면 $A \subset B$이다. (참)

대우: 두 집합 A, B에 대하여 $A \cap B \neq A$이면 $A \not\subset B$이다. (참)

따라서 역, 대우가 모두 참인 것은 ㄷ, ㄹ이다.

> 참고

ㄴ에서 x, y는 실수이므로 $x+y\sqrt{2}=0$의 해는 무수히 많다.

하지만 유리수 범위에서 $x+y\sqrt{2}=0$의 해는 $x=0$, $y=0$이다.

7-1 답 10

|해결 전략| 주어진 명제가 참이면 그 대우도 참이다.

주어진 명제의 대우는

'$x=2$이면 $x^3+2x^2-ax+4=0$이다.'

명제가 참이면 그 대우도 참이므로

$x=2$일 때, $x^3+2x^2-ax+4=0$에서

$8+8-2a+4=0$ $\therefore a=10$

7-2 답 -1

|해결 전략| 주어진 명제가 참이면 그 대우도 참이다.

주어진 명제의 대우는

'$x \leq 4$이고 $y \leq a$이면 $x+y \leq 3$이다.'

명제가 참이면 그 대우도 참이므로

$x \leq 4$이고 $y \leq a$이면 $x+y \leq a+4$에서

$a+4 \leq 3$ $\therefore a \leq -1$

따라서 실수 a의 최댓값은 -1이다.

8-1 답 ④

|해결 전략| 두 명제 $p \longrightarrow q$와 $q \longrightarrow r$가 모두 참이면 명제 $p \longrightarrow r$가 참이다.

명제 $\sim q \longrightarrow r$가 참이므로 그 대우 $\sim r \longrightarrow q$도 참이다.

두 명제 $p \longrightarrow \sim r$, $\sim r \longrightarrow q$가 모두 참이므로 명제 $p \longrightarrow q$가 참이다.

따라서 반드시 참인 명제는 ④ $p \longrightarrow q$이다.

8-2 답 ㄱ, ㄷ, ㄹ

|해결 전략| 두 명제 $p \longrightarrow q$와 $q \longrightarrow r$가 모두 참이면 명제 $p \longrightarrow r$가 참이다.

ㄱ. 명제 $p \longrightarrow \sim q$가 참이므로 그 대우 $q \longrightarrow \sim p$도 참이다.

ㄴ. 두 명제 $q \longrightarrow \sim p$, $\sim p \longrightarrow \sim r$가 모두 참이므로 명제 $q \longrightarrow \sim r$가 참이다. 따라서 명제 $q \longrightarrow r$는 거짓이다.

ㄷ. 명제 $\sim p \longrightarrow \sim r$가 참이므로 그 대우 $r \longrightarrow p$도 참이다.

ㄹ. 두 명제 $r \longrightarrow p$, $p \longrightarrow \sim q$가 모두 참이므로 명제 $r \longrightarrow \sim q$가 참이다.

따라서 참인 것은 ㄱ, ㄷ, ㄹ이다.

9-1 답 ③

|해결 전략| 명제 $q \longrightarrow p$가 참일 때, p는 q이기 위한 필요조건이다.

① $x^2 - x = 0$에서 $x(x-1) = 0$ ∴ $x = 0$ 또는 $x = 1$

두 조건 p, q의 진리집합을 각각 P, Q라 하면

$P = \{1\}$, $Q = \{0, 1\}$이므로 $P \subset Q$

따라서 p는 q이기 위한 충분조건이다.

② (i) 명제 $p \longrightarrow q$, 즉 '$x+y=0$이면 $xy=0$이다.'는 거짓이다.

[반례] $x=1$, $y=-1$이면 $x+y=0$이지만 $xy \neq 0$이다.

(ii) 명제 $q \longrightarrow p$, 즉 '$xy=0$이면 $x+y=0$이다.'는 거짓이다.

[반례] $x=1$, $y=0$이면 $xy=0$이지만 $x+y \neq 0$이다.

(i), (ii)에 의하여 p는 q이기 위한 아무 조건도 아니다.

③ $|x| < 1$에서 $-1 < x < 1$

두 조건 p, q의 진리집합을 각각 P, Q라 하면

$P = \{x | x < 1\}$, $Q = \{x | -1 < x < 1\}$이므로 $Q \subset P$

따라서 p는 q이기 위한 필요조건이다.

④ (i) 명제 $p \longrightarrow q$, 즉 '$x<0$, $y>0$이면 $xy<0$이다.'는 참이다.

(ii) 명제 $q \longrightarrow p$, 즉 '$xy<0$이면 $x<0$, $y>0$이다.'는 거짓이다.

[반례] $x=2$, $y=-1$이면 $xy<0$이지만 $x>0$, $y<0$이다.

(i), (ii)에 의하여 $p \Longrightarrow q$이므로 p는 q이기 위한 충분조건이다.

⑤ (i) 명제 $p \longrightarrow q$, 즉 '$A \cap B = A$이면 $A \cup B = B$이다.'는 참이다.

(ii) 명제 $q \longrightarrow p$, 즉 '$A \cup B = B$이면 $A \cap B = A$이다.'는 참이다.

(i), (ii)에 의하여 $p \Longleftrightarrow q$이므로 p는 q이기 위한 필요충분조건이다.

따라서 p가 q이기 위한 필요조건이지만 충분조건은 아닌 것은 ③이다.

9-2 답 ③

|해결 전략| 명제 $p \longrightarrow q$가 참일 때, p는 q이기 위한 충분조건이다.

① 두 조건 p, q의 진리집합을 각각 P, Q라 하면

$P = \{1, 2\}$, $Q = \{1\}$이므로 $Q \subset P$

따라서 p는 q이기 위한 필요조건이다.

② (i) 명제 $p \longrightarrow q$, 즉 '$xy = |xy|$이면 $x>0$, $y>0$이다.'는 거짓이다.

[반례] $x = -1$, $y = -1$이면 $xy = |xy|$이지만 $x<0$, $y<0$이다.

(ii) 명제 $q \longrightarrow p$, 즉 '$x>0$, $y>0$이면 $xy = |xy|$이다.'는 참이다.

(i), (ii)에 의하여 $q \Longrightarrow p$이므로 p는 q이기 위한 필요조건이다.

③ $|x| \geq 1$에서 $x \leq -1$ 또는 $x \geq 1$

두 조건 p, q의 진리집합을 각각 P, Q라 하면

$P = \{x | x > 1\}$, $Q = \{x | x \leq -1$ 또는 $x \geq 1\}$이므로 $P \subset Q$

따라서 p는 q이기 위한 충분조건이다.

④ $x^2 + xy + y^2 = 0$에서 $\left(x + \dfrac{y}{2}\right)^2 + \dfrac{3}{4}y^2 = 0$

∴ $x = 0$, $y = 0$ (∵ x, y는 실수)

(i) 명제 $p \longrightarrow q$, 즉 '$x^2 + xy + y^2 = 0$이면 $x=0$, $y=0$이다.'는 참이다.

(ii) 명제 $q \longrightarrow p$, 즉 '$x=0$, $y=0$이면 $x^2 + xy + y^2 = 0$이다.'는 참이다.

(i), (ii)에 의하여 $p \Longleftrightarrow q$이므로 p는 q이기 위한 필요충분조건이다.

⑤ (i) 명제 $p \longrightarrow q$, 즉 '$A - B = \varnothing$이면 $A \subset B$이다.'는 참이다.

(ii) 명제 $p \longrightarrow q$, 즉 '$A \subset B$이면 $A - B = \varnothing$이다.'는 참이다.

(i), (ii)에 의하여 $p \Longleftrightarrow q$이므로 p는 q이기 위한 필요충분조건이다.

따라서 p가 q이기 위한 충분조건이지만 필요조건은 아닌 것은 ③이다.

10-1 답 1

|해결 전략| 두 조건 p, q의 진리집합을 각각 P, Q라 할 때, p가 q이기 위한 충분조건이면 $P \subset Q$이다.

p: $|x| < 1$에서 $-1 < x < 1$

두 조건 p, q의 진리집합을 각각 P, Q라 하면

$P = \{x | -1 < x < 1\}$, $Q = \{x | x \leq a\}$

p가 q이기 위한 충분조건이므로

$p \Longrightarrow q$, 즉 $P \subset Q$ ······ ㉠

따라서 ㉠을 만족시키도록 두 집합 P, Q를 수직선 위에 나타내면 오른쪽 그림과 같으므로 $a \geq 1$

따라서 a의 최솟값은 1이다.

10-2 답 6

|해결 전략| 두 조건 p, q의 진리집합을 각각 P, Q라 할 때, p가 q이기 위한 충분조건이면 $P \subset Q$, p가 q이기 위한 필요조건이면 $Q \subset P$이다.

세 조건 p, q, r의 진리집합을 각각 P, Q, R라 하면

$P = \{x | 2 < x < 7\}$, $Q = \{x | -1 \leq x < a\}$, $R = \{x | x \geq b\}$

p는 q이기 위한 충분조건이므로

$p \Longrightarrow q$, 즉 $P \subset Q$ ······ ㉠

r는 q이기 위한 필요조건이므로
$q \Longrightarrow r$, 즉 $Q \subset R$ ...... ㉡
따라서 ㉠, ㉡을 만족시키도록 세
집합 P, Q, R를 수직선 위에 나타
내면 오른쪽 그림과 같으므로

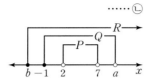

$a \geq 7$, $b \leq -1$
이때, a의 최솟값은 7, b의 최댓값은 -1이므로 그 합은
$7 + (-1) = 6$

11-1 답 ㄱ, ㄴ

| 해결 전략 | 먼저 주어진 조건을 이용하여 P, Q, R의 포함 관계를 알아본다.

ㄱ. $P^C \subset Q^C$에서 $Q \subset P$이므로 p는 q이기 위한 필요조건이다.
ㄴ. $P \cup R = R$에서 $P \subset R$이므로 p는 r이기 위한 충분조건이다.
ㄷ. $Q \subset P$, $P \subset R$에서 $Q \subset P \subset R$, 즉 $Q \subset R$이므로 q는 r이기 위한
     충분조건이다.
따라서 옳은 것은 ㄱ, ㄴ이다.

참고
ㄷ. $Q \subset P$, $P \subset R$이므로 $q \Longrightarrow p$, $p \Longrightarrow r$, 즉 $q \Longrightarrow p \Longrightarrow r$
     따라서 $q \Longrightarrow r$이므로 q는 r이기 위한 충분조건이다.

11-2 답 ㄴ

| 해결 전략 | 두 조건 p, q의 진리집합을 각각 P, Q라 할 때, $P \subset Q$이면 p는 q이기 위한 충분조건, $Q \subset P$이면 p는 q이기 위한 필요조건이다.

ㄱ. $P \not\subset Q$, $Q \not\subset P$이므로 p는 q이기 위한 아무 조건도 아니다.
ㄴ. $R \subset P$이므로 p는 r이기 위한 필요조건이다.
ㄷ. $R \not\subset Q^C$, $Q^C \not\subset R$이므로 r는 $\sim q$이기 위한 아무 조건도 아니다.
따라서 옳은 것은 ㄴ이다.

12-1 답 ㈎ 모두 홀수 ㈏ 짝수 ㈐ 홀수

| 해결 전략 | '적어도 하나는 짝수이다.'의 부정은 '모두 홀수이다.'이다.

양의 정수 a, b, c에 대하여 주어진 명제의 대우는
'a, b, c가 $\boxed{\text{모두 홀수}}$이면 $a^2 + b^2 \neq c^2$이다.'
a, b, c가 $\boxed{\text{모두 홀수}}$이면 a^2, b^2, c^2도 $\boxed{\text{모두 홀수}}$이므로 $a^2 + b^2$은
$\boxed{\text{짝수}}$이고, c^2은 $\boxed{\text{홀수}}$가 되어 $a^2 + b^2 \neq c^2$이다.
따라서 주어진 명제의 대우가 참이므로 주어진 명제도 참이다.

12-2 답 ㈎ 유리수 ㈏ π

| 해결 전략 | $\sqrt{\pi}$를 유리수라고 가정하고 모순이 생기는지 확인한다.

$\sqrt{\pi}$가 $\boxed{\text{유리수}}$라고 가정하면 $\sqrt{\pi} = a$ (a는 유리수)로 나타낼 수 있다.
양변을 제곱하면 $\pi = a^2$
이때, a는 유리수이므로 우변의 a^2은 $\boxed{\text{유리수}}$이다.
그런데 좌변의 $\boxed{\pi}$는 유리수가 아니므로 모순이다.
따라서 $\sqrt{\pi}$는 유리수가 아니다.

13-1 답 ④

| 해결 전략 | ④ $a^3 - b^3$의 부호를 조사한다.

①, ②, ③ [반례] $a = -2$, $b = 1$
④ $a^3 - b^3 = (a - b)(a^2 + ab + b^2)$
    이때, $a < b$에서 $a - b < 0$
    $a^2 + ab + b^2 = \left(a + \dfrac{b}{2}\right)^2 + \dfrac{3}{4}b^2 > 0$이므로
    $a^3 - b^3 = (a - b)(a^2 + ab + b^2) < 0$ $\therefore a^3 < b^3$
⑤ [반례] $a = -2$, $b = -1$
따라서 항상 성립하는 것은 ④이다.

13-2 답 ③

| 해결 전략 | ③ $a^2 = |a|^2$임을 이용한다.

① [반례] $a = 1$, $b = -2$
②, ④, ⑤ [반례] $a = -1$, $b = 2$
③ $a^2 = |a|^2$, $b^2 = |b|^2$이므로 $|a|^2 < |b|^2$
    이때, $|a| > 0$, $|b| > 0$이므로 $|a| < |b|$
따라서 항상 성립하는 것은 ③이다.

14-1 답 20

| 해결 전략 | 주어진 식을 $x - \alpha + \dfrac{1}{x - \alpha}$ 꼴로 변형한다.

$9x + \dfrac{1}{x-1} = 9(x-1) + \dfrac{1}{x-1} + 9$

이때, $x > 1$에서 $x - 1 > 0$이므로 산술평균과 기하평균의 관계에 의하여

$9(x-1) + \dfrac{1}{x-1} + 9 \geq 2\sqrt{9(x-1) \times \dfrac{1}{x-1}} + 9$

$\qquad\qquad\qquad\qquad\qquad = 6 + 9 = 15$

이때, 등호는 $9(x-1) = \dfrac{1}{x-1}$일 때 성립하므로

$9(x-1)^2 = 1$, $(x-1)^2 = \dfrac{1}{9}$

$x - 1 = \dfrac{1}{3}$ ($\because x - 1 > 0$) $\therefore x = \dfrac{4}{3}$

따라서 $9x + \dfrac{1}{x-1}$의 최솟값은 15이고 그때의 x의 값은 $\dfrac{4}{3}$이므로

그 곱은

$15 \times \dfrac{4}{3} = 20$

14-2 답 4

| 해결 전략 | 산술평균과 기하평균의 관계를 이용한다.

$a > 0$, $b > 0$이고 $a + 2b = 8$이므로
$(\sqrt{a} + \sqrt{2b})^2 = a + 2b + 2\sqrt{a}\sqrt{2b}$
$\qquad\qquad\qquad = 8 + 2\sqrt{2ab}$ ...... ㉠
한편, $a > 0$, $b > 0$이므로 산술평균과 기하평균의 관계에 의하여
$a + 2b \geq 2\sqrt{2ab}$ (단, 등호는 $a = 2b$일 때 성립)
그런데 $a + 2b = 8$이므로
$8 \geq 2\sqrt{2ab}$ ...... ㉡
㉠, ㉡에 의하여
$(\sqrt{a} + \sqrt{2b})^2 = 8 + 2\sqrt{2ab} \leq 8 + 8 = 16$
$\therefore \sqrt{a} + \sqrt{2b} \leq 4$
따라서 $\sqrt{a} + \sqrt{2b}$의 최댓값은 4이다.

4 | 함수

1 함수

개념 확인

92쪽~95쪽

1 (1) 함수가 아니다.   (2) 함수가 아니다.   (3) 함수이다.
2 (1) 정의역: $\{1, 2, 3\}$, 공역: $\{0, 1, 2, 3, 4\}$, 치역: $\{0, 2, 4\}$
  (2) 정의역: $\{1, 2, 3, 4\}$, 공역: $\{a, b, c, d\}$, 치역: $\{a, b, d\}$
3 (1) 서로 같은 함수가 아니다.   (2) 서로 같은 함수이다.
4 (1) 풀이 참조   (2) 풀이 참조

1 (1) 집합 X의 원소 3에 대응하는 집합 Y의 원소가 없으므로 함수
  가 아니다.
  (2) 집합 X의 원소 2에 대응하는 집합 Y의 원소가 a, b의 2개이므
  로 함수가 아니다.
  (3) 집합 X의 각 원소에 집합 Y의 원소가 오직 하나씩 대응하므로
  함수이다.

3 (1) $f(x)=x+1$, $g(x)=x-1$에서
  $f(1) \neq g(1)$, $f(2) \neq g(2)$, $f(3) \neq g(3)$
  이므로 두 함수 f와 g는 서로 같은 함수가 아니다.
  (2) $f(x)=|x|-1$, $g(x)=x-1$에서
  $f(1)=g(1)$, $f(2)=g(2)$, $f(3)=g(3)$
  이므로 두 함수 f와 g는 서로 같은 함수이다.

4 (1) 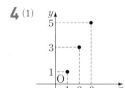   (2)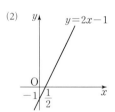

STEP 1 개념 드릴

96쪽

1 (1) 함수이다.   (2) 함수가 아니다.   (3) 함수가 아니다.
2 (1) 정의역: $\{1, 2, 3\}$, 공역: $\{a, b, c, d\}$, 치역: $\{a, c\}$
  (2) 정의역: $\{-1, 0, 1, 2\}$, 공역: $\{-2, -1, 0, 1, 2\}$
   치역: $\{-2, -1, 2\}$
3 (1) $\{3, 4, 5\}$ (2) $\{1, 3, 5\}$ (3) $\{2, 5, 10\}$
4 (1) 서로 같은 함수가 아니다.   (2) 서로 같은 함수이다.
5 (1) 함수의 그래프가 아니다.   (2) 함수의 그래프이다.

1 (1) 집합 X의 각 원소에 집합 Y의 원소가 오직 하나씩 대응하므로
  함수이다.
  (2) 집합 X의 원소 2에 대응하는 집합 Y의 원소가 a, c의 2개이므
  로 함수가 아니다.
  (3) 집합 X의 원소 3에 대응하는 집합 Y의 원소가 없으므로 함수
  가 아니다.

3 (1) $f(x)=x+2$에서
  $f(1)=3$, $f(2)=4$, $f(3)=5$
  이므로 함수 f의 치역은 $\{3, 4, 5\}$이다.
  (2) $f(x)=2x-1$에서
  $f(1)=1$, $f(2)=3$, $f(3)=5$
  이므로 함수 f의 치역은 $\{1, 3, 5\}$이다.
  (3) $f(x)=x^2+1$에서
  $f(1)=2$, $f(2)=5$, $f(3)=10$
  이므로 함수 f의 치역은 $\{2, 5, 10\}$이다.

4 (1) $f(x)=x$, $g(x)=x^2$에서
  $f(-1)=-1$, $g(-1)=1$
  즉, $f(-1) \neq g(-1)$이므로 두 함수 f와 g는 서로 같은 함수가
  아니다.
  (2) $f(x)=\sqrt{x^2}$, $g(x)=|x|$에서
  $f(-1)=g(-1)=1$, $f(0)=g(0)=0$, $f(1)=g(1)=1$
  이므로 두 함수 f와 g는 서로 같은 함수이다.

5 (1) 정의역의 원소 3에 대응하는 공역의 원소가 3, 5의 두 개이므로
  함수의 그래프가 아니다.
  (2) 정의역의 각 원소에 공역의 원소가 오직 하나씩 대응하므로 함
  수의 그래프이다.

STEP 2 필수 유형

97쪽~100쪽

01-1 답 ④

|해결 전략| 주어진 대응을 그림으로 나타낸 후 집합 X의 각 원소에 집합 Y의
원소가 오직 하나씩 대응하는지 살펴본다.

주어진 대응을 그림으로 나타내면 다음과 같다.

① 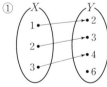   ②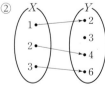

③ 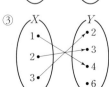   ④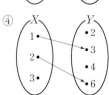

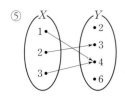

④는 집합 X의 원소 3에 대응하는 집합 Y의 원소가 없으므로 함수가 아니다.

01-2 답 3

|해결 전략| 정의역의 각 원소에 대응하는 공역의 원소를 구한다.

$f(x)=3x+1$에서

$f(-1)=-2 \in Y, f(0)=1 \in Y, f(1)=4 \in Y$이어야 하므로

$Y=\{-2, 1, 4\}$ ∴ $a+b+c=3$

02-1 답 20

|해결 전략| 집합 X의 각 원소에 대한 함숫값을 구한다.

$X=\{1, 2, 3, 6\}$에 대하여 $f(x)=\begin{cases} 2^x & (x는 \ 홀수) \\ x+1 & (x는 \ 짝수) \end{cases}$이므로

$f(1)=2^1=2, f(2)=2+1=3, f(3)=2^3=8, f(6)=6+1=7$

즉, 함수 f의 치역은 $\{2, 3, 7, 8\}$이다.

따라서 치역의 모든 원소의 합은 $2+3+7+8=20$

02-2 답 4

|해결 전략| 집합 X의 각 원소에 대한 함숫값을 구한다.

$f(x)=ax-1$에서

$f(-1)=-a-1, f(0)=-1, f(1)=a-1, f(2)=2a-1$

$a=0$이면 $f(-1)=f(0)=f(1)=f(2)=-1$이므로 치역은 $\{-1\}$이다.

이때, 치역의 모든 원소의 합은 -1이므로 주어진 조건을 만족시키지 않는다.

$a \neq 0$이면 $f(-1) \neq f(0) \neq f(1) \neq f(2)$이므로 치역의 모든 원소의 합은 $f(-1)+f(0)+f(1)+f(2)=2a-4$

따라서 $2a-4=4$이므로 $a=4$

03-1 답 ㄴ

|해결 전략| $f=g$이면 정의역의 각 원소 x에 대하여 $f(x)=g(x)$이다.

ㄱ. $f(x)=x^2, g(x)=x^3$에서 $f(-1)=1, g(-1)=-1$

   즉, $f(-1) \neq g(-1)$이므로 $f \neq g$

ㄴ. $f(x)=\begin{cases} -2 & (x=-1) \\ \dfrac{x^2-1}{x+1} & (x \neq -1) \end{cases}, g(x)=x-1$에서

   $f(-1)=g(-1)=-2, f(0)=g(0)=-1, f(1)=g(1)=0$

   이므로 $f=g$

ㄷ. $f(x)=2x, g(x)=-2x$에서 $f(-1)=-2, g(-1)=2$

   즉, $f(-1) \neq g(-1)$이므로 $f \neq g$

따라서 $f=g$인 것은 ㄴ뿐이다.

03-2 답 $a=5, b=6$

|해결 전략| $f(2)=g(2), f(3)=g(3)$임을 이용한다.

$f(x)=-x^2+ax, g(x)=b|2x-5|$에서

$f(2)=g(2)$이므로 $-4+2a=b$ ∴ $2a-b=4$ ······ ㉠

$f(3)=g(3)$이므로 $-9+3a=b$ ∴ $3a-b=9$ ······ ㉡

㉠, ㉡을 연립하여 풀면 $a=5, b=6$

04-1 답 ①

|해결 전략| y축에 평행한 직선을 그어 본다.

주어진 그래프에서 정의역의 각 원소 a에 대하여 y축에 평행한 직선 $x=a$를 그어 교점을 나타내면 다음 그림과 같다.

①   ②

③   ④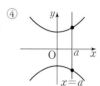

⑤

①의 그래프는 y축에 평행한 직선을 그었을 때 오직 한 점에서 만나므로 함수의 그래프이다.

②, ③, ④, ⑤의 그래프는 y축에 평행한 직선을 그었을 때 2개 이상의 점에서 만나는 경우가 있으므로 함수의 그래프가 아니다.

따라서 함수의 그래프인 것은 ①이다.

참고

y축에 평행한 직선을 그었을 때 2개 이상의 점에서 만난다는 것은 정의역의 한 원소에 2개 이상의 원소가 대응한다는 것이므로 함수가 아니다.

2 여러 가지 함수

개념 확인   102쪽

1 (1) ㄴ, ㄷ   (2) ㄴ, ㄷ   (3) ㄷ   (4) ㄹ

1 ㄱ은 정의역의 원소 2, 3에 대응하는 공역의 원소가 3으로 같으므로 함수이지만 일대일함수는 아니다.

STEP 1 개념 드릴   103쪽

1 (1) ㄱ, ㄴ, ㄷ   (2) ㄱ, ㄷ   (3) ㄱ   (4) ㄹ

2 (1) ㄱ, ㄷ   (2) ㄱ, ㄷ   (3) ㄷ   (4) ㄴ

3 (1) ㄱ, ㄴ, ㄹ, ㅁ   (2) ㄱ, ㄴ, ㄹ   (3) ㄴ   (4) ㄷ

1 ㄴ은 일대일함수이지만 치역과 공역이 같지 않으므로 일대일대응은 아니다.

2 ㄹ은 정의역의 원소 1, 3에 대응하는 공역의 원소가 3으로 같으므로 함수이지만 일대일함수는 아니다.

3 주어진 함수의 그래프에 치역의 각 원소 b에 대하여 x축에 평행한 직선 $y=b$를 그어 교점을 나타내면 다음 그림과 같다.

ㄱ. 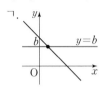 ㄴ.

ㄷ. ㄹ.

ㅁ.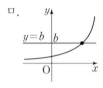

(1) 일대일함수의 그래프는 치역의 각 원소 b에 대하여 직선 $y=b$와 오직 한 점에서 만나므로 ㄱ, ㄴ, ㄹ, ㅁ이다.

(2) 일대일대응은 일대일함수 중에서 치역과 공역이 같은 함수이므로 ㄱ, ㄴ, ㄹ이다.

(3) 항등함수는 그 그래프가 직선 $y=x$인 함수이므로 ㄴ이다.

(4) 상수함수는 치역의 원소가 1개이므로 ㄷ이다.

STEP 2 필수 유형 ―――――― | 104쪽~107쪽 |

01-1 답 ㄴ

|해결 전략| 주어진 함수의 그래프를 그려 x축에 평행한 직선을 그어 본다.

주어진 함수의 그래프에 치역의 각 원소 b에 대하여 x축에 평행한 직선 $y=b$를 그어 교점을 나타내면 다음 그림과 같다.

ㄱ. 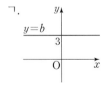 ㄴ.

ㄷ. 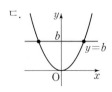 ㄹ.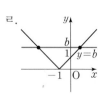

직선 $y=b$와 오직 한 점에서 만나고 치역과 공역이 같은 함수의 그래프는 ㄴ이므로 일대일대응인 것은 ㄴ뿐이다.

02-1 답 $a=-\dfrac{1}{2}$, $b=\dfrac{3}{2}$

|해결 전략| 일대일대응이려면 치역과 공역이 같아야 한다.

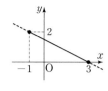

$f(x)=ax+b$에서 $a<0$이므로 함수 f가 일대일대응이려면 $y=f(x)$의 그래프는 오른쪽 그림과 같아야 한다.

$f(-1)=2$에서 $-a+b=2$ ······ ㉠

$f(3)=0$에서 $3a+b=0$ ······ ㉡

㉠, ㉡을 연립하여 풀면 $a=-\dfrac{1}{2}$, $b=\dfrac{3}{2}$

02-2 답 10

|해결 전략| 일대일대응이려면 치역과 공역이 같아야 한다.

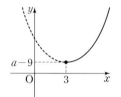

$f(x)=x^2-6x+a$
$\qquad =(x-3)^2+a-9 \ (x\geq 3)$

함수 f가 일대일대응이려면
치역 $\{y\,|\,y\geq a-9\}$와 공역 $Y=\{y\,|\,y\geq 1\}$
이 같아야 하므로 $a-9=1$ $\quad\therefore a=10$

03-1 답 7

|해결 전략| 함수 g는 항등함수이므로 $g(2)=2$이다.

함수 g는 항등함수이므로 $g(2)=2$ $\quad\therefore f(3)=g(2)=h(1)=2$

한편, 함수 h는 상수함수이므로 $h(1)=h(2)=h(3)=2$

또, $f(1)-f(2)=f(3)=2$이고 함수 f는 일대일대응이므로
$f(1)=3$, $f(2)=1$

$\therefore f(1)+g(2)+h(3)=3+2+2=7$

참고

$f(1)=1$이면 $f(1)-f(2)=f(3)$에서 $1-f(2)=2$ $\quad\therefore f(2)=-1\notin X$

즉, f는 함수가 아니다.

03-2 답 45

|해결 전략| 함수 g는 항등함수이므로 $g(3)=3$이다.

함수 g는 항등함수이므로 $g(3)=3$ $\quad\therefore f(1)=g(3)=h(3)=3$

한편, 함수 h는 상수함수이므로 $h(1)=h(3)=h(5)=3$

또, 함수 f는 일대일대응이므로 $f(1)=1$ 또는 $f(1)=5$

이때, $f(1)g(3)h(5)$의 값은 $1\times3\times3=9$ 또는 $5\times3\times3=45$

따라서 $f(1)g(3)h(5)$의 최댓값은 45이다.

04-1 답 37

|해결 전략| 정의역의 각 원소에 대응할 수 있는 공역의 원소의 개수를 이용한다.

집합 $X=\{a, b, c\}$에 대하여 X에서 X로의

함수의 개수는 $p=3^3=27$

일대일대응의 개수는 $q=3\times2\times1=6$

항등함수의 개수는 $r=1$

상수함수의 개수는 $s=3$

$\therefore p+q+r+s=37$

04-2 답 24

|해결 전략| 집합 X의 원소 3, 4, 5에 대응할 수 있는 공역의 원소의 개수를 이용한다.

집합 $X=\{1, 2, 3, 4, 5\}$에서 집합 $Y=\{2, 4, 6, 8, 10, 12\}$로의 함수 f는 일대일함수이고, $f(1)=2$, $f(2)=10$이므로

$f(3)$의 값이 될 수 있는 것은 4, 6, 8, 12 중 하나이므로 4개

$f(4)$의 값이 될 수 있는 것은 4, 6, 8, 12 중 $f(3)$의 값을 제외한 3개

$f(5)$의 값이 될 수 있는 것은 4, 6, 8, 12 중 $f(3)$, $f(4)$의 값을 제외한 2개

따라서 함수 f의 개수는 $4\times3\times2=24$

STEP 3 유형 드릴 | 108쪽~109쪽 |

1-1 답 ③

|해결 전략| 주어진 대응을 그림으로 나타낸 후 집합 X의 각 원소에 집합 Y의 원소가 오직 하나씩 대응하는지 살펴본다.

주어진 대응을 그림으로 나타내면 다음과 같다.

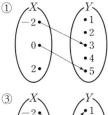 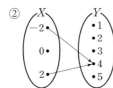

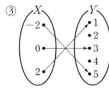 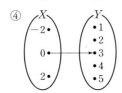

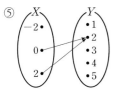

위의 그림에서 집합 X의 각 원소에 집합 Y의 원소가 오직 하나씩 대응하는 함수는 ③이다.

1-2 답 ㄱ, ㄷ

|해결 전략| 주어진 대응을 그림으로 나타낸 후 집합 X의 각 원소에 집합 X의 원소가 오직 하나씩 대응하는지 살펴본다.

보기의 대응을 그림으로 나타내면 다음과 같다.

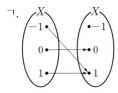 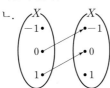

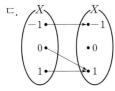

위의 그림에서 집합 X의 각 원소에 집합 X의 원소가 오직 하나씩 대응하는 함수는 ㄱ, ㄷ이다.

2-1 답 9

|해결 전략| 집합 X의 각 원소에 대한 함숫값을 구한다.

$X=\{2, 3, 4, 6\}$에 대하여 $f(x)=(x$의 양의 약수의 개수)이므로

$f(2)=2$, $f(3)=2$, $f(4)=3$, $f(6)=4$

즉, 함수 f의 치역은 $\{2, 3, 4\}$이다.

따라서 치역의 모든 원소의 합은 $2+3+4=9$

2-2 답 $2-\sqrt{3}$

|해결 전략| $2, 1+\sqrt{3}$에 대한 함숫값을 구한다.

$f(x)=\begin{cases} 2x-1 & (x는\ 유리수) \\ -x & (x는\ 무리수) \end{cases}$에서

$f(2)=2\times2-1=3$, $f(1+\sqrt{3})=-(1+\sqrt{3})=-1-\sqrt{3}$

$\therefore f(2)+f(1+\sqrt{3})=2-\sqrt{3}$

3-1 답 7

|해결 전략| $-2\le x\le 2$에서 $f(x)$의 값의 범위를 구한다.

$f(x)=x^2+2x=(x+1)^2-1\ (-2\le x\le 2)$에서

$f(-2)=0$, $f(-1)=-1$, $f(2)=8$이므로 $-1\le f(x)\le 8$

따라서 $a=-1$, $b=8$이므로 $a+b=7$

3-2 답 $\dfrac{1}{2}$

|해결 전략| $f(0)\in X$, $f(1)\in X$, $f(2)\in X$임을 이용한다.

함수 $f(x)=ax^2-ax+1$이 X에서 X로의 함수이므로

$f(0)\in X$, $f(1)\in X$, $f(2)\in X$이어야 한다.

이때, $f(0)=1\in X$, $f(1)=1\in X$이므로 $f(2)$는 0, 1, 2 중 하나이면 된다.

(i) $f(2)=0$이면 $2a+1=0$ $\therefore a=-\dfrac{1}{2}$

(ii) $f(2)=1$이면 $2a+1=1$ $\therefore a=0$

(iii) $f(2)=2$이면 $2a+1=2$ $\therefore a=\dfrac{1}{2}$

(i), (ii), (iii)에서 a는 양수이므로 $a=\dfrac{1}{2}$

4-1 답 -2

|해결 전략| $f(-1)=g(-1)$, $f(1)=g(1)$임을 이용한다.

$f(x)=x+a$, $g(x)=x^2-bx+1$에서

$f(-1)=g(-1)$이므로

$-1+a=1+b+1$ $\therefore a-b=3$ ······ ㉠

$f(1)=g(1)$이므로

$1+a=1-b+1$ $\therefore a+b=1$ ······ ㉡

㉠, ㉡을 연립하여 풀면 $a=2$, $b=-1$ $\therefore ab=-2$

4-2 답 0

|해결 전략| $f(-2)=g(-2)$, $f(0)=g(0)$, $f(2)=g(2)$임을 이용한다.

$f(x)=x^2-ax-1$, $g(x)=b|x|+c$에서

$f(0)=g(0)$이므로 $c=-1$

즉, $f(x)=x^2-ax-1$, $g(x)=b|x|-1$이므로

$f(-2)=g(-2)$에서

$4+2a-1=2b-1$ $\therefore a-b=-2$ ······ ㉠

$f(2)=g(2)$에서

$4-2a-1=2b-1$ $\therefore a+b=2$ ······ ㉡

㉠, ㉡을 연립하여 풀면 $a=0$, $b=2$

$\therefore abc=0$

5-1 📖 3

|해결 전략| x축에 평행한 직선을 그어 본다.

주어진 함수의 그래프에 치역의 각 원소 b에 대하여 x축에 평행한 직선 $y=b$를 그어 교점을 나타내면 다음 그림과 같다.

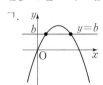

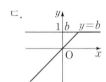

일대일함수의 그래프인 것은 ㄴ, ㄹ이므로 $p=2$

일대일대응의 그래프인 것은 ㄹ뿐이므로 $q=1$

$\therefore p+q=3$

> 참고
> ㄴ은 일대일함수이지만 치역과 공역이 같지 않으므로 일대일대응은 아니다.

5-2 📖 2

|해결 전략| 주어진 함수의 그래프를 그려 x축에 평행한 직선을 그어 본다.

주어진 함수의 그래프에 치역의 각 원소 b에 대하여 x축에 평행한 직선 $y=b$를 그어 교점을 나타내면 다음 그림과 같다.

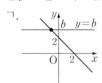

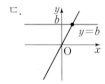 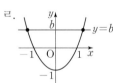

직선 $y=b$와 오직 한 점에서 만나고 치역과 공역이 같은 함수의 그래프는 ㄱ, ㄷ이므로 일대일대응인 함수의 개수는 2이다.

6-1 📖 4

|해결 전략| 일대일대응이 되도록 함수 $y=f(x)$의 그래프를 그려 본다.

$f(x)=\begin{cases} x^2-2x+b & (x\le 1) \\ ax+4 & (x>1) \end{cases}$에서

$x^2-2x+b=(x-1)^2+b-1$

이므로 함수 f가 일대일대응이려면 $y=f(x)$의 그래프는 오른쪽 그림과 같아야 한다.

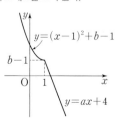

직선 $y=ax+4$의 기울기가 음수이어야 하므로 $a<0$

또, 직선 $y=ax+4$가 점 $(1, b-1)$을 지나야 하므로

$a+4=b-1$ $\therefore a=b-5$

$a<0$에서 $b-5<0$ $\therefore b<5$

따라서 정수 b의 최댓값은 4이다.

6-2 📖 $a>2$

|해결 전략| 일대일대응이 되도록 함수 $y=f(x)$의 그래프를 그려 본다.

함수 $f(x)=\begin{cases} (a-2)x+4 & (x\le 0) \\ x+4 & (x>0) \end{cases}$가 일대일

대응이려면 $y=f(x)$의 그래프는 오른쪽 그림과 같아야 한다.

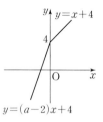

직선 $y=(a-2)x+4$의 기울기가 양수이어야 하므로

$a-2>0$ $\therefore a>2$

7-1 📖 8

|해결 전략| 함수 f는 항등함수이므로 $f(3)=3$이다.

함수 f는 항등함수이므로 $f(3)=3$

$\therefore f(3)=g(7)=3$

한편, 함수 g는 상수함수이므로 $g(4)=g(7)=3$

$\therefore f(5)+g(4)=5+3=8$

7-2 📖 3

|해결 전략| 함수 g는 항등함수이므로 $g(2)=2$이다.

함수 g는 항등함수이므로 $g(2)=2$

$\therefore f(5)=g(2)=h(10)=2$

한편, 함수 h는 상수함수이므로

$h(2)=h(5)=h(10)=2$

또, $f(2)f(5)=f(10)$이고 함수 f는 일대일대응이므로

$2f(2)=f(10)$에서 $f(2)=5$, $f(10)=10$

$\therefore f(2)-h(5)=5-2=3$

8-1 📖 29

|해결 전략| 정의역의 각 원소에 대응할 수 있는 공역의 원소의 개수를 이용한다.

집합 $X=\{1, 2, 3, 4\}$에 대하여 X에서 X로의

항등함수의 개수는 $a=1$

상수함수의 개수는 $b=4$

일대일대응의 개수는 $c=4\times3\times2\times1=24$

$\therefore a+b+c=29$

8-2 📖 9

|해결 전략| $f(1)$의 값은 3, 4, 5 중 하나이다.

집합 $X=\{1, 2, 3\}$에서 집합 $Y=\{1, 2, 3, 4, 5\}$로의 함수 f에 대하여 $f(2)=2$, $f(1)>f(2)$이고 일대일함수이려면

$f(1)$의 값이 될 수 있는 것은 3, 4, 5 중 하나이므로 3개

$f(3)$의 값이 될 수 있는 것은 1, 2, 3, 4, 5 중 $f(1)$, $f(2)$의 값을 제외한 3개

따라서 구하는 일대일함수의 개수는 $3\times3=9$

5 | 합성함수와 역함수

1 합성함수

개념 확인   112쪽~113쪽

1 (1) 7   (2) 8   (3) 6
2 (1) -3 (2) 1

1 (1) $(g \circ f)(1) = g(f(1)) = g(a) = 7$
    (2) $(g \circ f)(2) = g(f(2)) = g(c) = 8$
    (3) $(g \circ f)(3) = g(f(3)) = g(b) = 6$

2 $f(x) = x-2$, $g(x) = 3x$에서
    (1) $f(1) = -1$이므로
      $(g \circ f)(1) = g(f(1)) = g(-1) = -3$
    (2) $g(1) = 3$이므로
      $(f \circ g)(1) = f(g(1)) = f(3) = 1$

STEP 1   개념 드릴 | 114쪽 |

1 (1) 6   (2) 8   (3) 5
2 (1) 4   (2) 3   (3) 2
3 (1) -1 (2) 7   (3) $(f \circ g)(x) = 2x^2 - 3$
    (4) $(g \circ f)(x) = 4x^2 + 4x - 1$
4 (1) -15 (2) 10   (3) $(h \circ (g \circ f))(x) = 9x^2 + 36x + 37$
    (4) $((h \circ g) \circ f)(x) = 9x^2 + 36x + 37$

1 (1) $g(f(2)) = g(d) = 6$
    (2) $(g \circ f)(3) = g(f(3)) = g(c) = 8$
    (3) $(g \circ f)(4) = g(f(4)) = g(a) = 5$

2 (1) $(g \circ f)(1) = g(f(1)) = g(1) = 4$
    (2) $(g \circ f)(2) = g(f(2)) = g(2) = 3$
    (3) $(g \circ f)(3) = g(f(3)) = g(3) = 2$

3 $f(x) = 2x+1$, $g(x) = x^2 - 2$에서
    (1) $g(1) = -1$이므로
      $(f \circ g)(1) = f(g(1)) = f(-1) = -1$
    (2) $f(1) = 3$이므로
      $(g \circ f)(1) = g(f(1)) = g(3) = 7$
    (3) $(f \circ g)(x) = f(g(x)) = f(x^2 - 2)$
             $= 2(x^2 - 2) + 1 = 2x^2 - 3$
    (4) $(g \circ f)(x) = g(f(x)) = g(2x+1)$
             $= (2x+1)^2 - 2 = 4x^2 + 4x - 1$

4 $f(x) = x+2$, $g(x) = -3x$, $h(x) = x^2 + 1$에서
    (1) $(g \circ h)(2) = g(h(2)) = g(5) = -15$
    (2) $(h \circ g \circ f)(-1) = h(g(f(-1))) = h(g(1))$
                    $= h(-3) = 10$
    (3) $(g \circ f)(x) = g(f(x)) = g(x+2) = -3x - 6$이므로
      $(h \circ (g \circ f))(x) = h((g \circ f)(x)) = h(-3x - 6)$
                   $= (-3x - 6)^2 + 1 = 9x^2 + 36x + 37$
    (4) $(h \circ g)(x) = h(g(x)) = h(-3x) = 9x^2 + 1$이므로
      $((h \circ g) \circ f)(x) = (h \circ g)(f(x)) = (h \circ g)(x+2)$
                   $= 9(x+2)^2 + 1 = 9x^2 + 36x + 37$

참고

(3), (4)의 결과가 같음을 이용하여 결합법칙이 성립함을 확인할 수 있다.

STEP 2   필수 유형 | 115쪽~118쪽 |

01-1   답 15

| 해결 전략 | $(g \circ f)(x) = g(f(x))$임을 이용한다.
$f(x) = x^2 - 2$, $g(x) = \begin{cases} -x+3 & (x \geq 1) \\ 4 & (x < 1) \end{cases}$ 에서
$g(-1) = 4$이므로
$(f \circ g)(-1) = f(g(-1))$
           $= f(4) = 14$
$f(2) = 2$이므로
$(g \circ f)(2) = g(f(2))$
           $= g(2) = -2 + 3 = 1$
$\therefore (f \circ g)(-1) + (g \circ f)(2) = 14 + 1 = 15$

01-2   답 15

| 해결 전략 | 합성함수에서 결합법칙이 성립함을 이용한다.
$((f \circ g) \circ h)(-1) = (f \circ (g \circ h))(-1)$
               $= f((g \circ h)(-1))$
               $= f(7) = 15$

02-1   답 4

| 해결 전략 | $f \circ g$, $g \circ f$를 각각 구하여 동류항의 계수를 비교한다.
$f(x) = -x-a$, $g(x) = ax+6$에서
$(f \circ g)(x) = f(g(x)) = f(ax+6)$
           $= -(ax+6) - a = -ax - a - 6$
$(g \circ f)(x) = g(f(x)) = g(-x-a)$
           $= a(-x-a) + 6 = -ax - a^2 + 6$
$f \circ g = g \circ f$이므로
$-a - 6 = -a^2 + 6$, $a^2 - a - 12 = 0$
$(a+3)(a-4) = 0$ $\therefore a = -3$ 또는 $a = 4$
따라서 구하는 양수 a의 값은 4이다.

02-2 답 -1

|해결 전략| $f \circ g,\ g \circ f$를 각각 구하여 동류항의 계수를 비교한다.

$f(x)=2x+1,\ g(x)=3x+a$에서

$(f \circ g)(x)=f(g(x))=f(3x+a)$
$\qquad\qquad =2(3x+a)+1=6x+2a+1$

$(g \circ f)(x)=g(f(x))=g(2x+1)$
$\qquad\qquad =3(2x+1)+a=6x+a+3$

$f \circ g=g \circ f$이므로 $2a+1=a+3$ $\quad \therefore a=2$

따라서 $g(x)=3x+2$이므로 $g(-1)=-1$

03-1 답 (1) $h(x)=-x+2$ (2) $h(x)=-x-2$

|해결 전략| (1) $f(x)$의 x 대신에 $h(x)$를 대입한다.
(2) $h(x)$의 x 대신에 $g(x)$를 대입한 후 $g(x)=t$로 치환한다.

$f(x)=2x-3,\ g(x)=-2x+1$에서

(1) $(f \circ h)(x)=f(h(x))=2h(x)-3$

$\quad (f \circ h)(x)=g(x)$이므로 $2h(x)-3=-2x+1$

$\quad 2h(x)=-2x+4$ $\quad \therefore h(x)=-x+2$

(2) $(h \circ g)(x)=h(g(x))=h(-2x+1)$

$\quad (h \circ g)(x)=f(x)$이므로 $h(-2x+1)=2x-3$

이때, $-2x+1=t$라 하면 $x=\dfrac{1-t}{2}$이므로

$h(t)=2 \times \dfrac{1-t}{2}-3=-t-2$ $\quad \therefore h(x)=-x-2$

03-2 답 1

|해결 전략| $h(x)$의 x 대신에 $g(x)$를 대입한 후 $g(x)=t$로 치환한다.

$f(x)=2x^2-1,\ g(x)=3x+2$에서

$(h \circ g)(x)=h(g(x))=h(3x+2)$

$(h \circ g)(x)=f(x)$이므로 $h(3x+2)=2x^2-1$

이때, $3x+2=t$라 하면 $x=\dfrac{t-2}{3}$이므로

$h(t)=2\left(\dfrac{t-2}{3}\right)^2-1$ $\quad \therefore h(5)=2-1=1$

다른 풀이

$h(3x+2)=2x^2-1$에서 $3x+2=5$일 때, $x=1$이므로
$h(5)=2 \times 1^2-1=1$

04-1 답 8

|해결 전략| $f^2,\ f^3,\ f^4,\ \cdots$를 구하여 규칙을 찾아 f^n을 구한다.

$f^1(x)=f(x)=-x+3$

$f^2(x)=(f \circ f)(x)=f(f(x))$
$\qquad\quad =f(-x+3)=-(-x+3)+3=x$

$f^3(x)=(f \circ f^2)(x)=f(f^2(x))$
$\qquad\quad =f(x)=-x+3$

$f^4(x)=(f \circ f^3)(x)=f(f^3(x))$
$\qquad\quad =f(-x+3)=-(-x+3)+3=x$
$\qquad\quad \vdots$

즉, $f^n(x)$는 $-x+3,\ x$가 이 순서대로 반복된다.

따라서 $f^{20}(x)=x$이므로 $f^{20}(8)=8$

참고

자연수 n에 대하여

$f^1(x)=f^3(x)=\cdots=f^{2n-1}(x)=-x+3$

$f^2(x)=f^4(x)=\cdots=f^{2n}(x)=x$

04-2 답 5

|해결 전략| 주어진 그림을 이용하여 $f^n(2),\ f^n(3)$의 규칙을 찾는다.

$f^1(2)=f(2)=1$

$f^2(2)=f(f(2))=f(1)=3$

$f^3(2)=f(f^2(2))=f(3)=2$

$f^4(2)=f(f^3(2))=f(2)=1$
$\qquad\quad \vdots$

즉, $f^n(2)$의 값은 1, 3, 2가 이 순서대로 반복된다.

이때, $50=3 \times 16+2$이므로 $f^{50}(2)=f^2(2)=3$

$f^1(3)=f(3)=2$

$f^2(3)=f(f(3))=f(2)=1$

$f^3(3)=f(f^2(3))=f(1)=3$

$f^4(3)=f(f^3(3))=f(3)=2$
$\qquad\quad \vdots$

즉, $f^n(3)$의 값은 2, 1, 3이 이 순서대로 반복된다.

이때, $100=3 \times 33+1$이므로 $f^{100}(3)=f(3)=2$

$\therefore f^{50}(2)+f^{100}(3)=3+2=5$

다른 풀이

$f^1,\ f^2,\ f^3$의 대응 관계를 그림으로 나타내면 다음과 같다.

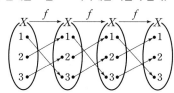

즉, $f^3(x)=x$이므로

$f^{50}(2)=f^{3 \times 16+2}(2)=f^2(2)=3$

$f^{100}(3)=f^{3 \times 33+1}(3)=f(3)=2$

$\therefore f^{50}(2)+f^{100}(3)=5$

2 역함수

개념 확인   119쪽~123쪽

1 ㄷ

2 (1) $y=-2x+2$ (2) $y=\dfrac{1}{3}x+\dfrac{2}{3}$ $(x \geq -2)$

3 (1) 3 (2) 7 (3) 3 (4) 5

4 풀이 참조

5 (1) 풀이 참조 (2) 풀이 참조

1 역함수가 존재하려면 일대일대응이어야 하므로 역함수가 존재하는 것은 ㄷ뿐이다.

2 (1) 함수 $y=-\dfrac{1}{2}x+1$은 일대일대응이므로 역함수가 존재한다.

  $y=-\dfrac{1}{2}x+1$에서 x를 y로 나타내면

  $2y=-x+2$ $\therefore x=-2y+2$

  x와 y를 서로 바꾸면 구하는 역함수는

  $y=-2x+2$

(2) 함수 $y=3x-2$ $(x\geq0)$는 일대일대응이므로 역함수가 존재한다.

  $y=3x-2$에서 x를 y로 나타내면

  $3x=y+2$ $\therefore x=\dfrac{1}{3}y+\dfrac{2}{3}$

  이때, 함수 $y=3x-2$ $(x\geq0)$의 치역이 $\{y\,|\,y\geq-2\}$이므로 역함수의 정의역은 $\{x\,|\,x\geq-2\}$이다.

  따라서 x와 y를 서로 바꾸면 구하는 역함수는

  $y=\dfrac{1}{3}x+\dfrac{2}{3}$ $(x\geq-2)$

3 (1) $(f^{-1})(1)=3$
(2) $(f^{-1})^{-1}(2)=f(2)=7$
(3) $(f^{-1}\circ f)(3)=f^{-1}(f(3))=f^{-1}(1)=3$
(4) $(f\circ f^{-1})(5)=f(f^{-1}(5))=f(4)=5$

4 $f(x)=-2x,\ g(x)=x+3$에서

  $(g\circ f)(x)=g(f(x))=g(-2x)=-2x+3$

  $y=-2x+3$으로 놓고 x를 y로 나타내면 $x=-\dfrac{1}{2}y+\dfrac{3}{2}$

  x와 y를 서로 바꾸면 $y=-\dfrac{1}{2}x+\dfrac{3}{2}$이므로

  $(g\circ f)^{-1}(x)=-\dfrac{1}{2}x+\dfrac{3}{2}$ $\cdots\cdots$ ㉠

  또, 두 함수 $f,\ g$에서

  $y=-2x$로 놓고 x를 y로 나타내면 $x=-\dfrac{1}{2}y$

  x와 y를 서로 바꾸면 $y=-\dfrac{1}{2}x$이므로 $f^{-1}(x)=-\dfrac{1}{2}x$

  $y=x+3$으로 놓고 x를 y로 나타내면 $x=y-3$

  x와 y를 서로 바꾸면 $y=x-3$이므로 $g^{-1}(x)=x-3$

  $\therefore (f^{-1}\circ g^{-1})(x)=f^{-1}(g^{-1}(x))=f^{-1}(x-3)$

  $\qquad\qquad\qquad =-\dfrac{1}{2}(x-3)=-\dfrac{1}{2}x+\dfrac{3}{2}$ $\cdots\cdots$ ㉡

  따라서 ㉠, ㉡에서 $(g\circ f)^{-1}=f^{-1}\circ g^{-1}$

5 (1)

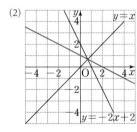

(2)

> **1** ㄹ
> **2** ㄱ
> **3** (1) 6 (2) 2 (3) 4 (4) 3
> **4** (1) $y=\dfrac{1}{4}x-\dfrac{5}{4}$ (2) $y=-\dfrac{1}{2}x-\dfrac{3}{2}$ (3) $y=3x+3$ $(x\geq0)$

1 역함수가 존재하려면 일대일대응이어야 하므로 역함수가 존재하는 것은 ㄹ뿐이다.

2 역함수를 가지려면 일대일대응이어야 한다.
보기의 그래프 중 함수인 것은 ㄱ, ㄴ, ㄷ이고, 이 중 일대일대응을 나타내는 그래프는 ㄱ뿐이다.

3 (1) $f^{-1}(0)=6$
(2) $(f^{-1})^{-1}(5)=f(5)=2$
(3) $(f^{-1}\circ f)(4)=f^{-1}(f(4))=f^{-1}(1)=4$
(4) $(f\circ f^{-1})(3)=f(f^{-1}(3))=f(7)=3$

4 (1) 함수 $y=4x+5$는 일대일대응이므로 역함수가 존재한다.

  $y=4x+5$에서 x를 y로 나타내면

  $4x=y-5$ $\therefore x=\dfrac{1}{4}y-\dfrac{5}{4}$

  x와 y를 서로 바꾸면 구하는 역함수는

  $y=\dfrac{1}{4}x-\dfrac{5}{4}$

(2) 함수 $y=-2x-3$은 일대일대응이므로 역함수가 존재한다.

  $y=-2x-3$에서 x를 y로 나타내면

  $2x=-y-3$ $\therefore x=-\dfrac{1}{2}y-\dfrac{3}{2}$

  x와 y를 서로 바꾸면 구하는 역함수는

  $y=-\dfrac{1}{2}x-\dfrac{3}{2}$

(3) 함수 $y=\dfrac{1}{3}x-1$ $(x\geq3)$은 일대일대응이므로 역함수가 존재한다.

  $y=\dfrac{1}{3}x-1$에서 x를 y로 나타내면

  $\dfrac{1}{3}x=y+1$ $\therefore x=3y+3$

  이때, 함수 $y=\dfrac{1}{3}x-1$ $(x\geq3)$의 치역이 $\{y\,|\,y\geq0\}$이므로 역함수의 정의역은 $\{x\,|\,x\geq0\}$이다.

  따라서 x와 y를 서로 바꾸면 구하는 역함수는

  $y=3x+3$ $(x\geq0)$

01-1 답 5

|해결 전략| 함수 $f(x)$와 그 역함수 $f^{-1}(x)$에 대하여 $f^{-1}(b)=a$이면 $f(a)=b$임을 이용한다.

$f^{-1}(3)=m$이라 하면 $f(m)=3$이므로

$m+1=3$ ∴ $m=2$

$g^{-1}(3)=n$이라 하면 $g(n)=3$이므로

$2n-3=3$ ∴ $n=3$

∴ $f^{-1}(3)+g^{-1}(3)=2+3=5$

01-2 답 -3

|해결 전략| 함수 $f(x)$와 그 역함수 $f^{-1}(x)$에 대하여 $f^{-1}(b)=a$이면 $f(a)=b$임을 이용한다.

$f^{-1}(2)=1$에서 $f(1)=2$이므로

$a+b=2$ ······ ㉠

$f^{-1}(5)=-2$에서 $f(-2)=5$이므로

$-2a+b=5$ ······ ㉡

㉠, ㉡을 연립하여 풀면 $a=-1$, $b=3$

∴ $ab=-3$

01-3 답 10

|해결 전략| $(f \circ g^{-1})(k)=7$을 $g^{-1}(k)$에 대한 식으로 나타낸다.

$(f \circ g^{-1})(k)=f(g^{-1}(k))=4g^{-1}(k)-5$

이때, $(f \circ g^{-1})(k)=7$이므로

$4g^{-1}(k)-5=7$, $4g^{-1}(k)=12$ ∴ $g^{-1}(k)=3$

따라서 $g(3)=k$이므로

$3 \times 3+1=k$ ∴ $k=10$

02-1 답 5

|해결 전략| 함수 $f(x)$의 역함수가 존재하면 $f(x)$는 일대일대응이다.

$X=\{x|-2 \le x \le 3\}$에서

$Y=\{y|-3 \le y \le 7\}$로의 함수

$f(x)=ax+b$의 역함수가 존재하므로

$f(x)$는 일대일대응이다.

이때, $a>0$이므로 $y=f(x)$의 그래프는 오른쪽 그림과 같다.

즉, $f(-2)=-3$, $f(3)=7$이다.

$f(-2)=-3$에서 $-2a+b=-3$ ······ ㉠

$f(3)=7$에서 $3a+b=7$ ······ ㉡

㉠, ㉡을 연립하여 풀면 $a=2$, $b=1$

∴ $2a+b=5$

02-2 답 $k<-3$ 또는 $k>3$

|해결 전략| 절댓값 기호 안의 식의 값이 0이 되게 하는 x의 값을 기준으로 구간을 나눈 후 일대일대응임을 이용한다.

함수 $f(x)$의 역함수가 존재하므로 $f(x)$는 실수 전체의 집합 R에서 R로의 일대일대응이다.

$f(x)=|3x-1|+kx-6$에서

(ⅰ) $x<\dfrac{1}{3}$일 때

$f(x)=-(3x-1)+kx-6=(k-3)x-5$

(ⅱ) $x \ge \dfrac{1}{3}$일 때

$f(x)=3x-1+kx-6=(k+3)x-7$

(ⅰ), (ⅱ)에서 함수 $f(x)$가 일대일대응이 되려면 $x<\dfrac{1}{3}$인 부분과 $x \ge \dfrac{1}{3}$인 부분에서의 두 직선의 기울기가 같은 부호이어야 하므로

$(k-3)(k+3)>0$ ∴ $k<-3$ 또는 $k>3$

03-1 답 $-\dfrac{1}{16}$

|해결 전략| $y=f(x)$에서 x를 y로 나타낸 후 x와 y를 서로 바꾸어 $y=f^{-1}(x)$를 구한다.

$f(x)=ax+b$에서 $y=ax+b$로 놓고 x를 y로 나타내면

$ax=y-b$ ∴ $x=\dfrac{1}{a}y-\dfrac{b}{a}$

x와 y를 서로 바꾸면 $y=\dfrac{1}{a}x-\dfrac{b}{a}$

∴ $f^{-1}(x)=\dfrac{1}{a}x-\dfrac{b}{a}$

따라서 $\dfrac{1}{a}x-\dfrac{b}{a}=-4x+1$이므로

$\dfrac{1}{a}=-4$, $-\dfrac{b}{a}=1$ ∴ $a=-\dfrac{1}{4}$, $b=\dfrac{1}{4}$

∴ $ab=-\dfrac{1}{16}$

다른 풀이

$f^{-1}(x)=-4x+1$에서 $y=-4x+1$로 놓고 x를 y로 나타내면

$4x=-y+1$ ∴ $x=-\dfrac{1}{4}y+\dfrac{1}{4}$

x와 y를 서로 바꾸면 $y=-\dfrac{1}{4}x+\dfrac{1}{4}$

즉, $(f^{-1})^{-1}(x)=f(x)=-\dfrac{1}{4}x+\dfrac{1}{4}$이므로

$a=-\dfrac{1}{4}$, $b=\dfrac{1}{4}$ ∴ $ab=-\dfrac{1}{16}$

03-2 답 $h^{-1}(x)=-\dfrac{1}{2}x+3$

|해결 전략| $(g \circ f)(x)=g(f(x))$임을 이용하여 $h(x)$를 구한 후 $h^{-1}(x)$를 구한다.

$h(x)=(g \circ f)(x)=g(f(x))=g(2x-3)$

$=-(2x-3)+3=-2x+6$

$y=-2x+6$으로 놓고 x를 y로 나타내면

$2x=-y+6$ ∴ $x=-\dfrac{1}{2}y+3$

x와 y를 서로 바꾸면 $y=-\dfrac{1}{2}x+3$

∴ $h^{-1}(x)=-\dfrac{1}{2}x+3$

03-3 답 $\dfrac{1}{4}$

|해결 전략| $f(2x+1)=4x+1$에서 $2x+1=t$로 놓고 $f(x)$를 구한 후 $f^{-1}(x)$를 구한다.

$f(2x+1)=4x+1$에서 $2x+1=t$로 놓으면 $x=\dfrac{t-1}{2}$이므로

$f(t)=4\times\dfrac{t-1}{2}+1=2t-1$

$\therefore f(x)=2x-1$

$f(x)=2x-1$에서 $y=2x-1$로 놓고 x를 y로 나타내면

$2x=y+1$ $\quad\therefore x=\dfrac{1}{2}y+\dfrac{1}{2}$

x와 y를 서로 바꾸면 $y=\dfrac{1}{2}x+\dfrac{1}{2}$

$\therefore f^{-1}(x)=\dfrac{1}{2}x+\dfrac{1}{2}$

따라서 $a=\dfrac{1}{2}$, $b=\dfrac{1}{2}$이므로 $ab=\dfrac{1}{4}$

04-1 답 14

|해결 전략| $(g\circ f)^{-1}=f^{-1}\circ g^{-1}$임을 이용한다.

$(f\circ g^{-1})^{-1}(a)=(g\circ f^{-1})(a)$
$\qquad\qquad\qquad\quad =g(f^{-1}(a))=2f^{-1}(a)-5$

이때, $(f\circ g^{-1})^{-1}(a)=3$이므로

$2f^{-1}(a)-5=3$ $\quad\therefore f^{-1}(a)=4$

따라서 $f(4)=a$이므로

$a=3\times4+2=14$

04-2 답 8

|해결 전략| $(g\circ f)^{-1}=f^{-1}\circ g^{-1}$, $f^{-1}\circ f=I$임을 이용한다.

$(f\circ(f\circ g)^{-1}\circ f)(1)=(f\circ(g^{-1}\circ f^{-1})\circ f)(1)$
$\qquad\qquad\qquad\qquad\quad =(f\circ g^{-1}\circ(f^{-1}\circ f))(1)$
$\qquad\qquad\qquad\qquad\quad =(f\circ g^{-1})(1)=f(g^{-1}(1))$

$g^{-1}(1)=a$라 하면 $g(a)=1$에서

(i) $a<1$일 때

$g(a)=-a-1=1$ $\quad\therefore a=-2$

(ii) $a\geq1$일 때

$g(a)=-3a+1=1$ $\quad\therefore a=0$

그런데 $a\geq1$이므로 이를 만족시키는 a의 값은 없다.

(i), (ii)에서 $a=-2$, 즉 $g^{-1}(1)=-2$이므로

$(f\circ(f\circ g)^{-1}\circ f)(1)=f(g^{-1}(1))$
$\qquad\qquad\qquad\qquad\quad =f(-2)=8$

05-1 답 -2

|해결 전략| $f(x)=2x+a$의 그래프와 $y=f^{-1}(x)$의 그래프의 교점은 $f(x)=2x+a$의 그래프와 직선 $y=x$의 교점과 같다.

함수 $f(x)=2x+a$의 그래프와 그 역함수 $y=f^{-1}(x)$의 그래프는 직선 $y=x$에 대하여 대칭이므로 교점의 x좌표는 함수 $f(x)=2x+a$의 그래프와 직선 $y=x$의 교점의 x좌표와 같다.

즉, $2x+a=x$를 만족시키는 x의 값이 2이므로

$4+a=2$ $\quad\therefore a=-2$

05-2 답 $3\sqrt{2}$

|해결 전략| $f(x)=x^2-2x$ $(x\geq1)$의 그래프와 $y=f^{-1}(x)$의 그래프의 교점은 $f(x)=x^2-2x$ $(x\geq1)$의 그래프와 직선 $y=x$의 교점과 같다.

함수 $f(x)=x^2-2x$ $(x\geq1)$의 그래프와 그 역함수 $y=f^{-1}(x)$의 그래프는 직선 $y=x$에 대하여 대칭이므로 교점의 좌표는 함수 $f(x)=x^2-2x$ $(x\geq1)$의 그래프와 직선 $y=x$의 교점의 좌표와 같다.

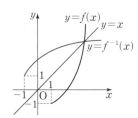

$x^2-2x=x$에서

$x^2-3x=0$, $x(x-3)=0$ $\quad\therefore x=3$ $(\because x\geq1)$

따라서 교점 P의 좌표는 $(3, 3)$이므로

$\overline{\text{OP}}=\sqrt{3^2+3^2}=3\sqrt{2}$

06-1 답 (1) $a+d$ (2) b

|해결 전략| 직선 $y=x$를 이용하여 y축과 점선이 만나는 점의 y좌표를 표시한다.

주어진 그래프에서

$f(a)=b$, $f(b)=c$, $f(c)=d$

(1) $(f\circ f)(b)=f(f(b))$
$\qquad\qquad\quad =f(c)=d$

$f^{-1}(b)=k$라 하면 $f(k)=b$이므로

$k=a$

$\therefore f^{-1}(b)=a$

$\therefore (f\circ f)(b)+f^{-1}(b)=a+d$

(2) $(f\circ f)^{-1}(d)=(f^{-1}\circ f^{-1})(d)=f^{-1}(f^{-1}(d))$에서

$f^{-1}(d)=m$이라 하면 $f(m)=d$이므로 $m=c$

즉, $f^{-1}(f^{-1}(d))=f^{-1}(c)$

$f^{-1}(c)=n$이라 하면 $f(n)=c$이므로 $n=b$

$\therefore (f\circ f)^{-1}(d)=f^{-1}(f^{-1}(d))$
$\qquad\qquad\qquad\quad =f^{-1}(c)=b$

STEP **3** 유형 드릴 ─────── |131쪽~133쪽|

1-1 답 11

|해결 전략| $(f\circ g)(x)=f(g(x))$, $(g\circ f)(x)=g(f(x))$임을 이용한다.

$f(x)=x+3$, $g(x)=x^2-1$에서

$(f\circ g)(-1)=f(g(-1))$
$\qquad\qquad\quad =f(0)=3$

$(g\circ f)(0)=g(f(0))$
$\qquad\qquad\quad =g(3)=8$

$\therefore (f\circ g)(-1)+(g\circ f)(0)=3+8=11$

1-2 답 4

|해결 전략| $(f \circ f \circ f)(x) = f(f(f(x)))$임을 이용한다.

$f(x) = \begin{cases} \dfrac{x}{2} & (x\text{는 짝수}) \\ x+3 & (x\text{는 홀수}) \end{cases}$ 에서

$$\begin{aligned} (f \circ f \circ f)(10) &= f(f(f(10))) \\ &= f(f(5)) \\ &= f(8) = 4 \end{aligned}$$

2-1 답 3

|해결 전략| $(h \circ (g \circ f))(x) = ((h \circ g) \circ f)(x)$임을 이용한다.

$f(x) = 2x+3, (h \circ g)(5) = 3$에서

$$\begin{aligned} (h \circ (g \circ f))(1) &= ((h \circ g) \circ f)(1) \\ &= (h \circ g)(f(1)) \\ &= (h \circ g)(5) = 3 \end{aligned}$$

2-2 답 1

|해결 전략| $(h \circ (g \circ f))(x) = ((h \circ g) \circ f)(x)$임을 이용한다.

$$\begin{aligned} (h \circ (g \circ f))(a) &= ((h \circ g) \circ f)(a) \\ &= (h \circ g)(f(a)) \\ &= (h \circ g)(-4a+1) \\ &= 3(-4a+1)+6 \\ &= -12a+9 \end{aligned}$$

$-12a+9 = -3$이므로

$12a = 12$ $\therefore a = 1$

3-1 답 $(3, 3)$

|해결 전략| $f \circ g, g \circ f$를 각각 구하여 동류항의 계수를 비교한다.

$f(x) = 2x-3, g(x) = ax+b$에서

$$\begin{aligned} (f \circ g)(x) &= f(g(x)) = f(ax+b) \\ &= 2(ax+b)-3 = 2ax+2b-3 \end{aligned}$$

$$\begin{aligned} (g \circ f)(x) &= g(f(x)) = g(2x-3) \\ &= a(2x-3)+b = 2ax-3a+b \end{aligned}$$

$f \circ g = g \circ f$이므로

$2b-3 = -3a+b$ $\therefore b = -3a+3$

이때, $g(x) = ax+b = ax-3a+3 = a(x-3)+3$이므로

$y = g(x)$의 그래프는 a의 값에 관계없이 항상 점 $(3, 3)$을 지난다.

> **참고**
>
> $y = a(x-3)+3$에서 $a(x-3)+(3-y) = 0$
>
> 이 식이 a의 값에 관계없이 항상 성립한다는 것은 a에 대한 항등식이라는 것이므로
>
> $x-3 = 0, 3-y = 0$ $\therefore x = 3, y = 3$

3-2 답 1

|해결 전략| $f \circ g, g \circ f$를 각각 구하여 동류항의 계수를 비교한다.

$f(x) = 3x-8, g(x) = ax+b$에서

$$\begin{aligned} (f \circ g)(x) &= f(g(x)) = f(ax+b) \\ &= 3(ax+b)-8 = 3ax+3b-8 \end{aligned}$$

$$\begin{aligned} (g \circ f)(x) &= g(f(x)) = g(3x-8) \\ &= a(3x-8)+b = 3ax-8a+b \end{aligned}$$

$f \circ g = g \circ f$이므로

$3b-8 = -8a+b$ $\therefore 4a+b = 4$

이때, $a > 0, b > 0$이므로 산술평균과 기하평균의 관계에 의하여

$4a+b \geq 2\sqrt{4ab}$ (단, 등호는 $4a = b$일 때 성립)

$4 \geq 4\sqrt{ab}, \sqrt{ab} \leq 1$

양변을 제곱하면 $ab \leq 1$

따라서 ab의 최댓값은 1이다.

> **LECTURE**
>
> **산술평균과 기하평균의 관계**
>
> $a > 0, b > 0$일 때
>
> $a+b \geq 2\sqrt{ab}$ (단, 등호는 $a = b$일 때 성립)

4-1 답 1

|해결 전략| $f(x)$의 x 대신에 $h(x)$를 대입한다.

$f(x) = 3x-1, g(x) = -3x+5$에서

$(f \circ h)(x) = f(h(x)) = 3h(x)-1$

$(f \circ h)(x) = g(x)$이므로

$3h(x)-1 = -3x+5, 3h(x) = -3x+6$

$\therefore h(x) = -x+2$ $\therefore h(1) = 1$

4-2 답 1

|해결 전략| $h(x)$의 x 대신에 $f(x)$를 대입한 후 $f(x) = t$로 치환한다.

$f(x) = -2x+3, g(x) = 4x+1$에서

$(h \circ f)(x) = h(f(x)) = h(-2x+3)$

$(h \circ f)(x) = g(x)$이므로

$h(-2x+3) = 4x+1$

이때, $-2x+3 = t$라 하면 $x = \dfrac{3-t}{2}$이므로

$h(t) = 4 \times \dfrac{3-t}{2}+1 = -2t+7$

$\therefore h(3) = -2 \times 3+7 = 1$

> **다른 풀이**
>
> $h(-2x+3) = 4x+1$에서 $-2x+3 = 3$일 때, $x = 0$이므로
>
> $h(3) = 4 \times 0+1 = 1$

5-1 답 1

|해결 전략| $f^1(3), f^2(3), f^3(3), f^4(3), \cdots$의 값을 구하여 규칙을 찾아 $f^{10}(3)$의 값을 구한다.

$f(x) = \begin{cases} x+1 & (x \leq 2) \\ 1 & (x = 3) \end{cases}$ 에서

$f^1(3) = f(3) = 1$

$f^2(3) = f(f(3)) = f(1) = 2$

$f^3(3) = f(f^2(3)) = f(2) = 3$

$f^4(3) = f(f^3(3)) = f(3) = 1$

$\vdots$

즉, $f^n(3)$의 값은 1, 2, 3이 이 순서대로 반복된다.

이때, $10=3\times3+1$이므로

$f^{10}(3)=f(3)=1$

참고

$f^n(3)$의 값은 1, 2, 3이 이 순서대로 반복되므로

$$f^n(3)=\begin{cases}1 & (n=3k-2)\\2 & (n=3k-1)\\3 & (n=3k)\end{cases}\text{ (단, }k\text{는 자연수)}$$

과 같이 나타낼 수 있다.

5-2 답 2

|해결 전략| $h=g\circ f$라 하면 $h^n(x)=(g\circ f)^n(x)$이므로 $h^n(x)=x$가 성립하는 n의 값을 찾는다.

$h(x)=(g\circ f)(x)$라 하면

$h(1)=(g\circ f)(1)=g(f(1))=g(2)=1$

$h(2)=(g\circ f)(2)=g(f(2))=g(3)=3$

$h(3)=(g\circ f)(3)=g(f(3))=g(1)=2$

$(g\circ f)^n(x)=h^n(x)$이고

$h^2(1)=h(h(1))=h(1)=1$

$h^2(2)=h(h(2))=h(3)=2$

$h^2(3)=h(h(3))=h(2)=3$

따라서 $h^2(x)=x$, 즉 $(g\circ f)^2(x)=x$이므로 $(g\circ f)^n=I$를 만족시키는 자연수 n의 최솟값은 2이다.

6-1 답 1

|해결 전략| 함수 $f(x)$와 그 역함수 $f^{-1}(x)$에 대하여 $f^{-1}(b)=a$이면 $f(a)=b$임을 이용한다.

$f^{-1}(-1)=2$에서 $f(2)=-1$이므로

$2a+b=-1$ ⋯⋯ ㉠

$f^{-1}(7)=-2$에서 $f(-2)=7$이므로

$-2a+b=7$ ⋯⋯ ㉡

㉠, ㉡을 연립하여 풀면 $a=-2$, $b=3$

$\therefore a+b=1$

6-2 답 1

|해결 전략| 함수 $f(x)$와 그 역함수 $f^{-1}(x)$에 대하여 $f^{-1}(b)=a$이면 $f(a)=b$임을 이용한다.

$f\left(\dfrac{x+1}{2}\right)=x-3$에서 $\dfrac{x+1}{2}=t$로 놓으면 $x=2t-1$이므로

$f(t)=(2t-1)-3=2t-4$

$\therefore f(x)=2x-4$

$f^{-1}(-2)=k$라 하면 $f(k)=-2$이므로

$2k-4=-2$ $\therefore k=1$

$\therefore f^{-1}(-2)=1$

다른 풀이

$f^{-1}(-2)=k$라 하면 $f(k)=-2$이므로

$f\left(\dfrac{x+1}{2}\right)=x-3$에서 $\dfrac{x+1}{2}=k$, $x-3=-2$

따라서 $x=1$, $k=1$이므로 $f^{-1}(-2)=1$

7-1 답 -2

|해결 전략| 함수 $f(x)$의 역함수가 존재하면 $f(x)$는 일대일대응이다.

$X=\{x\,|\,1\le x\le a\}$에서 $Y=\{y\,|-1<y<b\}$로의 함수 $f(x)=-3x+8$의 역함수가 존재하므로 $f(x)$는 일대일대응이다.

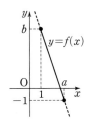

이때, 직선 $y=f(x)$의 기울기가 음수이므로

$f(1)=b$, $f(a)=-1$

$f(1)=b$에서 $b=5$

$f(a)=-1$에서 $-3a+8=-1$ $\therefore a=3$

$\therefore a-b=-2$

7-2 답 3

|해결 전략| 함수 $f(x)$의 역함수가 존재하려면 $f(x)$는 일대일대응이어야 한다.

함수 $f(x)=\begin{cases}x-2 & (x\ge0)\\(4-k^2)x-2 & (x<0)\end{cases}$의 역함수가 존재하려면 일대일대응이어야 하므로 $y=f(x)$의 그래프는 다음 그림과 같아야 한다.

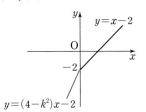

즉, 두 직선 $y=x-2$, $y=(4-k^2)x-2$의 기울기의 부호가 같아야 하므로

$4-k^2>0$, $k^2-4<0$

$(k+2)(k-2)<0$ $\therefore -2<k<2$

따라서 구하는 정수 k는 -1, 0, 1의 3개이다.

8-1 답 $f^{-1}(x)=\dfrac{1}{3}x-\dfrac{1}{2}$

|해결 전략| $f\left(\dfrac{2x-1}{2}\right)=3x$에서 $\dfrac{2x-1}{2}=t$로 치환하여 $f(x)$를 구한 후 $f^{-1}(x)$를 구한다.

$f\left(\dfrac{2x-1}{2}\right)=3x$에서 $\dfrac{2x-1}{2}=t$로 놓으면 $x=\dfrac{2t+1}{2}$이므로

$f(t)=3\times\dfrac{2t+1}{2}=3t+\dfrac{3}{2}$

$\therefore f(x)=3x+\dfrac{3}{2}$

$f(x)=3x+\dfrac{3}{2}$에서 $y=3x+\dfrac{3}{2}$으로 놓고 x를 y로 나타내면

$3x=y-\dfrac{3}{2}$ $\therefore x=\dfrac{1}{3}y-\dfrac{1}{2}$

x와 y를 서로 바꾸면 $y=\dfrac{1}{3}x-\dfrac{1}{2}$

$\therefore f^{-1}(x)=\dfrac{1}{3}x-\dfrac{1}{2}$

8-2 답 $h^{-1}(x)=-2x+5$

|해결 전략| $(g\circ f)(x)=g(f(x))$임을 이용하여 $h(x)$를 구한 후 $h^{-1}(x)$를 구한다.

$$h(x)=(g \circ f)(x)=g(f(x))=g(-x+3)$$
$$=\frac{1}{2}(-x+3)+1=-\frac{1}{2}x+\frac{5}{2}$$

$y=-\frac{1}{2}x+\frac{5}{2}$로 놓고 x를 y로 나타내면

$$\frac{1}{2}x=-y+\frac{5}{2} \qquad \therefore x=-2y+5$$

x와 y를 서로 바꾸면 $y=-2x+5$

$\therefore h^{-1}(x)=-2x+5$

9-1 답 1

|해결 전략| $(g \circ f)^{-1}=f^{-1} \circ g^{-1}, f^{-1} \circ f=I$임을 이용한다.
$$(f^{-1} \circ (g \circ f^{-1})^{-1})(5)=(f^{-1} \circ f \circ g^{-1})(5)$$
$$=g^{-1}(5)$$
이때, $g^{-1}(5)=a$라 하면 $g(a)=5$이므로
$$a+4=5 \qquad \therefore a=1$$
$$\therefore (f^{-1} \circ (g \circ f^{-1})^{-1})(5)=g^{-1}(5)=1$$

다른 풀이

$g(x)=x+4$에서 $g^{-1}(x)=x-4$이므로
$$(f^{-1} \circ (g \circ f^{-1})^{-1})(5)=g^{-1}(5)=1$$

9-2 답 −1

|해결 전략| $(g \circ f)^{-1}=f^{-1} \circ g^{-1}, f^{-1} \circ f=I$임을 이용한다.
$$(f \circ (f \circ g)^{-1} \circ f)(2)=(f \circ g^{-1} \circ f^{-1} \circ f)(2)$$
$$=(f \circ g^{-1})(2)$$
$$=f(g^{-1}(2))$$
$g^{-1}(2)=a$라 하면 $g(a)=2$에서

(i) $a<1$일 때
$$g(a)=a^2-2a-1=2$$
$$a^2-2a-3=0, (a+1)(a-3)=0$$
$$\therefore a=-1 \ (\because a<1)$$

(ii) $a \geq 1$일 때
$$g(a)=-3a+1=2 \qquad \therefore a=-\frac{1}{3}$$

그런데 $a \geq 1$이므로 이를 만족시키는 a의 값은 없다.

(i), (ii)에서 $a=-1$, 즉 $g^{-1}(2)=-1$이므로
$$(f \circ (f \circ g)^{-1} \circ f)(2)=f(g^{-1}(2))$$
$$=f(-1)=-1$$

10-1 답 2

|해결 전략| $f(x)=ax-3$의 그래프와 $y=f^{-1}(x)$의 그래프의 교점은 $f(x)=ax-3$의 그래프와 직선 $y=x$의 교점과 같다.

함수 $f(x)=ax-3$의 그래프와 그 역함수 $y=f^{-1}(x)$의 그래프는 직선 $y=x$에 대하여 대칭이므로 교점의 x좌표는 함수 $f(x)=ax-3$의 그래프와 직선 $y=x$의 교점의 x좌표와 같다.

즉, $ax-3=x$를 만족시키는 x의 값이 3이므로
$$3a-3=3 \qquad \therefore a=2$$

10-2 답 $\sqrt{2}$

|해결 전략| $f(x)=\frac{1}{3}x^2+\frac{2}{3} \ (x \geq 0)$의 그래프와 $y=g(x)$의 그래프의 교점은 $f(x)=\frac{1}{3}x^2+\frac{2}{3} \ (x \geq 0)$의 그래프와 직선 $y=x$의 교점과 같다.

함수 $f(x)=\frac{1}{3}x^2+\frac{2}{3} \ (x \geq 0)$의 그래프와 그 역함수 $y=g(x)$의 그래프는 직선 $y=x$에 대하여 대칭이므로 교점의 좌표는 함수 $f(x)=\frac{1}{3}x^2+\frac{2}{3} \ (x \geq 0)$의 그래프와 직선 $y=x$의 교점의 좌표와 같다.

$\frac{1}{3}x^2+\frac{2}{3}=x$에서
$$x^2+2=3x, x^2-3x+2=0$$
$$(x-1)(x-2)=0 \qquad \therefore x=1 \ 또는 \ x=2$$
따라서 두 교점의 좌표는 $(1, 1), (2, 2)$이므로 두 교점 사이의 거리는
$$\sqrt{(2-1)^2+(2-1)^2}=\sqrt{2}$$

11-1 답 13

|해결 전략| 직선 $y=x$를 이용하여 y축과 점선이 만나는 점의 y좌표를 표시한다.

주어진 그래프에서
$f(3)=5, f(5)=8$
$$(f \circ f)(5)=f(f(5))$$
$$=f(8)=10$$
$$(f \circ f)^{-1}(8)=(f^{-1} \circ f^{-1})(8)$$
$$=f^{-1}(f^{-1}(8))에서$$

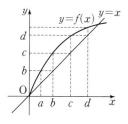

$f^{-1}(8)=k$라 하면 $f(k)=8$이므로 $k=5$

즉, $f^{-1}(f^{-1}(8))=f^{-1}(5)$

$f^{-1}(5)=l$이라 하면 $f(l)=5$이므로 $l=3$

$\therefore (f \circ f)^{-1}(8)=f^{-1}(f^{-1}(8))=f^{-1}(5)=3$

$\therefore (f \circ f)(5)+(f \circ f)^{-1}(8)=10+3=13$

11-2 답 ㄱ, ㄴ, ㄷ

|해결 전략| 직선 $y=x$를 이용하여 y축과 점선이 만나는 점의 y좌표를 표시한다.

주어진 그래프에서
$f(a)=b, f(b)=c, f(c)=d$

ㄱ. $(f \circ f \circ f)(a)=f(f(f(a)))$
$$=f(f(b))$$
$$=f(c)=d$$

ㄴ. $(f^{-1} \circ f)^{-1}(c)=(f^{-1} \circ f)(c)=c$

ㄷ. $(f \circ f)^{-1}(d)=(f^{-1} \circ f^{-1})(d)$
$$=f^{-1}(f^{-1}(d))에서$$
$f^{-1}(d)=k$라 하면 $f(k)=d$이므로 $k=c$

즉, $f^{-1}(f^{-1}(d))=f^{-1}(c)$

$f^{-1}(c)=l$이라 하면 $f(l)=c$이므로 $l=b$

$\therefore (f \circ f)^{-1}(d)=f^{-1}(f^{-1}(d))=f^{-1}(c)=b$

따라서 옳은 것은 ㄱ, ㄴ, ㄷ이다.

6 | 유리함수

1 유리식

개념 확인　　　　　　　136쪽~138쪽

1 (1) $\dfrac{x}{x(x-2)}$, $\dfrac{2}{x(x-2)}$

(2) $\dfrac{3(x+2)}{(x-1)(x+1)(x+2)}$, $\dfrac{x+1}{(x-1)(x+1)(x+2)}$

2 (1) $x-1$　(2) $\dfrac{x-4}{x-2}$

3 (1) $\dfrac{3x}{(x-1)(x+2)}$　(2) $-\dfrac{1}{x(x-1)}$　(3) $\dfrac{x}{6}$　(4) $\dfrac{1}{x+1}$

4 (1) $\dfrac{2}{(x+1)(x+3)}$　(2) $x-1$

1 (1) $\dfrac{2}{x^2-2x}=\dfrac{2}{x(x-2)}$이므로

두 식 $\dfrac{1}{x-2}$, $\dfrac{2}{x^2-2x}$를 통분하면

$\dfrac{x}{x(x-2)}$, $\dfrac{2}{x(x-2)}$

(2) $\dfrac{3}{x^2-1}=\dfrac{3}{(x-1)(x+1)}$,

$\dfrac{1}{x^2+x-2}=\dfrac{1}{(x-1)(x+2)}$이므로

두 식 $\dfrac{3}{x^2-1}$, $\dfrac{1}{x^2+x-2}$을 통분하면

$\dfrac{3(x+2)}{(x-1)(x+1)(x+2)}$, $\dfrac{x+1}{(x-1)(x+1)(x+2)}$

2 (1) $\dfrac{x^2-1}{x+1}=\dfrac{(x-1)(x+1)}{x+1}=x-1$

(2) $\dfrac{x^2-2x-8}{x^2-4}=\dfrac{(x-4)(x+2)}{(x-2)(x+2)}=\dfrac{x-4}{x-2}$

3 (1) $\dfrac{1}{x-1}+\dfrac{2}{x+2}=\dfrac{x+2}{(x-1)(x+2)}+\dfrac{2(x-1)}{(x-1)(x+2)}$

$=\dfrac{x+2+2x-2}{(x-1)(x+2)}=\dfrac{3x}{(x-1)(x+2)}$

(2) $\dfrac{1}{x}-\dfrac{1}{x-1}=\dfrac{x-1}{x(x-1)}-\dfrac{x}{x(x-1)}$

$=\dfrac{x-1-x}{x(x-1)}=-\dfrac{1}{x(x-1)}$

(3) $\dfrac{2x}{3x+6}\times\dfrac{x+2}{4}=\dfrac{2x}{3(x+2)}\times\dfrac{x+2}{4}=\dfrac{x}{6}$

(4) $\dfrac{1}{x}\div\dfrac{x+1}{x}=\dfrac{1}{x}\times\dfrac{x}{x+1}=\dfrac{1}{x+1}$

4 (1) $\dfrac{1}{(x+1)(x+2)}+\dfrac{1}{(x+2)(x+3)}$

$=\dfrac{1}{(x+2)-(x+1)}\left(\dfrac{1}{x+1}-\dfrac{1}{x+2}\right)$

$+\dfrac{1}{(x+3)-(x+2)}\left(\dfrac{1}{x+2}-\dfrac{1}{x+3}\right)$

$=\left(\dfrac{1}{x+1}-\dfrac{1}{x+2}\right)+\left(\dfrac{1}{x+2}-\dfrac{1}{x+3}\right)$

$=\dfrac{1}{x+1}-\dfrac{1}{x+3}=\dfrac{2}{(x+1)(x+3)}$

(2) $\dfrac{x}{1-\dfrac{1}{1-x}}=\dfrac{x}{\dfrac{(1-x)-1}{1-x}}=\dfrac{x}{\dfrac{-x}{1-x}}$

$=\dfrac{x(1-x)}{-x}=-(1-x)=x-1$

STEP **1** 개념 드릴　　　　　| 139쪽 |

1 (1) $\dfrac{x^2}{x(x+1)}$, $\dfrac{1}{x(x+1)}$　(2) $\dfrac{1}{x(x+2)}$, $\dfrac{2x}{x(x+2)}$

(3) $\dfrac{3(x+2)}{(x-2)(x+2)(x+3)}$, $\dfrac{(x+3)^2}{(x-2)(x+2)(x+3)}$

2 (1) $\dfrac{x+4}{2x+1}$　(2) $\dfrac{x+2}{3x+1}$　(3) x^2-x+1

3 (1) $\dfrac{2x+3}{x(x+1)(x+3)}$　(2) $\dfrac{6x-1}{3x+1}$　(3) $\dfrac{1}{4(x+1)}$　(4) $x-2$

4 (1) $\dfrac{4}{(x+1)(x+5)}$　(2) $x+1$

1 (1) $\dfrac{1}{x^2+x}=\dfrac{1}{x(x+1)}$이므로

두 식 $\dfrac{x}{x+1}$, $\dfrac{1}{x^2+x}$을 통분하면

$\dfrac{x^2}{x(x+1)}$, $\dfrac{1}{x(x+1)}$

(2) $\dfrac{1}{x^2+2x}=\dfrac{1}{x(x+2)}$이므로

두 식 $\dfrac{1}{x^2+2x}$, $\dfrac{2}{x+2}$를 통분하면

$\dfrac{1}{x(x+2)}$, $\dfrac{2x}{x(x+2)}$

(3) $\dfrac{3}{x^2+x-6}=\dfrac{3}{(x-2)(x+3)}$,

$\dfrac{x+3}{x^2-4}=\dfrac{x+3}{(x-2)(x+2)}$이므로

두 식 $\dfrac{3}{x^2+x-6}$, $\dfrac{x+3}{x^2-4}$을 통분하면

$\dfrac{3(x+2)}{(x-2)(x+2)(x+3)}$, $\dfrac{(x+3)^2}{(x-2)(x+2)(x+3)}$

2 (1) $\dfrac{x^2+2x-8}{2x^2-3x-2}=\dfrac{(x+4)(x-2)}{(2x+1)(x-2)}=\dfrac{x+4}{2x+1}$

(2) $\dfrac{x^2+3x+2}{3x^2+4x+1}=\dfrac{(x+1)(x+2)}{(3x+1)(x+1)}=\dfrac{x+2}{3x+1}$

(3) $\dfrac{x^3+1}{x+1}=\dfrac{(x+1)(x^2-x+1)}{x+1}=x^2-x+1$

3 (1) $\dfrac{1}{x^2+x}+\dfrac{1}{x^2+4x+3}=\dfrac{1}{x(x+1)}+\dfrac{1}{(x+1)(x+3)}$

$=\dfrac{(x+3)+x}{x(x+1)(x+3)}$

$=\dfrac{2x+3}{x(x+1)(x+3)}$

(2) $2-\dfrac{3}{3x+1}=\dfrac{2(3x+1)-3}{3x+1}=\dfrac{6x-1}{3x+1}$

(3) $\dfrac{x-1}{4x}\times\dfrac{x}{x^2-1}=\dfrac{x-1}{4x}\times\dfrac{x}{(x+1)(x-1)}=\dfrac{1}{4(x+1)}$

(4) $\dfrac{x^2-3x+2}{x+2}\div\dfrac{x-1}{x+2}=\dfrac{(x-1)(x-2)}{x+2}\times\dfrac{x+2}{x-1}$

$=x-2$

4 (1) $\dfrac{2}{(x+1)(x+3)}+\dfrac{2}{(x+3)(x+5)}$

$=\dfrac{2}{(x+3)-(x+1)}\left(\dfrac{1}{x+1}-\dfrac{1}{x+3}\right)$

$+\dfrac{2}{(x+5)-(x+3)}\left(\dfrac{1}{x+3}-\dfrac{1}{x+5}\right)$

$=\left(\dfrac{1}{x+1}-\dfrac{1}{x+3}\right)+\left(\dfrac{1}{x+3}-\dfrac{1}{x+5}\right)$

$=\dfrac{1}{x+1}-\dfrac{1}{x+5}=\dfrac{4}{(x+1)(x+5)}$

(2) $\dfrac{x-\dfrac{1}{x}}{1-\dfrac{1}{x}}=\dfrac{\dfrac{x^2-1}{x}}{\dfrac{x-1}{x}}=\dfrac{x(x^2-1)}{x(x-1)}$

$=\dfrac{(x+1)(x-1)}{x-1}=x+1$

STEP ② 필수 유형 | 140쪽~144쪽 |

01-1 답 (1) $\dfrac{4}{x(x+2)}$ (2) $\dfrac{x-3}{x+4}$

|해결 전략| 분모, 분자를 각각 인수분해한 후 덧셈, 뺄셈은 통분을 이용하고, 곱셈, 나눗셈은 약분을 이용하여 계산한다.

(1) $\dfrac{1}{x+1}+\dfrac{2}{x^2+x}-\dfrac{x}{x^2+3x+2}$

$=\dfrac{1}{x+1}+\dfrac{2}{x(x+1)}-\dfrac{x}{(x+1)(x+2)}$

$=\dfrac{x(x+2)+2(x+2)-x^2}{x(x+1)(x+2)}$

$=\dfrac{4(x+1)}{x(x+1)(x+2)}=\dfrac{4}{x(x+2)}$

(2) $\dfrac{x^2-5x+6}{x^2-x-12}\times\dfrac{x^2-9}{x^2+2x-8}\div\dfrac{x-3}{x-4}$

$=\dfrac{(x-2)(x-3)}{(x-4)(x+3)}\times\dfrac{(x+3)(x-3)}{(x-2)(x+4)}\times\dfrac{x-4}{x-3}$

$=\dfrac{x-3}{x+4}$

02-1 답 3

|해결 전략| 좌변을 통분한 후 양변의 분자의 동류항의 계수를 비교한다.

주어진 식의 좌변을 통분하여 정리하면

$\dfrac{a}{2x+1}+\dfrac{b}{x-1}=\dfrac{a(x-1)+b(2x+1)}{(2x+1)(x-1)}$

$=\dfrac{(a+2b)x-a+b}{(2x+1)(x-1)}$

즉, $\dfrac{(a+2b)x-a+b}{(2x+1)(x-1)}=\dfrac{x-7}{(2x+1)(x-1)}$ 이 x에 대한 항등식이므

로 양변의 분자의 동류항의 계수를 비교하면

$a+2b=1$, $-a+b=-7$

두 식을 연립하여 풀면 $a=5$, $b=-2$

$\therefore a+b=3$

[다른 풀이]

주어진 식의 양변에 $(2x+1)(x-1)$을 곱하면

$a(x-1)+b(2x+1)=x-7$

$\therefore (a+2b)x-a+b=x-7$

이 식이 x에 대한 항등식이므로

$a+2b=1$, $-a+b=-7$

두 식을 연립하여 풀면 $a=5$, $b=-2$

$\therefore a+b=3$

02-2 답 4

|해결 전략| 좌변을 통분한 후 양변의 분자의 동류항의 계수를 비교한다.

주어진 식의 좌변을 통분하여 정리하면

$\dfrac{a}{x^2-5x+6}+\dfrac{1}{x^2-x-2}=\dfrac{a}{(x-2)(x-3)}+\dfrac{1}{(x-2)(x+1)}$

$=\dfrac{a(x+1)+(x-3)}{(x-3)(x-2)(x+1)}$

$=\dfrac{(a+1)x+a-3}{(x-3)(x-2)(x+1)}$

즉, $\dfrac{(a+1)x+a-3}{(x-3)(x-2)(x+1)}=\dfrac{b}{(x-3)(x-2)(x+1)}$ 가 x에 대한

항등식이므로 양변의 분자의 동류항의 계수를 비교하면

$a+1=0$, $a-3=b$ $\therefore a=-1$, $b=-4$

$\therefore ab=4$

[다른 풀이]

$x^2-5x+6=(x-2)(x-3)$, $x^2-x-2=(x-2)(x+1)$이므로 주어진 식의 양변에 $(x-2)(x-3)(x+1)$을 곱하면

$a(x+1)+(x-3)=b$

$\therefore (a+1)x+a-3=b$

이 식이 x에 대한 항등식이므로

$a+1=0$, $a-3=b$ $\therefore a=-1$, $b=-4$

$\therefore ab=4$

03-1 답 $\dfrac{6}{(x+1)(x+7)}$

|해결 전략| 부분분수로의 변형을 이용하여 계산한다.

$\dfrac{1}{(x+1)(x+2)}+\dfrac{2}{(x+2)(x+4)}+\dfrac{3}{(x+4)(x+7)}$

$=\dfrac{1}{(x+2)-(x+1)}\left(\dfrac{1}{x+1}-\dfrac{1}{x+2}\right)$

$\quad+\dfrac{2}{(x+4)-(x+2)}\left(\dfrac{1}{x+2}-\dfrac{1}{x+4}\right)$

$\quad+\dfrac{3}{(x+7)-(x+4)}\left(\dfrac{1}{x+4}-\dfrac{1}{x+7}\right)$

$=\left(\dfrac{1}{x+1}-\dfrac{1}{x+2}\right)+\left(\dfrac{1}{x+2}-\dfrac{1}{x+4}\right)+\left(\dfrac{1}{x+4}-\dfrac{1}{x+7}\right)$

$=\dfrac{1}{x+1}-\dfrac{1}{x+7}=\dfrac{6}{(x+1)(x+7)}$

03-2 답 $\dfrac{36}{55}$

|해결 전략| 부분분수로의 변형을 이용하여 계산한다.

$\dfrac{1}{1\times3}+\dfrac{1}{2\times4}+\dfrac{1}{3\times5}+\cdots+\dfrac{1}{9\times11}$

$=\dfrac{1}{2}\left(1-\dfrac{1}{3}\right)+\dfrac{1}{2}\left(\dfrac{1}{2}-\dfrac{1}{4}\right)+\dfrac{1}{2}\left(\dfrac{1}{3}-\dfrac{1}{5}\right)+\cdots+\dfrac{1}{2}\left(\dfrac{1}{9}-\dfrac{1}{11}\right)$

$=\dfrac{1}{2}\left\{\left(1-\dfrac{1}{3}\right)+\left(\dfrac{1}{2}-\dfrac{1}{4}\right)+\left(\dfrac{1}{3}-\dfrac{1}{5}\right)+\cdots+\left(\dfrac{1}{8}-\dfrac{1}{10}\right)+\left(\dfrac{1}{9}-\dfrac{1}{11}\right)\right\}$

$=\dfrac{1}{2}\left(1+\dfrac{1}{2}-\dfrac{1}{10}-\dfrac{1}{11}\right)=\dfrac{36}{55}$

04-1 답 $\dfrac{-3x+5}{(x+1)(x-3)}$

|해결 전략| 먼저 분자를 분모로 나누어 간단한 꼴로 변형한다.

$\dfrac{x^2+x-2}{x+1}-\dfrac{x^2-3x+1}{x-3}$

$=\dfrac{x(x+1)-2}{x+1}-\dfrac{x(x-3)+1}{x-3}$

$=\left(x-\dfrac{2}{x+1}\right)-\left(x+\dfrac{1}{x-3}\right)=-\dfrac{2}{x+1}-\dfrac{1}{x-3}$

$=\dfrac{-2(x-3)-(x+1)}{(x+1)(x-3)}=\dfrac{-3x+5}{(x+1)(x-3)}$

04-2 답 x

|해결 전략| 번분수식을 간단히 할 때는 유리식의 성질을 차례대로 적용한다.

$1-\dfrac{1}{1-\dfrac{1}{1-\dfrac{1}{x}}}=1-\dfrac{1}{1-\dfrac{1}{\dfrac{x-1}{x}}}=1-\dfrac{1}{1-\dfrac{x}{x-1}}$

$\qquad=1-\dfrac{1}{\dfrac{(x-1)-x}{x-1}}=1-\dfrac{x-1}{-1}$

$\qquad=1+x-1=x$

05-1 답 $-\dfrac{4}{7}$

|해결 전략| $x:y:z$를 구하여 각 문자를 비례상수 k에 대한 식으로 나타낸 후 주어진 유리식에 대입한다.

$4x=y$에서 $x=\dfrac{y}{4}$, $2y=3z$에서 $z=\dfrac{2}{3}y$

$\therefore x:y:z=\dfrac{y}{4}:y:\dfrac{2}{3}y=3:12:8$

$x=3k,\ y=12k,\ z=8k\,(k\neq0)$로 놓으면

$\dfrac{xy-z^2}{(x-y+2z)^2}=\dfrac{3k\times12k-(8k)^2}{(3k-12k+2\times8k)^2}=-\dfrac{28k^2}{49k^2}=-\dfrac{4}{7}$

05-2 답 6

|해결 전략| 각 문자를 비례상수 k에 대한 식으로 나타낸 후 주어진 유리식에 대입한다.

$x+y=3k,\ y+z=4k,\ z+x=5k\,(k\neq0)$로 놓고 세 식을 변끼리 더하면

$2(x+y+z)=12k$ $\quad\therefore x+y+z=6k$ $\quad\cdots\cdots$ ㉠

㉠에 위의 세 식을 각각 대입하여 정리하면

$x=2k,\ y=k,\ z=3k$

$\therefore \dfrac{x^3+y^3+z^3}{xyz}=\dfrac{(2k)^3+k^3+(3k)^3}{2k\times k\times3k}=\dfrac{36k^3}{6k^3}=6$

2 유리함수

145쪽~147쪽

개념 확인

1 (1) $\{x\,|\,x\neq1$인 실수$\}$ (2) $\left\{x\,\middle|\,x\neq-\dfrac{3}{2}\text{인 실수}\right\}$
  (3) $\{x\,|\,x\neq0$인 실수$\}$ (4) $\{x\,|\,x$는 실수$\}$

2 (1) 풀이 참조 (2) 풀이 참조

3 그래프: 풀이 참조 (1) $\{x\,|\,x\neq-2$인 실수$\}$
  (2) $\{y\,|\,y\neq3$인 실수$\}$ (3) $x=-2,\ y=3$

1 (1) $x-1\neq0$에서 $x\neq1$
  따라서 주어진 함수의 정의역은
  $\{x\,|\,x\neq1$인 실수$\}$

  (2) $2x+3\neq0$에서 $x\neq-\dfrac{3}{2}$
  따라서 주어진 함수의 정의역은
  $\left\{x\,\middle|\,x\neq-\dfrac{3}{2}\text{인 실수}\right\}$

  (3) $x^2\neq0$에서 $x\neq0$
  따라서 주어진 함수의 정의역은
  $\{x\,|\,x\neq0$인 실수$\}$

  (4) 모든 실수 x에 대하여 $x^2+4>0$이므로
  주어진 함수의 정의역은
  $\{x\,|\,x$는 실수$\}$

2 (1) 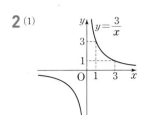　　(2)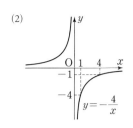

3 $y=-\dfrac{1}{x+2}+3$의 그래프는

$y=-\dfrac{1}{x}$의 그래프를 x축의 방

향으로 -2만큼, y축의 방향으

로 3만큼 평행이동한 것이므로

오른쪽 그림과 같다.

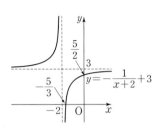

3 $y=-\dfrac{2}{x-1}-3$의 그래프는

$y=-\dfrac{2}{x}$의 그래프를 x축의 방향

으로 1만큼, y축의 방향으로 -3

만큼 평행이동한 것이므로 오른

쪽 그림과 같다.

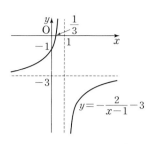

4 (1) $y=\dfrac{x+1}{x-2}=\dfrac{(x-2)+3}{x-2}=\dfrac{3}{x-2}+1$

(2) $y=\dfrac{2-x}{x+3}=\dfrac{-(x+3)+5}{x+3}=\dfrac{5}{x+3}-1$

(3) $y=\dfrac{2x-3}{x-1}=\dfrac{2(x-1)-1}{x-1}=-\dfrac{1}{x-1}+2$

(4) $y=\dfrac{1-4x}{x-2}=\dfrac{-4(x-2)-7}{x-2}=-\dfrac{7}{x-2}-4$

STEP ① 개념 드릴 ──────── | 148쪽 |

1 (1) $\left\{x\,\middle|\,x\neq\dfrac{4}{3}$인 실수$\right\}$　(2) $\{x\,|\,x$는 실수$\}$

(3) $\{x\,|\,x\neq\pm3$인 실수$\}$

2 그래프: 풀이 참조　(1) $\{x\,|\,x\neq-1$인 실수$\}$

(2) $\{y\,|\,y\neq2$인 실수$\}$　(3) $x=-1,\ y=2$

3 그래프: 풀이 참조　(1) $\{x\,|\,x\neq1$인 실수$\}$

(2) $\{y\,|\,y\neq-3$인 실수$\}$　(3) $x=1,\ y=-3$

4 (1) $y=\dfrac{3}{x-2}+1$　(2) $y=\dfrac{5}{x+3}-1$

(3) $y=-\dfrac{1}{x-1}+2$　(4) $y=-\dfrac{7}{x-2}-4$

1 (1) $3x-4\neq0$에서 $x\neq\dfrac{4}{3}$

따라서 주어진 함수의 정의역은

$\left\{x\,\middle|\,x\neq\dfrac{4}{3}$인 실수$\right\}$

(2) 모든 실수 x에 대하여 $2x^2+1>0$이므로

주어진 함수의 정의역은

$\{x\,|\,x$는 실수$\}$

(3) $x^2-9\neq0$에서 $x\neq\pm3$

따라서 주어진 함수의 정의역은

$\{x\,|\,x\neq\pm3$인 실수$\}$

2 $y=\dfrac{1}{x+1}+2$의 그래프는 $y=\dfrac{1}{x}$

의 그래프를 x축의 방향으로 -1

만큼, y축의 방향으로 2만큼 평

행이동한 것이므로 오른쪽 그림

과 같다.

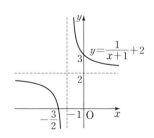

STEP ② 필수 유형 ──────── | 149쪽~154쪽 |

01-1 탭 -4

|해결 전략| $y=\dfrac{2x-3}{x+1}$을 $y=\dfrac{k}{x-p}+q$ 꼴로 고쳐서 $y=\dfrac{k}{x}$의 그래프의 평행

이동을 생각한다.

$y=\dfrac{2x-3}{x+1}=\dfrac{2(x+1)-5}{x+1}=-\dfrac{5}{x+1}+2$

이므로 $y=\dfrac{2x-3}{x+1}$의 그래프는 $y=-\dfrac{5}{x}$의 그래프를 x축의 방향으로

-1만큼, y축의 방향으로 2만큼 평행이동한 것이다.

따라서 $p=-1,\ q=2,\ k=-5$이므로

$p+q+k=-4$

01-2 탭 3

|해결 전략| 주어진 두 유리함수를 $y=\dfrac{k}{x-m}+n$ 꼴로 변형하여 비교한다.

$y=\dfrac{x+1}{x-1}=\dfrac{(x-1)+2}{x-1}=\dfrac{2}{x-1}+1,$

$y=\dfrac{6x+8}{x+1}=\dfrac{6(x+1)+2}{x+1}=\dfrac{2}{x+1}+6=\dfrac{2}{(x+2)-1}+1+5$

이므로 $y=\dfrac{6x+8}{x+1}$의 그래프는 $y=\dfrac{x+1}{x-1}$의 그래프를 x축의 방향으

로 -2만큼, y축의 방향으로 5만큼 평행이동한 것이다.

따라서 $p=-2,\ q=5$이므로

$p+q=3$

$y=\dfrac{x+1}{x-1}=\dfrac{(x-1)+2}{x-1}=\dfrac{2}{x-1}+1$

$y=\dfrac{2}{x-1}+1$의 그래프를 x축의 방향으로 p만큼, y축의 방향으로 q만큼 평행이동하면

$y=\dfrac{2}{(x-p)-1}+1+q=\dfrac{2}{x-(p+1)}+q+1$ ...... ㉠

한편, $y=\dfrac{6x+8}{x+1}=\dfrac{6(x+1)+2}{x+1}=\dfrac{2}{x+1}+6$ ...... ㉡

이때, ㉠, ㉡이 일치해야 하므로

$\dfrac{2}{x-(p+1)}+q+1=\dfrac{2}{x+1}+6$에서

$-(p+1)=1,\ q+1=6$ ∴ $p=-2,\ q=5$

∴ $p+q=3$

LECTURE

두 유리함수의 그래프가 서로 겹쳐지기 위한 조건

$y=\dfrac{k}{x}$와 $y=\dfrac{a}{x-p}+q$에서

(ⅰ) $a=k$이면
　평행이동을 하여 두 그래프를 서로 겹쳐지게 할 수 있다.

(ⅱ) $a=-k$이면
　평행이동과 대칭이동을 하여 두 그래프를 서로 겹쳐지게 할 수 있다.

02-1 🔳 $\left\{ y \,\middle|\, \dfrac{7}{2} \leq y \leq 5 \right\}$

│해결 전략│ 주어진 정의역에서의 함수의 그래프를 이용한다.

$y=\dfrac{3x-4}{x-1}=\dfrac{3(x-1)-1}{x-1}=-\dfrac{1}{x-1}+3$

이므로 $y=\dfrac{3x-4}{x-1}$의 그래프는 $y=-\dfrac{1}{x}$의 그래프를 x축의 방향으로 1만큼, y축의 방향으로 3만큼 평행이동한 것이다.

$x=-1$일 때 $y=\dfrac{-3-4}{-1-1}=\dfrac{7}{2}$,

$x=\dfrac{1}{2}$일 때 $y=\dfrac{\frac{3}{2}-4}{\frac{1}{2}-1}=5$

이므로 정의역이 $\left\{ x \,\middle|\, -1 \leq x \leq \dfrac{1}{2} \right\}$일 때

$y=\dfrac{3x-4}{x-1}$의 그래프는 오른쪽 그림과 같다.

따라서 구하는 치역은 $\left\{ y \,\middle|\, \dfrac{7}{2} \leq y \leq 5 \right\}$

02-2 🔳 4

│해결 전략│ $a>3$일 때의 그래프를 그려 a의 값을 구한 후 최솟값을 구한다.

$y=\dfrac{3x+a}{x+1}=\dfrac{3(x+1)+a-3}{x+1}=\dfrac{a-3}{x+1}+3$

이므로 $y=\dfrac{3x+a}{x+1}$의 그래프는 $y=\dfrac{a-3}{x}$의 그래프를 x축의 방향으로 -1만큼, y축의 방향으로 3만큼 평행이동한 것이다.

이때, $a>3$, 즉 $a-3>0$이므로

$0\leq x\leq 1$에서 $y=\dfrac{3x+a}{x+1}$의 그래프는 오른쪽 그림과 같고,

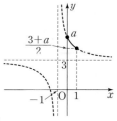

$x=0$일 때 최댓값 $\dfrac{0+a}{0+1}=a$,

$x=1$일 때 최솟값 $\dfrac{3+a}{1+1}=\dfrac{3+a}{2}$를 갖는다.

따라서 $a=5$이므로 구하는 최솟값은 4이다.

03-1 🔳 $\dfrac{7}{3}$

│해결 전략│ 유리함수의 그래프는 두 점근선의 교점에 대하여 대칭이다.

$y=\dfrac{6x+5}{3x-1}=\dfrac{2(3x-1)+7}{3x-1}=\dfrac{7}{3x-1}+2=\dfrac{7}{3\left(x-\frac{1}{3}\right)}+2$

이므로 주어진 함수의 그래프는 두 점근선 $x=\dfrac{1}{3},\ y=2$의 교점 $\left(\dfrac{1}{3},\ 2\right)$에 대하여 대칭이다.

따라서 $a=\dfrac{1}{3},\ b=2$이므로

$a+b=\dfrac{7}{3}$

03-2 🔳 $a=1,\ b=-5$

│해결 전략│ 유리함수의 그래프는 두 점근선의 교점을 지나고 기울기가 ± 1인 두 직선에 대하여 각각 대칭이다.

$y=\dfrac{-3x+7}{x-2}=\dfrac{-3(x-2)+1}{x-2}=\dfrac{1}{x-2}-3$

에서 점근선의 방정식은 $x=2,\ y=-3$이므로 그 그래프는 오른쪽 그림과 같다.

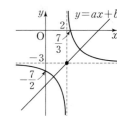

주어진 함수의 그래프는 두 점근선의 교점 $(2,\ -3)$을 지나고 기울기가 1 또는 -1인 직선에 대하여 각각 대칭이다.

이때, $a>0$이므로 $a=1$

따라서 직선 $y=x+b$가 점 $(2,\ -3)$을 지나므로

$-3=2+b$ ∴ $b=-5$

04-1 🔳 -5

│해결 전략│ 점근선의 방정식과 그래프가 지나는 한 점의 좌표를 이용하여 유리함수의 미정계수를 구한다.

주어진 함수의 그래프의 점근선의 방정식이 $x=-1,\ y=-2$이므로 주어진 함수는

$y=\dfrac{k}{x+1}-2\ (k\neq 0)$ ...... ㉠

㉠의 그래프가 점 $(-2,\ 0)$을 지나므로

$0=\dfrac{k}{-2+1}-2$ ∴ $k=-2$

따라서 $p=-1,\ q=-2,\ k=-2$이므로

$p+q+k=-5$

04-2 답 13

|해결 전략| 점근선의 방정식을 이용하여 주어진 유리함수를 $y=\dfrac{k}{x-p}+q$ $(k\neq 0)$로 놓은 후 그래프가 지나는 점의 좌표를 대입하여 미정계수를 구한다.

점근선의 방정식이 $x=-2$, $y=3$인 유리함수는

$$y=\dfrac{k}{x+2}+3\ (k\neq 0) \quad\quad \cdots\cdots ㉠$$

㉠의 그래프가 점 $(1, 5)$를 지나므로

$$5=\dfrac{k}{1+2}+3 \text{에서} \dfrac{k}{3}=2 \quad \therefore k=6$$

$k=6$을 ㉠에 대입하면

$$y=\dfrac{6}{x+2}+3=\dfrac{3(x+2)+6}{x+2}=\dfrac{3x+12}{x+2}$$

따라서 $a=3$, $b=12$, $c=2$이므로

$$a+b-c=13$$

다른 풀이

$$y=\dfrac{ax+b}{x+c}=\dfrac{a(x+c)-ac+b}{x+c}=\dfrac{-ac+b}{x+c}+a$$

이므로 그래프의 점근선의 방정식은 $x=-c$, $y=a$

$$\therefore a=3, c=2$$

또, $y=\dfrac{3x+b}{x+2}$의 그래프가 점 $(1, 5)$를 지나므로

$$5=\dfrac{3+b}{3} \quad \therefore b=12$$

$$\therefore a+b-c=13$$

05-1 답 4

|해결 전략| $f^2(x)$, $f^3(x)$, $f^4(x)$, $\cdots$를 차례로 구한다.

$f(x)=1-\dfrac{1}{2x}$에 대하여

$$f^2(x)=(f\circ f)(x)=f(f(x))$$

$$=1-\dfrac{1}{2-\dfrac{1}{x}}=1-\dfrac{x}{2x-1}=\dfrac{x-1}{2x-1}$$

$$f^3(x)=(f\circ f^2)(x)=f(f^2(x))$$

$$=1-\dfrac{1}{\dfrac{2(x-1)}{2x-1}}=1-\dfrac{2x-1}{2(x-1)}=\dfrac{-1}{2(x-1)}$$

$$f^4(x)=(f\circ f^3)(x)=f(f^3(x))$$

$$=1-\dfrac{1}{\dfrac{-1}{x-1}}=1+x-1=x$$

$$\vdots$$

따라서 $f^n(x)=x$를 만족시키는 n의 최솟값은 4이다.

05-2 답 2

|해결 전략| $f^2(2)$, $f^3(2)$, $f^4(2)$, $\cdots$의 값을 차례로 구해서 규칙을 찾는다.

주어진 그래프에서 $f(2)=0$, $f(0)=2$이므로

$$f^2(2)=(f\circ f)(2)=f(f(2))=f(0)=2$$

$$f^3(2)=(f\circ f^2)(2)=f(f^2(2))=f(2)=0$$

$$f^4(2)=(f\circ f^3)(2)=f(f^3(2))=f(0)=2$$

$$\vdots$$

따라서 자연수 k에 대하여

$$f(2)=f^3(2)=f^5(2)=\cdots=f^{2k-1}(2)=0$$

$$f^2(2)=f^4(2)=f^6(2)=\cdots=f^{2k}(2)=2$$

$$\therefore f^{200}(2)=f^{2\times 100}(2)=f^2(2)=2$$

다른 풀이

주어진 유리함수의 그래프의 점근선의 방정식이 $x=-1$, $y=-1$이므로

$$f(x)=\dfrac{k}{x+1}-1\ (k\neq 0) \quad\quad \cdots\cdots ㉠$$

로 놓을 수 있다.

㉠의 그래프가 점 $(2, 0)$을 지나므로

$$0=\dfrac{k}{3}-1 \quad \therefore k=3$$

$k=3$을 ㉠에 대입하면

$$f(x)=\dfrac{3}{x+1}-1=\dfrac{-x+2}{x+1}$$

$$f^2(x)=(f\circ f)(x)=f(f(x))$$

$$=\dfrac{\dfrac{-x+2}{x+1}+2}{\dfrac{-x+2}{x+1}+1}=\dfrac{\dfrac{x-2+2x+2}{x+1}}{\dfrac{-x+2+x+1}{x+1}}=x$$

$$f^3(x)=(f\circ f^2)(x)=f(f^2(x))=f(x)=\dfrac{-x+2}{x+1}$$

$$f^4(x)=(f\circ f^3)(x)=f(f^3(x))=f(f(x))=x$$

$$\vdots$$

따라서 자연수 k에 대하여

$$f(x)=f^3(x)=f^5(x)=\cdots=f^{2k-1}(x)=\dfrac{-x+2}{x+1}$$

$$f^2(x)=f^4(x)=f^6(x)=\cdots=f^{2k}(x)=x$$

즉, $f^{200}(x)=f^{2\times 100}(x)=f^2(x)=x$이므로

$$f^{200}(2)=2$$

06-1 답 1

|해결 전략| $y=\dfrac{x+k}{2x-3}$에서 x를 y로 나타내고, x와 y를 서로 바꾸어 역함수를 구한다.

$y=\dfrac{x+k}{2x-3}$에서 x를 y로 나타내면

$$(2x-3)y=x+k, (2y-1)x=3y+k$$

$$\therefore x=\dfrac{3y+k}{2y-1}$$

x와 y를 서로 바꾸면 역함수는

$$y=\dfrac{3x+k}{2x-1}$$

이때, 역함수 $y=\dfrac{3x+k}{2x-1}$의 그래프가 점 $(0, -1)$을 지나므로

$$-1=\dfrac{0+k}{0-1} \quad \therefore k=1$$

다른 풀이

함수 $y=\dfrac{x+k}{2x-3}$의 역함수의 그래프가 점 $(0, -1)$을 지나면 함수

$y=\dfrac{x+k}{2x-3}$의 그래프는 점 $(-1, 0)$을 지나므로

$$0=\dfrac{-1+k}{-2-3} \quad \therefore k=1$$

06-2 답 -7

|해결 전략| $y=\dfrac{ax+b}{2x+1}$에서 x를 y로 나타내고, x와 y를 서로 바꾸어 역함수를 구한다.

함수 $y=f(x)$의 그래프가 점 $(1, 2)$를 지나므로

$$f(1)=\dfrac{a+b}{3}=2 \qquad\qquad\qquad \cdots\cdots \text{㉠}$$

$y=\dfrac{ax+b}{2x+1}$로 놓고 x를 y로 나타내면

$$(2x+1)y=ax+b, \ (2y-a)x=-y+b$$

$$\therefore x=\dfrac{-y+b}{2y-a}$$

x와 y를 서로 바꾸면 $y=\dfrac{-x+b}{2x-a}$

$$\therefore f^{-1}(x)=\dfrac{-x+b}{2x-a}$$

$f=f^{-1}$이므로 $\dfrac{ax+b}{2x+1}=\dfrac{-x+b}{2x-a}$

$$\therefore a=-1$$

이것을 ㉠에 대입하면 $\dfrac{-1+b}{3}=2$ $\qquad \therefore b=7$

$$\therefore ab=-7$$

> **다른 풀이**
>
> 함수 $y=f(x)$의 그래프가 점 $(1, 2)$를 지나므로
>
> $$f(1)=\dfrac{a+b}{3}=2 \qquad\qquad \cdots\cdots \text{㉠}$$
>
> $f=f^{-1}$이므로 함수 $y=f^{-1}(x)$의 그래프도 점 $(1, 2)$를 지난다.
>
> 즉, $f^{-1}(1)=2$이므로 $f(2)=1$
>
> $$\therefore \dfrac{2a+b}{5}=1 \qquad\qquad \cdots\cdots \text{㉡}$$
>
> ㉠, ㉡을 연립하여 풀면 $a=-1, b=7$
>
> $$\therefore ab=-7$$

STEP ③ 유형 드릴 |155쪽~157쪽|

1-1 답 ⑤

|해결 전략| 분모를 인수분해한 후 통분을 이용하여 계산한다.

$$\begin{aligned}
\dfrac{2x}{x^2-1}-\dfrac{1}{x+1}&=\dfrac{2x}{(x+1)(x-1)}-\dfrac{1}{x+1}\\
&=\dfrac{2x-(x-1)}{(x+1)(x-1)}\\
&=\dfrac{x+1}{(x+1)(x-1)}=\dfrac{1}{x-1}
\end{aligned}$$

1-2 답 -2

|해결 전략| 분모, 분자를 각각 인수분해한 후 약분을 이용하여 계산한다.

$$\begin{aligned}
\dfrac{x^2-3x+2}{2x^2+x-3}\times\dfrac{2x+3}{2x^2-8x+8}&=\dfrac{(x-1)(x-2)}{(2x+3)(x-1)}\times\dfrac{2x+3}{2(x-2)^2}\\
&=\dfrac{1}{2(x-2)}=\dfrac{1}{2x-4}
\end{aligned}$$

따라서 $a=2, b=-4$이므로

$$a+b=-2$$

2-1 답 3

|해결 전략| 좌변을 통분한 후 양변의 분자의 동류항의 계수를 비교한다.

주어진 식의 좌변을 통분하여 정리하면

$$\begin{aligned}
\dfrac{a}{x+1}+\dfrac{b}{x^2+4x+3}&=\dfrac{a}{x+1}+\dfrac{b}{(x+1)(x+3)}\\
&=\dfrac{a(x+3)+b}{(x+1)(x+3)}=\dfrac{ax+(3a+b)}{x^2+4x+3}
\end{aligned}$$

즉, $\dfrac{ax+(3a+b)}{x^2+4x+3}=\dfrac{x+5}{x^2+4x+3}$가 x에 대한 항등식이므로

$$a=1, \ 3a+b=5 \qquad \therefore a=1, b=2$$

$$\therefore a+b=3$$

> **다른 풀이**
>
> $x^2+4x+3=(x+1)(x+3)$이므로 주어진 식의 양변에 $(x+1)(x+3)$을 곱하면
>
> $$a(x+3)+b=x+5$$
>
> $$\therefore ax+(3a+b)=x+5$$
>
> 이 식이 x에 대한 항등식이므로
>
> $$a=1, \ 3a+b=5 \qquad \therefore a=1, b=2$$
>
> $$\therefore a+b=3$$

2-2 답 $a=3, b=1$

|해결 전략| 좌변을 통분한 후 우변의 식의 형태로 만든다.

주어진 식의 좌변을 통분하여 정리하면

$$\begin{aligned}
\dfrac{x^2}{x^2-2x+1}+\dfrac{2x-4}{x-1}&=\dfrac{x^2}{(x-1)^2}+\dfrac{2x-4}{x-1}\\
&=\dfrac{x^2+(2x-4)(x-1)}{(x-1)^2}=\dfrac{3x^2-6x+4}{(x-1)^2}\\
&=\dfrac{3(x^2-2x+1)-3+4}{(x-1)^2}=\dfrac{3(x-1)^2+1}{(x-1)^2}\\
&=3+\dfrac{1}{(x-1)^2}
\end{aligned}$$

즉, $3+\dfrac{1}{(x-1)^2}=a+\dfrac{b}{(x-1)^2}$가 x에 대한 항등식이므로

$$a=3, b=1$$

> **다른 풀이**
>
> $x^2-2x+1=(x-1)^2$이므로 주어진 식의 양변에 $(x-1)^2$을 곱하면
>
> $$x^2+(2x-4)(x-1)=a(x-1)^2+b$$
>
> $$\therefore 3x^2-6x+4=ax^2-2ax+a+b$$
>
> 이 식이 x에 대한 항등식이므로
>
> $$a=3, \ a+b=4 \qquad \therefore a=3, b=1$$

3-1 답 4

|해결 전략| $\dfrac{1}{AB}=\dfrac{1}{B-A}\left(\dfrac{1}{A}-\dfrac{1}{B}\right)$임을 이용하여 각 항을 변형한다.

$\dfrac{1}{(x-2)(x-1)}+\dfrac{2}{(x-1)(x+1)}+\dfrac{1}{(x+1)(x+2)}$

$=\dfrac{1}{(x-1)-(x-2)}\left(\dfrac{1}{x-2}-\dfrac{1}{x-1}\right)$

$\quad+\dfrac{2}{(x+1)-(x-1)}\left(\dfrac{1}{x-1}-\dfrac{1}{x+1}\right)$

$\quad+\dfrac{1}{(x+2)-(x+1)}\left(\dfrac{1}{x+1}-\dfrac{1}{x+2}\right)$

$=\left(\dfrac{1}{x-2}-\dfrac{1}{x-1}\right)+\left(\dfrac{1}{x-1}-\dfrac{1}{x+1}\right)+\left(\dfrac{1}{x+1}-\dfrac{1}{x+2}\right)$

$=\dfrac{1}{x-2}-\dfrac{1}{x+2}=\dfrac{4}{(x-2)(x+2)}$

따라서 $a=-2,\ b=2,\ c=4$ 또는 $a=2,\ b=-2,\ c=4$이므로

$a+b+c=4$

3-2 답 2

|해결 전략| $\dfrac{1}{AB}=\dfrac{1}{B-A}\left(\dfrac{1}{A}-\dfrac{1}{B}\right)$임을 이용하여 좌변을 간단히 나타낸다.

주어진 식의 좌변을 정리하면

$\dfrac{1}{a(a+2)}+\dfrac{1}{(a+2)(a+4)}+\dfrac{1}{(a+4)(a+6)}$

$=\dfrac{1}{(a+2)-a}\left(\dfrac{1}{a}-\dfrac{1}{a+2}\right)+\dfrac{1}{(a+4)-(a+2)}\left(\dfrac{1}{a+2}-\dfrac{1}{a+4}\right)$

$\quad+\dfrac{1}{(a+6)-(a+4)}\left(\dfrac{1}{a+4}-\dfrac{1}{a+6}\right)$

$=\dfrac{1}{2}\left(\dfrac{1}{a}-\dfrac{1}{a+2}\right)+\dfrac{1}{2}\left(\dfrac{1}{a+2}-\dfrac{1}{a+4}\right)+\dfrac{1}{2}\left(\dfrac{1}{a+4}-\dfrac{1}{a+6}\right)$

$=\dfrac{1}{2}\left(\dfrac{1}{a}-\dfrac{1}{a+6}\right)=\dfrac{3}{a(a+6)}$

즉, $\dfrac{3}{a(a+6)}=\dfrac{3}{16}$이므로 $a(a+6)=16$

$a^2+6a-16=0,\ (a-2)(a+8)=0$

$\therefore a=2\ (\because a>0)$

4-1 답 12

|해결 전략| 번분수가 포함된 형태로 좌변의 수를 변형한다.

좌변을 변형하면

$\dfrac{47}{13}=3+\dfrac{8}{13}=3+\dfrac{1}{\frac{13}{8}}=3+\dfrac{1}{1+\frac{5}{8}}$

즉, $3+\dfrac{1}{1+\frac{5}{8}}=a+\dfrac{1}{b+\frac{5}{c}}$이므로

$a=3,\ b=1,\ c=8$

$\therefore a+b+c=12$

4-2 답 $-2x-1$

|해결 전략| 번분수식을 간단히 할 때는 유리식의 성질을 차례대로 적용한다.

$1-\dfrac{2}{1-\dfrac{1}{1+\frac{1}{x}}}=1-\dfrac{2}{1-\dfrac{1}{\frac{x+1}{x}}}=1-\dfrac{2}{1-\dfrac{x}{x+1}}$

$=1-\dfrac{2}{\frac{x+1-x}{x+1}}=1-2(x+1)=-2x-1$

5-1 답 7

|해결 전략| 각 문자를 비례상수 k에 대한 식으로 나타낸 후 주어진 유리식에 대입한다.

$x+y=12k,\ y+z=13k,\ z+x=5k\ (k\neq0)$로 놓고 세 식을 변끼리 더하면

$2(x+y+z)=30k$ $\quad\therefore x+y+z=15k$ $\quad\cdots\cdots$ ㉠

㉠에 위의 세 식을 각각 대입하여 정리하면

$x=2k,\ y=10k,\ z=3k$

$\therefore \dfrac{y^2-z^2}{x^2+z^2}=\dfrac{(10k)^2-(3k)^2}{(2k)^2+(3k)^2}=\dfrac{91k^2}{13k^2}=7$

5-2 답 6

|해결 전략| 각 문자를 비례상수 k에 대한 식으로 나타낸 후 주어진 유리식에 대입한다.

$\dfrac{x+y}{3}=\dfrac{y+z}{5}=\dfrac{z+x}{4}=k\ (k\neq0)$로 놓으면

$x+y=3k,\ y+z=5k,\ z+x=4k$

위의 세 식을 변끼리 더하면

$2(x+y+z)=12k$ $\quad\therefore x+y+z=6k$ $\quad\cdots\cdots$ ㉠

㉠에 위의 세 식을 각각 대입하여 정리하면

$x=k,\ y=2k,\ z=3k$

$\therefore \dfrac{(x+y+z)^3}{x^3+y^3+z^3}=\dfrac{(6k)^3}{k^3+(2k)^3+(3k)^3}=\dfrac{216k^3}{36k^3}=6$

6-1 답 ④

|해결 전략| 보기의 유리함수를 $y=\dfrac{k}{x-p}+q$ 꼴로 변형했을 때, $k=4$인 경우를 찾는다.

③ $y=\dfrac{-x+1}{2x}=\dfrac{1}{2x}-\dfrac{1}{2}$

이므로 $y=\dfrac{-x+1}{2x}$의 그래프는 $y=\dfrac{1}{2x}$의 그래프를 y축의 방향

으로 $-\dfrac{1}{2}$만큼 평행이동한 것이다.

④ $y=\dfrac{x+3}{x-1}=\dfrac{(x-1)+4}{x-1}=\dfrac{4}{x-1}+1$

이므로 $y=\dfrac{x+3}{x-1}$의 그래프는 $y=\dfrac{4}{x}$의 그래프를 x축의 방향으로

1만큼, y축의 방향으로 1만큼 평행이동한 것이다.

⑤ $y=\dfrac{2x+2}{2x-1}=\dfrac{(2x-1)+3}{2x-1}=\dfrac{3}{2x-1}+1=\dfrac{3}{2\left(x-\frac{1}{2}\right)}+1$

이므로 $y=\dfrac{2x+2}{2x-1}$의 그래프는 $y=\dfrac{3}{2x}$의 그래프를 x축의 방향

으로 $\dfrac{1}{2}$만큼, y축의 방향으로 1만큼 평행이동한 것이다.

따라서 함수 $y=\dfrac{4}{x}$의 그래프와 겹쳐질 수 있는 것은 ④이다.

6-2 답 ㄴ, ㄷ

|해결 전략| 주어진 유리함수를 $y=\dfrac{k}{x-p}+q$ 꼴로 변형하여 비교한다.

$y=\dfrac{x}{x-1}=\dfrac{(x-1)+1}{x-1}=\dfrac{1}{x-1}+1$

이므로 $y=\dfrac{x}{x-1}$의 그래프는 $y=\dfrac{1}{x}$의 그래프를 x축의 방향으로 1만큼, y축의 방향으로 1만큼 평행이동한 것이다.

ㄱ. $y=\dfrac{x-2}{x-1}=\dfrac{(x-1)-1}{x-1}=-\dfrac{1}{x-1}+1$

이므로 $y=\dfrac{x-2}{x-1}$의 그래프는 $y=-\dfrac{1}{x}$의 그래프를 x축의 방향으로 1만큼, y축의 방향으로 1만큼 평행이동한 것이다.

ㄴ. $y=\dfrac{1}{x-1}$의 그래프는 $y=\dfrac{1}{x}$의 그래프를 x축의 방향으로 1만큼 평행이동한 것이다.

ㄷ. $y=\dfrac{3x+4}{x+1}=\dfrac{3(x+1)+1}{x+1}=\dfrac{1}{x+1}+3$

이므로 $y=\dfrac{3x+4}{x+1}$의 그래프는 $y=\dfrac{1}{x}$의 그래프를 x축의 방향으로 -1만큼, y축의 방향으로 3만큼 평행이동한 것이다.

ㄹ. $y=\dfrac{2x-3}{x+1}=\dfrac{2(x+1)-5}{x+1}=-\dfrac{5}{x+1}+2$

이므로 $y=\dfrac{2x-3}{x+1}$의 그래프는 $y=-\dfrac{5}{x}$의 그래프를 x축의 방향으로 -1만큼, y축의 방향으로 2만큼 평행이동한 것이다.

따라서 함수 $y=\dfrac{x}{x-1}$의 그래프를 평행이동하여 겹칠 수 있는 것은 ㄴ, ㄷ이다.

7-1 답 1

|해결 전략| 유리함수의 최대, 최소를 구할 때는 그래프를 그려 본다.

$y=\dfrac{2x-1}{x+1}=\dfrac{2(x+1)-3}{x+1}=-\dfrac{3}{x+1}+2$

이므로 $y=\dfrac{2x-1}{x+1}$의 그래프는 $y=-\dfrac{3}{x}$의 그래프를 x축의 방향으로 -1만큼, y축의 방향으로 2만큼 평행이동한 것이다.

따라서 $1\le x\le a$에서 $y=\dfrac{2x-1}{x+1}$의 그래프는 오른쪽 그림과 같다.

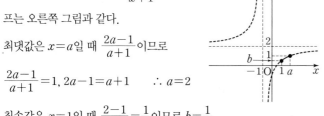

최댓값은 $x=a$일 때 $\dfrac{2a-1}{a+1}$이므로

$\dfrac{2a-1}{a+1}=1$, $2a-1=a+1$ $\therefore a=2$

최솟값은 $x=1$일 때 $\dfrac{2-1}{1+1}=\dfrac{1}{2}$이므로 $b=\dfrac{1}{2}$

$\therefore ab=1$

7-2 답 최댓값: $\dfrac{5}{3}$, 최솟값: 1

|해결 전략| 유리함수의 최대, 최소를 구할 때는 그래프를 그려 본다.

$y=\dfrac{2x-5}{x-3}=\dfrac{2(x-3)+1}{x-3}=\dfrac{1}{x-3}+2$

이므로 $y=\dfrac{2x-5}{x-3}$의 그래프는 $y=\dfrac{1}{x}$의 그래프를 x축의 방향으로 3만큼, y축의 방향으로 2만큼 평행이동한 것이다.

따라서 정의역이 $\{x\,|\,0\le x\le 2\}$인 $y=\dfrac{2x-5}{x-3}$의 그래프는 오른쪽 그림과 같으므로

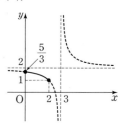

최댓값은 $x=0$일 때 $\dfrac{0-5}{0-3}=\dfrac{5}{3}$

최솟값은 $x=2$일 때 $\dfrac{4-5}{2-3}=1$

8-1 답 $a=-1,\ b=0$

|해결 전략| 유리함수의 그래프는 두 점근선의 교점을 지나고 기울기가 ±1인 두 직선에 대하여 각각 대칭이다.

$y=\dfrac{3x+8}{x+3}=\dfrac{3(x+3)-1}{x+3}=-\dfrac{1}{x+3}+3$

에서 점근선의 방정식은 $x=-3$, $y=3$이므로 그 그래프는 오른쪽 그림과 같다.
주어진 함수의 그래프는 두 점근선의 교점 $(-3,\ 3)$을 지나고 기울기가 1 또는 -1인 직선에 대하여 각각 대칭이다.

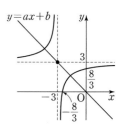

이때, $a<0$이므로 $a=-1$

따라서 직선 $y=-x+b$가 점 $(-3,\ 3)$을 지나므로

$3=-(-3)+b$ $\therefore b=0$

8-2 답 -3

|해결 전략| 유리함수의 그래프는 두 점근선의 교점을 지나고 기울기가 ±1인 두 직선에 대하여 각각 대칭이다.

$y=\dfrac{bx+3}{x+a}=\dfrac{b(x+a)-ab+3}{x+a}=\dfrac{3-ab}{x+a}+b$

에서 점근선의 방정식이 $x=-a$, $y=b$이므로 주어진 함수의 그래프는 두 점근선의 교점 $(-a,\ b)$를 지나고 기울기가 1 또는 -1인 직선에 대하여 각각 대칭이다.

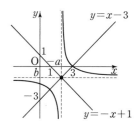

이때, 두 직선 $y=-x+1$, $y=x-3$의 교점의 좌표가 $(2,\ -1)$이므로

$a=-2$, $b=-1$

$\therefore a+b=-3$

9-1 답 ⑤

|해결 전략| $y=-\dfrac{2x}{x+1}$를 $y=\dfrac{k}{x-p}+q$ 꼴로 변형하여 그래프의 성질을 알아본다.

$y=-\dfrac{2x}{x+1}=\dfrac{-2(x+1)+2}{x+1}=\dfrac{2}{x+1}-2$

따라서 $y=-\dfrac{2x}{x+1}$의 그래프는 $y=\dfrac{2}{x}$

의 그래프를 x축의 방향으로 -1만큼, y

축의 방향으로 -2만큼 평행이동한 것이

므로 오른쪽 그림과 같다.

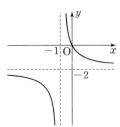

① 정의역은 $\{x \mid x \neq -1$인 실수$\}$이다.

② 치역은 $\{y \mid y \neq -2$인 실수$\}$이다.

③ $x=0$을 대입하면 $y=-\dfrac{0}{0+1}=0$이므로 그래프는 점 $(0, 0)$을

　지난다.

④ 점근선의 방정식은 $x=-1$, $y=-2$이다.

⑤ $y=-\dfrac{2x}{x+1}$의 그래프는 두 점근선의 교점 $(-1, -2)$를 지나고

　기울기가 1인 직선 $y+2=x+1$, 즉 $y=x-1$에 대하여 대칭이다.

따라서 옳지 않은 것은 ⑤이다.

9-2 답 ①

|해결 전략| $y=\dfrac{x+2}{x+1}$를 $y=\dfrac{k}{x-p}+q$ 꼴로 변형하여 그래프의 성질을 알아

본다.

$$y=\dfrac{x+2}{x+1}=\dfrac{(x+1)+1}{x+1}=\dfrac{1}{x+1}+1$$

따라서 $y=\dfrac{x+2}{x+1}$의 그래프는 $y=\dfrac{1}{x}$의

그래프를 x축의 방향으로 -1만큼, y축

의 방향으로 1만큼 평행이동한 것이므로

오른쪽 그림과 같다.

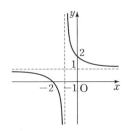

ㄱ. 두 점근선의 방정식은 $x=-1$, $y=1$

　이다.

ㄴ. 제1, 2, 3사분면을 지난다.

ㄷ. $y=\dfrac{x+2}{x+1}$의 그래프는 두 점근선의 교점 $(-1, 1)$을 지나고 기울

　기가 -1인 직선 $y-1=-(x+1)$, 즉 $y=-x$에 대하여 대칭이

　다.

따라서 옳은 것은 ㄱ이다.

10-1 답 1

|해결 전략| 점근선의 방정식을 이용하여 주어진 유리함수를 $y=\dfrac{k}{x-p}+q$

$(k \neq 0)$로 놓은 후 그래프가 지나는 점의 좌표를 대입하여 미정계수를 구한다.

점근선의 방정식이 $x=1$, $y=3$인 유리함수는

$$y=\dfrac{k}{x-1}+3 \ (k \neq 0) \qquad\qquad \cdots\cdots \ \bigcirc$$

$\bigcirc$의 그래프가 점 $(0, 1)$을 지나므로

$$1=\dfrac{k}{0-1}+3에서 \ -k=-2 \qquad \therefore \ k=2$$

$k=2$를 $\bigcirc$에 대입하면

$$y=\dfrac{2}{x-1}+3=\dfrac{3(x-1)+2}{x-1}=\dfrac{3x-1}{x-1}$$

따라서 $a=3$, $b=-1$, $c=-1$이므로

$a+b+c=1$

10-2 답 5

|해결 전략| 점근선의 방정식을 이용하여 주어진 유리함수를 $y=\dfrac{k}{x-p}+q$

$(k \neq 0)$로 놓은 후 그래프가 지나는 점의 좌표를 대입하여 미정계수를 구한다.

주어진 함수의 그래프의 점근선의 방정식이 $x=-1$, $y=1$이므로 주

어진 함수는

$$y=\dfrac{k}{x+1}+1 \ (k \neq 0) \qquad\qquad \cdots\cdots \ \bigcirc$$

$\bigcirc$의 그래프가 점 $(0, 3)$을 지나므로

$$3=\dfrac{k}{0+1}+1 \qquad \therefore \ k=2$$

$k=2$를 $\bigcirc$에 대입하면

$$y=\dfrac{2}{x+1}+1=\dfrac{(x+1)+2}{x+1}=\dfrac{x+3}{x+1}$$

따라서 $a=1$, $b=3$, $c=1$이므로

$a+b+c=5$

11-1 답 $\dfrac{11}{9}$

|해결 전략| $f^2(x)$, $f^3(x)$, $f^4(x)$, $\cdots$를 차례로 구해서 규칙을 찾는다.

$f(x)=\dfrac{x+1}{x-1}$에 대하여

$$f^2(x)=(f \circ f)(x)=f(f(x))=\dfrac{\dfrac{x+1}{x-1}+1}{\dfrac{x+1}{x-1}-1}=\dfrac{\dfrac{2x}{x-1}}{\dfrac{2}{x-1}}=x$$

$$f^3(x)=(f \circ f^2)(x)=f(f^2(x))=f(x)=\dfrac{x+1}{x-1}$$

$$f^4(x)=(f \circ f^3)(x)=f(f^3(x))=f(f(x))=x$$

$$\vdots$$

따라서 자연수 k에 대하여

$$f(x)=f^3(x)=f^5(x)=\cdots=f^{2k-1}(x)=\dfrac{x+1}{x-1}$$

$$f^2(x)=f^4(x)=f^6(x)=\cdots=f^{2k}(x)=x$$

$$\therefore f^{303}(10)=f(10)=\dfrac{10+1}{10-1}=\dfrac{11}{9}$$

11-2 답 3

|해결 전략| $f^2(x)$, $f^3(x)$, $f^4(x)$, $\cdots$를 차례로 구해서 규칙을 찾는다.

$f(x)=\dfrac{1}{1-x}$에 대하여

$$f^2(x)=(f \circ f)(x)=f(f(x))=\dfrac{1}{1-\dfrac{1}{1-x}}=\dfrac{1}{\dfrac{(1-x)-1}{1-x}}$$

$$=\dfrac{x-1}{x}$$

$$f^3(x)=(f \circ f^2)(x)=f(f^2(x))=\dfrac{1}{1-\dfrac{x-1}{x}}=\dfrac{1}{\dfrac{x-(x-1)}{x}}=x$$

$$f^4(x)=(f \circ f^3)(x)=f(f^3(x))=f(x)=\dfrac{1}{1-x}$$

$$\vdots$$

따라서 자연수 k에 대하여

$$f(x)=f^4(x)=f^7(x)=\cdots=f^{3k-2}(x)=\dfrac{1}{1-x}$$

$$f^2(x)=f^5(x)=f^8(x)=\cdots=f^{3k-1}(x)=\frac{x-1}{x}$$

$$f^3(x)=f^6(x)=f^9(x)=\cdots=f^{3k}(x)=x$$

$$\therefore f^{150}(3)=f^{3\times50}(3)=f^3(3)=3$$

12-1 답 2

|해결 전략| $y=\dfrac{ax+b}{x+2}$에서 x를 y로 나타내고, x와 y를 서로 바꾸어 역함수를 구한다.

함수 $y=f(x)$의 그래프가 점 $(1,\,-1)$을 지나므로

$$f(1)=\frac{a+b}{3}=-1 \qquad\qquad \cdots\cdots\ \text{㉠}$$

$y=\dfrac{ax+b}{x+2}$로 놓고 x를 y로 나타내면

$$(x+2)y=ax+b,\ (y-a)x=-2y+b$$

$$\therefore x=\frac{-2y+b}{y-a}$$

x와 y를 서로 바꾸면 $y=\dfrac{-2x+b}{x-a}$

따라서 역함수는 $f^{-1}(x)=\dfrac{-2x+b}{x-a}$

$f=f^{-1}$이므로 $\dfrac{ax+b}{x+2}=\dfrac{-2x+b}{x-a}$

$$\therefore a=-2$$

이것을 ㉠에 대입하면 $\dfrac{-2+b}{3}=-1$ $\qquad \therefore b=-1$

$$\therefore ab=2$$

> **다른 풀이**
> 함수 $y=f(x)$의 그래프가 점 $(1,\,-1)$을 지나므로
> $$f(1)=\frac{a+b}{3}=-1 \qquad\qquad \cdots\cdots\ \text{㉠}$$
> $f=f^{-1}$이므로 함수 $y=f^{-1}(x)$의 그래프도 점 $(1,\,-1)$을 지난다.
> 즉, $f^{-1}(1)=-1$이므로 $f(-1)=1$
> $$\therefore -a+b=1 \qquad\qquad \cdots\cdots\ \text{㉡}$$
> ㉠, ㉡을 연립하여 풀면 $a=-2,\ b=-1$
> $$\therefore ab=2$$

12-2 답 -60

|해결 전략| 두 함수의 그래프가 직선 $y=x$에 대하여 대칭이면 두 함수는 서로 역함수이다.

두 함수 $y=\dfrac{ax+2}{x+5}$, $y=\dfrac{bx+c}{x-6}$의 그래프가 직선 $y=x$에 대하여 대칭이므로 두 함수는 서로 역함수이다.

$y=\dfrac{ax+2}{x+5}$에서 x를 y로 나타내면

$$(x+5)y=ax+2,\ (y-a)x=-5y+2$$

$$\therefore x=\frac{-5y+2}{y-a}$$

x와 y를 서로 바꾸면 $y=\dfrac{-5x+2}{x-a}$

따라서 $\dfrac{-5x+2}{x-a}=\dfrac{bx+c}{x-6}$이므로 $a=6,\ b=-5,\ c=2$

$$\therefore abc=-60$$

---

7 | 무리함수

1 무리식

> ### 개념 확인 160쪽~161쪽
> **1** (1) $x\geq\dfrac{1}{2}$ (2) $x>-2$
> **2** (1) $\sqrt{x+2}+\sqrt{x}$ (2) $\sqrt{x+3}-\sqrt{x}$

1 (1) (근호 안의 식의 값)≥0이어야 하므로
$$2x-1\geq0 \qquad \therefore x\geq\frac{1}{2}$$

(2) (근호 안의 식의 값)≥0이고 (분모)$\neq0$이어야 하므로
$$x+2>0 \qquad \therefore x>-2$$

2 (1) $\dfrac{2}{\sqrt{x+2}-\sqrt{x}}=\dfrac{2(\sqrt{x+2}+\sqrt{x})}{(\sqrt{x+2}-\sqrt{x})(\sqrt{x+2}+\sqrt{x})}$
$$=\frac{2(\sqrt{x+2}+\sqrt{x})}{(x+2)-x}$$
$$=\sqrt{x+2}+\sqrt{x}$$

(2) $\dfrac{3}{\sqrt{x+3}+\sqrt{x}}=\dfrac{3(\sqrt{x+3}-\sqrt{x})}{(\sqrt{x+3}+\sqrt{x})(\sqrt{x+3}-\sqrt{x})}$
$$=\frac{3(\sqrt{x+3}-\sqrt{x})}{(x+3)-x}$$
$$=\sqrt{x+3}-\sqrt{x}$$

STEP 1 개념 드릴 |162쪽|

> **1** (1) $x\leq\dfrac{3}{2}$ (2) $x\leq1$ 또는 $x\geq2$ (3) $x>-\dfrac{1}{2}$ (4) $-1<x<\dfrac{1}{2}$
> **2** (1) $x+3$ (2) $-x+5$ (3) $x-2$
> **3** (1) $\sqrt{x}+\sqrt{x-1}$ (2) $\sqrt{2x+1}-\sqrt{2x}$ (3) $\sqrt{x+2}+\sqrt{x-2}$
> (4) $\dfrac{\sqrt{x+3}+\sqrt{x-3}}{2}$ (5) $\sqrt{x+1}-1$ (6) $\sqrt{x+1}+\sqrt{1-x}$

1 (1) (근호 안의 식의 값)≥0이어야 하므로
$$3-2x\geq0 \qquad \therefore x\leq\frac{3}{2}$$

(2) (근호 안의 식의 값)≥0이어야 하므로
$$x^2-3x+2\geq0,\ (x-1)(x-2)\geq0$$
$$\therefore x\leq1\ \text{또는}\ x\geq2$$

(3) (근호 안의 식의 값)≥0이고 (분모)$\neq0$이어야 하므로
$$2x+1>0 \qquad \therefore x>-\frac{1}{2}$$

(4) (근호 안의 식의 값)≥ 0이고 (분모)$\neq 0$이어야 하므로

$-2x^2-x+1>0,\ 2x^2+x-1<0$

$(2x-1)(x+1)<0$

$\therefore\ -1<x<\dfrac{1}{2}$

2 (1) $x>-3$에서 $x+3>0$이므로

$\sqrt{(x+3)^2}=|x+3|=x+3$

(2) $x<5$에서 $x-5<0$이므로

$\sqrt{(x-5)^2}=|x-5|=-x+5$

(3) $x>2$에서 $x-2>0$이므로

$\sqrt{(x-2)^2}=|x-2|=x-2$

3 (1) $\dfrac{1}{\sqrt{x}-\sqrt{x-1}}=\dfrac{\sqrt{x}+\sqrt{x-1}}{(\sqrt{x}-\sqrt{x-1})(\sqrt{x}+\sqrt{x-1})}$

$=\dfrac{\sqrt{x}+\sqrt{x-1}}{x-(x-1)}$

$=\sqrt{x}+\sqrt{x-1}$

(2) $\dfrac{1}{\sqrt{2x+1}+\sqrt{2x}}=\dfrac{\sqrt{2x+1}-\sqrt{2x}}{(\sqrt{2x+1}+\sqrt{2x})(\sqrt{2x+1}-\sqrt{2x})}$

$=\dfrac{\sqrt{2x+1}-\sqrt{2x}}{(2x+1)-2x}$

$=\sqrt{2x+1}-\sqrt{2x}$

(3) $\dfrac{4}{\sqrt{x+2}-\sqrt{x-2}}=\dfrac{4(\sqrt{x+2}+\sqrt{x-2})}{(\sqrt{x+2}-\sqrt{x-2})(\sqrt{x+2}+\sqrt{x-2})}$

$=\dfrac{4(\sqrt{x+2}+\sqrt{x-2})}{(x+2)-(x-2)}$

$=\sqrt{x+2}+\sqrt{x-2}$

(4) $\dfrac{3}{\sqrt{x+3}-\sqrt{x-3}}=\dfrac{3(\sqrt{x+3}+\sqrt{x-3})}{(\sqrt{x+3}-\sqrt{x-3})(\sqrt{x+3}+\sqrt{x-3})}$

$=\dfrac{3(\sqrt{x+3}+\sqrt{x-3})}{(x+3)-(x-3)}$

$=\dfrac{\sqrt{x+3}+\sqrt{x-3}}{2}$

(5) $\dfrac{x}{1+\sqrt{x+1}}=\dfrac{x(1-\sqrt{x+1})}{(1+\sqrt{x+1})(1-\sqrt{x+1})}$

$=\dfrac{x(1-\sqrt{x+1})}{1-(x+1)}$

$=\dfrac{x(1-\sqrt{x+1})}{-x}$

$=\sqrt{x+1}-1$

(6) $\dfrac{2x}{\sqrt{x+1}-\sqrt{1-x}}=\dfrac{2x(\sqrt{x+1}+\sqrt{1-x})}{(\sqrt{x+1}-\sqrt{1-x})(\sqrt{x+1}+\sqrt{1-x})}$

$=\dfrac{2x(\sqrt{x+1}+\sqrt{1-x})}{(x+1)-(1-x)}$

$=\dfrac{2x(\sqrt{x+1}+\sqrt{1-x})}{2x}$

$=\sqrt{x+1}+\sqrt{1-x}$

01-1 답 (1) $x\geq\dfrac{1}{2}$　(2) $-\dfrac{1}{3}\leq x<1$

|해결 전략| (근호 안의 식의 값)≥ 0이고 (분모)$\neq 0$이어야 한다.

(1) $2x-1\geq 0$에서 $x\geq\dfrac{1}{2}$

$x+1\geq 0$에서 $x\geq -1$

$\therefore\ x\geq\dfrac{1}{2}$

(2) $3x+1\geq 0$에서 $x\geq -\dfrac{1}{3}$

$1-x^2>0$에서 $x^2-1<0$

$(x+1)(x-1)<0$　$\therefore\ -1<x<1$

$\therefore\ -\dfrac{1}{3}\leq x<1$

01-2 답 $-3\leq k\leq 1$

|해결 전략| (근호 안의 식의 값)≥ 0임을 이용한다.

$\sqrt{x^2-2kx-2k+3}$의 값이 모든 실수 x에 대하여 항상 실수가 되려면 이차부등식 $x^2-2kx-2k+3\geq 0$이 항상 성립해야 한다.

이차방정식 $x^2-2kx-2k+3=0$의 판별식을 D라 하면 $D\leq 0$이어야 하므로

$\dfrac{D}{4}=(-k)^2-(-2k+3)\leq 0,\ k^2+2k-3\leq 0$

$(k+3)(k-1)\leq 0$　$\therefore\ -3\leq k\leq 1$

> **LECTURE**
>
> **이차부등식이 항상 성립할 조건**
>
> 이차방정식 $ax^2+bx+c=0$의 판별식을 D라 할 때, 이차부등식이 항상 성립할 조건은 다음과 같다.
>
> (1) $ax^2+bx+c>0\ \Rightarrow\ a>0,\ D<0$
>
> (2) $ax^2+bx+c\geq 0\ \Rightarrow\ a>0,\ D\leq 0$
>
> (3) $ax^2+bx+c<0\ \Rightarrow\ a<0,\ D<0$
>
> (4) $ax^2+bx+c\leq 0\ \Rightarrow\ a<0,\ D\leq 0$

02-1 답 $-2-\sqrt{6}$

|해결 전략| 먼저 식을 간단히 한 후 수를 대입한다.

$\dfrac{1}{1+\sqrt{1-x}}+\dfrac{1}{1-\sqrt{1-x}}=\dfrac{(1-\sqrt{1-x})+(1+\sqrt{1-x})}{(1+\sqrt{1-x})(1-\sqrt{1-x})}$

$=\dfrac{2}{1-(1-x)}=\dfrac{2}{x}$

$=\dfrac{2}{2-\sqrt{6}}=\dfrac{2(2+\sqrt{6})}{(2-\sqrt{6})(2+\sqrt{6})}$

$=\dfrac{2(2+\sqrt{6})}{4-6}$

$=-2-\sqrt{6}$

02-2 답 $\sqrt{2}+1$

|해결 전략| $x+y,\ x-y,\ xy$의 값을 구한 후 분모를 유리화한 식에 대입한다.

$\dfrac{\sqrt{x}+\sqrt{y}}{\sqrt{x}-\sqrt{y}}=\dfrac{(\sqrt{x}+\sqrt{y})^2}{(\sqrt{x}-\sqrt{y})(\sqrt{x}+\sqrt{y})}=\dfrac{x+y+2\sqrt{xy}}{x-y}$

이때, $x+y=2\sqrt{2}$, $x-y=2$, $xy=1$이므로

$$(주어진 식)=\frac{x+y+2\sqrt{xy}}{x-y}$$

$$=\frac{2\sqrt{2}+2\sqrt{1}}{2}=\sqrt{2}+1$$

2 무리함수

개념 확인   165쪽~167쪽

1 (1) $\{x\,|\,x\geq2\}$ (2) $\left\{x\,\Big|\,x\leq\dfrac{3}{2}\right\}$ (3) $\left\{x\,\Big|\,x\geq-\dfrac{1}{3}\right\}$

2 풀이 참조

3 그래프: 풀이 참조   (1) $\{x\,|\,x\geq-2\}$ (2) $\{y\,|\,y\leq-1\}$

1 (1) $x-2\geq0$에서 $x\geq2$

    $\therefore \{x\,|\,x\geq2\}$

(2) $3-2x\geq0$에서 $x\leq\dfrac{3}{2}$

    $\therefore \left\{x\,\Big|\,x\leq\dfrac{3}{2}\right\}$

(3) $3x+1\geq0$에서 $x\geq-\dfrac{1}{3}$

    $\therefore \left\{x\,\Big|\,x\geq-\dfrac{1}{3}\right\}$

2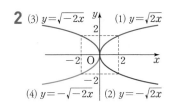

3 함수 $y=-\sqrt{x+2}-1$의 그래프는 $y=-\sqrt{x}$의 그래프를 x축의 방향으로 -2만큼, y축의 방향으로 -1만큼 평행이동한 것이므로 오른쪽 그림과 같다.

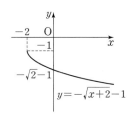

STEP 1 개념 드릴 | 168쪽 |

1 그래프: 풀이 참조   (1) ① $\{x\,|\,x\geq0\}$ ② $\{y\,|\,y\geq0\}$
                 (2) ① $\{x\,|\,x\geq0\}$ ② $\{y\,|\,y\leq0\}$
                 (3) ① $\{x\,|\,x\leq0\}$ ② $\{y\,|\,y\geq0\}$
                 (4) ① $\{x\,|\,x\leq0\}$ ② $\{y\,|\,y\leq0\}$

2 그래프: 풀이 참조   (1) ① $\{x\,|\,x\leq1\}$ ② $\{y\,|\,y\geq2\}$
                 (2) ① $\{x\,|\,x\geq-2\}$ ② $\{y\,|\,y\leq1\}$
                 (3) ① $\left\{x\,\Big|\,x\geq\dfrac{1}{2}\right\}$ ② $\{y\,|\,y\geq3\}$
                 (4) ① $\{x\,|\,x\leq2\}$ ② $\{y\,|\,y\leq1\}$

1 (1) 함수 $y=\sqrt{5x}$의 그래프는 점 $(1,\sqrt{5})$를 지나므로 오른쪽 그림과 같다.

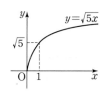

(2) 함수 $y=-\sqrt{5x}$의 그래프는 점 $(1,-\sqrt{5})$를 지나므로 오른쪽 그림과 같다.

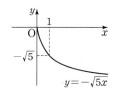

(3) 함수 $y=\sqrt{-5x}$의 그래프는 점 $(-1,\sqrt{5})$를 지나므로 오른쪽 그림과 같다.

(4) 함수 $y=-\sqrt{-5x}$의 그래프는 점 $(-1,-\sqrt{5})$를 지나므로 오른쪽 그림과 같다.

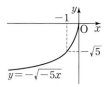

2 (1) 함수 $y=\sqrt{-(x-1)}+2$의 그래프는 $y=\sqrt{-x}$의 그래프를 x축의 방향으로 1만큼, y축의 방향으로 2만큼 평행이동한 것이므로 오른쪽 그림과 같다.

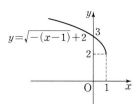

(2) 함수 $y=-\sqrt{2(x+2)}+1$의 그래프는 $y=-\sqrt{2x}$의 그래프를 x축의 방향으로 -2만큼, y축의 방향으로 1만큼 평행이동한 것이므로 오른쪽 그림과 같다.

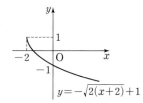

(3) $y=\sqrt{2x-1}+3=\sqrt{2\left(x-\dfrac{1}{2}\right)}+3$

즉, 함수 $y=\sqrt{2x-1}+3$의 그래프는 $y=\sqrt{2x}$의 그래프를 x축의 방향으로 $\dfrac{1}{2}$만큼, y축의 방향으로 3만큼 평행이동한 것이므로 오른쪽 그림과 같다.

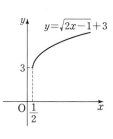

(4) $y=-\sqrt{4-2x}+1=-\sqrt{-2(x-2)}+1$

즉, 함수 $y=-\sqrt{4-2x}+1$의 그래프는 $y=-\sqrt{-2x}$의 그래프를 x축의 방향으로 2만큼, y축의 방향으로 1만큼 평행이동한 것이므로 오른쪽 그림과 같다.

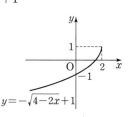

01-1 답 3

|해결 전략| 함수 $y=\sqrt{ax}$의 그래프를 평행이동해도 a의 값은 변하지 않는다.

함수 $y=\sqrt{ax+4}+3$의 그래프는 $y=\sqrt{2x}$의 그래프를 평행이동한 것이므로 $a=2$

이때, $y=\sqrt{2x+4}+3=\sqrt{2(x+2)}+3$이므로 함수 $y=\sqrt{2x+4}+3$의 그래프는 $y=\sqrt{2x}$의 그래프를 x축의 방향으로 -2만큼, y축의 방향으로 3만큼 평행이동한 것이다.

따라서 $m=-2$, $n=3$이므로

$a+m+n=2+(-2)+3=3$

01-2 답 27

|해결 전략| 함수 $y=\sqrt{ax}+1$의 그래프를 평행이동하고 대칭이동한 후 함수 $y=-\sqrt{3x+c}$와 비교한다.

함수 $y=\sqrt{ax}+1$의 그래프를 x축의 방향으로 3만큼, y축의 방향으로 b만큼 평행이동하면

$y=\sqrt{a(x-3)}+1+b$

이 그래프를 x축에 대하여 대칭이동하면

$-y=\sqrt{a(x-3)}+1+b$ ∴ $y=-\sqrt{ax-3a}-b-1$

$y=-\sqrt{ax-3a}-b-1$의 그래프는 $y=-\sqrt{3x+c}$의 그래프와 겹쳐지므로

$a=3$, $-3a=c$, $-b-1=0$ ∴ $a=3$, $b=-1$, $c=-9$

∴ $abc=27$

02-1 답 -1

|해결 전략| 무리함수를 $y=\sqrt{a(x-p)}+q$ 꼴로 변형하고 그래프를 그려 본다.

$y=\sqrt{-3x+a}+2=\sqrt{-3\left(x-\dfrac{a}{3}\right)}+2$ ⋯⋯ ㉠

㉠의 그래프는 $y=\sqrt{-3x}$의 그래프를 x축의 방향으로 $\dfrac{a}{3}$만큼, y축의 방향으로 2만큼 평행이동한 것이고, $\sqrt{-3x+a}\geq0$이므로 $y\geq2$이다.

따라서 함수의 정의역은 $\left\{x\,\middle|\,x\leq\dfrac{a}{3}\right\}$, 치역은 $\{y\,|\,y\geq2\}$이므로 ㉠의 그래프는 오른쪽 그림과 같다.

이때, 주어진 정의역이 $\{x\,|\,x\leq-1\}$, 치역이 $\{y\,|\,y\geq b\}$이므로

$\dfrac{a}{3}=-1$에서 $a=-3$이고 $b=2$

∴ $a+b=-1$

02-2 답 5

|해결 전략| 무리함수를 $y=\sqrt{a(x-p)}+q$ 꼴로 변형하고 그래프를 그려 본다.

$y=\sqrt{-2x+a}-1=\sqrt{-2\left(x-\dfrac{a}{2}\right)}-1$ ⋯⋯ ㉠

㉠의 그래프는 $y=\sqrt{-2x}$의 그래프를 x축의 방향으로 $\dfrac{a}{2}$만큼, y축의 방향으로 -1만큼 평행이동한 것이고, $\sqrt{-2x+a}\geq0$이므로 $y\geq-1$이다.

따라서 $-6\leq x\leq0$일 때 ㉠의 그래프는 오른쪽 그림과 같다.

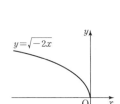

즉, $x=-6$일 때 최대이고, 그때의 최댓값이 3이므로

$\sqrt{12+a}-1=3$, $12+a=16$

∴ $a=4$

또, $x=0$일 때 최소이고, 그때의 최솟값이 b이므로

$b=\sqrt{a}-1=\sqrt{4}-1=1$

∴ $a+b=5$

참고

함수 $y=\sqrt{-2x}$는 오른쪽 그림과 같이 x의 값이 커질수록 y의 값은 작아지는 함수이므로 $y=\sqrt{-2x}$를 평행이동한 $y=\sqrt{-2x+a}-1$도 x의 값이 커질수록 y의 값은 작아지는 함수이다.

따라서 $-6\leq x\leq0$일 때, $x=-6$에서 최댓값을 가지고 $x=0$에서 최솟값을 갖는다.

03-1 답 0

|해결 전략| 주어진 함수의 그래프는 $y=-\sqrt{ax}\,(a>0)$의 그래프를 평행이동한 것이다.

주어진 함수의 그래프는 $y=-\sqrt{ax}\,(a>0)$의 그래프를 x축의 방향으로 2만큼, y축의 방향으로 2만큼 평행이동한 것이므로

$y=-\sqrt{a(x-2)}+2$ ⋯⋯ ㉠

이때, ㉠의 그래프가 점 $(4,\,0)$을 지나므로

$0=-\sqrt{2a}+2$에서 $\sqrt{2a}=2$

$2a=4$ ∴ $a=2$

$a=2$를 ㉠에 대입하면

$y=-\sqrt{2(x-2)}+2=-\sqrt{2x-4}+2$

즉, $y=-\sqrt{ax+b}+c=-\sqrt{2x-4}+2$이므로

$b=-4$, $c=2$

∴ $a+b+c=0$

참고

그래프를 보고 무리함수의 식을 구하는 방법

(i) 기준이 되는 무리함수의 식을 정한다. ➡ $y=\pm\sqrt{ax}$

(ii) 시작점 $(p,\,q)$를 기준으로 $y=\pm\sqrt{a(x-p)}+q$로 놓는다.

(iii) 주어진 그래프가 지나는 점의 좌표를 함수식에 대입한다.

03-2 답 4

|해결 전략| 무리함수의 정의역은 (근호 안의 식의 값)≥0이 되도록 하는 실수 전체의 집합이다.

$ax+6\geq0$에서

$a>0$이면 $x\geq-\dfrac{6}{a}$, $a<0$이면 $x\leq-\dfrac{6}{a}$

이때, 주어진 함수의 정의역이 $\{x\,|\,x\geq-2\}$이므로 $a>0$이어야 한다.

즉, $-\dfrac{6}{a}=-2$이므로 $a=3$

또, 함수 $y=-\sqrt{3x+6}+b$에서 $\sqrt{3x+6}\geq0$이므로 치역은 $\{y\,|\,y\leq b\}$ ∴ $b=1$

∴ $a+b=4$

04-1 답 $k=\dfrac{5}{4}$ 또는 $k<1$

|해결 전략| $y=\sqrt{1-x}$의 그래프와 직선 $y=-x+k$를 그려 보고 한 점에서 만나는 경우를 알아본다.

함수 $y=\sqrt{1-x}$의 그래프와 직선
$y=-x+k$는 오른쪽 그림과 같다.

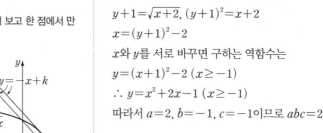

(i) $y=\sqrt{1-x}$의 그래프와 직선
  $y=-x+k$가 접할 때
  $\sqrt{1-x}=-x+k$의 양변을 제곱하
  여 정리하면
  $x^2-(2k-1)x+k^2-1=0$
  이 이차방정식의 판별식을 D라 하면
  $D=(2k-1)^2-4(k^2-1)=0$
  $-4k+5=0$ $\quad \therefore k=\dfrac{5}{4}$

(ii) 직선 $y=-x+k$가 점 $(1, 0)$을 지날 때
  $0=-1+k$ $\quad \therefore k=1$

(i), (ii)에서 구하는 실수 k의 값의 범위는

$k=\dfrac{5}{4}$ 또는 $k<1$

04-2 답 $0<m<\dfrac{1}{4}$

|해결 전략| $y=\sqrt{x-4}$의 그래프와 직선 $y=mx$를 그려 보고 서로 다른 두 점에서 만나는 경우를 알아본다.

$m<0$일 때, 오른쪽 그림과 같이 함
수 $y=\sqrt{x-4}$의 그래프와 직선
$y=mx$는 만나지 않는다.

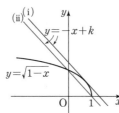

$m\geq 0$일 때, 함수 $y=\sqrt{x-4}$의 그
래프와 직선 $y=mx$는 오른쪽 그
림과 같다.

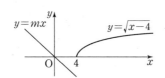

(i) $y=\sqrt{x-4}$의 그래프와 직선
  $y=mx$가 접할 때
  $\sqrt{x-4}=mx$의 양변을 제곱하여 정리하면
  $m^2x^2-x+4=0$
  이 이차방정식의 판별식을 D라 하면
  $D=(-1)^2-16m^2=0$
  $16m^2=1$ $\quad \therefore m=\dfrac{1}{4}$ $(\because m\geq 0)$

(ii) 직선 $y=mx$가 점 $(4, 0)$을 지날 때
  $0=4m$ $\quad \therefore m=0$

(i), (ii)에서 구하는 실수 m의 값의 범위는

$0<m<\dfrac{1}{4}$

05-1 답 2

|해결 전략| 주어진 함수에서 x를 y로 나타낸 후 x와 y를 서로 바꾸어 역함수를 구한다. 이때, 원래 함수의 치역은 역함수의 정의역이 된다.

함수 $y=\sqrt{x+2}-1$의 치역이 $\{y|y\geq -1\}$이므로 역함수의 정의역은 $\{x|x\geq -1\}$이다.

$y=\sqrt{x+2}-1$에서 x를 y로 나타내면
$y+1=\sqrt{x+2}, (y+1)^2=x+2$
$x=(y+1)^2-2$
x와 y를 서로 바꾸면 구하는 역함수는
$y=(x+1)^2-2 (x\geq -1)$
$\therefore y=x^2+2x-1 (x\geq -1)$
따라서 $a=2, b=-1, c=-1$이므로 $abc=2$

05-2 답 $\dfrac{1}{2}$

|해결 전략| 주어진 함수에서 x를 y로 나타낸 후 x와 y를 서로 바꾸어 역함수를 구한다. 이때, 원래 함수의 치역은 역함수의 정의역이 된다.

함수 $y=\sqrt{2x-a}+1$의 치역이 $\{y|y\geq 1\}$이므로 역함수의 정의역은 $\{x|x\geq 1\}$이다.

$y=\sqrt{2x-a}+1$에서 x를 y로 나타내면
$y-1=\sqrt{2x-a}, (y-1)^2=2x-a$
$x=\dfrac{1}{2}(y-1)^2+\dfrac{a}{2}$
x와 y를 서로 바꾸면
$y=\dfrac{1}{2}(x-1)^2+\dfrac{a}{2}$
$\therefore g(x)=\dfrac{1}{2}(x-1)^2+\dfrac{a}{2} (x\geq 1)$

이때, $g(2)=1$이므로
$\dfrac{1}{2}(2-1)^2+\dfrac{a}{2}=1, \dfrac{a}{2}=\dfrac{1}{2}$ $\quad \therefore a=1$

$\therefore g(1)=\dfrac{1}{2}(1-1)^2+\dfrac{1}{2}=\dfrac{1}{2}$

다른 풀이
$f(x)=\sqrt{2x-a}+1$이라 하면 $f(x)$의 역함수가 $g(x)$이고 $g(2)=1$이므로
$f(1)=2$
즉, $f(1)=\sqrt{2-a}+1=2$이므로
$\sqrt{2-a}=1, 2-a=1$ $\quad \therefore a=1$
$\therefore f(x)=\sqrt{2x-1}+1$
$g(1)=k$라 하면 $f(k)=1$이므로
$f(k)=\sqrt{2k-1}+1=1, \sqrt{2k-1}=0$ $\quad \therefore k=\dfrac{1}{2}$
$\therefore g(1)=\dfrac{1}{2}$

06-1 답 2

|해결 전략| $y=f(x)$의 그래프와 $y=f^{-1}(x)$의 그래프의 교점은 $y=f(x)$의 그래프와 직선 $y=x$의 교점과 같다.

함수 $y=f(x)$의 그래프와 그 역함수
$y=f^{-1}(x)$의 그래프는 직선 $y=x$에 대
하여 대칭이다.

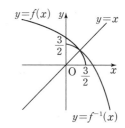

따라서 두 함수의 그래프의 교점은 함수
$f(x)=\sqrt{-2x+3}$의 그래프와 직선 $y=x$
의 교점과 같다.
$\sqrt{-2x+3}=x$의 양변을 제곱하면
$-2x+3=x^2, x^2+2x-3=0$
$(x+3)(x-1)=0$ $\quad \therefore x=-3$ 또는 $x=1$
그런데 위의 그림에서 $x>0$이므로 $x=1$

따라서 교점의 좌표는 $(1, 1)$이므로

$a=1, b=1$ $\therefore a+b=2$

참고

무리함수 $y=f(x)$의 그래프와 직선 $y=g(x)$의 교점을 살필 때는 그래프를 직접 그려 보는 것이 바람직하다.

이때, 접하는 경우는

$f(x)=g(x)$, 즉 $f(x)-g(x)=0$

의 판별식 $D=0$임을 이용하는데, 무리함수

$y=f(x)$의 그래프는 포물선의 반이므로 구한 해가 적합한지를 반드시 확인해야 한다.

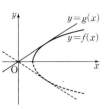

06-2 답 $\sqrt{2}$

|해결 전략| $y=f(x)$의 그래프와 $y=f^{-1}(x)$의 그래프의 교점은 $y=f(x)$의 그래프와 직선 $y=x$의 교점과 같다.

함수 $y=f(x)$의 그래프와 그 역함수 $y=f^{-1}(x)$의 그래프는 오른쪽 그림과 같이 직선 $y=x$에 대하여 대칭이다.

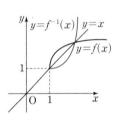

따라서 두 함수의 그래프의 교점은 함수 $f(x)=\sqrt{x-1}+1$의 그래프와 직선 $y=x$의 교점과 같다.

$\sqrt{x-1}+1=x$, 즉 $\sqrt{x-1}=x-1$의 양변을 제곱하면

$x-1=(x-1)^2$, $x^2-3x+2=0$

$(x-1)(x-2)=0$ $\therefore x=1$ 또는 $x=2$

따라서 두 교점의 좌표는 $(1, 1)$, $(2, 2)$이므로 두 점 사이의 거리는

$\sqrt{(2-1)^2+(2-1)^2}=\sqrt{2}$

LECTURE

(1) 두 점 $A(x_1, y_1)$, $B(x_2, y_2)$ 사이의 거리

➡ $\overline{AB}=\sqrt{(x_2-x_1)^2+(y_2-y_1)^2}$

(2) 원점 O와 점 $A(x_1, y_1)$ 사이의 거리

➡ $\overline{OA}=\sqrt{x_1{}^2+y_1{}^2}$

STEP ③ 유형 드릴 | 175쪽~177쪽 |

1-1 답 0

|해결 전략| (근호 안의 식의 값)≥0이고 (분모)≠0이어야 한다.

$3-x\geq0$에서 $x\leq3$

$2x+6\geq0$에서 $x\geq-3$

$4-x\neq0$에서 $x\neq4$

$\therefore -3\leq x\leq3$

따라서 $M=3$, $m=-3$이므로

$M+m=0$

1-2 답 $0\leq k\leq4$

|해결 전략| (근호 안의 식의 값)≥0임을 이용한다.

$\sqrt{kx^2+2kx+4}$의 값이 실수가 되려면 $kx^2+2kx+4\geq0$이어야 한다.

(i) $k=0$일 때

$4\geq0$이므로 항상 성립한다.

(ii) $k\neq0$일 때

이차방정식 $kx^2+2kx+4=0$의 판별식을 D라 하면 $k>0$, $D\leq0$이어야 하므로

$\dfrac{D}{4}=k^2-4k\leq0$

$k(k-4)\leq0$ $\therefore 0<k\leq4 \ (\because k>0)$

(i), (ii)에 의하여 구하는 k의 값의 범위는 $0\leq k\leq4$

2-1 답 ④

|해결 전략| 통분하는 과정에서 분모의 유리화가 이루어진다.

$$\frac{x}{1+\sqrt{x+1}}-\frac{x}{1-\sqrt{x+1}}=\frac{x(1-\sqrt{x+1})-x(1+\sqrt{x+1})}{(1+\sqrt{x+1})(1-\sqrt{x+1})}$$

$$=\frac{x(1-\sqrt{x+1}-1-\sqrt{x+1})}{1-(x+1)}$$

$$=\frac{x(-2\sqrt{x+1})}{-x}$$

$$=2\sqrt{x+1}$$

2-2 답 3

|해결 전략| 먼저 $f(n)$의 분모를 유리화하여 간단히 한다.

$$f(n)=\frac{1}{\sqrt{n+1}+\sqrt{n}}$$

$$=\frac{\sqrt{n+1}-\sqrt{n}}{(\sqrt{n+1}+\sqrt{n})(\sqrt{n+1}-\sqrt{n})}$$

$$=\frac{\sqrt{n+1}-\sqrt{n}}{(n+1)-n}$$

$$=\sqrt{n+1}-\sqrt{n}$$

$\therefore f(1)+f(2)+f(3)+\cdots+f(15)$

$=(\sqrt{2}-1)+(\sqrt{3}-\sqrt{2})+(\sqrt{4}-\sqrt{3})+\cdots+(\sqrt{16}-\sqrt{15})$

$=\sqrt{16}-1=3$

3-1 답 $2\sqrt{2}$

|해결 전략| 먼저 식을 간단히 한 후 수를 대입한다.

$$\frac{\sqrt{1-x}}{\sqrt{1+x}}+\frac{\sqrt{1+x}}{\sqrt{1-x}}=\frac{(\sqrt{1-x})^2+(\sqrt{1+x})^2}{\sqrt{1+x}\sqrt{1-x}}$$

$$=\frac{(1-x)+(1+x)}{\sqrt{1-x^2}}$$ ← $x=\dfrac{\sqrt{2}}{2}$일 때, $1-x>0$, $1+x>0$

$$=\frac{2}{\sqrt{1-x^2}}$$

$$=\frac{2}{\sqrt{1-\left(\frac{\sqrt{2}}{2}\right)^2}}=\frac{2}{\sqrt{1-\frac{1}{2}}}$$

$$=\frac{2}{\frac{1}{\sqrt{2}}}=2\sqrt{2}$$

3-2 답 6

|해결 전략| 수를 간단히 한 후 $x+y$, xy의 값을 구하여 주어진 식에 대입한다.

$$x=\frac{\sqrt{2}+1}{\sqrt{2}-1}=\frac{(\sqrt{2}+1)^2}{(\sqrt{2}-1)(\sqrt{2}+1)}=3+2\sqrt{2},$$

$$y=\frac{\sqrt{2}-1}{\sqrt{2}+1}=\frac{(\sqrt{2}-1)^2}{(\sqrt{2}+1)(\sqrt{2}-1)}=3-2\sqrt{2}$$

이므로

$$x+y=(3+2\sqrt{2})+(3-2\sqrt{2})=6$$

$$xy=(3+2\sqrt{2})(3-2\sqrt{2})=9-8=1$$

$$\therefore \frac{\sqrt{y}}{\sqrt{x}}+\frac{\sqrt{x}}{\sqrt{y}}=\frac{(\sqrt{y})^2+(\sqrt{x})^2}{\sqrt{x}\sqrt{y}}=\frac{x+y}{\sqrt{xy}} \quad \leftarrow x>0,\, y>0$$

$$=\frac{6}{\sqrt{1}}=6$$

4-1 답 2

|해결 전략| 함수 $y=\sqrt{2x+4}+3$의 그래프를 평행이동하고 대칭이동한 후 함수 $y=-\sqrt{-2x-6}$과 비교한다.

함수 $y=\sqrt{2x+4}+3$의 그래프를 x축의 방향으로 p만큼, y축의 방향으로 q만큼 평행이동하면

$$y=\sqrt{2(x-p)+4}+3+q$$

이 그래프를 원점에 대하여 대칭이동하면

$$-y=\sqrt{2(-x-p)+4}+3+q \quad \therefore y=-\sqrt{-2x-2p+4}-3-q$$

이 그래프가 $y=-\sqrt{-2x-6}$의 그래프와 일치하므로

$$-2p+4=-6, \quad -3-q=0$$

$$\therefore p=5, \quad q=-3$$

$$\therefore p+q=2$$

4-2 답 3

|해결 전략| 점 C를 평행이동하면 점 A가 됨을 이용한다.

점 C를 x축의 방향으로 -1만큼, y축의 방향으로 1만큼 평행이동하면 점 A가 된다.

즉, 점 A가 그리는 도형의 방정식은 $y=\sqrt{x}$의 그래프를 x축의 방향으로 -1만큼, y축의 방향으로 1만큼 평행이동한 것이다.

$$\therefore y=\sqrt{x+1}+1$$

따라서 $a=1$, $b=1$, $c=1$이므로 $a+b+c=3$

다른 풀이

점 C의 좌표를 $(t, \sqrt{t})$라 하면 점 A의 좌표는

$(t-1, \sqrt{t}+1)$

이때, $x=t-1$, $y=\sqrt{t}+1$로 놓으면 $t=x+1$, $\sqrt{t}=y-1$이므로

$\sqrt{x+1}=y-1 \quad \therefore y=\sqrt{x+1}+1$

즉, 점 A가 그리는 도형의 방정식은 $y=\sqrt{x+1}+1$이므로

$a=1$, $b=1$, $c=1$

$\therefore a+b+c=3$

5-1 답 4

|해결 전략| 무리함수를 $y=\sqrt{a(x-p)}+q$ 꼴로 변형하고 그래프를 그려 본다.

$$y=\sqrt{a-3x}+b=\sqrt{-3\left(x-\frac{a}{3}\right)}+b \quad \cdots\cdots \text{㉠}$$

㉠의 그래프는 $y=\sqrt{-3x}$의 그래프를 x축의 방향으로 $\frac{a}{3}$만큼, y축의 방향으로 b만큼 평행이동한 것이고, $\sqrt{a-3x}\geq0$이므로 $y\geq b$이다.

따라서 $-4\leq x\leq 0$일 때 ㉠의 그래프는 오른쪽 그림과 같다.

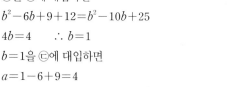

즉, $x=-4$일 때 최대이고, 그때의 최댓값이 5이므로

$\sqrt{a+12}+b=5$, $\sqrt{a+12}=5-b$

$$\therefore a+12=b^2-10b+25 \quad \cdots\cdots \text{㉡}$$

또, $x=0$일 때 최소이고, 그때의 최솟값이 3이므로

$\sqrt{a}+b=3$, $\sqrt{a}=3-b$

$$\therefore a=b^2-6b+9 \quad \cdots\cdots \text{㉢}$$

㉢을 ㉡에 대입하면

$$b^2-6b+9+12=b^2-10b+25$$

$$4b=4 \quad \therefore b=1$$

$b=1$을 ㉢에 대입하면

$$a=1-6+9=4$$

$$\therefore ab=4$$

5-2 답 $\dfrac{29}{4}$

|해결 전략| 무리함수를 $y=\sqrt{a(x-p)}+q$ 꼴로 변형하고 그래프를 그려 본다.

$$y=\sqrt{1-4x}+5=\sqrt{-4\left(x-\frac{1}{4}\right)}+5 \quad \cdots\cdots \text{㉠}$$

㉠의 그래프는 $y=\sqrt{-4x}$의 그래프를 x축의 방향으로 $\frac{1}{4}$만큼, y축의 방향으로 5만큼 평행이동한 것이므로 $-2\leq x\leq a$일 때 오른쪽 그림과 같다.

즉, $x=-2$일 때 최대이고, 그때의 최댓값이 b이므로

$$b=\sqrt{1+8}+5=8$$

또, $x=a$일 때 최소이고, 그때의 최솟값이 7이므로

$\sqrt{1-4a}+5=7$, $1-4a=4$

$$\therefore a=-\frac{3}{4}$$

$$\therefore a+b=-\frac{3}{4}+8=\frac{29}{4}$$

6-1 답 3

|해결 전략| 주어진 함수의 그래프는 $y=-\sqrt{ax}\,(a<0)$의 그래프를 평행이동한 것이다.

주어진 함수의 그래프는 $y=-\sqrt{ax}\,(a<0)$의 그래프를 x축의 방향으로 2만큼, y축의 방향으로 1만큼 평행이동한 것이므로

$$y=-\sqrt{a(x-2)}+1 \quad \cdots\cdots \text{㉠}$$

이때, ㉠의 그래프가 점 $(0, -1)$을 지나므로

$$-1=-\sqrt{-2a}+1$$에서 $\sqrt{-2a}=2$

$$-2a=4 \quad \therefore a=-2$$

$a=-2$를 ㉠에 대입하면

$$y=-\sqrt{-2(x-2)}+1=-\sqrt{-2x+4}+1$$

즉, $y=-\sqrt{ax+b}+c=-\sqrt{-2x+4}+1$이므로

$a=-2,\ b=4,\ c=1$

$\therefore a+b+c=3$

6-2 답 $\dfrac{3}{2}$

|해결 전략| 주어진 함수의 그래프는 $y=\sqrt{ax}\ (a>0)$의 그래프를 평행이동한 것이다.

주어진 함수의 그래프는 $y=\sqrt{ax}\ (a>0)$의 그래프를 x축의 방향으로 $\dfrac{3}{2}$만큼 평행이동한 것이므로

$$y=\sqrt{a\left(x-\dfrac{3}{2}\right)} \qquad\qquad \cdots\cdots ㉠$$

이때, ㉠의 그래프가 점 $(6,3)$을 지나므로

$3=\sqrt{a\left(6-\dfrac{3}{2}\right)}$에서 $9=\dfrac{9}{2}a$

$\therefore a=2$

$a=2$를 ㉠에 대입하면 $y=\sqrt{2x-3}$

즉, $y=\sqrt{ax+b}+c=\sqrt{2x-3}$이므로 $a=2,\ b=-3,\ c=0$

따라서 함수 $y=\dfrac{1}{2x-3}=\dfrac{1}{2\left(x-\dfrac{3}{2}\right)}$의 두 점근선의 교점의 좌표는 $\left(\dfrac{3}{2},\ 0\right)$이다.

$\therefore p=\dfrac{3}{2},\ q=0 \qquad \therefore p+q=\dfrac{3}{2}$

7-1 답 ⑤

|해결 전략| $y=\sqrt{-x+1}-2$를 $y=\sqrt{a(x-p)}+q$ 꼴로 변형하여 그래프를 그린 다음 그 성질을 알아본다.

$y=\sqrt{-x+1}-2=\sqrt{-(x-1)}-2$이므로 함수 $y=\sqrt{-x+1}-2$의 그래프는 $y=\sqrt{-x}$의 그래프를 x축의 방향으로 1만큼, y축의 방향으로 -2만큼 평행이동한 것이다.

따라서 함수 $y=\sqrt{-x+1}-2$의 그래프는 오른쪽 그림과 같다.

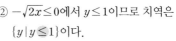

① $x=-3$을 대입하면

$y=\sqrt{3+1}-2=0$

따라서 그래프는 점 $(-3,0)$을 지난다.

② $-x+1\geq0$에서 $x\leq1$이므로 정의역은 $\{x|x\leq1\}$이다.

③ $\sqrt{-x+1}\geq0$에서 $y\geq-2$이므로 치역은 $\{y|y\geq-2\}$이다.

④ 그래프는 제1사분면을 지나지 않는다.

⑤ $y=\sqrt{-x}$의 그래프를 x축의 방향으로 1만큼, y축의 방향으로 -2만큼 평행이동한 것이다.

이상에서 옳지 않은 것은 ⑤이다.

7-2 답 ④

|해결 전략| $y=-\sqrt{2x}+1$의 그래프를 그린 다음 그 성질을 알아본다.

함수 $y=-\sqrt{2x}+1$의 그래프는 $y=-\sqrt{2x}$의 그래프를 y축의 방향으로 1만큼 평행이동한 것이다.

따라서 함수 $y=-\sqrt{2x}+1$의 그래프는 오른쪽 그림과 같다.

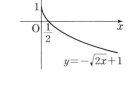

① $2x\geq0$에서 $x\geq0$이므로 정의역은 $\{x|x\geq0\}$이다.

② $-\sqrt{2x}\leq0$에서 $y\leq1$이므로 치역은 $\{y|y\leq1\}$이다.

③ 그래프는 제1, 4사분면을 지난다.

④ 함수 $y=-\sqrt{2x}+1$의 그래프를 x축에 대하여 대칭이동하면 $-y=-\sqrt{2x}+1$, 즉 $y=\sqrt{2x}-1$

⑤ 함수 $y=-\sqrt{2x}+1$의 치역이 $\{y|y\leq1\}$이므로 역함수의 정의역은 $\{x|x\leq1\}$이다.

$y=-\sqrt{2x}+1$에서 x를 y로 나타내면

$y-1=-\sqrt{2x},\ (y-1)^2=2x,\ x=\dfrac{1}{2}(y-1)^2$

x와 y를 바꾸면 구하는 역함수는 $y=\dfrac{1}{2}(x-1)^2\ (x\leq1)$

이상에서 옳은 것은 ④이다.

8-1 답 $-1\leq k<-\dfrac{3}{4}$

|해결 전략| $y=\sqrt{x-1}$의 그래프와 직선 $y=x+k$를 그려 보고 두 점에서 만나는 경우를 알아본다.

함수 $y=\sqrt{x-1}$의 그래프와 직선 $y=x+k$는 오른쪽 그림과 같다.

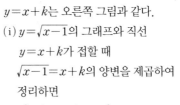

(i) $y=\sqrt{x-1}$의 그래프와 직선 $y=x+k$가 접할 때

$\sqrt{x-1}=x+k$의 양변을 제곱하여 정리하면

$x^2+(2k-1)x+k^2+1=0$

이 이차방정식의 판별식을 D라 하면

$D=(2k-1)^2-4(k^2+1)=0$

$-4k-3=0 \qquad \therefore k=-\dfrac{3}{4}$

(ii) 직선 $y=x+k$가 점 $(1,0)$을 지날 때

$0=1+k \qquad \therefore k=-1$

(i), (ii)에서 구하는 실수 k의 값의 범위는

$-1\leq k<-\dfrac{3}{4}$

8-2 답 -3

|해결 전략| $n(A\cap B)=1$이려면 두 함수 $y=\sqrt{3-x},\ y=x+k$의 그래프의 교점이 하나이어야 한다.

$n(A\cap B)=1$이려면 함수 $y=\sqrt{3-x}$의 그래프와 직선 $y=x+k$는 한 점에서 만나야 한다.

이때, 함수 $y=\sqrt{3-x}$의 그래프와 직선 $y=x+k$의 교점이 하나이면서 실수 k가 최솟값을 갖는 경우는 오른쪽 그림과 같다.

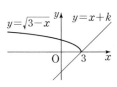

즉, 직선 $y=x+k$가 점 $(3,0)$을 지나야 하므로

$0=3+k \qquad \therefore k=-3$

9-1 답 $g(x)=(x-3)^2+2 \ (x\geq 3)$

|해결 전략| $f(g(x))=g(f(x))=x$이면 $f(x)$와 $g(x)$는 서로 역함수 관계이다.

함수 $f(x)$에 대하여 $f(g(x))=g(f(x))=x$를 만족시키는 함수 $g(x)$는 함수 $f(x)$의 역함수이다.

즉, $g(x)=f^{-1}(x)$

함수 $f(x)=\sqrt{x-2}+3$의 치역이 $\{y\,|\,y\geq 3\}$이므로 역함수의 정의역은 $\{x\,|\,x\geq 3\}$이다.

이때, $y=\sqrt{x-2}+3$으로 놓고 x를 y로 나타내면

$y-3=\sqrt{x-2}, \ (y-3)^2=x-2$

$x=(y-3)^2+2$

x와 y를 서로 바꾸면

$y=(x-3)^2+2$

$\therefore g(x)=(x-3)^2+2 \ (x\geq 3)$

9-2 답 $-\dfrac{5}{2}$

|해결 전략| 주어진 함수에서 x를 y로 나타낸 후 x와 y를 서로 바꾸어 역함수를 구한다. 이때, 원래 함수의 치역은 역함수의 정의역이 된다.

함수 $f(x)=-\sqrt{2x+4}-3$의 치역이 $\{y\,|\,y\leq -3\}$이므로 역함수의 정의역은 $\{x\,|\,x\leq -3\}$이다.

이때, $y=-\sqrt{2x+4}-3$으로 놓고 x를 y로 나타내면

$y+3=-\sqrt{2x+4}, \ (y+3)^2=2x+4$

$x=\dfrac{1}{2}(y+3)^2-2$

x와 y를 서로 바꾸면

$y=\dfrac{1}{2}(x+3)^2-2$, 즉 $y=\dfrac{1}{2}x^2+3x+\dfrac{5}{2}$

$\therefore g(x)=\dfrac{1}{2}x^2+3x+\dfrac{5}{2} \ (x\leq -3)$

따라서 $p=3, \ q=\dfrac{5}{2}, \ r=-3$이므로

$p-q+r=-\dfrac{5}{2}$

10-1 답 $(5, 5)$

|해결 전략| $y=f(x)$의 그래프와 $y=f^{-1}(x)$의 그래프의 교점은 $y=f(x)$의 그래프와 직선 $y=x$의 교점과 같다.

함수 $y=f(x)$의 그래프와 그 역함수 $y=f^{-1}(x)$의 그래프는 직선 $y=x$에 대하여 대칭이다.

따라서 두 함수의 그래프의 교점은 함수 $f(x)=\sqrt{2x+6}+1$의 그래프와 직선 $y=x$의 교점과 같다.

$\sqrt{2x+6}+1=x$, 즉 $\sqrt{2x+6}=x-1$의 양변을 제곱하면

$2x+6=(x-1)^2, \ x^2-4x-5=0$

$(x+1)(x-5)=0$

$\therefore x=-1$ 또는 $x=5$

그런데 그림에서 $x>1$이므로 $x=5$

따라서 교점의 좌표는 $(5, 5)$이다.

10-2 답 $\sqrt{2}$

|해결 전략| $y=\sqrt{x+1}-1$과 $x=\sqrt{y+1}-1$은 서로 역함수 관계이다.

오른쪽 그림과 같이 두 함수 $y=\sqrt{x+1}-1, \ x=\sqrt{y+1}-1$의 그래프는 직선 $y=x$에 대하여 대칭이므로 두 그래프의 교점은 함수 $y=\sqrt{x+1}-1$의 그래프와 직선 $y=x$의 교점과 같다.

$\sqrt{x+1}-1=x$, 즉 $\sqrt{x+1}=x+1$의 양변을 제곱하면

$x+1=(x+1)^2, \ x^2+x=0$

$x(x+1)=0$

$\therefore x=-1$ 또는 $x=0$

따라서 두 교점의 좌표는 $(-1, -1), (0, 0)$이므로 두 교점 사이의 거리는

$\sqrt{1^2+1^2}=\sqrt{2}$

참고

일대일대응인 두 함수 $y=\sqrt{x+1}-1, \ x=\sqrt{y+1}-1$은 x와 y의 위치가 바뀌어 있으므로 서로 역함수 관계이다.

11-1 답 7

|해결 전략| $(g\circ f^{-1})^{-1}=f\circ g^{-1}$임을 이용한다.

$(g\circ f^{-1})^{-1}(\sqrt{5})=(f\circ g^{-1})(\sqrt{5})$
$=f(g^{-1}(\sqrt{5}))$

이때, $g^{-1}(\sqrt{5})=k$라 하면 $g(k)=\sqrt{5}$이므로

$\sqrt{3k-1}=\sqrt{5}, \ 3k-1=5$ $\therefore k=2$

$\therefore (g\circ f^{-1})^{-1}(\sqrt{5})=f(g^{-1}(\sqrt{5}))$
$=f(2)=\dfrac{2\times 2+3}{2-1}=7$

11-2 답 $\dfrac{5}{2}$

|해결 전략| $(g\circ f)^{-1}=f^{-1}\circ g^{-1}, \ f\circ f^{-1}=I$임을 이용한다.

$f(2)=\dfrac{2}{2-1}=2$이므로

$(f\circ (g\circ f)^{-1}\circ f)(2)=(f\circ (f^{-1}\circ g^{-1})\circ f)(2)$
$=((f\circ f^{-1})\circ g^{-1}\circ f)(2)$
$=(g^{-1}\circ f)(2)$
$=g^{-1}(f(2))$
$=g^{-1}(2)$

이때, $g^{-1}(2)=k$라 하면 $g(k)=2$이므로

$\sqrt{2k-1}=2, \ 2k-1=4$ $\therefore k=\dfrac{5}{2}$

$\therefore (f\circ (g\circ f)^{-1}\circ f)(2)=g^{-1}(2)=\dfrac{5}{2}$

8 | 경우의 수

1 경우의 수

개념 확인   180쪽~181쪽

1 5   **2** 12   **3** 8

1 3의 배수는 3, 6, 9이고, 5의 배수는 5, 10이므로 구하는 경우의 수는 합의 법칙에 의하여
$3+2=5$

2 햄버거가 4종류이고, 그 각각에 대하여 선택하는 음료수가 3종류이므로 구하는 방법의 수는 곱의 법칙에 의하여
$4 \times 3=12$

3 상의가 4가지이고, 그 각각에 대하여 입는 하의가 2가지이므로 구하는 방법의 수는 곱의 법칙에 의하여
$4 \times 2=8$

STEP 1 개념 드릴 | 182쪽 |

1 (1) 9   (2) 6   (3) 9   (4) 9   (5) 4
2 (1) 56   (2) 12   (3) 9   (4) 15   (5) 120

1 (1) 합의 법칙에 의하여 $3+4+2=9$
(2) (i) 카드에 적힌 수가 소수인 경우는
    2, 3, 5, 7의 4가지
(ii) 카드에 적힌 수가 4의 배수인 경우는
    4, 8의 2가지
(i), (ii)는 동시에 일어날 수 없으므로 구하는 경우의 수는 합의 법칙에 의하여
$4+2=6$
(3) 두 개의 주사위에서 나온 눈의 수를 순서쌍으로 나타내면
(i) 두 눈의 수의 합이 7인 경우는
    $(1, 6), (2, 5), (3, 4), (4, 3), (5, 2), (6, 1)$의 6가지
(ii) 두 눈의 수의 합이 10인 경우는
    $(4, 6), (5, 5), (6, 4)$의 3가지
(i), (ii)는 동시에 일어날 수 없으므로 구하는 경우의 수는 합의 법칙에 의하여
$6+3=9$
(4) (i) 공에 적힌 수가 6의 배수인 경우는
    6, 12, 18, 24, 30의 5가지

(ii) 공에 적힌 수가 7의 배수인 경우는
    7, 14, 21, 28의 4가지
(i), (ii)는 동시에 일어날 수 없으므로 구하는 경우의 수는 합의 법칙에 의하여
$5+4=9$
(5) 세 개의 주사위에서 나온 눈의 수를 순서쌍으로 나타내면
(i) 세 눈의 수의 합이 4인 경우는
    $(1, 1, 2), (1, 2, 1), (2, 1, 1)$의 3가지
(ii) 세 눈의 수의 합이 3인 경우는
    $(1, 1, 1)$의 1가지
(i), (ii)는 동시에 일어날 수 없으므로 구하는 경우의 수는 합의 법칙에 의하여
$3+1=4$

2 (1) 중학생 한 명을 뽑는 방법은 8가지이고, 그 각각에 대하여 고등학생 한 명을 뽑는 방법은 7가지이므로 구하는 방법의 수는 곱의 법칙에 의하여
$8 \times 7=56$
(2) 자음이 3가지이고, 그 각각에 대하여 짝 지을 수 있는 모음이 4가지이므로 만들 수 있는 글자의 수는 곱의 법칙에 의하여
$3 \times 4=12$
(3) 나온 눈의 수의 곱이 홀수이려면 (홀수)×(홀수)이어야 하고 홀수는 1, 3, 5이므로 구하는 경우의 수는 곱의 법칙에 의하여
$3 \times 3=9$
(4) 십의 자리의 숫자가 될 수 있는 것은 3, 6, 9의 3개이고, 일의 자리의 숫자가 될 수 있는 것은 1, 3, 5, 7, 9의 5개이므로 구하는 자연수의 개수는 곱의 법칙에 의하여
$3 \times 5=15$
(5) 커피를 고르는 방법은 6가지, 생과일주스를 고르는 방법은 4가지, 조각 케이크를 고르는 방법은 5가지이므로 구하는 방법의 수는 곱의 법칙에 의하여
$6 \times 4 \times 5=120$

STEP 2 필수 유형 | 183쪽~188쪽 |

01-1 답 13
|해결 전략| 동시에 일어나지 않는 두 사건 A, B가 일어나는 경우의 수가 각각 m, n일 때, 사건 A 또는 사건 B가 일어나는 경우의 수는 $m+n$이다.

두 개의 주머니에서 꺼낸 공에 적힌 수를 순서쌍으로 나타내면
(i) 공에 적힌 수의 차가 0인 경우는
    $(1, 1), (2, 2), (3, 3), (4, 4), (5, 5)$의 5가지
(ii) 공에 적힌 수의 차가 1인 경우는
    $(1, 2), (2, 3), (3, 4), (4, 5), (5, 4), (4, 3), (3, 2), (2, 1)$의 8가지
(i), (ii)는 동시에 일어날 수 없으므로 구하는 경우의 수는 합의 법칙에 의하여
$5+8=13$

01-2 답 47

|해결 전략| 두 사건 A, B가 일어나는 경우의 수가 각각 m, n이고, 두 사건 A, B가 동시에 일어나는 경우의 수가 l일 때, 사건 A 또는 사건 B가 일어나는 경우의 수는 $m+n-l$이다.

카드에 적힌 수가 3의 배수인 경우는

3, 6, 9, $\cdots$, 99의 33가지

카드에 적힌 수가 5의 배수인 경우는

5, 10, 15, $\cdots$, 100의 20가지

카드에 적힌 수가 3과 5의 최소공배수인 15의 배수인 경우는

15, 30, 45, 60, 75, 90의 6가지

따라서 구하는 경우의 수는 $33+20-6=47$

02-1 답 (1) 9 (2) 16

|해결 전략| 계수의 절댓값이 가장 큰 문자부터 값을 정한다.

(1) x, y, z가 음이 아닌 정수이므로 $x \geq 0$, $y \geq 0$, $z \geq 0$

주어진 방정식에서 z의 계수의 절대값이 가장 크므로 z가 될 수 있는 음이 아닌 정수를 구하면

$4z \leq 9$에서 $z=0$ 또는 $z=1$ 또는 $z=2$

(i) $z=0$일 때, $x+2y=9$이므로 순서쌍 (x, y)는

$(9, 0)$, $(7, 1)$, $(5, 2)$, $(3, 3)$, $(1, 4)$의 5개

(ii) $z=1$일 때, $x+2y=5$이므로 순서쌍 (x, y)는

$(5, 0)$, $(3, 1)$, $(1, 2)$의 3개

(iii) $z=2$일 때, $x+2y=1$이므로 순서쌍 (x, y)는

$(1, 0)$의 1개

따라서 구하는 순서쌍 (x, y, z)의 개수는

$5+3+1=9$

(2) x, y가 자연수이므로 $x \geq 1$, $y \geq 1$

주어진 부등식에서 x의 계수의 절댓값이 더 크므로 x가 될 수 있는 자연수를 구하면

$2x < 10$에서 $x=1$ 또는 $x=2$ 또는 $x=3$ 또는 $x=4$

(i) $x=1$일 때, $y<8$이므로 y는

1, 2, 3, 4, 5, 6, 7의 7가지

(ii) $x=2$일 때, $y<6$이므로 y는

1, 2, 3, 4, 5의 5가지

(iii) $x=3$일 때, $y<4$이므로 y는

1, 2, 3의 3가지

(iv) $x=4$일 때, $y<2$이므로 y는

1의 1가지

따라서 구하는 순서쌍 (x, y)의 개수는

$7+5+3+1=16$

02-2 답 9

|해결 전략| 100원짜리, 500원짜리, 1000원짜리 학용품을 각각 x개, y개, z개 산다고 하고 방정식을 세운다.

100원짜리, 500원짜리, 1000원짜리 학용품을 각각 x개, y개, z개 산다고 할 때, 그 금액의 합이 4000원이므로

$100x+500y+1000z=4000$

$\therefore x+5y+10z=40$ $\cdots\cdots$ ㉠

이때, 3종류의 학용품을 적어도 하나씩 사야 하므로 x, y, z는 $x \geq 1$, $y \geq 1$, $z \geq 1$인 자연수이다.

따라서 구하는 방법의 수는 방정식 ㉠을 만족시키는 세 자연수 x, y, z의 순서쌍 (x, y, z)의 개수와 같다.

㉠에서 z의 계수의 절댓값이 가장 크므로 z가 될 수 있는 자연수를 구하면

$10z < 40$에서 $z=1$ 또는 $z=2$ 또는 $z=3$

(i) $z=1$일 때, $x+5y=30$이므로 순서쌍 (x, y)는

$(25, 1)$, $(20, 2)$, $(15, 3)$, $(10, 4)$, $(5, 5)$의 5개

(ii) $z=2$일 때, $x+5y=20$이므로 순서쌍 (x, y)는

$(15, 1)$, $(10, 2)$, $(5, 3)$의 3개

(iii) $z=3$일 때, $x+5y=10$이므로 순서쌍 (x, y)는

$(5, 1)$의 1개

따라서 구하는 방법의 수는

$5+3+1=9$

03-1 답 (1) 24 (2) 12

|해결 전략| 곱의 법칙을 이용하여 서로 다른 항의 개수를 구한다.

(1) $(a+b)(p+q+r+s)(x+y+z)$에서

a, b 중 어느 하나를 택하면 그 각각에 대하여 p, q, r, s의 4가지 중 하나를 선택할 수 있고, 또 그 각각에 대하여 x, y, z의 3가지 중 하나를 선택할 수 있으므로 구하는 항의 개수는 곱의 법칙에 의하여

$2 \times 4 \times 3=24$

(2) $(a+b)^2(x+y)^3=(a^2+2ab+b^2)(x^3+3x^2y+3xy^2+y^3)$에서

a^2, $2ab$, b^2 중 어느 하나를 택하면 그 각각에 대하여 x^3, $3x^2y$, $3xy^2$, y^3의 4가지 중 하나를 선택할 수 있으므로 구하는 항의 개수는 곱의 법칙에 의하여

$3 \times 4=12$

> **LECTURE**
>
> (2)에서 주어진 식을 $(a+b)(a+b)(x+y)(x+y)(x+y)$로 변형하면 각 항이 모두 다른 문자가 아니므로 곱의 법칙을 바로 적용할 수 없다. 하지만 주어진 식을 $(a^2+2ab+b^2)(x^3+3x^2y+3xy^2+y^3)$으로 변형하면 각 항이 모두 다른 문자이므로 바로 곱의 법칙을 적용하여 서로 다른 항의 개수를 구할 수 있다.

03-2 답 3

|해결 전략| 자연수 $N=a^p b^q c^r$(a, b, c는 서로 다른 소수, p, q, r는 자연수)의 양의 약수의 개수는 $(p+1)(q+1)(r+1)$이다.

$2^4 \times 3^x \times 5^2$의 양의 약수의 개수는

$(4+1)(x+1)(2+1)$

즉, $15(x+1)=60$에서

$x+1=4$ $\therefore x=3$

04-1 🔲 2

|해결 전략| 수형도를 이용하여 경우의 수를 구한다.

$a_1 \neq 1$, $a_2 \neq 2$, $a_3 \neq 3$인 경우는 다음과 같다.

$$
\begin{array}{ccc}
a_1 & a_2 & a_3 \\
2 & 3 & 1 \\
3 & 1 & 2
\end{array}
$$

따라서 구하는 자연수의 개수는 2이다.

04-2 🔲 6

|해결 전략| a, b, c를 각각 가지의 시작으로 수형도를 그린다.

a, b, c를 각각 가지의 시작으로 a 뒤에는 b와 c가, b 뒤에는 a와 c가, 그리고 c 뒤에는 a와 b가 각각 올 수 있다.

$$
a \!<\!\begin{array}{l} b \\ c \end{array} \quad b \!<\!\begin{array}{l} a \\ c \end{array} \quad c \!<\!\begin{array}{l} a \\ b \end{array}
$$

(i) $a-b$의 경우: 남은 것은 a, c 두 개이므로 $a-c$와 $c-a$ 둘 다 가능하다.

(ii) $a-c$의 경우: 남은 것은 a, b 두 개이므로 $a-b$와 $b-a$ 둘 다 가능하다.

(iii) $b-a$의 경우: 남은 것은 a, c 두 개이고 같은 문자끼리는 이웃할 수 없으므로 $c-a$만 가능하다.

(iv) $b-c$의 경우: 남은 것은 a, a이고 이것은 이웃할 수 없으므로 불가능하다.

(v) $c-a$의 경우: 남은 것은 a, b 두 개이고 같은 문자끼리는 이웃할 수 없으므로 $b-a$만 가능하다.

(vi) $c-b$의 경우: 남은 것은 a, a이고 이것은 이웃할 수 없으므로 불가능하다.

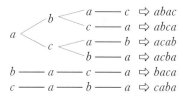

따라서 구하는 경우의 수는 6이다.

05-1 🔲 26

|해결 전략| B도시를 먼저 지나고 C도시를 지날 때와 C도시를 먼저 지나고 B도시를 지날 때로 나누어 생각한다.

(i) A → B → C → D로 가는 방법의 수는 곱의 법칙에 의하여

$2 \times 2 \times 2 = 8$

(ii) A → C → B → D로 가는 방법의 수는 곱의 법칙에 의하여

$3 \times 2 \times 3 = 18$

(i), (ii)는 동시에 일어날 수 없으므로 구하는 방법의 수는 합의 법칙에 의하여

$8 + 18 = 26$

05-2 🔲 100

|해결 전략| C지점 또는 D지점만 지나서 A지점으로 돌아올 때와 C지점과 D지점을 모두 한 번씩 지나 A지점으로 돌아올 때로 나누어 생각한다.

(i) A → C → B → C → A로 가는 방법의 수는 곱의 법칙에 의하여

$2 \times 2 \times 2 \times 2 = 16$

(ii) A → D → B → D → A로 가는 방법의 수는 곱의 법칙에 의하여

$3 \times 2 \times 2 \times 3 = 36$

(iii) A → C → B → D → A로 가는 방법의 수는 곱의 법칙에 의하여

$2 \times 2 \times 2 \times 3 = 24$

(iv) A → D → B → C → A로 가는 방법의 수는 곱의 법칙에 의하여

$3 \times 2 \times 2 \times 2 = 24$

(i)~(iv)는 동시에 일어날 수 없으므로 구하는 방법의 수는 합의 법칙에 의하여

$16 + 36 + 24 + 24 = 100$

다른 풀이

(i) A → C → B로 가는 방법의 수는 곱의 법칙에 의하여 $2 \times 2 = 4$

(ii) A → D → B로 가는 방법의 수는 곱의 법칙에 의하여 $3 \times 2 = 6$

(i), (ii)는 동시에 일어날 수 없으므로 A지점에서 B지점으로 가는 방법의 수는 합의 법칙에 의하여 $4 + 6 = 10$이다.

마찬가지로 B지점에서 A지점으로 가는 방법의 수도 10이므로 구하는 방법의 수는 곱의 법칙에 의하여

$10 \times 10 = 100$

06-1 🔲 48

|해결 전략| 이웃하는 영역이 가장 많은 영역부터 칠한다.

B에 칠할 수 있는 색 ➡ 4가지

C에 칠할 수 있는 색 ➡ 4−1=3(가지)
           ↳ B에 칠한 색 제외

A에 칠할 수 있는 색 ➡ 4−2=2(가지)
           ↳ B와 C에 칠한 색 제외

D에 칠할 수 있는 색 ➡ 4−2=2(가지)
           ↳ B와 C에 칠한 색 제외

따라서 구하는 방법의 수는 곱의 법칙에 의하여

$4 \times 3 \times 2 \times 2 = 48$

06-2 🔲 540

|해결 전략| 이웃하는 영역이 가장 많은 영역부터 칠한다.

A에 칠할 수 있는 색 ➡ 5가지

B에 칠할 수 있는 색 ➡ 5−1=4(가지)
           ↳ A에 칠한 색 제외

C에 칠할 수 있는 색 ➡ 5−2=3(가지)
           ↳ A와 B에 칠한 색 제외

D에 칠할 수 있는 색 ➡ 5−2=3(가지)
           ↳ A와 C에 칠한 색 제외

E에 칠할 수 있는 색 ➡ 5−2=3(가지)
           ↳ A와 D에 칠한 색 제외

따라서 구하는 방법의 수는 곱의 법칙에 의하여

$5 \times 4 \times 3 \times 3 \times 3 = 540$

② 순열

| 189쪽~190쪽 |

개념 확인

1 (1) 120 (2) 8
2 (1) 720 (2) 336

1 (1) $_6P_3=6\times5\times4=120$

(2) $_8P_1=8$

2 (1) $6!=6\times5\times4\times3\times2\times1=720$

(2) $_8P_3=\dfrac{8!}{(8-3)!}=\dfrac{8!}{5!}$

$=\dfrac{8\times7\times6\times5\times4\times3\times2\times1}{5\times4\times3\times2\times1}=8\times7\times6=336$

STEP ① 개념 드릴

| 191쪽 |

1 (1) $_5P_2$ (2) $_9P_5$ (3) $_{30}P_{30}$ (4) $_{25}P_4$ (5) $_7P_3$
2 (1) 5040 (2) 120 (3) 360 (4) 420
3 (1) 7 (2) 5 (3) 3 또는 4 (4) 4

1 (1) 서로 다른 5개에서 2개를 택하는 순열의 수와 같으므로 $_5P_2$

(2) 서로 다른 9개에서 5개를 택하는 순열의 수와 같으므로 $_9P_5$

(3) 서로 다른 30개에서 30개를 택하는 순열의 수와 같으므로 $_{30}P_{30}$

(4) 서로 다른 25개에서 4개를 택하는 순열의 수와 같으므로 $_{25}P_4$

(5) 서로 다른 7개에서 3개를 택하는 순열의 수와 같으므로 $_7P_3$

2 (1) $7!=7\times6\times5\times4\times3\times2\times1=5040$

(2) $\dfrac{6!}{3!}=\dfrac{6\times5\times4\times3\times2\times1}{3\times2\times1}=120$

(3) $_6P_4=6\times5\times4\times3=360$

(4) $_7P_3\times2!=(7\times6\times5)\times(2\times1)=420$

3 (1) $_nP_2=n(n-1)=42=7\times6$이므로

$n=7$

(2) $_nP_3=n(n-1)(n-2)=60=5\times4\times3$이므로

$n=5$

(3) $_4P_r=24=4\times3\times2$이므로 $r=3$

또, $_4P_r=24=4\times3\times2\times1$이므로 $r=4$

∴ $r=3$ 또는 $r=4$

(4) $_6P_r=360=6\times5\times4\times3$이므로 $r=4$

STEP ② 필수 유형

| 192쪽~198쪽 |

01-1 답 (1) 7 (2) 9

|해결 전략| $_nP_r=n(n-1)(n-2)\cdots(n-r+1)$임을 이용한다.

(1) $_nP_4=20_nP_2$에서

$n(n-1)(n-2)(n-3)=20n(n-1)$

$n\geq4$이므로 양변을 $n(n-1)$로 나누면

$(n-2)(n-3)=20,\ n^2-5n-14=0$

$(n+2)(n-7)=0$ ∴ $n=7$ (∵ $n\geq4$)

(2) $_{n+1}P_2+_nP_2=162$에서

$(n+1)n+n(n-1)=162$

$2n^2-162=0,\ n^2-81=0$

$(n+9)(n-9)=0$ ∴ $n=9$ (∵ $n\geq2$)

01-2 답 8

|해결 전략| $a:b=c:d$이면 $ad=bc$이다.

$_nP_3:_{n-1}P_2=8:1$에서 $_nP_3=8_{n-1}P_2$

$n(n-1)(n-2)=8(n-1)(n-2)$

$n\geq3$이므로 양변을 $(n-1)(n-2)$로 나누면

$n=8$

02-1 답 (1) 24 (2) 1320

|해결 전략| 서로 다른 n개에서 r개를 택하여 일렬로 나열하는 방법의 수는 $_nP_r$이다.

(1) 4명을 일렬로 세우는 방법의 수와 같으므로

$4!=4\times3\times2\times1=24$

(2) 12개의 팀 중에서 3팀을 뽑아 일렬로 세우는 방법의 수와 같으므로

$_{12}P_3=12\times11\times10=1320$

02-2 답 7

|해결 전략| 순열의 수를 이용하여 식을 세우고 $210=7\times6\times5$임을 이용하여 n의 값을 구한다.

서로 다른 n권의 책 중에서 3권을 뽑아 책꽂이에 일렬로 꽂는 방법의 수는 서로 다른 n개에서 3개를 택하는 순열의 수와 같으므로

$_nP_3=210,\ n(n-1)(n-2)=7\times6\times5$

∴ $n=7$

03-1 답 (1) 240 (2) 480

|해결 전략| (1) 이웃하는 것을 하나로 묶어서 생각한다. 이때, 묶음 안의 순서도 고려한다.

(2) 이웃해도 되는 것을 먼저 나열하고, 그 사이사이와 양 끝에 이웃하지 않아야 하는 것을 나열하는 경우의 수를 구한다.

(1) 영어책 2권을 한 권으로 생각하여 5권을 일렬로 꽂는 방법의 수는
$$5! = 5 \times 4 \times 3 \times 2 \times 1 = 120$$

그 각각에 대하여 영어책끼리 자리를 바꾸는 방법의 수는
$$2! = 2 \times 1 = 2$$
따라서 구하는 방법의 수는
$$120 \times 2 = 240$$

(2) 수학책 4권을 책꽂이에 꽂는 방법의 수는
$$4! = 4 \times 3 \times 2 \times 1 = 24$$
수학책 사이사이와 양 끝의 5개의 자리 중에서 2개의 자리에 영어책을 꽂는 방법의 수는
$$_5P_2 = 5 \times 4 = 20$$

따라서 구하는 방법의 수는
$$24 \times 20 = 480$$

다른 풀이

(2) 영어책 2권이 서로 이웃하지 않게 꽂는 방법의 수는 수학책 4권과 영어책 2권을 꽂는 전체 방법의 수에서 영어책 2권이 서로 이웃하도록 꽂는 방법의 수를 뺀 것과 같으므로
$$6! - 240 = 720 - 240 = 480$$

03-2 답 144

|해결 전략| 어른 3명이 일렬로 서고, 그 사이사이와 양 끝에 어린이 4명을 세우면 된다.

어른 3명이 일렬로 서는 방법의 수는 $3! = 3 \times 2 \times 1 = 6$
어른 사이사이와 양 끝의 4개의 자리에 어린이 4명을 세우는 방법의 수는

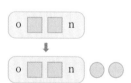

$$4! = 4 \times 3 \times 2 \times 1 = 24$$
따라서 구하는 방법의 수는
$$6 \times 24 = 144$$

04-1 답 (1) 24 (2) 144

|해결 전략| (1) o와 e를 먼저 나열한다.
(2) o와 n 사이에 2개의 문자를 나열한 후 이를 한 묶음으로 생각한다.

(1) o로 시작하여 e로 끝나는 경우는 o와 e를 제외한 나머지 4개의 문자를 o와 e 사이에 일렬로 나열하는 경우와 같으므로 구하는 경우의 수는
$$4! = 4 \times 3 \times 2 \times 1 = 24$$

(2) o와 n을 제외한 나머지 4개의 문자 중에서 2개를 택하여 o와 n 사이에 일렬로 나열하는 경우의 수는
$$_4P_2 = 4 \times 3 = 12$$
o□□n을 한 문자로 생각하고, 3개의 문자를 일렬로 나열하는 경우의 수는
$$3! = 3 \times 2 \times 1 = 6$$

이때, o와 n이 서로 자리를 바꾸는 경우의 수는
$$2! = 2 \times 1 = 2$$
따라서 구하는 경우의 수는
$$12 \times 6 \times 2 = 144$$

04-2 답 288

|해결 전략| 양 끝에 자음을 먼저 나열한 후 그 사이에 나머지 문자를 나열한다.

자음 g, r, n, d 중에서 2개를 택하여 양 끝에 나열하는 경우의 수는
$$_4P_2 = 4 \times 3 = 12$$
양 끝의 자음을 제외한 나머지 4개의 문자를 일렬로 나열하는 경우의 수는
$$4! = 4 \times 3 \times 2 \times 1 = 24$$
따라서 구하는 경우의 수는
$$12 \times 24 = 288$$

05-1 답 84

|해결 전략| 다섯 개의 숫자를 일렬로 나열하는 경우의 수에서 양 끝이 모두 홀수인 경우의 수를 뺀다.

5개의 숫자를 일렬로 나열하는 경우의 수는
$$5! = 5 \times 4 \times 3 \times 2 \times 1 = 120$$
양 끝에 홀수 1, 3, 5 중에서 2개를 택하여 나열하는 경우의 수는
$$_3P_2 = 3 \times 2 = 6$$
양 끝의 홀수를 제외한 나머지 숫자 3개를 일렬로 나열하는 경우의 수는
$$3! = 3 \times 2 \times 1 = 6$$
양 끝이 모두 홀수인 경우의 수는 $6 \times 6 = 36$
따라서 구하는 경우의 수는
$$120 - 36 = 84$$

다른 풀이

(i) 왼쪽 끝이 짝수, 오른쪽 끝이 홀수인 경우의 수는
$$2 \times 3 \times 3! = 2 \times 3 \times 6 = 36$$
(ii) 왼쪽 끝이 홀수, 오른쪽 끝이 짝수인 경우의 수는
$$3 \times 2 \times 3! = 3 \times 2 \times 6 = 36$$
(iii) 양 끝이 모두 짝수인 경우의 수는
$$_2P_2 \times 3! = 2 \times 6 = 12$$
(i), (ii), (iii)에서 구하는 경우의 수는 $36 + 36 + 12 = 84$

05-2 답 432

|해결 전략| 여섯 개의 문자를 일렬로 나열하는 경우의 수에서 양 끝이 모두 자음인 경우의 수를 뺀다.

6개의 문자를 일렬로 나열하는 경우의 수는
$$6! = 6 \times 5 \times 4 \times 3 \times 2 \times 1 = 720$$
양 끝에 자음 x, p, r, t 중에서 2개를 택하여 나열하는 경우의 수는
$$_4P_2 = 4 \times 3 = 12$$
양 끝의 자음을 제외한 나머지 문자 4개를 일렬로 나열하는 경우의 수는
$$4! = 4 \times 3 \times 2 \times 1 = 24$$
양 끝이 모두 자음인 경우의 수는 $12 \times 24 = 288$
따라서 구하는 경우의 수는
$$720 - 288 = 432$$

다른 풀이

(i) 왼쪽 끝이 자음, 오른쪽 끝이 모음인 경우의 수는

$4 \times 2 \times 4! = 4 \times 2 \times 24 = 192$

(ii) 왼쪽 끝이 모음, 오른쪽 끝이 자음인 경우의 수는

$2 \times 4 \times 4! = 2 \times 4 \times 24 = 192$

(iii) 양 끝이 모두 모음인 경우의 수는

$_2P_2 \times 4! = 2 \times 24 = 48$

(i), (ii), (iii)에서 구하는 경우의 수는 $192 + 192 + 48 = 432$

06-1 🄰 (1) 156 (2) 108

|해결 전략| (1) 일의 자리의 숫자가 0인 경우와 2 또는 4인 경우로 나누어 생각한다.

(2) 일의 자리의 숫자가 0인 경우와 5인 경우로 나누어 생각한다.

(1) 짝수는 일의 자리의 숫자가 0, 2, 4이므로 □□□0, □□□2, □□□4 꼴이다.

  (i) □□□0 꼴

    천의 자리, 백의 자리, 십의 자리에 올 수 있는 숫자의 개수는 1, 2, 3, 4, 5의 5개의 숫자 중에서 3개를 택하여 일렬로 나열하는 순열의 수와 같으므로

    $_5P_3 = 5 \times 4 \times 3 = 60$

  (ii) □□□2, □□□4 꼴

    천의 자리에 올 수 있는 숫자는 0과 일의 자리에 온 숫자를 제외한 4개의 숫자 중 하나이고, 그 각각에 대하여 백의 자리, 십의 자리에 올 수 있는 숫자의 개수는

    나머지 4개의 숫자 중에서 2개를 택하여 일렬로 나열하는 순열의 수 $_4P_2$와 같으므로

    $2 \times 4 \times _4P_2 = 96$

  (i), (ii)에서 구하는 짝수의 개수는

  $60 + 96 = 156$

(2) 5의 배수는 일의 자리의 숫자가 0, 5이므로 □□□0, □□□5 꼴이다.

  (i) □□□0 꼴

    천의 자리, 백의 자리, 십의 자리에 올 수 있는 숫자의 개수는 1, 2, 3, 4, 5의 5개의 숫자 중에서 3개를 택하여 일렬로 나열하는 순열의 수와 같으므로

    $_5P_3 = 5 \times 4 \times 3 = 60$

  (ii) □□□5 꼴

    천의 자리에 올 수 있는 숫자는 0과 5를 제외한 4개의 숫자 중 하나이고, 그 각각에 대하여 백의 자리, 십의 자리에 올 수 있는 숫자의 개수는 나머지 4개의 숫자 중에서 2개를 택하여 일렬로 나열하는 순열의 수 $_4P_2$와 같으므로

    $4 \times _4P_2 = 48$

  (i), (ii)에서 구하는 5의 배수의 개수는

  $60 + 48 = 108$

07-1 🄰 14번째

|해결 전략| a□□□ 꼴인 문자열부터 ma□□ 꼴인 문자열까지의 배열을 생각한다.

---

a□□□ 꼴인 문자열의 개수 ➡ $3! = 6$

h□□□ 꼴인 문자열의 개수 ➡ $3! = 6$

이때, math는 ma□□ 꼴에서 두 번째에 오는 문자열이므로

$6 + 6 + 2 = 14$(번째)

에 오는 문자열이다.

07-2 🄰 84

|해결 전략| 24□□□ 꼴인 자연수부터 5□□□□ 꼴인 자연수까지의 배열을 생각한다.

24□□□ 꼴인 자연수의 개수 ➡ $3! = 6$

25□□□ 꼴인 자연수의 개수 ➡ $3! = 6$

3□□□□ 꼴인 자연수의 개수 ➡ $4! = 24$

4□□□□ 꼴인 자연수의 개수 ➡ $4! = 24$

5□□□□ 꼴인 자연수의 개수 ➡ $4! = 24$

따라서 24000보다 큰 자연수의 개수는

$6 + 6 + 24 + 24 + 24 = 84$

3 조합

개념 확인   199쪽~200쪽

1 (1) 10 (2) 4 (3) 4 (4) 35

2 (1) 15 (2) 28 (3) 6 (4) 20

1 (1) $_5C_2 = \dfrac{_5P_2}{2!} = \dfrac{5 \times 4}{2 \times 1} = 10$

  (2) $_4C_3 = \dfrac{_4P_3}{3!} = \dfrac{4 \times 3 \times 2}{3 \times 2 \times 1} = 4$

  (3) $_4C_1 = \dfrac{_4P_1}{1!} = 4$

  (4) $_7C_4 = \dfrac{_7P_4}{4!} = \dfrac{7 \times 6 \times 5 \times 4}{4 \times 3 \times 2 \times 1} = 35$

2 (1) $_6C_4 = _6C_2 = \dfrac{_6P_2}{2!} = \dfrac{6 \times 5}{2 \times 1} = 15$

  (2) $_8C_6 = _8C_2 = \dfrac{_8P_2}{2!} = \dfrac{8 \times 7}{2 \times 1} = 28$

  (3) $_3C_2 + _3C_1 = _4C_2 = \dfrac{_4P_2}{2!} = \dfrac{4 \times 3}{2 \times 1} = 6$

  (4) $_5C_3 + _5C_2 = _6C_3 = \dfrac{_6P_3}{3!} = \dfrac{6 \times 5 \times 4}{3 \times 2 \times 1} = 20$

1 (1) $_{10}C_4$ (2) $_7C_2$ (3) $_{12}C_3 \times _{13}C_2$ (4) $_6C_1 \times _4C_2$ (5) $_4C_1 \times _3C_1 \times _6C_4$

2 (1) 21 (2) 1 (3) 1 (4) 7 (5) 35 (6) 84

3 (1) 7 (2) 11 (3) 4

1 (1) 서로 다른 10개에서 4개를 택하는 조합의 수와 같으므로 $_{10}C_4$

(2) 서로 다른 7개에서 2개를 택하는 조합의 수와 같으므로 $_7C_2$

(3) 남학생 12명 중에서 3명을 뽑는 방법의 수는 $_{12}C_3$
여학생 13명 중에서 2명을 뽑는 방법의 수는 $_{13}C_2$
따라서 구하는 방법의 수는 $_{12}C_3 \times _{13}C_2$

(4) 빨간색 공 6개 중에서 1개를 뽑는 방법의 수는 $_6C_1$
파란색 공 4개 중에서 2개를 뽑는 방법의 수는 $_4C_2$
따라서 구하는 방법의 수는 $_6C_1 \times _4C_2$

(5) 볼펜 4자루 중에서 1자루를 뽑는 방법의 수는 $_4C_1$
연필 3자루 중에서 1자루를 뽑는 방법의 수는 $_3C_1$
샤프 6자루 중에서 4자루를 뽑는 방법의 수는 $_6C_4$
따라서 구하는 방법의 수는 $_4C_1 \times _3C_1 \times _6C_4$

2 (1) $_7C_2 = \dfrac{_7P_2}{2!} = \dfrac{7 \times 6}{2 \times 1} = 21$

(2) $_{12}C_0 = 1$

(3) $_8C_8 = 1$

(4) $_7C_6 = _7C_1 = 7$

(5) $_6C_4 + _6C_3 = _7C_4 = _7C_3 = \dfrac{_7P_3}{3!} = \dfrac{7 \times 6 \times 5}{3 \times 2 \times 1} = 35$

(6) $_8C_3 + _8C_2 = _9C_3 = \dfrac{_9P_3}{3!} = \dfrac{9 \times 8 \times 7}{3 \times 2 \times 1} = 84$

3 (1) $_nC_2 = 21$에서
$\dfrac{n(n-1)}{2 \times 1} = 21,\ n(n-1) = 42$
이때, $42 = 7 \times 6$이므로 $n = 7$

(2) $_nC_3 = 165$에서
$\dfrac{n(n-1)(n-2)}{3 \times 2 \times 1} = 165,\ n(n-1)(n-2) = 990$
이때, $990 = 11 \times 10 \times 9$이므로 $n = 11$

(3) $_8C_r = 70$에서
$\dfrac{8!}{r!(8-r)!} = 70,\ 70 \times r!(8-r)! = 8!$
$7 \times 5 \times 2 \times r!(8-r)! = 8 \times 7 \times 6 \times 5 \times 4 \times 3 \times 2 \times 1$
$r!(8-r)! = 8 \times 6 \times 4 \times 3 \times 1$
$r!(8-r)! = (4 \times 3 \times 2 \times 1) \times (4 \times 3 \times 2 \times 1)$
$\therefore r = 4$

01-1 답 12

|해결 전략| 조합의 수를 식으로 나타낸다.

$_{n+2}C_n = _{n+2}C_{n+2-n} = _{n+2}C_2$,
$_{n+1}C_{n-1} = _{n+1}C_{n+1-(n-1)} = _{n+1}C_2$이므로
$_{n+2}C_n + _{n+1}C_{n-1} = 169$, 즉 $_{n+2}C_2 + _{n+1}C_2 = 169$에서
$\dfrac{(n+2)(n+1)}{2 \times 1} + \dfrac{(n+1)n}{2 \times 1} = 169$
$(n+2)(n+1) + n(n+1) = 338$
$n^2 + 3n + 2 + n^2 + n = 338$
$n^2 + 2n + 1 = 169,\ (n+1)^2 = 169$
$n+1 = 13\ (\because n+1 \geq 2)$
$\therefore n = 12$

01-2 답 8

|해결 전략| 조합의 수와 순열의 수를 식으로 나타낸다.

$_nC_2 + _{n+1}C_3 = 2_nP_2$에서
$\dfrac{n(n-1)}{2 \times 1} + \dfrac{(n+1)n(n-1)}{3 \times 2 \times 1} = 2n(n-1)$
$n \geq 2$이므로 양변을 $n(n-1)$로 나누면
$\dfrac{1}{2} + \dfrac{n+1}{6} = 2,\ 3 + n + 1 = 12$
$\therefore n = 8$

02-1 답 360

|해결 전략| n명 중에서 r명을 뽑는 방법의 수는 $_nC_r$이다.

10명 중에서 회장 1명을 뽑는 방법의 수는
$_{10}C_1 = 10$
회장 1명을 제외한 나머지 9명 중에서 부회장 2명을 뽑는 방법의 수는
$_9C_2 = \dfrac{9 \times 8}{2 \times 1} = 36$
따라서 구하는 방법의 수는
$10 \times 36 = 360$

02-2 답 21

|해결 전략| 모두 남학생을 뽑는 방법의 수와 모두 여학생을 뽑는 방법의 수를 구한다.

남학생 6명 중에서 2명의 대표를 뽑는 방법의 수는
$_6C_2 = \dfrac{6 \times 5}{2 \times 1} = 15$
여학생 4명 중에서 2명의 대표를 뽑는 방법의 수는
$_4C_2 = \dfrac{4 \times 3}{2 \times 1} = 6$
따라서 구하는 방법의 수는
$15 + 6 = 21$

03-1 답 (1) 1 (2) 10

|해결 전략| (2) 서로 다른 n개에서 r개를 뽑을 때, 특정한 k개가 포함되지 않는 경우의 수는 $(n-k)$개에서 r개를 뽑는 경우의 수와 같다.

(1) A, B, C가 모두 포함되는 경우의 수는 1

(2) A, B, C를 제외한 나머지 5명 중에서 3명을 뽑으면 되므로 구하는 경우의 수는

$$_5C_3 = _5C_2 = \frac{5 \times 4}{2 \times 1} = 10$$

참고

서로 다른 n개에서 r개를 뽑을 때
❶ 특정한 k개를 포함하여 뽑는 방법의 수 ➡ $_{n-k}C_{r-k}$
❷ 특정한 k개를 제외하고 뽑는 방법의 수 ➡ $_{n-k}C_r$

03-2 답 15

|해결 전략| A는 포함되므로 나머지 9명 중에서 B, C, D가 포함되지 않게 2명을 뽑는다.

A를 먼저 뽑고, B, C, D를 제외한 나머지 6명 중에서 2명을 뽑으면 되므로 구하는 경우의 수는

$$_6C_2 = \frac{6 \times 5}{2 \times 1} = 15$$

04-1 답 74

|해결 전략| 전체 경우의 수에서 모두 소수가 아닌 카드를 뽑는 경우의 수를 뺀다.

9장의 카드 중에서 3장을 뽑는 경우의 수는

$$_9C_3 = \frac{9 \times 8 \times 7}{3 \times 2 \times 1} = 84$$

소수가 아닌 수, 즉 1, 4, 6, 8, 9의 숫자가 적힌 5장의 카드 중에서 3장을 뽑는 경우의 수는

$$_5C_3 = _5C_2 = \frac{5 \times 4}{2 \times 1} = 10$$

따라서 구하는 경우의 수는

84−10=74

다른 풀이

소수 2, 3, 5, 7이 적힌 카드 4장, 소수가 아닌 수 1, 4, 6, 8, 9가 적힌 카드 5장 중에서 소수가 적힌 카드를 적어도 1장 뽑는 경우는

(i) 소수가 적힌 카드 1장, 소수가 아닌 수가 적힌 카드 2장을 뽑는 경우

$$_4C_1 \times _5C_2 = 4 \times \frac{5 \times 4}{2 \times 1} = 40$$

(ii) 소수가 적힌 카드 2장, 소수가 아닌 수가 적힌 카드 1장을 뽑는 경우

$$_4C_2 \times _5C_1 = \frac{4 \times 3}{2 \times 1} \times 5 = 30$$

(iii) 소수가 적힌 카드 3장을 뽑는 경우 $_4C_3 = _4C_1 = 4$

(i), (ii), (iii)에서 구하는 경우의 수는

40+30+4=74

04-2 답 270

|해결 전략| 야구 동아리 학생만 뽑는 방법의 수와 농구 동아리 학생만 뽑는 방법의 수를 구하여 전체 방법의 수에서 뺀다.

전체 14명의 학생 중에서 3명을 뽑는 방법의 수는

$$_{14}C_3 = \frac{14 \times 13 \times 12}{3 \times 2 \times 1} = 364$$

(i) 야구 동아리 학생 9명 중에서 3명을 뽑는 방법의 수는

$$_9C_3 = \frac{9 \times 8 \times 7}{3 \times 2 \times 1} = 84$$

(ii) 농구 동아리 학생 5명 중에서 3명을 뽑는 방법의 수는

$$_5C_3 = _5C_2 = \frac{5 \times 4}{2 \times 1} = 10$$

(i), (ii)에서 야구 동아리에 가입한 학생만 3명을 뽑거나 농구 동아리에 가입한 학생만 3명을 뽑는 방법의 수는

84+10=94

따라서 구하는 방법의 수는

364−94=270

05-1 답 960

|해결 전략| 4권의 책을 뽑는 방법의 수와 일렬로 꽂는 방법의 수를 구한다.

5권의 소설책 중에서 3권을 뽑는 방법의 수는

$$_5C_3 = _5C_2 = \frac{5 \times 4}{2 \times 1} = 10$$

4권의 시집 중에서 1권을 뽑는 방법의 수는

$$_4C_1 = 4$$

뽑힌 4권을 일렬로 꽂는 방법의 수는

$$4! = 4 \times 3 \times 2 \times 1 = 24$$

따라서 구하는 방법의 수는

$$10 \times 4 \times 24 = 960$$

참고

서로 다른 n개에서 r개, 서로 다른 k개에서 l개를 뽑아 일렬로 나열하는 방법의 수 ➡ $_nC_r \times _kC_l \times (r+l)!$

05-2 답 180

|해결 전략| A, B를 이미 뽑았다고 생각하고 나머지 6명 중에서 2명을 뽑는다.

A, B를 이미 뽑았다고 생각하고 나머지 6명 중에서 2명을 뽑는 방법의 수는

$$_6C_2 = \frac{6 \times 5}{2 \times 1} = 15$$

A, B를 한 사람으로 생각하여 3명을 일렬로 세우는 방법의 수는 3!이고, 그 각각의 경우에 대하여 A, B가 서로 자리를 바꾸는 방법의 수는 2!이므로

$$3! \times 2! = 12$$

따라서 구하는 방법의 수는

$$15 \times 12 = 180$$

06-1 답 17

|해결 전략| 일직선 위에 있는 점 중에서 2개의 점을 이어 만드는 직선은 모두 같은 직선이다.

8개의 점 중에서 2개를 택하는 방법의 수는

$$_8C_2 = \frac{8 \times 7}{2 \times 1} = 28$$

일직선 위에 있는 3개의 점 중에서 2개를 택하는 방법의 수는

$$_3C_2 = _3C_1 = 3$$

일직선 위에 있는 5개의 점 중에서 2개를 택하는 방법의 수는

$$_5C_2 = \frac{5 \times 4}{2 \times 1} = 10$$

이때, 일직선 위에 있는 점으로 만들 수 있는 직선은 1개뿐이므로 구하는 직선의 개수는 28−3−10+1+1=17

06-2 답 72

|해결 전략| 일직선 위에 있는 점들로는 삼각형이 만들어지지 않는다.

9개의 점 중에서 3개의 점을 택하는 방법의 수는

$$_9C_3 = \frac{9 \times 8 \times 7}{3 \times 2 \times 1} = 84$$

일직선 위에 있는 4개의 점 중에서 3개의 점을 택하는 방법의 수는

$$_4C_3 = {}_4C_1 = 4$$

이때, 일직선 위에 4개의 점이 있는 경우는 3가지이므로 구하는 삼각형의 개수는 $84 - 3 \times 4 = 72$

07-1 답 90

|해결 전략| m개의 평행선과 이와 평행하지 않은 n개의 평행선으로 만들 수 있는 평행사변형의 개수는 $_mC_2 \times {}_nC_2$이다.

가로로 그어진 4개의 평행선에서 2개를 택하는 방법의 수는

$$_4C_2 = \frac{4 \times 3}{2 \times 1} = 6$$

세로로 그어진 6개의 평행선에서 2개를 택하는 방법의 수는

$$_6C_2 = \frac{6 \times 5}{2 \times 1} = 15$$

따라서 구하는 평행사변형의 개수는 $6 \times 15 = 90$

07-2 답 (1) 36 (2) 22

|해결 전략| (2) 가로선과 세로선 사이의 간격을 1이라 하면 한 변의 길이가 1, 2, 3인 정사각형이 만들어진다.

(1) 가로선 4개 중 2개, 세로선 4개 중 2개를 택하면 하나의 직사각형이 만들어지므로 구하는 직사각형의 개수는

$$_4C_2 \times {}_4C_2 = \frac{4 \times 3}{2 \times 1} \times \frac{4 \times 3}{2 \times 1} = 36$$

(2) 가로선과 세로선 사이의 간격이 일정하므로 간격을 1이라 하면 이 선들로 한 변의 길이가 1, 2, 3인 정사각형이 각각 9개, 4개, 1개 만들어진다.

따라서 정사각형의 개수는 $9 + 4 + 1 = 14$이므로 정사각형이 아닌 직사각형의 개수는

$$36 - 14 = 22$$

STEP ③ 유형 드릴 |209쪽~212쪽|

1-1 답 6

|해결 전략| 두 눈의 수의 합이 6의 배수인 경우는 6 또는 12이다.

두 눈의 수의 합이 6의 배수가 되는 경우는 다음과 같다.

(i) 눈의 수의 합이 6인 경우는

(1, 5), (2, 4), (3, 3), (4, 2), (5, 1)의 5가지

(ii) 눈의 수의 합이 12인 경우는

(6, 6)의 1가지

(i), (ii)는 동시에 일어날 수 없으므로 구하는 경우의 수는 합의 법칙에 의하여

$$5 + 1 = 6$$

1-2 답 30

|해결 전략| 2의 배수이면서 5의 배수인 수는 10의 배수이다.

카드에 적힌 수가 2의 배수인 경우는

2, 4, 6, …, 50의 25가지

카드에 적힌 수가 5의 배수인 경우는

5, 10, 15, …, 50의 10가지

카드에 적힌 수가 2와 5의 최소공배수인 10의 배수인 경우는

10, 20, 30, 40, 50의 5가지

따라서 구하는 경우의 수는

$$25 + 10 - 5 = 30$$

2-1 답 12

|해결 전략| x의 값이 1, 2, 3, 4일 때로 각각 나누어 생각한다.

x, y, z가 자연수이므로 $x \geq 1$, $y \geq 1$, $z \geq 1$

주어진 방정식에서 x의 계수의 절댓값이 가장 크므로 x가 될 수 있는 자연수를 구하면

$3x < 15$에서 $x = 1$ 또는 $x = 2$ 또는 $x = 3$ 또는 $x = 4$

(i) $x = 1$일 때, $y + 2z = 12$이므로 순서쌍 (y, z)는

(10, 1), (8, 2), (6, 3), (4, 4), (2, 5)의 5개

(ii) $x = 2$일 때, $y + 2z = 9$이므로 순서쌍 (y, z)는

(7, 1), (5, 2), (3, 3), (1, 4)의 4개

(iii) $x = 3$일 때, $y + 2z = 6$이므로 순서쌍 (y, z)는

(4, 1), (2, 2)의 2개

(iv) $x = 4$일 때, $y + 2z = 3$이므로 순서쌍 (y, z)는

(1, 1)의 1개

따라서 구하는 순서쌍 (x, y, z)의 개수는

$$5 + 4 + 2 + 1 = 12$$

LECTURE

x, y, z를 기준으로 할 때, 각각 몇 가지 경우로 나누어야 하는지 따져 보면 다음과 같다.

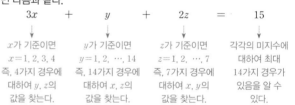

$3x$ +	y +	$2z$ =	15
x가 기준이면 $x = 1, 2, 3, 4$ 즉, 4가지 경우에 대하여 y, z의 값을 찾는다.	y가 기준이면 $y = 1, 2, \cdots, 14$ 즉, 14가지 경우에 대하여 x, z의 값을 찾는다.	z가 기준이면 $z = 1, 2, \cdots, 7$ 즉, 7가지 경우에 대하여 x, y의 값을 찾는다.	각각의 미지수에 대하여 최대 14가지 경우가 있음을 알 수 있다.

즉, 여러 미지수 중에서 계수의 절댓값이 가장 큰 미지수의 값을 먼저 정하여 푸는 것이 간편하다.

2-2 답 20

|해결 전략| y의 값이 0, 1, 2, 3일 때로 각각 나누어 생각한다.

x, y가 음이 아닌 정수이므로 $x \geq 0$, $y \geq 0$

주어진 부등식에서 y의 계수의 절댓값이 더 크므로 y가 될 수 있는 음이 아닌 정수를 구하면

$2y \leq 7$에서 $y = 0$ 또는 $y = 1$ 또는 $y = 2$ 또는 $y = 3$

(i) $y = 0$일 때, $x \leq 7$이므로 x는

0, 1, 2, 3, 4, 5, 6, 7의 8가지

(ii) $y=1$일 때, $x \le 5$이므로 x는

    $0, 1, 2, 3, 4, 5$의 6가지

(iii) $y=2$일 때, $x \le 3$이므로 x는

    $0, 1, 2, 3$의 4가지

(iv) $y=3$일 때, $x \le 1$이므로 x는

    $0, 1$의 2가지

따라서 구하는 순서쌍 (x, y)의 개수는

  $8+6+4+2=20$

3-1 답 9

| 해결 전략 | 곱의 법칙을 이용하여 서로 다른 항의 개수를 구한다.

$(a+b)^2(x+y+z)=(a^2+2ab+b^2)(x+y+z)$에서 $a^2, 2ab, b^2$ 중 어느 하나를 택하면 그 각각에 대하여 x, y, z의 3가지 중 하나를 선택할 수 있으므로 구하는 항의 개수는 곱의 법칙에 의하여

  $3 \times 3 = 9$

3-2 답 10

| 해결 전략 | 곱의 법칙과 합의 법칙을 이용하여 서로 다른 항의 개수를 구한다.

$(a+b)(p-q)$에서 a, b 중 어느 하나를 택하면 그 각각에 대하여 p, $-q$의 2가지 중 하나를 선택할 수 있으므로 항의 개수는 곱의 법칙에 의하여

  $2 \times 2 = 4$

$(c-d)(x+y+z)$에서 c, $-d$ 중 어느 하나를 택하면 그 각각에 대하여 x, y, z의 3가지 중 하나를 선택할 수 있으므로 항의 개수는 곱의 법칙에 의하여

  $2 \times 3 = 6$

이때, 곱해지는 각 항이 모두 서로 다른 문자이므로 동류항은 없다.

따라서 구하는 항의 개수는 합의 법칙에 의하여

  $4+6=10$

4-1 답 12

| 해결 전략 | A도시에서 출발하여 B도시를 지나 C도시로 갈 때와 D도시를 지나 C도시로 갈 때로 나누어 생각한다.

(i) A → B → C로 가는 방법의 수는 곱의 법칙에 의하여

    $3 \times 2 = 6$

(ii) A → D → C로 가는 방법의 수는 곱의 법칙에 의하여

    $2 \times 3 = 6$

(i), (ii)는 동시에 일어날 수 없으므로 구하는 방법의 수는 합의 법칙에 의하여 $6+6=12$

4-2 답 64

| 해결 전략 | 갈 때와 돌아올 때 모두 B도시를 지나지 않을 때, 갈 때만 또는 돌아올 때만 B도시를 지날 때, 갈 때와 돌아올 때 모두 B도시를 지날 때로 나누어 생각한다.

(i) A → C → A로 가는 방법의 수는 곱의 법칙에 의하여

    $2 \times 2 = 4$

(ii) A → B → C → A로 가는 방법의 수는 곱의 법칙에 의하여

    $3 \times 2 \times 2 = 12$

(iii) A → C → B → A로 가는 방법의 수는 곱의 법칙에 의하여

    $2 \times 2 \times 3 = 12$

(iv) A → B → C → B → A로 가는 방법의 수는 곱의 법칙에 의하여

    $3 \times 2 \times 2 \times 3 = 36$

(i)~(iv)는 동시에 일어날 수 없으므로 구하는 방법의 수는 합의 법칙에 의하여

  $4+12+12+36=64$

5-1 답 48

| 해결 전략 | 이웃하는 영역이 가장 많은 영역부터 칠한다.

B에 칠할 수 있는 색 ➡ 4가지

A에 칠할 수 있는 색 ➡ $4-1=3$(가지)
                   ↳ B에 칠한 색 제외

C에 칠할 수 있는 색 ➡ $4-2=2$(가지)
                   ↳ A와 B에 칠한 색 제외

D에 칠할 수 있는 색 ➡ $4-2=2$(가지)
                   ↳ B와 C에 칠한 색 제외

따라서 구하는 방법의 수는 곱의 법칙에 의하여

  $4 \times 3 \times 2 \times 2 = 48$

참고

B, C 모두 이웃하는 영역이 3개이므로 C를 먼저 칠해도 같은 방법의 수를 구할 수 있다.

5-2 답 420

| 해결 전략 | A, B, C, D, E 순으로 색을 칠할 때, E에 칠할 수 있는 색은 B와 D에 칠한 색이 같은 경우와 서로 다른 경우에 따라 달라진다. 따라서 B, D에 같은 색을 칠할 경우와 서로 다른 색을 칠할 경우로 나누어 생각한다.

(i) B, D에 같은 색을 칠할 경우 (B=D)

  A에 칠할 수 있는 색 ➡ 5가지

  B에 칠할 수 있는 색 ➡ $5-1=4$(가지)
                     ↳ A에 칠한 색 제외

  C에 칠할 수 있는 색 ➡ $5-2=3$(가지)
                     ↳ A와 B에 칠한 색 제외

  D에 칠할 수 있는 색 ➡ 1가지

  E에 칠할 수 있는 색 ➡ $5-2=3$(가지)
                     ↳ A와 B(D)에 칠한 색 제외

  따라서 방법의 수는 곱의 법칙에 의하여

    $5 \times 4 \times 3 \times 1 \times 3 = 180$

(ii) B, D에 서로 다른 색을 칠할 경우 (B≠D)

  A에 칠할 수 있는 색 ➡ 5가지

  B에 칠할 수 있는 색 ➡ $5-1=4$(가지)
                     ↳ A에 칠한 색 제외

  C에 칠할 수 있는 색 ➡ $5-2=3$(가지)
                     ↳ A와 B에 칠한 색 제외

  D에 칠할 수 있는 색 ➡ $5-3=2$(가지)
                     ↳ A와 B와 C에 칠한 색 제외

  E에 칠할 수 있는 색 ➡ $5-3=2$(가지)
                     ↳ A와 B와 D에 칠한 색 제외

  따라서 방법의 수는 곱의 법칙에 의하여

    $5 \times 4 \times 3 \times 2 \times 2 = 240$

(i), (ii)는 동시에 일어날 수 없으므로 구하는 방법의 수는 합의 법칙에 의하여 $180+240=420$

참고

C, E에 같은 색을 칠할 경우와 C, E에 서로 다른 색을 칠할 경우로 나누어도 같은 방법의 수를 구할 수 있다.

6-1 답 288

|해결 전략| 이웃하는 것을 하나로 묶어서 생각한다. 이때, 묶음 안의 순서도 고려한다.

국어책 2권을 한 권으로, 영어책 3권을 한 권으로 생각하여 4권을 일렬로 꽂는 방법의 수는

$4!=4\times3\times2\times1=24$

그 각각에 대하여

국어책 2권의 자리를 바꾸는 방법의 수는 $2!=2\times1=2$

영어책 3권의 자리를 바꾸는 방법의 수는 $3!=3\times2\times1=6$

따라서 구하는 방법의 수는

$24\times2\times6=288$

6-2 답 1440

|해결 전략| 이웃해도 되는 것을 먼저 나열하고 그 사이사이와 양 끝에 이웃하지 않아야 하는 것을 나열한다.

홀수 1, 3, 5, 7을 일렬로 나열하는 방법의 수는

$4!=4\times3\times2\times1=24$

홀수 사이사이와 양 끝의 5개의 자리 중에서 3개의 자리를 택하여 짝수를 나열하는 방법의 수는

$_5P_3=5\times4\times3=60$

따라서 구하는 방법의 수는

$24\times60=1440$

7-1 답 20

|해결 전략| j를 맨 앞에 두고 2개의 문자를 이어서 나열한다.

맨 앞에 j가 오도록 나열하는 경우는 j를 제외한 나머지 5개의 문자 중에서 2개를 택하여 일렬로 나열하는 경우와 같으므로 구하는 방법의 수는

$_5P_2=5\times4=20$

7-2 답 96

|해결 전략| 두 번째에 학생 B를 세울 수 없음을 생각한다.

학생 A를 맨 앞에 세우고 B는 A와 이웃하지 않게 세우는 경우는 두 번째에 학생 B를 제외한 4명 중 한 명을 세우고, 나머지 4명을 일렬로 세우는 경우와 같으므로 구하는 방법의 수는

$4\times4!=96$

B를 제외한 4명 중 1명

주의

7-2 문제를

(6명을 일렬로 세우는 방법의 수)$-$(A와 B가 이웃하게 서는 방법의 수)

로 풀면 안 된다.

왜냐하면 이 경우는 A가 맨 앞에 서는 조건을 생각하지 않았기 때문이다.

8-1 답 36

|해결 전략| 모든 학생 중에서 반장, 부반장을 뽑는 경우의 수에서 반장, 부반장 모두 남학생이 뽑히는 경우의 수를 뺀다.

7명의 학생 중에서 반장 1명, 부반장 1명을 뽑는 경우의 수는

$_7P_2=7\times6=42$

반장, 부반장 모두 남학생이 뽑히는 경우의 수는

$_3P_2=3\times2=6$

따라서 구하는 경우의 수는

$42-6=36$

8-2 답 576

|해결 전략| 모든 문자를 일렬로 나열하는 방법의 수에서 a, b, c가 서로 이웃하지 않도록 나열하는 방법의 수를 뺀다.

6개의 문자를 일렬로 나열하는 방법의 수는

$6!=6\times5\times4\times3\times2\times1=720$

a, b, c를 제외한 나머지 3개의 문자를 나열하는 방법의 수는 $3!=6$이고, 이 세 문자 사이사이와 양 끝의 4개의 자리 중에서 3개의 자리를 택하여 a, b, c를 나열하는 방법의 수는 $_4P_3=24$이므로 a, b, c가 서로 이웃하지 않도록 나열하는 방법의 수는

$6\times24=144$

따라서 구하는 방법의 수는

$720-144=576$

9-1 답 52

|해결 전략| 일의 자리의 숫자가 0인 경우와 2 또는 4인 경우로 나누어 생각한다.

짝수는 일의 자리의 숫자가 0, 2, 4이므로 □□0, □□2, □□4 꼴이다.

(i) □□0 꼴

백의 자리, 십의 자리에는 1, 2, 3, 4, 5의 5개의 숫자 중에서 2개를 택하여 나열하면 되므로

$_5P_2=5\times4=20$

(ii) □□2, □□4 꼴

백의 자리에 올 수 있는 숫자는 0과 일의 자리에 온 숫자를 제외한 4개의 숫자 중 하나이고, 그 각각에 대하여 십의 자리에 올 수 있는 숫자는 4개이므로

$2\times4\times4=32$

(i), (ii)에서 구하는 짝수의 개수는

$20+32=52$

9-2 답 36

|해결 전략| 일의 자리의 숫자는 1 또는 3임을 생각한다.

홀수는 일의 자리의 숫자가 1, 3이므로 □□□1, □□□3 꼴이다.
천의 자리에 올 수 있는 숫자는 0과 일의 자리에 온 숫자를 제외한 3개의 숫자 중 하나이고, 그 각각에 대하여 백의 자리, 십의 자리에 올 수 있는 숫자는 나머지 3개의 숫자 중에서 2개를 택하여 나열하면 되므로 구하는 홀수의 개수는

$2 \times 3 \times {}_3\mathrm{P}_2 = 36$

10-1 📖 144
|해결 전략| 45□□ 꼴인 자연수부터 6□□□ 꼴인 자연수까지의 배열을 생각한다.

45□□ 꼴인 자연수의 개수 ➡ ${}_4\mathrm{P}_2 = 12$
46□□ 꼴인 자연수의 개수 ➡ ${}_4\mathrm{P}_2 = 12$
5□□□ 꼴인 자연수의 개수 ➡ ${}_5\mathrm{P}_3 = 60$
6□□□ 꼴인 자연수의 개수 ➡ ${}_5\mathrm{P}_3 = 60$
따라서 4400보다 큰 자연수의 개수는
$12+12+60+60 = 144$

10-2 📖 61번째
|해결 전략| a□□□□ 꼴인 문자열부터 cd□□□ 꼴인 문자열까지의 배열을 생각한다.

a□□□□ 꼴인 문자열의 개수 ➡ $4! = 24$
b□□□□ 꼴인 문자열의 개수 ➡ $4! = 24$
ca□□□ 꼴인 문자열의 개수 ➡ $3! = 6$
cb□□□ 꼴인 문자열의 개수 ➡ $3! = 6$
이때, $cdabe$는 cd□□□ 꼴에서 첫 번째에 오는 문자열이므로
$24+24+6+6+1 = 61$(번째)
에 오는 문자열이다.

11-1 📖 5
|해결 전략| 순열의 수와 조합의 수를 식으로 나타낸다.
${}_{n+1}\mathrm{C}_{n-1} = {}_{n+1}\mathrm{C}_{n+1-(n-1)} = {}_{n+1}\mathrm{C}_2$이므로
${}_{n-1}\mathrm{P}_2 + 3 = {}_{n+1}\mathrm{C}_{n-1}$, 즉 ${}_{n-1}\mathrm{P}_2 + 3 = {}_{n+1}\mathrm{C}_2$에서
$(n-1)(n-2)+3 = \dfrac{(n+1)n}{2}$
$2n^2-6n+4+6 = n^2+n$
$n^2-7n+10 = 0$, $(n-2)(n-5) = 0$
$\therefore n=5 \ (\because n \geq 3)$

11-2 📖 5
|해결 전략| 순열의 수와 조합의 수를 식으로 나타낸다.
${}_n\mathrm{P}_2 + 4{}_n\mathrm{C}_3 = {}_n\mathrm{P}_3$에서
$n(n-1) + 4 \times \dfrac{n(n-1)(n-2)}{3 \times 2 \times 1} = n(n-1)(n-2)$
$n \geq 3$이므로 양변을 $n(n-1)$로 나누면
$1 + \dfrac{2(n-2)}{3} = n-2$, $3+2n-4 = 3n-6$
$\therefore n=5$

12-1 📖 37
|해결 전략| 원소의 개수가 1, 2, 3일 때로 나누어 생각한다.
(i) 원소의 개수가 1일 때, 부분집합의 개수는
  {1}의 1
(ii) 원소의 개수가 2일 때, 1을 제외한 8개의 원소 중에서 1개를 택하면 되므로 부분집합의 개수는
  ${}_8\mathrm{C}_1 = 8$
(iii) 원소의 개수가 3일 때, 1을 제외한 8개의 원소 중에서 2개를 택하면 되므로 부분집합의 개수는
  ${}_8\mathrm{C}_2 = \dfrac{8 \times 7}{2 \times 1} = 28$
(i), (ii), (iii)에서 구하는 부분집합의 개수는
$1+8+28 = 37$

12-2 📖 35
|해결 전략| 8보다 작은 원소 중 3개를 선택한다.
$n(A)=4$이고, 집합 A의 원소 중 가장 큰 원소는 8이므로
1, 2, 3, $\cdots$, 7 중에서 원소 3개를 선택하면 된다.
따라서 구하는 집합 A의 개수는
${}_7\mathrm{C}_3 = \dfrac{7 \times 6 \times 5}{3 \times 2 \times 1} = 35$

13-1 📖 195
|해결 전략| 전체 경우의 수에서 20대만 뽑는 경우의 수를 뺀다.
전체 10명 중에서 4명을 뽑는 경우의 수는
${}_{10}\mathrm{C}_4 = \dfrac{10 \times 9 \times 8 \times 7}{4 \times 3 \times 2 \times 1} = 210$
20대 6명 중에서 4명을 뽑는 경우의 수는
${}_6\mathrm{C}_4 = {}_6\mathrm{C}_2 = \dfrac{6 \times 5}{2 \times 1} = 15$
따라서 구하는 경우의 수는
$210 - 15 = 195$

13-2 📖 120
|해결 전략| 남학생만 뽑는 방법의 수와 여학생만 뽑는 방법의 수를 구한다.
전체 9명의 학생 중에서 4명을 뽑는 방법의 수는
${}_9\mathrm{C}_4 = \dfrac{9 \times 8 \times 7 \times 6}{4 \times 3 \times 2 \times 1} = 126$
(i) 남학생 5명 중에서 4명을 뽑는 방법의 수는 ${}_5\mathrm{C}_4 = {}_5\mathrm{C}_1 = 5$
(ii) 여학생 4명 중에서 4명을 뽑는 방법의 수는 ${}_4\mathrm{C}_4 = 1$
(i), (ii)에서 남학생만 4명을 뽑거나 여학생만 4명을 뽑는 방법의 수는
$5+1 = 6$
따라서 구하는 방법의 수는
$126 - 6 = 120$

14-1 답 3600

|해결 전략| 풍선과 깃발을 각각 뽑아서 나열한다.

5개의 풍선에서 3개의 풍선을 택하는 경우의 수는

$$_5C_3 = {_5}C_2 = \frac{5 \times 4}{2 \times 1} = 10$$

3개의 깃발에서 2개의 깃발을 택하는 경우의 수는

$$_3C_2 = {_3}C_1 = 3$$

5개를 일렬로 나열하는 경우의 수는

$$5! = 5 \times 4 \times 3 \times 2 \times 1 = 120$$

따라서 구하는 신호의 가짓수는

$$10 \times 3 \times 120 = 3600$$

14-2 답 21600

|해결 전략| A, B는 포함되므로 나머지 학생 중에서 2명씩 뽑는다.

A를 제외한 남학생 5명 중에서 2명을 뽑는 경우의 수는

$$_5C_2 = \frac{5 \times 4}{2 \times 1} = 10$$

B를 제외한 여학생 3명 중에서 2명을 뽑는 경우의 수는

$$_3C_2 = {_3}C_1 = 3$$

A, B를 포함하여 뽑힌 6명을 일렬로 세우는 경우의 수는

$$6! = 6 \times 5 \times 4 \times 3 \times 2 \times 1 = 720$$

따라서 구하는 경우의 수는

$$10 \times 3 \times 720 = 21600$$

15-1 답 80

|해결 전략| 원에서 지름에 대한 원주각의 크기는 90°임을 이용하여 직각삼각형의 개수를 구한다.

정십각형의 10개의 꼭짓점 중에서 3개의 점을 선택하여 만들 수 있는 삼각형의 개수는

$$_{10}C_3 = \frac{10 \times 9 \times 8}{3 \times 2 \times 1} = 120$$

정십각형에 외접하는 외접원에 대하여 10개의 점으로 만들 수 있는 지름은 5개이고, 1개의 지름에 대하여 8개의 직각삼각형을 만들 수 있으므로 만들 수 있는 직각삼각형의 개수는

$$5 \times 8 = 40$$

따라서 구하는 삼각형의 개수는

$$120 - 40 = 80$$

LECTURE

오른쪽 그림과 같이 선분 AF를 그으면 8개의 점을 다른 꼭짓점으로 하는 직각삼각형 8개를 만들 수 있다.
선분 BG, CH, DI, EJ에 대하여도 마찬가지로 생각할 수 있으므로 직각삼각형의 개수는 8×5=40

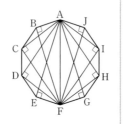

15-2 답 52

|해결 전략| 일직선 위에 있는 점 중에서 3개의 점을 택하면 삼각형을 만들 수 없다.

8개의 점 중에서 3개를 택하는 방법의 수는

$$_8C_3 = \frac{8 \times 7 \times 6}{3 \times 2 \times 1} = 56$$

일직선 위에 있는 3개의 점 중에서 3개를 택하는 방법의 수는

$$_3C_3 = 1$$

일직선 위에 3개의 점이 있는 경우는 4가지이므로 구하는 삼각형의 개수는

$$56 - 4 \times 1 = 52$$

16-1 답 185

|해결 전략| 일직선 위에 있는 점 중에서 3개 또는 4개의 점을 택하면 사각형을 만들 수 없다.

10개의 점 중에서 4개를 택하는 방법의 수는

$$_{10}C_4 = \frac{10 \times 9 \times 8 \times 7}{4 \times 3 \times 2 \times 1} = 210$$

일직선 위에 있는 4개의 점 중에서 4개를 택하는 방법의 수는

$$_4C_4 = 1$$

일직선 위에 있는 3개의 점과 곡선 위에 있는 1개의 점을 택하는 방법의 수는

$$_4C_3 \times 6 = {_4}C_1 \times 6 = 4 \times 6 = 24$$

따라서 구하는 사각형의 개수는

$$210 - 1 - 24 = 185$$

참고

어느 세 점도 일직선 위에 있지 않은 서로 다른 n개의 점 중에서 m개의 점을 꼭짓점으로 하는 m각형의 개수 ➡ $_nC_m$

16-2 답 40

|해결 전략| 가로로 놓인 선 중에서 2개, 세로로 놓인 선 중에서 2개를 택하면 직사각형이 만들어진다.

직사각형은 가로로 놓인 선 4개 중에서 2개를 택하고, 세로로 놓인 선 5개 중에서 2개를 택하면 만들어지므로 직사각형의 개수는

$$_4C_2 \times {_5}C_2 = \frac{4 \times 3}{2 \times 1} \times \frac{5 \times 4}{2 \times 1} = 6 \times 10 = 60$$

이때, 가장 작은 정사각형의 한 변의 길이를 1이라 하면 한 변의 길이가 1, 2, 3인 정사각형의 개수는 각각 12, 6, 2이므로 정사각형의 개수는

$$12 + 6 + 2 = 20$$

따라서 정사각형이 아닌 직사각형의 개수는

$$60 - 20 = 40$$